D1116957

JEAN LINIGER

PHILIPPE DE COMMYNES

DU MEME AUTEUR

LE MONDE ET DIEU SELON PHILIPPE DE COMMYNES, *Neufchâtel, 1943.*

L'EQUILIBRE EUROPÉEN SELON PHILIPPE DE COMMYNES, *Mémoires de la société d'histoire de Commynes et de la région, 1978.*

ASPECT FINANCIER DE LA RÉVOLUTION NEUCHATELOISE DE 1848, *tirage à part du Musée neuchâtelois, 1939.*

LE PAYS DE NEUCHATEL, 1948. *Ouvrage collectif publié à l'occasion du centenaire de la république et canton de Neuchâtel. 21 volumes préfacés par l'auteur.*

LE RÉGIONALISME NEUCHATELOIS, *La Baconnière, 1961, en collaboration avec divers auteurs.*

UN OFFICIER SUISSE AU SERVICE DE LA FRANCE, Georges-Henri Pointet, 1908-1944. *Vie, textes et documents, 1967.*

EN PREPARATION :

LES POUVOIRS LOCAUX DANS QUELQUES PAYS DU TIERS MONDE.
LA COMMUNE, FONDEMENT DE LA DÉMOCRATIE.

JEAN LINIGER

PHILIPPE DE COMMYNES

Notre Machiavel en douceur.

SAINTE-BEUVE.

Avec vingt-cinq documents hors texte et le fac-similé, in texte, d'une lettre inédite de Philippe de Commynes

Librairie Académique Perrin

ISBN 2-262-00119-7

A Carol
Miranda et Cléa.

AVANT-PROPOS

La carrière politique et littéraire de Philippe de Commynes s'est accomplie presque entièrement dans la seconde moitié du XV*e siècle, soit au cours d'une période historique particulièrement riche en événements d'une importance capitale pour le destin de notre continent et de l'ensemble des terres habitées.*

La chute de Constantinople en 1453 sonne le glas d'une certaine Europe. La chrétienté, divisée par de sordides rivalités, renonce à reconquérir les Balkans et la Sainte Ligue, conclue à Venise contre la France, le 31 mars 1495, contraint Charles VIII à repasser les Alpes qu'il avait franchies sous couleur d'entreprendre une Croisade.

Succédant à la Respublica christiana des chancelleries, l'Europe des Nations est en pleine gestation. Simultanément l'Angleterre, la France et l'Espagne mettent fin à l'anarchie féodale et renforcent leur régime monarchique. Des cités glorieuses comme Florence et Venise amorcent leur déclin tandis que de petits Etats comme le Portugal et la Suisse accèdent au rang de véritables puissances. Le rêve d'une nouvelle Lotharingie s'effondre à Nancy avec la mort de Charles le Téméraire mais, quelques mois plus tard, le mariage de Marie de Bourgogne et de Maximilien d'Autriche annonce la formation d'un empire aux destinées mondiales. La Pologne, la Bohême, la Hongrie et la Lituanie voient l'étendue de leur souveraineté territoriale subir de considérables fluctuations alors que la Russie émerge de la nuit où l'ont plongée les invasions mongoles. Et déjà se pose le difficile problème de l'équilibre européen.

Cependant de nouveaux champs s'ouvrent au dynamisme occidental avec le contournement de l'Afrique en 1487 et la traversée de l'Atlantique cinq ans plus tard. La bourgeoisie industrielle et commerçante assure la relève de la classe seigneuriale. Le capitalisme international prend son essor. Dans le même temps des mutations tout aussi importantes s'opèrent sur le plan culturel, dans la vie religieuse comme en philosophie, dans la science et la technique comme dans les beaux-arts. Une nouvelle civilisation est en train d'éclore.

Philippe de Commynes a été un acteur très représentatif de cette tumultueuse époque de transition. Il en a aussi observé attentivement les aspects sociaux, économiques et moraux. Rien d'essentiel ne l'a laissé indifférent. Homme du Moyen Age par la date de sa naissance et toute son éducation il peut néanmoins être rangé parmi les annonciateurs des Temps modernes. Sur les champs de bataille et dans les conseils gouvernementaux il a participé intensément à l'histoire de son temps. En qualité d'ambassadeur il a parcouru une bonne partie de l'Europe occidentale et négocié d'importants traités. Enclin à la réflexion philosophique il a comparé les qualités et les défauts des différents régimes politiques, défini le rôle de la France dans le concert des nations européennes. Il a mis en évidence l'importance du hasard dans le surgissement et l'interférence des séries causales tout en cherchant à en comprendre la logique profonde. Croyant sincère, admirateur de Savonarole et de François de Paule, il s'est interrogé avec anxiété sur les rapports de Dieu et du Monde ainsi que sur l'absurdité des guerres continuelles qui accablent l'humanité. A ces divers sujets ses Lettres *et ses* Mémoires *apportent une foule d'observations du plus haut intérêt. Ils sont le miroir fidèle de toute une époque et la source d'un enseignement toujours actuel.*

AVANT-PROPOS

Quel destin étonnant que celui de ce modeste seigneur flamand, de cet « étranger » appelé à devenir, aux côtés de Louis XI, un des bâtisseurs de la France moderne ! Orphelin de père et de mère à l'âge de six ans, il s'est hissé, très jeune encore, aux sommets du pouvoir, véritable alter ego, *à un moment donné, d'un très grand roi pour être jeté, peu après, dans les geôles de son successeur sans que cela l'ait empêché, par la suite, d'assurer à sa fille un mariage princier grâce auquel son sang coulera plus tard dans des veines royales.*

Qui était donc Philippe de Commynes ? Un vulgaire « traître » ? Un ambitieux sans scrupules ? Un homme assoiffé de puissance et de richesses ? Ou bien, au contraire, l'un des grands esprits de son temps, une conscience soucieuse de cohérence dans la pensée et dans l'action, s'ingéniant, non sans courage parfois, à tracer et à suivre un « moyen chemin » entre les exigences souvent divergentes de la politique, de la morale et de la religion ?

Pour comprendre le comportement de Philippe de Commynes dans les tournants décisifs de son existence l'historien ne dispose malheureusement que de rares témoignages contemporains. Lui-même s'est montré très discret sur les raisons ou les mobiles qui ont commandé sa conduite. Dans ces conditions il est possible de tout expliquer par la cupidité ou l'ambition comme il est également loisible d'interpréter sa carrière en fonction d'aspirations morales voire religieuses non moins évidentes.

Au lecteur de juger.

AVERTISSEMENT

Tous les passages en italique sont des citations textuelles de Commynes. Sauf autre indication elles sont extraites de ses Mémoires dans l'édition de Mandrot ou de ses Lettres éditées par Kervyn de Lettenhove. Le chiffre romain désigne le tome et le chiffre arabe précise la page. Ils sont précédés de la lettre K. pour les citations tirées de l'ouvrage de Kervyn de Lettenhove.

Afin de faciliter la lecture des textes de Commynes nous en avons modernisé l'orthographe et parfois la syntaxe.

PREMIERE PARTIE

AU SERVICE DE LA BOURGOGNE

SOUS CHARLES LE TEMERAIRE

I

ENFANCE

Pour lors les sujets de cette maison de Bourgogne étaient en grande richesse à cause de la longue paix qu'ils avaient eue et pour la bonté du prince sous qui ils vivaient lequel taillait peu ses sujets ; et me semble que pour lors ses terres se pouvaient mieux dire terres de promission que nulles autres seigneuries qui fussent sur la terre. Ils étaient comblés de richesses et en grand repos ce qu'ils ne furent plus jamais par la suite. Les dépenses et habillements et d'hommes et de femmes étaient grands et superflus ; les convis et les banquets plus grands et plus prodigues qu'en nul autre lieu dont j'ai eu connaissance ; les baignoiries et autres festoiements avec femmes, grands et désordonnés et à peu de honte (je parle des femmes de petite condition). (I/15).

Lorsqu'il écrivait ces lignes en 1489, au terme d'un emprisonnement de vingt-six mois, c'était toute son enfance et son adolescence que Philippe de Commynes évoquait. La Maison de Bourgogne était alors au faîte de sa puissance et du jugement d'ensemble que Commynes a porté sur elle il n'y a pas aujourd'hui un terme à retrancher. Les qualités personnelles de Philippe le Bon et la longueur exceptionnelle de son règne ont été les facteurs essentiels de cette remarquable prospérité. Pendant près d'un demi-siècle, soit de 1419 à 1467, les terres réunies sous l'autorité du grand duc du Ponant ont bénéficié d'un gouvernement relativement libéral pour l'époque et ont échappé aux vicissitudes qui accompagnent habituellement les changements de règnes.

Philippe de Commynes était bien conscient du privilège d'être né dans un tel pays où il n'a du reste pas passé que son enfance mais plus du tiers de son existence et auquel il est toujours resté sentimentalement attaché. La Bourgogne proprement dite et les Pays-Bas se situaient incontestablement au sommet de la civilisation occidentale avec Florence et Venise. Peintres, sculpteurs, musiciens, littérateurs abondaient à la Cour de Philippe le Bon. Roger Van der Weiden, Claus Sluter, Jean d'Ockeghem, Georges Chastellain, pour ne citer que quelques-uns des grands noms flamands et bourguignons, peuvent être comptés sans conteste au rang des meilleurs artistes de l'époque. Les seigneurs bourguignons se nourrissaient de la lecture des romans de chevalerie, des traductions des grands historiens de l'Antiquité et bien sûr des *Cent nouvelles nouvelles*. Dans les nombreuses et grandes villes du pays se dressaient quelques-unes des plus belles églises de l'Europe. Sur le plan économique enfin une ville comme Bruges était alors le plus grand port du continent. Toutes choses dont on retrouve évidemment l'évocation dans les Mémoires de notre auteur.

Aussi est-ce tout naturellement vers Philippe le Bon que se tournèrent tous les regards de la chrétienté lorsque survint pour elle la plus grande catastrophe du siècle. Le 26 mai 1453 en effet Constantinople tombait. L'événement était certes prévisible. Dès la prise d'Andrinople en 1361 l'empire chrétien d'Orient avait été réduit implacablement. Après les défaites de Kossovo en Serbie, en 1389, et de Nicopolis en Bulgarie, en 1396, la résistance chrétienne s'était effondrée. L'anéantissement d'une armée de Croisés conduite par Jean Huniade en 1444 à Narva, au bord de la mer Noire, rendait inévitable la chute de Constantinople. Elle n'avait été retardée que par la menace que faisait peser sur l'empire ottoman l'invasion mongole.

Les princes de l'Europe orientale voyaient bien qu'à eux seuls ils ne parviendraient pas à reconquérir les terres usurpées par le Turc : la Grèce, la Macédoine, la Bulgarie, la Valachie, la Serbie et même une partie de la Bosnie. Aussi est-ce vers l'Occident que se tournaient maintenant un Ladislas, roi de Pologne, et un Georges de Podiébrad, roi de Bohême. Afin de pouvoir mettre sur pied une croisade universelle ce dernier a même dressé le projet d'une véritable société des nations où chaque pays serait représenté à égalité de voix et dont la présidence serait confiée à la France. Mais elle était elle-même en proie à de profondes dissensions intestines. L'Angleterre, l'Espagne, l'Allemagne et l'Italie étaient dans une situation semblable.

Philippe le Bon apparaissait bien comme le seul prince capable d'organiser la mobilisation générale de la chrétienté. De toute part affluaient vers lui des ambassades pour l'engager à se mettre à la tête du mouvement. Il y songeait du reste fermement depuis quelques années. Ne disposait-il pas avec l'Ordre de la Toison d'Or d'un véritable état-major animé apparemment de la foi nécessaire pour lui permettre de mener à bien une aussi vaste entreprise ? Trois ans plus tôt, dans une session tenue à Mons en Hainaut, l'évêque de Chalon, chancelier de l'Ordre, avait adjuré les chevaliers et officiers de l'illustre compagnie de combattre pour le relèvement de la chrétienté et le développement de la foi. Mais le duc de Bourgogne fut accaparé par la répression d'une révolte survenue à Gand. Maintenant que Constantinople était devenue Istanbul il n'était plus question de surseoir davantage.

Pour assurer un bon départ à cette croisade il convenait de frapper les imaginations par un déploiement exceptionnel de solennités. Elles auraient lieu à Lille le 17 février 1454. L'annonce officielle en fut faite le 20 janvier par le duc Adolphe de Clèves, cousin du duc de Bourgogne, au cours d'un banquet tenu en l'hôtel des Ambiaux à Lille. La journée commencerait par un tournoi où s'affronteraient les plus grands princes. Puis l'on procéderait à la prestation du serment de reconquérir les Balkans et de délivrer Constantinople.

Comment Philippe de Commynes aurait-il pu ne pas

garder un souvenir très précis de ces manifestations ? En dépit de son jeune âge — il était dans sa septième année — il ne pouvait manquer d'être impressionné par leur ampleur et leur éclat. Mais les circonstances particulières de sa vie familiale devaient l'empêcher de participer de tout cœur à l'enthousiasme général. C'est qu'il était orphelin de père et de mère. Marguerite d'Armuyden était morte probablement en lui donnant le jour, et au mois de juin 1453 il avait perdu son père, Colart van den Clyte, sire de Renescure. Il avait fallu aussitôt vendre le château familial pour éteindre une partie du lourd passif qu'il laissait. A la mort de son père, Philippe avait été confié à son cousin, Jean, Sire de Commynes [1] et de Hallwin. Un grand personnage du régime, certes, mais qui n'avait guère le temps de s'occuper de son pupille. Et surtout pas un jour comme celui-ci. Car Jean de Commynes était chevalier de la Toison d'Or et en cette qualité il allait devoir prêter le solennel serment. Sa femme, Jeanne de Commynes, était également appelée à jouer un rôle important dans cette journée mémorable.

Le jeune Philippe était non seulement orphelin mais fils unique. Son père avait bien laissé un bâtard portant également le prénom de Philippe et deux filles illégitimes, Jeanne et Marie, mais nous ne savons rien de ces enfants sinon qu'ils ont dû mourir jeunes. L'héritier légitime de Colart n'était toutefois pas complètement abandonné à lui-même. Il pouvait compter sur la compagnie de Jeanne, fille de sa tutrice, la seule personne de toute sa parenté dont il ait cité le nom dans ses Mémoires. Pour l'heure son affection, à supposer que tel fût bien le cas, ne pouvait remplacer celle des parents disparus. Il est à présumer toutefois qu'en compagnie de sa petite cousine, Philippe avait son entrée assurée sur les principaux théâtres de la manifestation. Si l'on ne peut pas affirmer qu'il ait assisté effectivement à toutes les scènes de cette journée mémorable, du moins en aura-t-il sans doute entendu

1. Philippe de Commynes a toujours écrit son nom avec un y. Par mesure d'unification, nous adoptons cette graphie pour les autres membres de la famille, alors même que leur titre seigneurial s'orthographiait « Commines » ou « Comines ».

abondamment parler au sein de son foyer familial adoptif.

Le tournoi fut l'un des plus éclatants que l'Occident connût jamais. Devant la galerie réservée aux Dames brillait, sur un socle, un magnifique cygne tout en or et flanqué de deux sagittaires fort bien faits qui tenaient des arcs et des flèches en leurs mains. C'était le prix réservé au vainqueur et qui était offert par le duc de Clèves. Dès la première course, Gérard de Roussillon eut son écu percé et fendu tout outre. Puis vinrent Louis de Luxembourg, comte de Saint-Pol, et le fils du duc de Bourgogne, le tout jeune comte de Charolais revêtu de velours noir bordé de franges d'or et la housse de son cheval chargée de cloches d'argent « en manière de campanes à brebis », le seigneur de Gruthuse, Philippe de Lalain, Louis de Chevalart qui fut désarçonné et roula à terre avec le chevalier au Cygne, meneur du jeu, leurs chevaux sur leurs corps. Et tant d'autres venus de près ou de loin, d'Angleterre voire du Portugal.

Mais c'était vers l'immense halle édifiée pour la prestation du serment que le public avait hâte de se rendre. Pour y pénétrer il fallait franchir cinq portes gardées par des archers et des gentilshommes chargés de reconnaître les invités puis de les guider jusqu'à la galerie. De là le spectacle était impressionnant. Les parois étaient tendues de merveilleuses tapisseries illustrant les mystères de la vie d'Hercule. Trois immenses tables avaient été dressées. Sur chacune d'elles avaient été disposées toutes sortes de constructions animées pour la plupart d'automates très ingénieux : une église dont la cloche sonnait continuellement, une barque garnie de mariniers, montant en la hune, jouant et grimpant dans les cordages, une fontaine au milieu d'une prairie où se dressait un saint André portant une croix dont jaillissait un jet d'eau, le château de Lusignan sur la plus haute tour duquel se voyait Mélusine déguisée en serpent alors que des deux plus petites tours s'écoulait de l'orangeade pour remplir les fossés du château ; sur un petit tertre, un moulin, portant sur l'une de ses ailes une pie qui servait de but à des arbalétriers, un désert où un tigre combattait contre un serpent, des montagnes avec des glaciers et des grottes, un lac, une forêt des Indes où se mouvaient des animaux étranges. Sur un rocher était assis un enfant qui « pissait de l'eau rose » dans la nef d'argent où le duc jetait habituellement ses aumônes. Sur une des colonnes encadrant le buffet se tenait la statue d'une femme nue représentant Constantinople. Tant que devait durer le repas elle jetterait, de sa mamelle dextre, de l'hypocras.

Car, bien sûr, c'était aussi pour le banquet qu'avaient été dressées les tables, et non pas seulement pour cette exposition d'engins étranges dont raffolait la haute société bourguignonne. Le duc étant arrivé avec sa cour il se promena tout d'abord dans la salle pour en admirer l'arrangement après quoi il se mit à table. Chacun des services était composé de quarante-quatre plats différents et chacun d'eux descendit du plafond sur des chariots peints aux couleurs du duc. Le fastueux repas fut interrompu à diverses reprises par des « entremets », c'est-à-dire par des scènes dont il faut bien convenir qu'elles n'avaient pas toutes des rapports évidents avec le sens de cette journée. C'est ainsi que l'on vit entrer à reculons un cheval couvert de soie vermeille sur lequel étaient assis deux trompettes tournés dos à dos et sans selle et qui firent le tour de la salle, puis surgirent un sanglier, un cerf et même un dragon tout ardent lequel vola au travers de la salle. Une pantomime dramatique en trois actes rappela l'histoire de la conquête de la Toison d'Or.

Enfin parut le principal entremets. Un géant armé d'une hache, vêtu d'une longue robe de soie verte et coiffé d'un turban à la sarrasine introduisit dans la salle un éléphant sur lequel il y avait un petit château où était assise une dame représentant l'Eglise. Elle avait sur la tête un voile blanc ; sa robe était de satin blanc également, mais son manteau était noir, afin de marquer sa douleur. Devant le duc elle récita une longue complainte sur les maux que lui causaient les Infidèles et elle implora le secours du duc et de ses chevaliers. Alors entrèrent plusieurs officiers ainsi que le roi d'armes de l'Ordre qui portait un faisan vivant orné d'un collier d'or enrichi de pierreries. Il s'approcha du duc et lui dit que la coutume voulait, pour qu'un vœu fût utile et valable, qu'il soit prononcé sur quelque oiseau noble. Le duc donna alors au roi d'armes le texte de son serment en disant tout haut : « Je voue à Dieu mon créateur, à la glorieuse Vierge Marie, aux Dames et au faisan, que je ferai et entretiendrai ce que je baille par écrit. » Le roi d'armes lut ensuite d'une voix forte le serment de Philippe, troisième duc de Bourgogne. A la galerie le petit Philippe de Commynes devait être tout yeux tout oreilles. Aussi bien s'agissait-il maintenant de quelqu'un qui n'était rien moins que son illustre parrain.

Le vœu du duc

« Je voue à Dieu mon créateur, tout premièrement, et à la très glorieuse Vierge sa mère, et en après aux dames et au phaisant, que si le plaisir du très chrétien et très victorieux prince monseigneur le roy est d'entreprendre et exposer son corps pour la deffense de la foy chrestienne et pour résister à la damnable entreprise du Grand Turc et des infidèles, alors si je n'ay loyale ensonne (embarras) de mon corps, je le serviray en ma personne et de ma puissance audit saint voyage, le mieux que Dieu m'en donnera sa grace ; et si les affaires de mondit seigneur le roy estoient telles qu'il n'y peut aller en sa personne, et si son plaisir estoit d'y commettre aucun prince de son sang ou autre chef et seigneur de son armée, je, à son dit commis, obéiray et serviray audit saint voyage le mieux que je pourray, ainsi que si luy même y estoit en personne. Et pour ses grandes affaires, s'il n'estoit disposé d'y aller ne d'y envoyer, et que princes chrestiens entreprennent ledit saint voyage je les y accompagneray et m'employeray avec eux pour la défense de la foy chrestienne, le plus avant que je pourray pourveu que ce soit du bon plaisir et congé de mondit seigneur et que les pays que Dieu m'a commis à gouverner soient en paix et seureté, à quoy je travailleray et me mecttray en tel debvoir de ma part que Dieu et le monde connoistra qu'à moy n'aura tenu ne me tiendra. Et si durant ledit saint voyage je puis, par quelque voye ou manière que ce soit, sçavoir ou connoistre que ledit Grand Turc ait volonté d'avoir affaire à moy corps à corps, je, pour ladite foy chrestienne soustenir, le combattray à l'aide de Dieu tout puissant et de sa très douce Mère, lesquels j'appelle toujours à mon ayde. Fait à Lille, le dix-septième jour de février, l'an de l'incarnation de Nostre Seigneur, mil quatre cent cinquante et quatre. » (n.s)

Sur quoi la jeune femme juchée sur le dos de l'éléphant répondit :

Dieu soit servy et loué hautement.
De toi mon fils doyen des pairs de France.
Ton très hault veu m'est tel enrichiment
Qu'il me semble que je sois clèrement
De tous mes maux à plaine délivrance.
Partout m'en vois requérir alliance ;
Je prie à Dieu qu'il t'octroie la grace
Que ton désir à son plaisir il face.

Après cela le géant reprit son éléphant et le ramena par-devant les tables, en la manière qu'il était venu.

Comment le jeune Philippe de Commynes, l'un des nombreux filleuls du duc, aurait-il pu rester insensible devant cette scène émouvante ? Il était sans doute trop jeune pour remarquer les réserves dont était accompagné le vœu de son parrain. Mais il devait néanmoins se sentir directement concerné. Il le serait encore davantage en voyant son propre tuteur s'approcher maintenant du roi d'armes et prononcer à son tour le vœu suivant :

Le vœu du sire de Commynes

« Je, Jehan de Commynes, voue à Dieu, à la benoiste Vierge Marie, aux dames et au phaisant que si mon très redoubté seigneur, monseigneur le duc va en ce saint voyage qu'il a l'intention de faire pour résister aux emprises du Grand Turc et des mécréants je le serviray par tout où bon lui semblera soit par terre ou par mer de mon corps et à mes despens et au cas que pour cause de maladie ou autre empeschement si apparent que chascun le cognust je n'y puisse aller je y envoieray trois gentilshommes de nom et d'armes, à mes despens et frais lesquels je paierai tant et si longuement que l'armée de monseigneur s'entretiendra par-delà pourveu que ce soit le bon plaisir de mon très redoubté seigneur. »

Combien le petit Philippe de Commynes devait regretter l'absence de son père ! Lui aussi n'aurait pas manqué de s'engager et au lieu d'envisager de se faire remplacer le cas échéant par quelque gentilhomme il aurait sans doute désigné son propre fils, dans la mesure où celui-ci aurait été en âge de porter les armes. Plusieurs autres chevaliers, parmi la centaine qui prêtèrent serment ce jour-là, par écrit ou de vive voix, avaient mentionné leur fils pour la même éventualité. Il y avait là de quoi rester bien songeur même pour un enfant de sept ans.

Certains engagements particuliers dont quelques chevaliers avaient jugé bon d'assortir leur serment prêtaient néanmoins à sourire. Tel d'entre eux promettait par exemple de ne plus jamais se coucher en un lit le samedi tant qu'il n'aurait pas eu l'occasion de combattre corps à corps avec un Sarrasin, tel autre de ne plus se mettre à table le lundi de tout le jour un an durant à compter du départ. Un certain Jean de Bremette, écuyer tranchant du bâtard de Bourgogne, jurait quant à lui de prendre en mariage, à son retour, la première dame ou demoiselle qui aurait 20 000 écus ceci pour autant qu'il n'ait pas convolé en justes noces avant le saint voyage. Messire Philippe Pot s'engageait, pour sa part, à ne mettre armure quelle qu'elle soit sur son bras droit dès le premier jour de l'expédition. Là c'en était trop et le duc de Bourgogne s'opposa vivement car « ce n'était point son plaisir que ledit seigneur aille ainsi le bras désarmé mais qu'il soit au contraire suffisamment armé ainsi qu'il appartient ».

Et la fête continuait. Les nappes enlevées et les reliefs du plantureux repas distribués aux pauvres, douze chevaliers apparurent tenant chacun en la main une dame. Ils étaient habillés de pourpoints de couleur cramoisie avec des chausses noires et ils étaient revêtus de tuniques de soie grise et noire aux couleurs du duc, bordées de feuillage d'or et chargées d'orfèvrerie. Chacun d'eux portait un masque d'or et tenait une torche. Les douze dames étaient vêtues d'une simple cotte de satin cramoisi, bordée de fourrure. Un voile de fine soie les recouvrait entièrement. Elles représentaient les vertus dont le duc devrait s'inspirer dans la conduite de la croisade : foi, charité, justice, raison, prudence, tempérance, force, vérité, largesse, diligence, espérance et vaillance. C'était la propre tutrice de Philippe de Commynes qui incarnait la tempérance, une vertu appelée à jouer un grand rôle dans la vie de son filleul. Lorsque son tour fut venu de réciter son couplet :

> Attempérance, s'écria-t-elle, qui les hauts faits mesure
> Me nomment ceux qui connaissent mon état.
> Il n'est nul heur qui sans moi guères ne dure.
> Mon fait est sûr, non pas à l'aventure.
> Soudain vouloir ne peut être mon maître.
> De vous servir je me veux entremettre.
> Si vous m'avez, je le dis sûrement
> Rien ne ferez qu'à bon entendement.

Les douze vertus s'étant acquittées de leur charge elles se défirent de leur insigne respectif qu'elles portaient sur l'épaule et elles commencèrent à danser « en guise de mommerie » chacune au bras de son chevalier servant. On fit encore bonne chère et l'on fêta particulièrement le comte de Charolais à qui les demoiselles de Bourbon et d'Etampes remirent gracieusement le prix du tournoi, ce merveilleux cygne d'or offert par le duc de Clèves. Entre deux et trois heures après minuit le duc de Bourgogne prit congé de l'assemblée et chacun se départit.

Qu'adviendrait-il de tout cela ? Philippe de Commynes était trop jeune pour en tirer des conclusions quelconques mais il devait ressentir confusément le caractère équivoque de toutes ces festivités. Cet étalage de richesses, ce luxe vestimentaire, ce déploiement de couleurs, ces danses et cette ivresse de musique, le caractère ostensiblement dissolu de toute cette société dont le chef aux innombrables maîtresses et aux quatorze bâtards reconnus ne craignait pas de s'afficher, même en un jour comme celui-ci, entouré de courtisanes, ces excès de table, tout ce spectacle ne laissait pas de présenter un mélange étrange de paganisme et de christianisme. Que venaient faire dans la perspective d'une croisade Hercule et Jason, le Cygne et le Faisan ? Tous ces serments solennels, prêtés dans de telles conditions, se concrétiseraient-ils vraiment par la reconquête des Balkans et la délivrance de Constantinople ?

Mathieu d'Escouchy qui assista à toutes ces manifestations et à qui nous devons les détails ci-dessus rapportés n'a pu s'empêcher de blâmer « le très outrageux excès de tous ces banquets, appareils et assemblées » où il ne voyait ni vertu ni foi authentique « fors volonté de prince ». Si haute et si sainte entreprise lui parut « trop soudainement et trop précipitamment commencée [1] ».

Le fait est que le duc de Bourgogne se contenta de partir discrètement de Lille, le 24 mars 1454, en compagnie d'une trentaine de chevaliers pour faire en Allemagne une reconnaissance des possibilités réelles d'entreprendre la fameuse croisade. Il passa par la Suisse et remonta vers le Danube. Mais arrivé à Regensbourg il dut bien constater que l'Empereur n'était pas au rendez-vous convenu, son ambassadeur prétextant je ne sais quelles difficultés survenues dans ses Etats. Le duc de Bourgogne lui écrivit qu'il ne pourrait malheureusement pas se rendre lui-même à une nouvelle rencontre proposée par l'Empereur pour la Saint-Michel à Francfort, car il avait reçu de son côté des nouvelles alarmantes au sujet des Anglais qui profitaient déjà de son absence pour harceler ses côtes. Il est vrai qu'il était lui-même mal en point. Rentré en Bourgogne il lui fallut à plusieurs reprises demander au Pape l'autorisation de remettre à plus tard son départ pour l'Orient. La croisade avait décidément du plomb dans l'aile. Si le Grand duc d'Occident se dérobait, il y avait de forts risques qu'elle ne fût jamais réalisée. Et c'est bien ainsi qu'il en advint.

---

1. Collection des chroniques nationales françaises, Paris 1826, tome 36, page 175.

La fameuse journée du 17 février 1454 devait cependant laisser une impression profonde sur Philippe de Commynes. Dans les dernières années de sa carrière politique il militera encore pour le déclenchement d'une croisade ayant pour but la libération des Balkans et la reconquête de Constantinople. Dans les dernières pages de ses Mémoires il dénoncera aussi la grande *honte* des chrétiens d'avoir *laissé prendre* l'antique capitale.

Les festivités équivoques de Lille étaient l'expression d'un matérialisme de mauvais augure. Méditant, beaucoup plus tard, sur les malheurs de la Bourgogne, Commynes y verra la juste punition de Dieu car ce sont là, écrit-il, *les pays qui sont en la chrétienté plus adonnés à tous les plaisirs à quoi l'homme est enclin et aux plus grandes pompes et dépenses* (I/436).

Ces excès heurtaient sa sensibilité profonde et son sens inné de la mesure en toute chose. Sa réprobation procédait aussi d'un sentiment de frustration bien naturel chez un orphelin sevré d'amour maternel et de protection paternelle, dès sa plus tendre enfance. Commynes semble ainsi s'être fait très tôt une conception plutôt austère de la forme chrétienne de vivre. Qu'elle soit l'expression d'un tempérament congénital ou que cette conception résulte des circonstances particulières d'une enfance peu favorisée par le sort, le fait est que Commynes cherchera à s'y conformer tout au long d'une carrière dont il n'aurait jamais pu prévoir les étonnantes péripéties.

II

PREMIERES ARMES

Au saillir de mon enfance et en l'âge de pouvoir monter à cheval je fus amené à Lille devers le duc Charles de Bourgogne, lors appelé comte de Charolais lequel me prit à son service (I/4). C'était exactement le 2 novembre 1464. Philippe de Commynes était âgé de dix-sept ans. C'est sans doute grâce à son cousin et tuteur Jean de Commynes, qu'il dut cette accession dans le proche entourage d'un prince qui allait en quelques années précipiter dans la ruine la puissante maison dont il était l'unique héritier mâle. Le jeune écuyer-échanson ne devait pas tarder à s'apercevoir qu'il était placé ainsi à un poste d'observation d'un rare intérêt.

Trois jours ne se sont pas écoulés qu'il assiste en effet à une première entrevue historique. Le 5 novembre arrive à Lille une ambassade royale composée du chancelier de France, Pierre de Morvillier, de l'évêque de Narbonne, de Jacques de Rambure, conduite par le comte d'Eu. Il s'agissait d'une ténébreuse affaire de débarquement clandestin, à Arnemuyden en Hollande, d'un petit navire de guerre français parti de Dieppe. Le comte de Charolais, alerté, s'était saisi d'un de ses occupants, le bâtard de Rubempré qu'il soupçonnait, à tort ou à raison, on ne l'a jamais su, d'avoir voulu l'enlever ou même de le tuer sur ordre de Louis XI. L'entrevue est orageuse. Le chancelier de France dénonce arrogamment le comportement du comte et demande au duc de Bourgogne de lui livrer Olivier de la Marche, un des participants de l'arrestation du bâtard, afin qu'il soit traduit devant la justice française. Le duc de Bourgogne s'employa très humblement à apaiser l'affaire et à tempérer la violente réaction de son fils. Philippe de Commynes est très attentif. Il retient en particulier une parole prononcée par son maître au moment de prendre congé de l'évêque de Narbonne, faisant bien attention que son père ne l'entende pas : *Recommandez-moi très humblement au roi,* murmura le comte à l'oreille de l'évêque, *et dites-lui qu'il m'a bien fait laver la tête par ce chancelier mais que avant qu'il soit un an il s'en repentira.* Commynes est seul à rapporter ce propos. Cependant il n'y a pas lieu de douter que la menace a bel et bien été proférée.

Moins d'un an après cette entrevue, une puissante armée bourguignonne se met effectivement en branle sur les confins de la Somme. On est à la fin du mois de mai 1465. Philippe de Commynes est de la partie. Il monte un vieux cheval car sans doute il n'a pas encore le moyen de s'en payer un meilleur. Il est du reste très à son aise dans le rôle, nouveau pour lui, de compagnon d'armes du prince qu'il considère alors comme le plus grand de tous. Son inexpérience ne lui permet pas d'être conscient des périls auxquels il va bientôt être exposé. Il en conviendra volontiers quelque vingt-cinq ans plus tard lorsqu'il décrira avec force détails pittoresques cette première campagne militaire. Son assurance et son courage il les expliquera par son extrême jeunesse et son ignorance. Mais il est loin d'être mal préparé à ce nouveau rôle. Son éducation a été jusqu'ici plus chevaleresque que livresque. Elle a consisté essentiellement à l'initier à la vie de courtisan. Il est déjà un parfait cavalier habitué au maniement des armes et excellent jouteur.

Jusqu'au début de juillet l'expédition n'est du reste qu'une promenade. Les forces royales cantonnées dans les villes de la Somme sous le commandement du Maréchal de France Joachim Rouaut ne sont pas en nombre pour affronter l'armée bourguignonne. Aussi refluent-elles vers la capitale dans la direction de laquelle l'envahisseur peut avancer sans rencontrer de résistance, au grand émerveillement du jeune écuyer. Mais, parvenu le 5 juillet aux abords de Paris, à Saint Denis, le comte de Charolais éprouve une déconvenue de taille. Contrairement à ce que les principaux féodaux en révolte lui avaient promis ils n'étaient pas au rendez-vous.

L'étonnement de Commynes ne devait pas être moindre que celui de son maître car il était parfaitement au courant de la vaste conjuration qui s'était tramée depuis plusieurs mois contre Louis XI. Quelques jours à peine après le départ des ambassadeurs dépêchés auprès du duc de Bourgogne pour l'affaire du bâtard de Rubempré et que nous avons évoquée tout à l'heure, un visiteur de marque s'était présenté à la cour ducale toujours établie à Lille. Il s'agissait du duc de Bourbon, Jean II, neveu du duc de Bourgogne par sa mère. En apparence il rendait une simple visite de courtoisie à son oncle (bien mal en point) et qui avait toujours montré une affection particulière pour la maison de Bourbon. En réalité le neveu était venu pour tenter de rallier son oncle à la cause des princes français et l'engager à mettre sur pied une armée, l'assurant que *semblablement feraient tous les autres princes de France pour remontrer au roi le mauvais ordre et justice qu'il faisait en son royaume et voulaient être forts pour le contraindre s'il ne se voulait ranger.* Le vieux duc avait accédé sans trop de peine à la requête de son neveu ne pensant pas que les choses vinssent jusqu'à la voie de fait. Il était déjà sénile et, comme devait s'en apercevoir immédiatement Philippe de Commynes, *le véritable nœud de cette matière ne lui fut jamais découvert.*

Décidément les circonstances s'étaient montrées particulièrement favorables à l'éveil de la curiosité du jeune écuyer dès les premiers jours de sa carrière. Sans doute avait-il aussi une inclination naturelle à toujours rechercher derrière le voile des apparences la réalité secrète des relations humaines. En tout cas il ne fut pas long à découvrir que cette fameuse guerre dite du Bien Public ne s'entreprenait que *sous couleur de dire que c'était pour le bien public du royaume.* En fait elle était motivée essentiellement par des intérêts privés maladroitement lésés par l'impatient successeur de Charles VII et n'allait pas tarder à se *convertir* rapidement dans la seule recherche *du bien particulier,* selon la formule même que Commynes devait attacher pour toujours à cette entreprise. Le rendez-vous manqué de Saint-Denis le laissait bien pressentir.

Sur le plan militaire l'affaire était cependant d'une clarté et d'une logique exemplaires. Les rebelles devaient converger vers Paris en trois fortes armées venant de l'est, du sud et de l'ouest, commandées respectivement par le comte de Charolais, le duc de Bourbon et le duc de Bretagne accompagné du frère cadet de Louis XI, Charles, duc de Berry. La capitale une fois prise les autres villes du royaume se rendraient aisément. Mais les conjurés n'avaient pas tenu compte dans leur plan de la rapidité et de la souplesse avec laquelle Louis XI allait réagir. Le fait est qu'en quelques jours il remporta assez de succès avec le corps d'armée qu'il dirigea lui-même sur le Bourbonnais et l'Auvergne pour contraindre le duc de Bourbon à la négociation. Une deuxième armée royale aux ordres de Charles d'Anjou, comte du Maine, fut moins heureuse du côté de la Bretagne. N'étant pas en nombre pour risquer le combat elle reflua vers la capitale en cherchant à rejoindre le roi qui remontait maintenant à marche forcée dans la même direction. L'avant-garde de Charles d'Anjou fut bientôt en vue de l'armée bourguignonne. Après une dizaine de jours de vaine attente à Saint-Denis et apprenant que Louis XI s'approchait rapidement de Paris le comte de Charolais avait en effet pris la décision de chercher à lui couper la route au sud de la capitale. L'affrontement devenait inévitable. Il se produisit aux environs de Montlhéry, le 16 juillet. C'est là que Philippe de Commynes reçut le baptême du feu dans la plus confuse des batailles qu'il ait jamais pu imaginer.

On sait de quels rebondissements dramatiques fut suivie cette journée où chacun des deux principaux protagonistes, Louis XI et le comte de Charolais, pouvait, avec autant et aussi peu de raisons l'un que l'autre, se faire acclamer vainqueur par ses troupes. Cependant, en dépit de leur incohérence, les princes parvinrent à joindre leurs forces et à investir Paris où le roi a eu la sagesse de se retirer après la bataille de Montlhéry afin d'en organiser la défense. Une longue succession d'escarmouches, de duels d'artillerie, de succès et de revers compliqués de sordides marchés et de nombreuses trahisons des deux côtés ont conduit, à plus d'une reprise, les deux adversaires à envisager d'abandonner la partie. A un moment même, lorsque Rouen s'est ralliée aux Princes, Louis XI a songé sérieusement à s'enfuir en Italie chez son ami Francesco Sforza. Toutefois l'approche de la mauvaise saison permit au roi de mettre un terme provisoire à cet affrontement général qui devait être l'un des derniers à dresser l'ensemble de la féodalité contre la royauté. Il accepta tout d'abord une trêve générale (1er octobre) puis il signa le traité de Conflans (5 octobre) et celui de Saint-Maure (29 octobre). En fait il cédait à la plupart des exigences des princes. Il abandonnait à son frère la Normandie dont les revenus représentaient le tiers des ressources royales, il restituait à la Bourgogne les villes de la Somme achetées quelques années plus tôt à prix d'or et il grevait le budget de l'Etat de nouvelles et considérables pensions princières. Il avait cependant la ferme intention de revenir sur ses engagements dès que les circonstances seraient meilleures. Il savait qu'il pouvait compter pour cela sur la compréhension du Parlement qui le dégagerait en temps voulu des obligations prises sous la contrainte des événements.

Ce qui nous intéresse plus particulièrement c'est d'observer l'attitude de Philippe de Commynes dans ce tournant capital de l'Histoire. En sa qualité d'écuyer il se tient continuellement auprès de son maître. Non sans courir les plus grands risques car le comte de Charolais, dans son impulsivité caractérielle, s'aventure souvent dans des situations périlleuses où il ne craint pas d'exposer sa propre vie et tout aussi inutilement celle de ses compagnons. Deux de ses écuyers meurent à ses côtés, l'un sur le champ de bataille de Montlhéry, l'autre fauché par un boulet au moment où il apporte un plat de viande dans la maison où le comte de Charolais a établi son quartier général à Conflans.

Il serait sacrilège de chercher à résumer l'admirable récit que Commynes a fait de la journée de Montlhéry, puis du siège de Paris et des négociations qui ont suivi. Ces pages appartiennent au trésor de la littérature européenne où elles ont introduit un genre nouveau, celui de la guerre vue par les yeux d'un combattant. Stendhal pour la bataille de Waterloo, puis Tolstoï pour celle de la Moskova ne feront que se placer dans la même perspective. Mais Commynes a eu sur eux le grand avantage de dire simplement ce qu'il a vécu lui-même.

Tout au long de ces pages célèbres, c'est aussi le portrait même de Commynes qui se dessine en filigrane et le moins étonnant n'est pas qu'il apparaisse ainsi, à dix-huit ans déjà, tel qu'en lui-même l'Histoire le fixera définitivement. La place que ce récit occupe dans les Mémoires atteste l'importance de cette première expérience dans le destin de l'auteur. Sur les quelque cinq cents pages consacrées à l'évocation de la période qui s'étend de 1464 à 1483, c'est-à-dire du début de sa carrière à la mort de Louis XI, cette seule année de 1465 en occupe une centaine.

A coup sûr ces pages ont été dictées ou écrites d'un seul jet. Au fil d'une mémoire exceptionnelle une foule de détails reviennent à l'esprit de Commynes. Les lieux, les dates précises, le nom des moindres personnages, les circonstances particulières comme l'état du terrain, le moment de la journée, la lumière et la température, les détails vestimentaires de tel ou tel prince témoignent de l'extrême acuité de son attention. Rien n'échappe à ce regard pénétrant. Certes, Commynes a pu en rajouter après coup, au fur et à mesure qu'au cours des années d'autres témoins lui ont apporté de nouvelles précisions complétant ou recoupant ses propres souvenirs. Avec un art naïf quoique magistral et dans une langue d'un naturel qui contraste étonnamment avec celle de la plupart des chroniqueurs contemporains, il nous fait revivre le déroulement des opérations et des négociations comme si nous y participions nous-mêmes. Le narrateur accorde aux péripéties une place judicieuse dans le tableau d'ensemble, il démêle admirablement l'enchevêtrement des allées et venues trouvant moyen d'évoquer habilement la simultanéité de certains événements en divers points du front, aérant le tout et reposant le lecteur au moment opportun par des digressions et des considérations philosophiques et morales ou l'amenant à sourire malgré lui par un humour discret mais aussi parfois par une ironie féroce sur lui-même comme sur l'espèce humaine en général.

C'est ainsi qu'en quelques mots il dresse le cadre où vont se dérouler les combats, cette *Isle de France si bien assise* entre de fertiles plaines et qu'il découvre pour la première fois. Pays plus riche qu'il n'imaginait, où *les fruits de la terre, le raisin, le blé, les fèves sont grands et forts* si bien qu'en dépit du siège auquel la capitale est soumise durant deux mois elle ne manque jamais de vivres et que rien ou presque rien n'y renchérit, note-t-il.

Le spectacle de cette richesse accuse d'autant plus le caractère dévastateur de la guerre. Là où une demi-heure plus tôt Commynes avait admiré des blés vigoureux, le champ est maintenant *ras et jonché de cadavres de chevaux, et d'hommes aussi aux visages noircis par la poudre de canons.* En vérité la journée de Montlhéry n'aura pas été une plaisanterie malgré certains aspects don quichottesques des combats. Le roi a échappé de justesse à un groupe de combattants. Pour se faire reconnaître et rassurer ses troupes, il a dû, un peu plus tard, relever sa visière car le bruit s'était vite répandu qu'il avait été pris. Quant au comte de Charolais il s'en est également fallu de peu une fois, s'il s'était aventuré encore d'une cinquantaine de pas seulement, pour qu'il reste sur le terrain. Sa mentonnière s'était détachée et un soldat en avait profité pour le blesser grièvement au cou. Certaines scènes resteront gravées dans la mémoire du jeune écuyer-échanson, comme celle du repos du comte de Charolais, le soir sur le champ de bataille de Montlhéry. Pour lui permettre de s'asseoir sur *quelques bottes de paille* il a fallu éloigner quelques cadavres déjà dépouillés. Un blessé gémit et le comte lui fait apporter le reste de son gobelet de tisane. Il se trouve qu'il s'agit d'un de ses officiers. Il reprend vie et continuera de servir vaillamment.

Tous les princes, dans le récit de Commynes, n'apparaissent pas animés de la même ardeur ni du même courage, témoins les ducs de Bretagne et du Berry, véritables capitaines d'opérette, qui revêtent en guise d'armure des tuniques de satin parsemées, pour donner le change, de petits clous dorés. Et que penser de ces combattants qui s'arment en hâte et qui s'aperçoivent au dernier moment qu'ils ont pris pour une troupe en marche un vaste champ de hauts chardons agités par le vent ? Il n'est pas jusqu'au propre cheval de Commynes qui ne prête à sourire, ce vieux canasson exténué qui reprend soudain du vif après avoir vidé un plein seau de vin. Commynes ironise également sur les nombreux fugitifs des deux camps comme ces deux ennemis qui s'enfuient à bride abattue, l'un jusqu'à Lusignan en Poitou et l'autre jusqu'aux confins du Hainaut, *prenant bien garde, ces deux-là,* ajoute Commynes, *de ne se mordre.*

Cependant les observations de Commynes ne portent pas seulement sur l'aspect anecdotique de la guerre. Ce qui le frappe bien davantage c'est son irrationalité profonde. Dès le rendez-vous manqué de Saint-Denis il lui est apparu que les choses se présentent tout *autrement aux champs qu'en chambre.* La grande faiblesse des princes, leur incohérence, résultait de leur nombre même. Il y avait trop de chefs et il était inévitable que chacun d'eux cherchât son avantage personnel. Mais fussent-ils obéissants à l'un d'entre eux qu'il lui aurait été impossible à lui seul de *donner ordre à un si grand nombre d'hommes.* Dans le vif de l'action surviennent à tout moment des faits nouveaux parfaitement imprévisibles. Entre l'instant où un ordre est donné et celui où il parvient à celui qui est chargé de l'exécuter la situation a pu évoluer au point que l'exécution de l'ordre irait à fin contraire du but recherché. C'est ce qui est advenu au comte de Saint-Pol dès le début de la journée de Montlhéry. Il avait reçu la consigne en sa qualité de commandant de l'avant-garde bourguignonne de ne pas engager le combat, le gros de la troupe n'ayant pas encore franchi la Seine. Mais l'arrivée inopinée de l'avant-garde ennemie le mettait dans l'impossibilité d'esquisser un mouvement de repli qui aurait pu faire croire à une fuite et engager l'avant-garde royale à user d'audace. Le comte de Charolais, informé de ce contretemps, envisage alors de précipiter l'attaque. *Dès lors,* constate Commynes, *se changea tout ordre et tout conseil car chacun se mettait à en dire son avis.* Il avait été prévu que les troupes du comte de Charolais accompliraient leur marche vers Montlhéry en trois étapes afin que les hommes n'arrivent pas trop fatigués sur le champ de bataille. Toutefois tout le contraire se fit comme si on eût *voulu perdre à son escient.* La guerre est un concours de hasards où, à tout moment, une circonstance fortuite peut compromettre une victoire assurée et renverser complètement la situation. La guerre est aussi une somme d'occasions manquées. En un mot comme en cent la guerre est un *mystère.* Il n'est pas dans le pouvoir des hommes de la conduire à leur gré. Elle est tout entière *dans la main de Dieu.*

La campagne du Bien Public a également ouvert les yeux de Commynes sur la tromperie universelle et l'importance de l'intérêt dans les relations humaines. Avant même l'ouverture des hostilités, le duc de Bourgogne n'a-t-il pas été abusé par son propre fils sur le véritable enjeu de toute l'affaire ? Durant les négociations de paix et même déjà pendant que se déroulaient les combats, des trahisons sans nombre s'opéraient dans les deux camps et le plus souvent par sordide appât du gain. Aux portes de Paris la grange aux merciers était devenue le lieu où se traitaient quasi ouvertement ces achats de conscience.

Pour Commynes le plus étonnant dans tout ces enchevêtrements de faits et de facteurs ce sont les répercussions lointaines qu'ils peuvent éventuellement avoir. Le comte de Charolais en était l'exemple le plus évident. Ne s'est-il pas lancé dans toute cette entreprise pour se venger simplement de l'affront que lui avait infligé le chancelier de

France en présence de son père ? N'est-ce pas parce que le manque de bonne foi de ses pairs l'avait profondément déçu qu'il avait entrepris des démarches, pendant la campagne même, en vue de s'assurer l'appui des Anglais quitte à envisager d'épouser une York alors qu'il était Lancastre par sa mère et que sa deuxième femme n'était pas encore décédée ? Plus grave encore la victoire douteuse de Montlhéry n'a-t-elle pas provoqué en lui une mutation psychologique qui est à l'origine de sa perte ? Commynes en tout cas nous assure qu'*avant cette bataille il était très inutile pour la guerre et n'aimait nulle chose qui y appartînt.* Depuis lors, *estimant la victoire sienne il n'usera plus jamais de conseil d'homme* mais du sien propre exclusivement.

Il faut convenir qu'il y avait dans cette moisson d'observations de toutes sortes ample matière à réflexion, même pour un jeune homme de dix-huit ans. Si toutes les considérations philosophiques et morales dont il a farci son récit de la campagne du Bien Public ne lui sont pas venues à l'esprit au moment même car, ne l'oublions pas, il les a écrites ou dictées vingt-quatre ou vingt-cinq ans plus tard, il est à présumer qu'elles devaient déjà confusément s'élever en lui sur le chemin du retour en Flandres. Ce qui est par contre beaucoup plus certain c'est la naissance d'un doute au sujet de son maître. Commynes était parti plein de confiance et d'admiration. Maintenant qu'il avait eu l'occasion de l'observer de près dans les conseils de guerre comme sur les champs de bataille comment ne se serait-il pas posé certaines questions ? Peu avant la conclusion des traités de paix, par exemple, Commynes avait été témoin de l'indignation de l'état-major du comte de Charolais parce que celui-ci s'était un peu trop éloigné de son quartier général en compagnie de Louis XI. Il avait alors entendu le maréchal de Bourgogne traiter le comte de Charolais de prince *fol et enragé.* Pire encore : au retour du comte le Maréchal osa lui dire : « *Je ne suis à vous que par emprunt tant que votre père vivra.* » Le prince reconnut qu'il avait commis une *grande folie* et il baissa la tête sans plus rien ajouter. Etait-ce bien de cette manière qu'un véritable chef devait se comporter ?

Et comment son jeune écuyer ne se serait-il pas dès lors interrogé sur la nature des liens qui l'attachaient lui-même à la personne de son maître ? N'était-ce pas son cousin et tuteur, Jean de Commynes, qui l'avait *amené* auprès de lui et si celui-ci l'avait *pris* à son service était-ce pour la vie ? Il y avait là les termes d'un redoutable problème de conscience.

III

DEFENSEUR DE L'ORDRE

1466-1468

Pour Philippe de Commynes la guerre du Bien Public n'aura été qu'un avant-goût de ce qu'il allait vivre aux côtés de son maître. *Si ai-je été,* dit-il, *sept années de rang en la guerre avec lui l'été pour le moins et pour aucunes l'hiver et l'été.* Aussitôt la paix signée, le comte de Charolais se hâta en effet de rentrer auprès de son père qui avait maille à partir avec les communes, notamment avec Liège en révolte quasi permanente contre son évêque. A son exemple, Dinant, Gand, Malines, Ypres et Bruges en particulier donnèrent passablement de fil à retordre à Philippe le Bon et à son fils qui lui succéda le 15 juin 1467. C'est ainsi que Commynes fut amené à participer aux campagnes militaires de son maître en Flandres et en Hainaut en 1466, puis à la bataille de Brusthem le 28 octobre 1467 ou vingt mille à trente mille Liégeois attaquèrent le nouveau duc. Durant toute cette période qui s'étend de 1465 à 1472, Philippe de Commynes fut le zélé serviteur des ducs de Bourgogne dans la lutte qu'ils menèrent pour réprimer les velléités d'indépendance de leurs remuantes villes. Cette initiation à l'art de gouverner il la fit souvent dans des circonstances dramatiques.

Du 28 au 30 juin 1467, par exemple, Philippe de Commynes vécut à Gand des journées mémorables. C'est à la requête des autorités locales que le nouveau duc de Bourgogne décida de commencer par cette ville le grand voyage qu'il avait envisagé d'entreprendre dans ses terres pour l'inauguration de son règne. Il s'attendait bien qu'un certain nombre de revendications lui seraient adressées à l'occasion du serment qu'il devait prêter en sa qualité de nouveau comte des Flandres. Mais ni lui ni apparemment aucun de ses conseillers ne s'était avisé que la nuit du 28 au 29 juin était traditionnellement celle de saint Liévin, un des nombreux saints de Gand. Sa châsse, transportée le jour précédent à Haustin, lieu de son martyre, était ramenée à Gand en grande procession dans la liesse générale. Avec le temps, la fête de saint Liévin avait dégénéré. Elle était devenue l'occasion d'une gigantesque beuverie populaire et le prétexte de manifestations souvent violentes où s'exprimait le mécontentement de la population la plus pauvre. Toute une populace se mêlait alors aux valets et compagnons des soixante-douze corporations de la ville. Il y avait treize ans de cela, Philippe le Bon, pour punir les Gantois qui s'étaient révoltés, leur avait supprimé le droit d'arborer leurs bannières corporatives et de porter des armes. Il les avait aussi frappés d'un impôt nouveau, la cueillote, qui pesait lourdement sur la population. Aussi les Gantois étaient-ils décidés à profiter de l'entrée du nouveau duc dans leur ville pour obtenir le rétablissement de leurs anciens privilèges ainsi que la suppression de la cueillote.

La première journée de la visite ducale s'était déroulée sans encombre et même dans une atmosphère joyeuse. Mais au soir, alors que le duc s'était mis à table, la rumeur d'une foule déchaînée parvint à ses oreilles. Il apprit bientôt que les manifestants avaient fait sauter la maisonnette où était versée la cueillote, sous prétexte qu'elle gênait au passage de la procession ramenant la châsse de saint Liévin. Aux cris de « Tuez, tuez tous ces pillards, larrons et voleurs ! Allons les chercher dans leurs maisons », ils avaient donné l'alarme générale. Une foule surexcitée s'était aussitôt amassée sur la place du marché toutes bannières dressées et le bâton ferré au poing.

Le sang du duc ne fit qu'un tour. Il avait déjà donné l'ordre à ses compagnons de monter leurs chevaux et il se proposait de se rendre avec eux sur le lieu de la manifestation. Le seigneur de Gruthuse, qui connaissait bien les Gantois, l'en dissuada vivement. C'est lui-même qui irait parlementer. Il les apaisa en leur disant que le duc en personne s'adresserait bientôt à eux. Celui-ci, dûment chapitré sur ce qu'il devait leur dire, se rendit alors sur la place du Marché. Mais à la vue de cette foule avinée et grossière, il ne put se contenir. Il les traita de « mauvaises gens » et il frappa même assez durement un manifestant qui le menaça alors de sa pique. Le seigneur de Gruthuse parvint à dégager le duc. Il l'admonesta vertement en lui disant : « Où vous croyez-vous ? Voulez-vous par votre emportement nous faire tous mourir ici sans défense ? Ne voyez-vous pas que votre vie et la nôtre ne tiennent qu'à un fil de soie ? » Il le fit alors entrer dans une maison pour qu'il s'adresse d'une de ses fenêtres à la foule houleuse. Le duc leur dit quelques mots en flamand et le seigneur de Gruthuse enchaîna aussitôt dans la même langue. Il fut assez habile pour parvenir à retourner les manifestants qui se mirent à crier : « Wilkomme ! Wilkomme ! » Mais un « grand, rude, outrageux et fier vilain » se glissa soudain aux côtés du duc. De sa main gantée de fer il frappa sur le bas de la fenêtre pour réclamer le silence. Interpellant alors directement la foule il s'écria :

« Voulez-vous que soient punis ceux qui gouvernent la ville et volent votre duc aussi bien que vous-mêmes ?

Oui, répondit la foule d'une seule voix.

Voulez-vous que soit supprimée la cueillote ?

Oui, dit la foule.

Voulez-vous que soient rétablis vos anciens privilèges ?

Oui !

Se tournant ensuite vers le duc :

Monseigneur, lui dit-il, voilà pourquoi ces gens sont ici assemblés. Pardonnez-moi. Je vous l'ai dit pour eux. »

Là-dessus il s'éclipsa. Il ne restait plus au duc qu'à s'incliner. Il consentit à toutes les exigences des Gantois, chargea ses conseillers de mettre toute chose au point.

Quant à lui, il fallait qu'il se rende sans tarder à Malines puis vers ses autres villes car il était à craindre qu'elles ne se révoltent à leur tour lorsqu'elles apprendraient le succès des Gantois.

Commynes ne pouvait manquer de relater dans ses Mémoires ces journées dramatiques. Comme nous allons le voir la manière dont il l'a fait nous renseigne encore mieux sur lui-même que sur les événements. Cela va nous permettre d'apporter à son portrait quelques touches nouvelles.

Pour le doute en quoi le Duc de Bourgogne se vit, il fut contraint de leur accorder toutes leurs demandes et tels privilèges qu'ils voulaient. Et dès qu'il eut dit le mot, après plusieurs allées et venues ils plantèrent ces bannières sur le marché qui jà étaient faites : par quoi ils montrèrent bien qu'ils les eussent prises outre son vouloir quand il ne les eût accordées. Il avait bonne opinion de dire que les autres villes prendraient exemple à son entrée comme de tuer officiers et autres excès. Et s'il eut cru le proverbe de son père il n'eut point été ainsi déçu lequel disait que ceux de Gand aimaient bien le fils de leur prince mais le prince non jamais. Et à dire la vérité, après le peuple de Liège il n'en est plus inconstant. Une chose ont-ils assez honnête selon leur mauvaitié, car à la personne de leur prince ne toucheront-ils jamais, et les bourgeois et les notables sont très bonnes gens et très déplaisants de la folie du peuple (I/122).

Comparé aux cinquante pages que Georges Chastellain consacre à ces mêmes événements, le texte de Commynes est d'une brièveté à elle seule déjà édifiante. Il est vrai qu'à la différence de son compatriote il ne s'est jamais proposé d'écrire la chronique des ducs de Bourgogne mais bien celle de Louis XI, en tout cas à ce moment de sa rédaction. Il avait pourtant participé activement à ces événements dramatiques et son maître, le nouveau duc de Bourgogne, lui alloua, à son « partement » de Gand, la somme de 48 livres en monnaie de Flandres pour l' « aider à se défrayer de ladite ville et en considération des services qu'il lui fait journellement » (K 1/54). Ce qui ressort en premier lieu des quelques lignes de Commynes au sujet de la révolte des Gantois, c'est qu'il n'éprouve aucune sympathie pour leur ville en particulier et pour les communes en général. Certes, il a un mot aimable pour les bourgeois et les notables, mais dans d'autres passages il sera beaucoup plus réservé à leur sujet. Il leur reproche surtout le manque de finesse. *Ce sont toujours grosses gens de métier le plus souvent qui y ont le crédit et l'autorité,* et ce sont gens qui généralement n'ont pas été *nourris en grande matière par espécial en ces choses subtiles qui appartiennent à gouverner un Etat,* tel ce Jean Coppenolle, *clerc des échevins qui était chaussetier et qui avait grand crédit parmi le peuple car gens de telle taille l'y ont quand ils sont ainsi désordonnés.* Il leur arrive à l'occasion de confier la conduite de leurs affaires à des gens plus intéressants comme ce Guillaume Rym échevin puis conseiller de Gand et qui était, selon Commynes, un *homme sage et malicieux.* Mais généralement ils ne savent pas distinguer. *Nul homme de sens n'était appelé en rien.* C'est surtout le cas quand ils sont en état de rébellion. Gens à courte vue qui ne regardent *point à plus loin.* Gens volontiers grossiers, de peu d'honneur, *mal accoutumés de besogner en si grandes affaires,* incapables également de conduire une guerre et aisément troublés et trompés dans les négociations. *Leur malice ne gît que en deux choses : l'une est que par toute voie ils désirent affaiblir et diminuer leur prince, l'autre que quand ils ont fait quelque mal et grande erreur et qu'ils se voient les plus faibles jamais gens ne chercheront leur appointement et en plus grande humilité qu'ils font ni ne donneront de plus grands dons.*

Quant au menu peuple des communes le jugement de Commynes est beaucoup plus sévère. *Mauvaitié, folie, orgueil, inconstance* telles sont ses caractéristiques essentielles. Elles sont loin de n'appartenir qu'aux seuls habitants de Gand. Commynes étend son jugement aux autres communes des Pays-Bas. Plus tard il englobera dans la même réprobation les villes d'Italie à l'exception toutefois de Florence et Venise.

Tout cela atteste une évidente prévention personnelle et un fort préjugé de classe. Que Commynes en veuille particulièrement aux habitants de Gand, on peut le comprendre quand on sait qu'ils n'ont pas hésité en 1477 à décapiter l'homme qu'il a peut-être le plus admiré au monde, un certain Guy de Brimeu, seigneur de Humbercourt et chancelier de Bourgogne. Cette circonstance, survenue dix ans après l'émeute en question, a sans doute contribué à rendre le jugement de Commynes encore plus sévère qu'il ne l'avait sans doute porté au moment des événements de 1467.

Par ailleurs, la propre famille de Commynes a eu passablement à souffrir de ses rapports avec les communes flamandes. Les Van den Clyte ont figuré dès le XIVe siècle parmi les échevins de la ville d'Ypres mais, semble-t-il, presque toujours dans les rangs des adversaires du parti communal. Le véritable fondateur de la dynastie, Colart Ier van den Clyte, le grand-père de Philippe, devint seigneur de Commynes par son mariage avec l'héritière de la maison de Wazières. Il fut banni d'Ypres pour un meurtre commis à Steenwerck. Du 23 janvier 1351 au 21 mai 1352 il assuma la charge de bailli de Gand quand Louis de Male, comte de Flandres, y extermina les tisserands. Il est rentré à Ypres quelques années après grâce à Louis de Male qui révoqua le 7 octobre 1366, sous réserve que paix soit faite entre les parties, le bannissement perpétuel qui avait été prononcé contre Colart. Plus tard, le 9 août 1377, celui-ci signa dans cette ville la charte qui confisquait les franchises de ses concitoyens. Ses deux fils eurent également maille à partir avec les communes flamandes. Jean van den Clyte, seigneur de Commynes, l'oncle de Philippe, fut, suivant le chroniqueur Monstrelet, en butte à l'hostilité communale. Quant à Colart II, seigneur de Renescure, le père de celui qui devait devenir le plus illustre membre de cette famille, il fut gouverneur de Cassel en 1429. Mais il y suscita bientôt une insurrection pour être allé jusqu'à sextupler les amendes imposées à cette ville par le duc de Bourgogne. Le château de Renescure fut pris et détruit par les révoltés. Mais Philippe le Bon soutint son serviteur et contraignit ses sujets à faire amende honorable et à verser une somme considérable pour la reconstruction du château.

Bailli de Gand en 1432, souverain bailli des Flandres en 1435, le père de Commynes commanda les Gantois au siège de Calais en 1436 mais il fut abandonné par ses troupes puis banni de leur cité. Selon Monstrelet, les Gantois offrirent même un salaire de trois cents livres tournois à qui le leur livrerait. En 1437, il fut appelé à juger les Brugeois et ceux-ci, toujours selon le même chroniqueur, l'avaient très mal en leur grâce. Il dut de nouveau fuir Gand en 1451.

Philippe de Commynes appartenait ainsi à une famille de la noblesse du pays qui s'était ralliée au comte de Flandres puis aux ducs de Bourgogne dans leur lutte pour l'affermissement de leur pouvoir et la mise au pas des communes. En participant activement aux entreprises anticommunales de son maître, il s'inscrivait dans une tradition familiale.

Philippe le Bon aussi bien que son fils Charles semblent avoir apprécié ces services. Le père de Commynes fut armé chevalier à la bataille de Saint-Riquier où il fut, d'après Chastellain, « tout au long du jour emprès son prince et prit toutes aventures avec lui et y acquit de l'honneur et du los beaucoup celui jour et se monstra chevalier de grand prix ». Grâce à la compréhension du duc, la terre de Renescure, qui avait dû être vendue, put être rachetée en 1464. En 1465, Philippe fut introduit en qualité d'écuyer dans le proche entourage du fils du duc. Sa fidélité et la qualité de ses services lui valurent une ascension extrêmement rapide. En 1467, à l'âge de vingt ans, il a l'honneur de figurer au nombre des douze chevaliers qui portèrent le cercueil de Philippe le Bon. Dès janvier 1468 il a les titres de chevalier, de conseiller, de chambellan et de secretissimus secretarius du nouveau duc. Cette même année, il est au nombre des vingt-cinq nobles hommes qui joutèrent à l'occasion du mariage du duc de Bourgogne avec Marguerite d'York en juillet à Bruges. En 1469, le 1er octobre, il est libéré des dettes que son père avaient laissées. Le nouveau duc ne passait cependant pas pour être particulièrement généreux. *Ses bienfaits*, devait écrire Commynes, *n'étaient pas fort grands parce qu'il voulait que chacun s'en sentit.* S'il ne toucha en fait, pour les services qu'il rendait, que de très modestes sommes il bénéficia cependant de la générosité de Philippe le Bon puis de celle de Charles le Téméraire pour son rétablissement dans l'exercice de ses droits seigneuriaux. En juin 1464, il avait déjà obtenu qu'on lui rende l'administration de la terre de Renescure qui avait été saisie par le duc Philippe pour une dette de deux mille florins. Le 8 octobre 1467, le duc Charles fit remise à Commynes d'une somme de 568 florins sur ce qu'il devait encore du chef du reliquat de son père. Deux ans après, le 1er octobre 1469, le duc lui en accorda décharge complète (K. 1/54-55). Mais c'est surtout par l'extrême rapidité de sa promotion que sa fidélité a été récompensée.

Cela étant on peut comprendre que Philippe de Commynes se soit comporté durant toute cette période de sa vie en défenseur de l'ordre social. Ce qui lui répugne en effet dans les révoltes communales, c'est leur caractère désordonné, l'inconstance du peuple et son inconséquence. Du reste, quels que fussent ses préventions, ses préjugés, ses motifs et ses mobiles, qu'ils soient fondés dans sa raison ou sa sensibilité profonde, il n'avait guère d'autre choix. Dans les pays à régime monarchique, *il faut*, dit-il, *que chacun les serve* (les princes) *et obéisse aux contrées là où ils se trouvent car on y est tenu et aussi contraint* (I/97-98). Le ciment de la société c'est le *serment de fidélité* (I/448) plus ou moins explicite selon les cas mais qu'il ne saurait être question de contester. Ce serment implique des obligations réciproques. Et de même qu'il y a des princes assez *bêtes* pour n'avoir pas connaissance *jusques à où s'étend le pouvoir et seigneurie que Dieu leur a donné sur leurs sujets,* de même, *il y a des peuples qui offencent contre leur seigneur et ne lui obéissent point ni ne le secourent en ses nécessités mais en lieu de lui aider quand le voient en affaire le méprisent ou se mettent en rebellion et désobéissance contre lui en commettant inobédiance* (I/447-448).

Dans le cas des révoltes flamandes, il n'empêche que certains silences de Commynes sont aussi éloquents et significatifs que ses déclarations les plus explicites. La rébellion de Gand à laquelle il a assisté avait une cause profonde et dont il ne dit mot alors qu'il devait être parfaitement renseigné. C'est chez Georges Chastellain qu'il faut en chercher l'exposé. La fameuse cueillote dont les manifestants réclamèrent et obtinrent la suppression n'indisposait pas toutes les classes de la population. « En cette cueillote, dit Chastellain, les gouverneurs de la ville prenaient et avaient pris et adopté une infinité d'avoir. » Bien au-delà du terme qui lui avait été assigné elle continuait à être prélevée « en grande foule du peuple et en appropriation en autrui bourse de ceux mêmes de la ville, aucuns gouverneurs ». Aussi bien la délégation qui était allée demander au nouveau duc de bien vouloir s'arrêter tout d'abord dans la ville de Gand au début de son grand voyage d'intronisation lui conseilla-t-elle de ne pas supprimer cet impôt. Non seulement les gouverneurs en tiraient personnellement de « subtils acquets » mais la cour ducale elle-même « par le grand avoir qui en venait tous les ans ». Plusieurs de ses membres en étaient nourris et soutenus. Pour clore ses yeux, écrit Chastellain, la cour en aurait « son gratis ». De fait, ajoute-t-il encore, « tels et tels et de grand nom par longues années en avaient eu de grands deniers par trois ou quatre mille, par mille et par cinq cents çà et là, distribués tous les ans comme de rente ». Voilà ce qui irritait le peuple et pourquoi il criait au vol.

Ce scandale ne laissait pas d'affecter profondément les relations entre la ville et son prince puisque aussi bien celui-ci était également volé. Tout le problème du rapport entre les communes et l'Etat en formation était concerné directement par cet incident. Or le nouveau duc avait là-dessus des vues étonnamment précises et singulièrement anticipatrices, témoignant d'un certain libéralisme. On en a retrouvé l'expression dans les actes des Etats généraux de Bourgogne publiés par Cuvelier (voir à ce sujet Yves Cazaux : *Marie de Bourgogne,* Albin Michel 1967, pp. 127-128). Charles de Bourgogne y apparaît soucieux de se présenter dans sa légitimité de « prince naturel sans violence ou tyrannie aucune ». Faisant la distinction classique entre les trois « directions » que peut prendre un régime politique, « l'une par policie quand la direction et gouvernement se fait par la multitude en nom de communauté, l'autre par aristocratie quand par un certain nombre de vertueux et l'autre par règne quand par un seul prince », il ne cache pas sa préférence et il la justifie mais sans aucun mépris pour les deux autres régimes. « Sous chacune desquelles trois manières de régime plusieurs peuples ont été érigés en grandes provinces, infinies villes et cités construites, parce que chacune manière qualifiée de regard public est capable de produire grand fruit. » Dans le régime monarchique il convient que « les intentions, entendements et affections de sage prince et de bon sujet soient tellement conjointes et connexes que le prince n'estime ou répute aucune chose lui être plus prochaine, lui plus appartenir, que le commun bien de la chose publique et des sujets à lui soumis et que les sujets n'entendent ou n'estiment aucune chose être particulière au prince soit d'accroissance ou d'amoindrissement d'honneur, d'autorité, de seigneurie et puissance qui ne soit également commune aux sujets et à la chose publique comme au prince ».

Il est évidemment difficile aujourd'hui d'estimer le degré de sincérité de telles déclarations. A-t-on affaire à une simple *captatio benevolentiae* ou à l'exposé d'une véritable doctrine ? Lorsque le comte de Charolais faisait pression sur Philippe le Bon pour qu'il convoquât les Etats généraux de Bourgogne, sa démarche était-elle dépourvue de toute arrière-pensée ? Et si le père s'est décidé à réunir le 9 janvier 1464 la première Assemblée des Etats n'était-ce pas dans l'intention secrète de court-circuiter les initiatives intempestives du fils ? Perfamiliaris du nouveau duc de Bourgogne, Philippe de Commynes ne devait rien ignorer de tout cela et il était déjà très sceptique. A ses yeux si Charles de Bourgogne avait cédé aux émeutiers de Gand c'était parce qu'il avait bien fallu que ledit duc *dissimulât toutes ces désobéissances* afin de n'être pas dans la nécessité de faire la guerre simultanément aux Gantois et aux Liégeois. *Mais il faisait bien son compte,* souligne Commynes, *que si lui prenait bien au voyage qu'il faisait il les ramènerait bien à la raison. Et ainsi en advint.* Les Gantois durent venir lui rapporter à pied jusqu'à Bruxelles toutes leurs bannières d'où elles allèrent rejoindre à Boulogne celles que Philippe le Bon leur avait déjà ôtées. Tous leurs privilèges furent supprimés. En outre ils payèrent trente mille florins au duc et six mille autres à ceux de son entourage.

L'affaire de Gand était également révélatrice d'un conflit beaucoup plus grave et sur lequel Commynes observe de même une discrétion singulière. Il s'agissait là rien moins que de l'une des nombreuses révoltes du prolétariat urbain contre la classe possédante. Certes Commynes voit bien que partout il y a des *forts et des faibles,* ceux qui n'*ont nul besoin* et les *pauvres* et cela est vrai de tous les régimes. *Là où je nomme rois ou princes je entends,* dit-il, *eux ou leurs gouverneurs et pour les peuples ceux qui ont les prééminences et maîtrises sur eux.* Homme ou femme, *de quelque état que ce soit,* il y a partout des privilégiés qui détiennent force et autorité... *par-dessus les autres.* Or les Flandres étaient précisément le théâtre d'une lutte sans merci entre les riches et les pauvres. Ce que Jacques Artevelde puis son fils Philippe avaient tenté de faire à Gand en 1336, en 1345 puis en 1382, c'était de libérer leur ville de la tyrannie des grands marchands. Après la répression impitoyable de leurs révoltes, les ouvriers flamands avaient essaimé dans toute l'Europe apportant leur appui à tous les mouvements libéraux, en Angleterre à celui de Wat Tyler, en Bohême à celui des hussites et des adamites, ces mystiques communisants qui se répandirent partout dans le prolétariat urbain. « Tous les partis démocratiques au XVe siècle ont les yeux tournés vers Gand, écrit Henri Pirenne. Le peuple de Rouen et de Paris se soulève sous Charles V au cri de « Vive Gand ». Le mouvement révolutionnaire, poursuit ce bon connaisseur de l'histoire communale, ne pouvait pas réussir parce que l'adversaire contre lequel il luttait dans le cadre urbain, le grand capitalisme, était une force internationale hors de sa portée. Mais les luttes sociales constantes qui dressèrent le peuple ouvrier contre le patriciat puis qui le divisèrent contre lui-même, tisserands contre foulons, firent émigrer les capitaux. Les marchands et les gens d'affaires se tournèrent vers le prince et l'industrie quitta les grandes villes drapières pour se fixer à la campagne. Leur décadence dès lors commença » (Henri Pirenne, *les Grands courants de l'Histoire,* tome II, page 184).

Non seulement les villes flamandes périclitent progressivement mais elles donnent en même temps le spectacle de rivalités internes et externes sans pitié. Classe contre classe, ville contre ville avec de perpétuels renversements d'alliances, les communes flamandes ne pouvaient susciter en Commynes aucune sympathie. Elles ne l'intéressaient que dans la mesure où elles étaient prospères. Il avoue ne pas comprendre comment *Dieu a tant préservé cette ville de Gand dont tant est advenu de maux et qui est de si peu d'utilité pour le pays et la chose publique dudit pays où elle est assise et beaucoup moins* (encore) *pour le prince. Et n'est pas,* poursuit Commynes, *comme Bruges qui est grand recueil de marchandises et grande assemblée de nations étranges et par adventure s'y dépêche plus de marchandises que en nulle autre ville d'Europe, et serait dommage irréparable qu'elle fût détruite* (I/436).

Avec ce dernier mot ce n'est pas à la stérile rivalité qui oppose Bruges à Anvers que Commynes fait allusion ni au lent et inéluctable ensablement de ce magnifique port mais bien à la destruction complète d'une autre ville. Car il a assisté et pris part lui-même au sac de Dinant à la fin du mois d'août 1466. Il a vu comment une ville peut être rayée de la carte, brûlée et rasée impitoyablement par la volonté du duc et de son fils blessés dans leur amour-propre parce qu'on avait osé publiquement brocarder dans cette ville la duchesse Isabelle. Or Commynes n'a pas un mot de commisération pour le sort de Dinant ni pour celui des huits cents hommes qui furent noyés dans la Meuse à la requête et aux applaudissements des gens de Bouvines leurs rivaux de toujours. Incroyable haine entre deux cités voisines ! Commynes reconnaît que *la vengeance du comte de Charolais fut cruelle sur eux,* mais si Dieu l'a permis c'est peut-être à cause de *leur grande mauvaitié,* ne peut-il s'empêcher de suggérer.

Le spectacle de la cruauté ne l'a cependant pas laissé indifférent et on le voit bien à toute une série d'allusions qu'il y fait dans l'évocation de ses sept années de campagnes militaires aux côtés de son maître. Mais c'est surtout à la complète inefficacité politique de la cruauté qu'il en veut. Et ce n'est pas là la moindre des leçons qu'il tirera de cette expérience capitale dans l'évolution de sa pensée politique. Lorsque la question fut mise un jour en délibération par le comte de Charolais de savoir *s'il ferait mourir ses otages ou ce qu'il en ferait* (il s'agissait de soixante hommes que la ville de Liège lui avait livrés en septembre 1466 en garantie de l'exécution du traité qu'elle avait été dans l'obligation de signer) *aucuns oppinèrent qu'il devait les faire mourir tous et par espécial le seigneur de Contay fut de cet avis. Et jamais,* souligne Commynes, *ne l'ouïs parler si mal ni si cruellement.* Tout au contraire, le seigneur de Humbercourt, *l'un des plus sages chevaliers et des plus entendus que je connus jamais,* était favorable à la libération de tous les otages, primo pour *mettre de tout point Dieu de sa part* et secundo pour donner à connaître à tout le monde que le comte de Charolais n'était *ni cruel ni vindicatif.* Car naturellement les otages libérés seraient rendus attentifs à la grande grâce que ledit comte leur faisait et ils deviendraient ses meilleurs propagandistes. On se rangea à l'opinion de Humbercourt et le comte de Charolais n'eut pas à regretter son geste. Deux mois plus tard, alors qu'il s'apprêtait à attaquer Liège, ce sont quelques-uns de ces otages libérés, *reconnaissant la grâce qui leur avait été faite,* qui lui apportèrent les clés de la cité avec trois cents otages en chemise, les jambes et la tête nues. Et Commynes en tirera la conclusion qu'un prince ne doit *jamais se lasser de bien faire car un seul et le moindre de tous ceux à qui on aura jamais fait du bien fera à l'aventure un tel service et aura telle reconnaissance qu'il récompensera toutes les lâchetés et méchancetés qu'avaient faites tous les autres.* Grande leçon de politique, en vérité. La cruauté et la bonté ne trouvent pas leur condamnation ou leur justification en elles-mêmes mais dans leur résultat. La cruauté n'est jamais payante. La bonté presque jamais. Mais dans cette petite différence gît la nécessité de préférer la seconde à la première. La politique est un calcul, une habileté, un choix de moyens et entre tous ceux qui se proposent il faut opter pour le plus rentable.

Le même seigneur de Humbercourt en donnera un autre exemple au jeune Commynes au cours de cette même campagne contre Liège, en novembre 1467. Logé dans les abords immédiats de la cité avec l'ordre de se retirer s'il ne se sentait pas en toute sûreté il délibéra de ne pas en partir alors même que l'entrée dans la ville lui était refusée en dépit de la reddition acceptée le jour même. Le seigneur de Humbercourt s'avisa alors de jouer de finesse. *Il n'avait avec lui qu'environ cinquante hommes d'armes. En tout,* précise Commynes, *pouvait y avoir quelque deux cents combattants et j'y étais. Si nous pouvons les amuser jusques à minuit,* dit Humbercourt, *nous sommes échappés car ils seront las et leur prendra envie de dormir. Et ceux qui sont mauvais contre nous prendront dès lors la fuite voyant qu'ils auront failli à leur entreprise* qui était de tenter la résistance et d'assaillir l'avant-garde commandée par Humbercourt. Pour parvenir à ses fins ledit seigneur dépêcha aux assiégés les six otages qu'il détenait, mais en deux groupes envoyés successivement avec des propositions à soumettre aux défenseurs de la ville et les otages devaient chaque fois venir rendre compte à Humbercourt. Il le faisait seulement pour leur donner occasion de *parler ensemble et de gagner du temps.* Il s'en fallut de peu que la négociation échouât. Mais finalement, deux heures après minuit, fatigués, les assiégés abandonnèrent l'idée d'une sortie et déclarèrent qu'ils tiendraient l'appointement qu'ils avaient fait. Et Commynes de conclure que *aucunes fois avec tels expédiants et habiletés on évite de grands périls et dommages.* Des vies aussi sont épargnées et ce n'est pas là le moindre des avantages d'un tel comportement. En vérité la cruauté et le massacre délibéré ne sont pas payants. Ils procèdent du reste d'une faiblesse physique ou morale (*jamais homme cruel ne fut hardi,* généralise Commynes), et sont les signes avant-coureurs d'une fin proche. Tel ce seigneur de Contay qui s'était prononcé si cruellement pour l'exécution des soixante otages. *Il me semble bon à dire,* souligne Commynes, *que après que ledit seigneur eut donné cette cruelle sentence... il ne vécut guères.* Ainsi en advint également du duc de Bourgogne car cruel il le devint *avant sa mort ce qui était mauvais signe de longue durée.*

Mais de toute cette campagne, de 1465 à 1468, contre ses villes en rébellion le duc en sortit toutefois vainqueur et ceci *contre toute raison,* estime Commynes. *Au jugement des hommes,* cependant, *il reçut tous ces honneurs et biens pour la grâce et bonté dont il avait usé envers ses otages.* Et, poursuit Commynes, *je le dis volontiers pour ce que les princes et autres se plaignent aucunes fois comme par déconfort quand ils font bien et plaisir à quelqu'un disant que cela leur procède de malheur et que pour le temps advenir ne seront si légers ou à pardonner ou à faire quelque libéralité ou autre chose de grâce, qui toutes choses sont apparentes à leur office. Et à mon avis c'est mal parlé et procède de lâche cœur à ceux qui ainsi le font.*

Comme on le voit, si jeune qu'il fût alors, Commynes n'avait pas perdu son temps. Après la guerre du Bien Public il avait découvert au cours de sa deuxième campagne militaire quelques-uns des principes fondamentaux de sa pensée politique. Il serait un défenseur de l'ordre, certes, mais encore davantage un contempteur du désordre politique, moral et social, conséquence fatale d'un trouble plus profond de l'âme et du corps.

IV

LA RENCONTRE DE PERONNE

1468

« Louis, par la grâce de Dieu roi de France, savoir faisons à tous, présents et avenir, que... Philippe de Commynes, démontrant sa grande et ferme loyauté et la singulière amour qu'il a eue et a envers nous, s'est dès son jeune âge disposé à nous servir, honorer, obéir, comme bon, vrai et loyal sujet doit son souverain seigneur, et nonobstant les troubles et divisions qui ont été et les lieux où il a conversé qui par aucun temps nous ont été et encore sont contraires, rebelles et désobéissants, toujours a gardé envers nous vraie et loyale fermeté de courage, et mêmement, en notre grande et extrême nécessité à la délivrance de notre personne lors que nous étions entre les mains et sous la puissance d'aucuns de nosdits rebelles et désobéissants qui s'étaient déclarés contre nous comme nos ennemis et en danger d'être illec retenu... sans crainte du danger qui lui en pouvait alors venir, nous avertit de tout ce qu'il pouvait pour notre bien et tellement s'employa que par son moyen et aide nous saillîmes hors des mains de nosdits rebelles et désobéissants. »

Ce texte est daté d'octobre 1472 à Amboise. Les circonstances dramatiques auxquelles Louis XI fait allusion se sont produites quatre ans plus tôt entre le 11 et le 14 octobre 1468 lors de son entrevue avec le duc Charles de Bourgogne à Péronne. Philippe de Commynes était alors au service du duc. Il était dans sa vingt et unième année. C'était en vérité un bien jeune âge pour jouer un rôle capital dans l'histoire des relations entre la France et la Bourgogne et du même coup sur un plan beaucoup plus vaste. Il est probable en effet que sans l'intervention de Philippe de Commynes à Péronne le destin de Louis XI et par là même celui de la France et de l'Europe auraient suivi un tout autre cours.

On sait comment Louis XI, par une démarche qui laisse encore tous les historiens dans la plus grande perplexité, s'est subitement résolu, en octobre 1468, à rencontrer en tête à tête son principal adversaire, Charles de Charolais, devenu duc de Bourgogne, le 15 juin 1467. Ils ne s'étaient pas revus depuis novembre 1465 lors des pourparlers qui devaient permettre d'en terminer provisoirement avec la guerre du Bien Public. Les hostilités menaçaient maintenant de reprendre entre les princes et le roi. L'éventualité d'une intervention anglaise aggravait encore les choses. Déjà se concentraient les troupes de part et d'autre de la ligne de la Somme.

Louis XI a-t-il craint de ne pouvoir s'en sortir cette fois-ci qu'avec plus de dégâts encore qu'à Conflans et Saint-Maur-des-Fossés ? A-t-il trop présumé de ses capacités de séduction ? Son calcul était-il par trop subtil ou son initiative simplement irraisonnée ? On en discutera aussi longtemps que Louis XI continuera à passionner les amoureux de l'Histoire. Commynes lui-même est toujours resté perplexe à ce sujet. *Le roi, venant à Péronne, ne s'était point avisé qu'il avait envoyé deux ambassadeurs à Liège pour les solliciter contre ledit duc lesquels ambassadeurs avaient jà si bien diligenté qu'ils avaient fait un grand amas* (de troupes) (I/135). Car tout le drame de Péronne a tenu à cette circonstance. Si les Liégeois n'avaient pas reçu l'aide et l'encouragement des émissaires du roi, peut-être n'auraient-ils pas jugé opportun de se lancer dans une nouvelle révolte au moment même où Louis XI tentait d'amadouer Charles le Téméraire. Peut-être ! parce qu'à leur sujet aussi on pourra toujours se demander si ce n'est pas de propos délibéré qu'ils ont décidé de précipiter les événements craignant qu'une entente n'intervienne entre les deux princes ; entente qui ne pourrait leur être que défavorable.

Mais qu'un prince aussi intelligent et aussi subtil que Louis XI ne se soit pas *avisé* au moment même où il prenait sa décision de rencontrer le duc de Bourgogne qu'il avait envoyé à Liège des agents chargés d'attiser la révolte qui couvait et qu'il ait négligé de les tenir au courant de sa soudaine initiative, voilà qui dépassait l'entendement de Commynes. Simple oubli de la part de Louis XI ? Ce n'est pas impossible si l'on songe à la multiplicité des affaires qu'il devait simultanément conduire tant à l'intérieur qu'à l'extérieur de son royaume. Il portait tout son conseil sur son cheval, comme on l'a dit, et menait de front par lui-même une diversité extraordinaire de négociations et d'intrigues. Simple erreur de calcul ? Dans l'évaluation des différentes éventualités pouvant survenir sur les multiples champs où s'exerçait son activité, il n'avait peut-être pas prévu que la révolte au déclenchement de laquelle il travaillait simultanément sur la place de Liège pourrait se produire plus tôt qu'il ne l'avait envisagé. De toute manière il a commis une *erreur,* le mot est de Commynes, car c'en était bien une de ne pas avoir averti ses émissaires. Et le fait est que les Liégeois avaient marché sur Tongres où se trouvaient l'évêque et le gouverneur bourguignon de leur ville, le seigneur d'Humbercourt, le jour même (le 9 octobre) où Louis XI entrait à Péronne. Quoi qu'il en soit, c'est l'annonce de cet événement, parvenue à Peronne deux jours plus tard, qui vint remettre en question les conclusions auxquelles une négociation ardue avait permis d'arriver. Tout espoir d'entente ne s'était cependant pas évanoui. Le jeudi 13, Louis XI écrivait encore au duc de Milan qu'il était sur le point de conclure une paix avantageuse.

C'est à ce moment précis que le rôle de Commynes est devenu déterminant. En sa qualité de chambellan du duc de Bourgogne, il jouissait d'une grande liberté de circulation. Il lui arrivait aussi de coucher dans la chambre même du duc quand il le voulait *car telle était l'usance de cette maison.*

Il était donc parfaitement au courant de toutes les allées et venues ainsi que de l'évolution des négociations. Lorsque la nouvelle de la révolte de Liège parvint au duc, celui-ci était entré dans une grande colère. Il avait donné aussitôt l'ordre de fermer toutes les portes de la ville et fait placer des gardes aux abords du château où était logé de roi. Il pria toutes les personnes présentes dans sa chambre de sortir à l'exception toutefois de Commynes et de deux valets. Il y avait là une première circonstance accidentelle qui n'allait pas tarder à se montrer d'une importance considérable. *Car je crois,* précise Commynes, *que si à cette heure il eût trouvé ceux à qui il s'adressait prêts à le conforter* (c'est-à-dire à l'encourager) *ou conseiller de faire au roi une très mauvaise compagnie il eût été fait.* Or que firent Commynes et ses deux compagnons ? Si l'on prend la peine d'essayer de se mettre à leur place et plus particulièrement à la place de ce jeune chambellan de vingt et un ans on imagine aisément leur réaction. Ils devaient partager l'indignation du duc. La duplicité, consciente ou non, du roi était flagrante. Mais au lieu d'abonder dans le sens où le duc s'apprêtait à agir ils ont pris sur eux de tenter de le calmer. Avec un tempérament aussi bouillant que celui de leur maître le risque n'était pas mineur. Ils l'assumèrent courageusement. *Nous n'aigrîmes rien,* souligne Commynes, *mais adoucîmes à notre pouvoir.* On ne saurait trop s'émerveiller d'un tel comportement surtout de la part de Commynes si l'on veut bien tenir compte de son âge et de l'attachement qu'il devait éprouver à l'endroit d'un prince qui l'avait déjà gratifié de grandes faveurs. Ce qui était en jeu, la « très mauvaise compagnie » que le duc pouvait envisager, c'était non seulement l'emprisonnement du roi, mais sa déposition éventuelle, voire son exécution.

Louis XI était logé *rasibus d'une grosse tour où un comte de Vermandois fit mourir un sien prédécesseur roi de France.*

Commynes fait ici allusion au sort de Charles le

Simple qui mourut effectivement dans cette tour en octobre 929 après cinq ans de captivité. La perspective d'une fin tragique de Louis XI n'avait rien d'imaginaire. On ne reculait pas à cette époque devant de pareils expédients. Dans l'entourage du Téméraire comme dans celui du roi, les hommes de main ne manquaient pas. Philippe de Bresse par exemple qui avait rejoint le duc à Péronne avait assassiné entre autres et encore récemment, en 1464, le chancelier de Savoie, un ami particulièrement cher au cœur de Louis XI. Il avait été aussitôt arrêté par un officier royal puis relâché et même nommé gouverneur de la Guyenne avec une très généreuse pension. Mais en dépit de cette clémence royale, il avait déserté le camp de Louis XI et était passé aux côtés du duc qui le fit membre de l'Ordre de la Toison d'or.

Commynes semble avoir été très impressionné par la succession de crimes qui avaient déjà ensanglanté l'histoire non seulement de la France mais aussi celle des autres pays européens comme l'Angleterre, l'Espagne et l'Italie. Pour les seuls rapports franco-bourguignons l'assassinat du duc d'Orléans par ordre du duc de Bourgogne, Jean sans Peur, le 23 novembre 1407 et l'assassinat à son tour du même Jean sans Peur par ordre de Charles VII à Montereau le 10 septembre 1419 hantaient encore toutes les mémoires au moment où Commynes accédait à la conscience politique. Aussi les évoque-t-il à diverses reprises dans ses Mémoires. Et comment n'aurait-il pas pu y penser devant le spectacle de la violente colère de son maître à Péronne ? Les euphémismes auxquels il recourt pour parler de cela témoignent de sa sensibilisation à ces horribles voies de fait qui lui répugnent.

A Montereau, Jean sans Peur a subi *un grand inconvénient* et ce qui menaçait Louis XI c'était la *très mauvaise compagnie* que le Téméraire pouvait éventuellement lui réserver. Aussi bien Commynes ne va-t-il pas se contenter d'apaiser dans la mesure de ses moyens la fureur du duc. Il fera quelque chose de beaucoup plus audacieux encore : il avertira secrètement Louis XI du grand danger qu'il court et il lui suggérera du même coup le moyen d'y échapper. Peut-être même, du côté du duc, l'a-t-il engagé à exploiter la position de force qu'il détenait en exigeant du roi le maximum possible de concessions. Commynes pouvait bien imaginer qu'en encourageant son maître dans cette voie il contribuerait à le détourner des autres mesures que son tempérament l'avait certainement amené à envisager dans le premier mouvement de sa colère. Quant au roi, Commynes n'avait pas à se faire trop de scrupules. Il savait bien, depuis la conclusion des traités de paix qui avaient momentanément mis fin à la guerre du Bien Public, que Louis XI n'hésitait pas à consentir, en cas de besoin, aux plus grands sacrifices parce qu'il pouvait toujours se faire dégager par le Parlement des obligations contractées sous l'empire de la nécessité.

Quant à savoir à quel moment s'est faite l'intervention de Commynes auprès du roi il est plus difficile de le déterminer. Depuis l'annonce de la révolte de Liège, dans le courant de la journée du 11 octobre probablement, jusqu'à l'acceptation sans réserve par le roi des conditions imposées par le duc, soit au matin du 14, le danger d'une précipitation soudaine des événements a sans doute varié. C'est au cours de la nuit du 13 au 14 qu'il a été le plus grave. *Cette nuit qui fut la tierce,* précise Commynes, *ledit duc ne se dépouilla oncques ; seulement se coucha par deux ou trois fois sur son lit et puis se promenait car telle était sa façon quand il était troublé. Je couchai cette nuit en sa chambre et me promenai avec lui plusieurs fois. Sur le matin se trouva en plus grande colère que jamais en disant des menaces et prêt à exécuter grand chose. Toutefois il se réduisit que si le roi jurait la paix et voulait aller avec lui à Liège pour lui aider à venger Monseigneur de Liège qui était son proche parent qu'il se contenterait. Et soudainement partit pour aller en la chambre du roi et lui porter ces paroles. Le roi eut quelque ami qui l'en avertit l'assurant n'avoir nul mal accordant ces deux points et que, en faisant le contraire, il se mettait en si grand péril que nul plus grand ne lui pouvait advenir.* Il a donc fallu à Commynes opérer avec une extrême célérité.

Quant au moyen auquel il a recouru pour informer le prisonnier royal il n'est pas difficile de l'imaginer. Au cours des négociations entre le 9 octobre et le 11, c'est-à-dire avant que tout fût suspendu, il a pu nouer le plus facilement du monde toutes sortes de contacts et notamment parmi les serviteurs les plus modestes du roi. Comme il l'a relevé à propos des allées et venues entre négociateurs, il y a toujours *quelque humblet* qui passe inaperçu et qui souvent n'en est pas moins le messager des plus importantes communications. Aux plus sombres heures de cet incident de Péronne, toutes les portes étant bien fermées et gardées, un *guichet* restait cependant toujours ouvert au château ne serait-ce que pour permettre aux prisonniers de subvenir à leur alimentation. Et si aucun des notables principaux du duc, de ceux qui disposaient de *quelque autorité,* comme dit Commynes, ne pénétra dans le réduit du roi, d'autres plus modestes pouvaient y avoir accès sans éveiller de soupçons.

Il est vain de chercher à imaginer la teneur du message oral ou verbal que Commynes a réussi à faire parvenir au roi. Il est tout aussi oiseux de se demander quelle a été la nature de son « aide », pour reprendre le mot employé par Louis XI dans l'évocation qu'il a faite de l'immense service rendu par le jeune chambellan de son geôlier. Il nous suffit de savoir que sa contribution au sauvetage du roi a été déterminante et officiellement reconnue par celui-là même qui en a bénéficié. Le message de Commynes était suffisamment clair pour que le roi comprît que le seul moyen pour lui de se tirer de la situation dramatique où il se trouvait et dont il portait par ailleurs toute la responsabilité consistait à consentir sans réserve à tout ce que son ennemi exigerait, fût-ce de se désolidariser totalement des Liégeois et d'accepter de marcher aux côtés du duc pour aller écraser la révolte qu'il avait lui-même téléguidée.

D'aucuns ont suspecté les mobiles de l'intervention secrète de Commynes. Il aurait été à ce moment déjà soudoyé par le roi. On sait que celui-ci chargea effectivement le cardinal de la Balue de répandre son or parmi les proches du duc. Mais la preuve n'a jamais été donnée que Commynes ait eu sa part des quinze mille livres que devait distribuer le cardinal. Si tel avait été le cas cela n'aurait pas manqué d'être révélé au procès de la Balue où les noms des bénéficiaires ont été cités en clair. Et pourquoi ne serait-ce pas simplement une sympathie spontanée qui aurait conduit Commynes à secourir le roi ?

Quoi qu'il en soit, les conséquences de la volte-face ignominieuse du roi furent catastrophiques pour Liège. La vengeance du duc fut aussi cruelle que pour Dinant. Elle aurait été probablement tout aussi terrible sans l'incident de Péronne. L'essentiel aux yeux de Commynes était d'être parvenu à éviter l'irréversible. Aussi ne saurait-on lui reprocher de manquer de modestie en rapportant dans ses Mémoires *qu'autrefois a plu au roi me faire cet honneur que de dire que j'avais bien servi à cette pacification.* Avec d'autres, très probablement, mais sans que cela diminue en rien son mérite.

Au point de vue où nous nous sommes placé et qui consiste à décrire l'itinéraire politique, moral et philosophique de Commynes il convient de dégager de l'affaire de Péronne les éléments nouveaux qu'elle permet d'apporter au portrait du jeune chambellan du duc de Bourgogne.

Cet homme de vingt et un ans témoigne en vérité d'une précocité remarquable. *Il faut noter,* dit-il lui-même quelque part, *que tous les hommes qui jamais ont été grands et fait grand chose ont commencé fort jeunes* (I/75). Il fallait en tout cas être doté d'une intelligence singulièrement éveillée pour tenir avec succès le rôle extrêmement délicat qu'il a délibérément choisi de jouer en ces circonstances dramatiques.

La première condition pour réussir dans cette entreprise périlleuse était de posséder un très grand sens psychologique. Avec des êtres aussi complexes que Charles le Téméraire et Louis XI, il fallait disposer d'un jugement extraordinairement aigu pour pénétrer dans la contexture intime de leur psychologie et y faire jouer les ressorts les plus secrets. Intelligents tous les deux, bien que Louis XI aux yeux de Commynes passât *en sens* bien au-dessus de son partenaire, ils étaient remarquablement cultivés, travailleurs acharnés, conscients de la gravité de leur charge, ambitieux. Ils différaient cependant profondément par leur tempérament. Autant le duc était emporté et irascible, maîtrisant à grand-peine ses humeurs et perdant le contrôle de lui-même dans les situations difficiles, fonçant alors aveuglément sur l'obstacle, autant le roi ne se trouvait jamais aussi à l'aise que dans les imbroglios les plus compliqués. Sa souplesse intellectuelle et morale le servait alors admirablement et il ne se faisait pas de scrupules à prendre des engagements dont il savait bien qu'il ne les tiendrait pas. Avec les deux il convenait de *charrier droit* et *en telles choses il faut,* dit Commynes, *gens complaisants et qui passent toutes choses et toutes paroles pour venir à la fin de leur maître.* La tâche devait cependant être sensiblement plus difficile auprès de Charles le Téméraire que de Louis XI car il était de ces princes qui *incontinent sont mués d'amour en haine et de haine en amour.* Avec un prince sage *il y a plus de façon de s'en pouvoir échapper et d'acquérir leur grâce que sous un fol* (I/97). De toute manière Commynes a fait preuve dans ces circonstances d'une habileté remarquable. La démarche qu'il s'est risqué à entreprendre auprès de Louis XI, pour réussir, devait être d'une discrétion absolue. Le moindre faux pas pouvait aussi entraîner les plus gros périls. Louis XI en tout cas a bien tenu à le souligner et à deux reprises dans l'ordonnance citée. Commynes, précise-t-il, a agi « sans crainte ni considération du danger de sa personne ». Un grand courage donc et servi par une adresse rare. Mais le plus étonnant encore chez un homme aussi jeune c'est de le voir opter d'une manière à la fois spontanée et parfaitement consciente pour une solution pacifique. On l'a déjà vu par ses considérations sur la guerre du Bien Public comme sur la répression des révoltes communales ; la violence, la cruauté, le sang inutilement versé heurtent sa sensibilité la plus profonde autant que sa raison.

Toujours porté à tirer de ses expériences les plus diverses des leçons d'une portée générale, Commynes a été amené par l'affaire de Péronne à prendre conscience de la précellence qu'il convient, à son avis, d'accorder à la diplomatie sur le recours à la force armée et aux voies de fait. Car *la guerre entre deux princes est bien aisée à commencer mais très mauvaise à apaiser pour les choses qui y adviennent et qui en dépendent car mainte diligence se fait de chaque côté pour grever son ennemi qui est soudain mouvement qu'ils ne peuvent rappeler* (I/129-130). Cette leçon que Commynes avait déjà retirée de ses précédentes expériences se complétait maintenant d'une seconde à savoir que *c'est grande folie à deux princes de s'entrevoir* et en corollaire qu'il *vaudrait mieux qu'ils pacifiassent leurs différends par sages et bons serviteurs* (I/136). Commynes ne consacre pas moins d'une quinzaine de pages au développement et à l'illustration de ce principe qu'il émet précisément à propos de l'affaire de Péronne.

En politique rien ne saurait évidemment revêtir un caractère absolu. Les rencontres entre princes qui sont encore *en grande jeunesse* ne sont pas à déconseiller formellement car c'est le temps qu'ils n'ont pas *d'autres pensées qu'à leurs plaisirs* (I/139). Ce qu'il convient en revanche d'éviter dans toute la mesure du possible ce sont les rencontres entre princes en âge d'assumer toutes leurs responsabilités et de prendre des initiatives. Ce principe s'applique particulièrement aux princes égaux en puissance, et il est valable en temps de paix aussi bien qu'en temps de guerre.

En effet même si la rencontre de princes de rang égal se déroule dans un climat qui ne comporte pas de péril pour leur personne, *ce qui est presque impossible,* dit Commynes, il est rare qu'elle n'entraîne pas d'inconvénients. Les caractéristiques physiques et psychologiques des partenaires et de leur entourage, la différence des langues, les singularités de l'habillement, du comportement, tout concourt à provoquer des malentendus et à laisser des arrière-pensées. Des moqueries peuvent échapper et *si accroît leur malveillance et leur envie.* Commynes en donne de nombreux exemples qu'il prend dans l'histoire de son temps et qu'il a, pour la plupart, vécus lui-même. Telles se sont déroulées les rencontres de Louis XI et de Henri de Castille sur la Bidassoa en avril 1463, celles du

Téméraire avec le duc Sigismond d'Autriche à Arras en 1469, avec Edouard IV à Saint-Pol en Artois en janvier 1471, avec l'empereur Frédéric à Trèves en l'automne 1473 et celle aussi de Louis XI avec Edouard IV en août 1475 à Picquigny. Toutes ces rencontres princières se sont révélées ou inutiles ou préjudiciables au maintien, au développement ou à l'établissement de bonnes relations.

Ces tête-à-tête entre princes sont franchement dangereux en temps de tension ou de conflit ouvert, comme ce fut précisément le cas à Péronne. Des circonstances imprévues peuvent en effet toujours surgir qui viennent compliquer les entretiens et nuire aux négociations au point de mettre éventuellement en danger l'un ou l'autre des partenaires en présence. Pareil inconvénient peut naturellement aussi arriver lorsque ce sont des diplomates et non des princes qui s'affrontent et Commynes savait déjà que les princes sont bien conscients des risques que courent parfois leurs représentants. Il aura sans tarder l'occasion de l'éprouver lui-même. Le Téméraire notamment n'hésitait pas à exposer dangereusement ses ambassadeurs. Louis XI non plus du reste qui proposa à un moment donné à Péronne, afin de pouvoir s'échapper, d'y laisser en otages quelques-uns de ses compagnons comme le duc de Bourbon et son frère le Cardinal ainsi que le connétable de Saint-Pol. Et Commynes d'ajouter à ce propos qu'il croyait bien lui-même, *à la vérité, qu'il les y eût laissés et qu'il ne fût pas revenu* (I/148). Avec son ironie habituelle, Commynes ne peut se retenir de noter encore que lesdits otages *s'offraient fort, au moins en public. Je ne sais,* ajoute-t-il, *s'ils disaient ainsi à part ; je me doute que non !*

Le grand avantage d'une négociation par personnes interposées réside dans le fait qu'un prince se réserve ainsi la faculté de désavouer éventuellement les engagements pris par ses représentants. Il peut aussi arriver qu'il néglige certaines précautions élémentaires comme de ne pas tenir au courant ses représentants de l'évolution des négociations menées parallèlement ou même en sens contraire par d'autres émissaires comme ce fut le cas lors de la rencontre de Péronne. Les princes cachent même volontiers à leurs confidents les plus intimes leurs intentions les plus secrètes. Autant de raisons pour les princes de ne pas participer en personne aux rencontres diplomatiques.

En ce qui le concerne, Philippe de Commynes aura manœuvré à Péronne avec une telle habileté et un tel succès qu'il aura trouvé moyen de gagner à la fois la confiance de son maître et celle de Louis XI. Charles le Téméraire en tirera la conclusion qui s'imposait. Mieux que sur les champs de bataille, c'est dans le travail diplomatique que Commynes trouverait sa vraie voie, celle qui correspondrait le mieux à la qualité première de son intelligence comme à ses dons, à son tempérament et à sa conception personnelle de la conduite des affaires publiques.

V

INITIATION A L'EUROPE

1468-1472

Je cuide avoir vu et connu la meilleure part de Europe. Si ai-je eu autant connaissance de grands princes et autant de communications avec eux que nul homme qui ait régné en France de mon temps tant de ceux qui ont régné en ce royaume que en Bretagne et en ces parties de Flandres en Allemagne, Angleterre, Espagne, Portugal et Italie tant seigneurs temporels que spirituels et de plusieurs dont je n'ai eu la vue mais connaissance par communication de leurs ambassades, par lettres et par instructions par quoi on peut assez avoir d'information de leur nature et condition (I/392 et I/2-3).

Son initiation à l'Europe, Philippe de Commynes a eu la chance de l'accomplir très tôt et très rapidement. De 1465 à 1470 son expérience s'était limitée aux affaires bourguignonnes et françaises. Mais de 1470 à 1472 déjà il fut appelé à voyager dans les principaux pays de l'Europe occidentale à l'occasion de diverses missions diplomatiques. Si sa découverte de l'Italie ne s'est faite qu'à partir de 1478 on peut cependant dire que l'ouverture de son esprit s'étendait à l'ensemble du continent alors qu'il avait à peine vingt-cinq ans.

Tout le portait et le prédestinait à cette orientation.

Le patrimoine de sa famille était situé dans une région où se sont affrontés, dès la division de l'empire carolingien, le monde germanique et le monde francophone. Aujourd'hui encore deux localités portant le nom de Comines se font face de part et d'autre de la frontière franco-belge. Sa province natale était partagée entre l'empire allemand et le royaume de France. Elle était bilingue et le nom même de la famille de Philippe de Commynes se déclinait indifféremment Van den Clyte ou de la Clite. Sur le plan économique, les Flandres étaient en relations très étroites avec l'Europe méridionale comme avec les pays nordiques. Elles vivaient en symbiose avec l'Angleterre qui leur vendait la laine indispensable à l'industrie textile. Un port comme Bruges offrait aussi au jeune Philippe de Commynes le spectacle fascinant des navires appareillant pour les destinations les plus diverses, port merveilleux, le premier peut-être de l'Europe à cette époque et que *hantaient toutes nations étranges* où on l'imagine questionnant tout enfant encore les voyageurs des pays lointains car il s'est toujours plu à le faire ainsi que le rapporte Sleidan, son premier biographe, qui tenait ce détail d'un des proches collaborateurs de Commynes. Il y avait là, il faut en convenir, des circonstances particulièrement favorables au développement d'un intérêt naturel pour l'extrême diversité des peuples européens. Par ailleurs l'époque exigeait de la part de l'élite dirigeante une information constante sur ce qui se passait dans les principaux pays. La période historique qu'a vécue Philippe de Commynes a sans doute été plus fertile que d'autres en mutations soudaines et de tous genres. Il avait le sentiment au moment où il rédigeait la deuxième partie de ses Mémoires, soit entre 1496 et 1498, que *dans les trente ans en ça on y en trouverait plus que en deux cents ans par avant, à comprendre,* précise-t-il encore, *France, Castille, Portugal, Angleterre, le royaume de Naples, Flandres et Bretagne.* Simultanément la France, l'Espagne et l'Angleterre mettaient un terme à leurs dissensions intestines et opéraient leur unification nationale, l'Etat bourguignon s'effondrait et le mariage de Marie de Bourgogne et de Maximilien d'Autriche bouleversait l'équilibre européen assurant aux Habsbourg une prépondérance qui allait bientôt devenir mondiale. L'Italie était convertie en champ de bataille européen où la France, l'Espagne et l'Autriche s'affrontaient tandis que Venise, Gênes et Florence voyaient leur prospérité compromise par la découverte du Nouveau Monde et le contournement de l'Afrique. En Europe orientale enfin la péninsule des Balkans était entièrement conquise par le Turc alors que la Pologne, la Bohême, la Hongrie se livraient à des rivalités dynastiques impitoyables et que la Russie entreprenait sa libération du joug mongol. L'interdépendance de fait des principales composantes de l'Europe rendait nécessaire leur adaptation constante à des données sans cesse fluctuantes. D'où l'obligation où elles se sont trouvées de développer leurs services diplomatiques. Les Italiens ont été les premiers à instituer des ambassades permanentes mais ils ont été bientôt suivis par les principales puissances. Ce fut la chance de Commynes de se spécialiser très jeune dans le domaine des relations internationales en ce moment capital du destin de l'Europe.

Au mois de mai 1470, il fut dépêché à Calais pour y suivre de plus près l'évolution des affaires anglaises. Le 12 mars en effet les partisans de Warwick avaient été battus à Stamford et le « faiseur de rois » avait dû fuir. Il pensait trouver un refuge à Calais dont il assumait la capitainerie mais le commandant de la place, le lieutenant John Wenlock l'en dissuada et Warwick, sur son conseil, s'en fut en Normandie demander l'hospitalité à Louis XI. Il débarqua à Honfleur le 5 mai 1470. Ce qui était en jeu, c'était la destitution éventuelle d'Edouard IV, roi d'Angleterre et son remplacement par son frère, le duc de Clarence, qui accompagnait Warwick dans sa fuite. Mais Louis XI était opposé à cette solution. S'il était d'accord quant au renversement d'Edouard IV, il désirait en revanche que ce fût un Lancastre qui soit établi sur le trône d'Angleterre et non pas un autre York. Il allait donc s'efforcer de rallier Warwick au parti de la Rose rouge. L'ex-reine d'Angleterre, Marguerite d'Anjou, épouse d'Henri VI emprisonné à Londres, s'était réfugiée en France. Louis XI parvint à réconcilier Warwick et Marguerite dont le fils

Edouard épousa en août Anne Neville, fille du faiseur de rois, à la condition que celui-ci « restituerait le roi Henri en la couronne et dignité royale d'Angleterre ». Dès lors Louis XI était prêt à financer le retour de Warwick. La partie était donc menaçante pour le duc de Bourgogne qui avait épousé en troisième noce la sœur d'Edouard IV. Avec le rétablissement d'un Lancaster sur le trône d'Angleterre, une conjonction anglo-française contre la Bourgogne en découlerait inévitablement. En envoyant Commynes à Calais *à l'heure de cest appareil,* le duc de Bourgogne lui confiait une mission particulièrement délicate. Pour sa première ambassade officielle le jeune seigneur de Renescure ne pouvait guère souhaiter mieux.

Calais était en effet un poste d'observation du plus grand intérêt. Ce dernier bastion anglais sur le continent continuait de jouer un rôle d'une extrême importance tant pour le roi d'Angleterre que pour le duc de Bourgogne. C'était là que les *gros marchands* de Londres acheminaient la laine destinée principalement aux tisserands flamands, *et est chose presque increable,* note Commynes, *pour combien d'argent il y en vient deux fois l'an et sont là attendant que les marchands viennent* (I/214). Non seulement les hommes d'affaires anglais *y prennent tout le profit de ce qu'ils ont deça la mer* mais les souverains anglais aussi. Ils en retiraient d'après *certain propos* recueilli par Commynes, jusqu'à *quinze mille écus de ferme* (I/198). Cette ville était alors *le plus grand trésor d'Angleterre et la plus belle capitainerie du monde, à mon avis, au moins de la chrestienté.* L'importance de la place n'était pas moindre pour les ducs de Bourgogne puisque la prospérité de leurs provinces nordiques en dépendait directement et par conséquent leurs ressources fiscales. Pour les deux princes il importait que le commandant de la place fût un homme de toute confiance. Or Commynes était précisément chargé de remettre à John Wenlock, lieutenant de Calais depuis 1455, une pension de mille livres que le duc de Bourgogne lui allouait en reconnaissance de la conduite qu'il avait tenue à l'égard de Warwick. Bien que celui-ci fût capitaine en titre de Calais, Wenlock avait jugé bon en l'occurrence de se conformer strictement à l'ordre qu'il avait reçu d'Edouard IV une demi-journée seulement avant que Warwick ne se présentât devant la place.

La première partie de sa mission accomplie, Commynes rencontra quelque réticence lorsqu'il aborda la seconde qui consistait à prier Wenlock de bien vouloir *mettre hors de la ville vingt ou trente de ses serviteurs, domestiques dudit comte de Warwick,* vu qu'il était *assuré que l'armée du roi* (*Louis XI*) *avec ledit Comte était prête à partir de Normandie où jà elle était. Et que si soudainement il prenait terre en Angleterre par aventure viendrait mutation à Calais à cause de ces serviteurs dudit comte de Warwick et qu'il n'en serait point à l'aventure le maître.* Et Commynes le pria *fort que dès cette guerre* (déclarée) *il les mît dehors* (I/202). Jusque-là Wenlock l'avait toujours assuré qu'il le ferait, mais maintenant qu'on arrivait à l'heure du choix, il se dérobait. C'est qu'en réalité il était toujours resté fidèle à Warwick, même lorsqu'il lui avait refusé l'entrée du port et qu'il l'avait engagé à chercher refuge de préférence en France car, enfermé à Calais, Warwick aurait été certainement attaqué par le duc de Bourgogne qui disposait en particulier d'une très forte flotte de guerre. *Secret, habileté ou tromperie ?* (I/203). La distinction n'est pas toujours aisée à établir et elle dépend du point de vue auquel on se place. Dans le cas particulier, qui n'est pas sans présenter quelque analogie avec celui de Commynes à Péronne, Wenlock se trouvait placé entre deux maîtres, son chef immédiat, Warwick, capitaine en titre de Calais, et son souverain, le roi Edouard IV. Wenlock était plus attaché au premier qu'au second et il l'a bien montré en mourant pour lui sur le champ de bataille de Barnet. *Jamais homme ne tint plus grande loyauté* à Warwick, déclare Commynes qui conclut cependant que Wenlock *servit très bien son capitaine en lui donnant ce conseil mais très mal son roi* (*id.*). Ce qui ne l'empêcha pas toutefois d'accepter la pension du duc de Bourgogne et sa nomination de capitaine de Calais en récompense de ce qu'Edouard avait estimé avoir été une preuve de loyauté à son égard.

Si avisé que fût Commynes il lui avait fallu plus de trois mois pour s'apercevoir de la dissimulation de Wenlock et il le reconnaît explicitement dans ses Mémoires : *jusque lors n'entendis sa dissimulation.* Une grande leçon qu'il recevait là, en vérité, et dont il se souviendra toute sa vie. Mais elle se doublait d'une autre qui n'était pas moins importante. En effet *quelque habile homme que fût Monseigneur de Wenlock* il fut trompé à son tour par une simple femme. Il l'avait laissée passer croyant qu'elle portait *ouverture de paix de par le roi Edouard* auprès de Warwick alors qu'en réalité elle était chargée de convaincre le duc de Clarence, son allié du jour, de le trahir au moment opportun, ce qu'il ne manqua pas de faire par la suite au grand dam de Warwick puisque c'est principalement la défection de Clarence qui causa sa perte à Tewkesbury. Ainsi, *cette femme trompa Wenlock et conduisit ce mystère dont fut défait et mort le comte de Warwick et toute sa séquelle.* Et Commynes de tirer la leçon de l'événement : *pour telles raisons,* écrit-il, *n'est pas honte d'être soupçonneux et d'avoir l'œil sur ceux qui vont et viennent mais c'est grande honte d'être trompé et de perdre par sa faute.* Encore convient-il là aussi de garder la mesure car *les soupçons se doivent prendre par moyen car l'être trop n'est pas bon* (*id.*). De cette première expérience diplomatique, Commynes aura ainsi tiré le plus grand profit personnel. Ses remarques attestent une prise de conscience précoce de toute une philosophie. En révélant de tels secrets il a bien conscience également de rendre service à ses lecteurs ainsi qu'à la connaissance de l'Histoire. Il assure en tout cas son ami Angelo Cato à la requête de qui il a écrit ses Mémoires que *nulle autre personne* ne saurait lui apporter de telles révélations sur les habiletés ou tromperies dont on use en politique au moins, précise-t-il, *de celles qui sont advenues depuis plus de vingt ans,* soit entre 1470 et 1490 environ.

Une autre expérience beaucoup plus délicate était réservée à Commynes quelques mois plus tard sur la même place de Calais. Le 29 septembre 1470, Edouard IV s'enfuyait en effet d'Angleterre, débarquait en Hollande et venait se réfugier auprès du duc de Bourgogne, dans un état de dénuement à faire pitié. *Ledit roi n'avait ni croix ni pile. Si pauvre compagnie ne fut jamais.* Aussitôt que le duc de Bourgogne apprit ce renversement complet de la situation il renvoya *incontinent* son ambassadeur à Calais avec une lettre de créance lui commandant en détail *ce que je fisse avec ce monde neuf et encore me pria bien fort d'y aller disant qu'il avait besoin d'être servi en cette matière.*

Ce n'était pas sans crainte cette fois-ci que Commynes se mit en devoir d'accomplir cette nouvelle mission. Bien qu'il fût accompagné d'un ou deux gentilshommes anglais du parti du nouveau roi Henri VI de Lancaster que Warwick avait tiré de son cachot de la Tour de Londres « comme on eût fait d'un sac de laine que l'on traîne par les oreilles », ainsi que devait l'écrire Georges Chastellain, Commynes pouvait redouter à juste raison qu'on lui tînt rigueur de son comportement au cours de sa première mission car ceux qui avaient à cette heure le bon crédit sur la place de Calais étaient ceux-là même dont il avait précédemment demandé l'extradition. Mais Wenlock avait eu la discrétion de ne pas leur en parler. Commynes devait cependant user de prudence. Il s'arrêta tout d'abord à Tournehem *n'osant passer outre* parce que le peuple fuyait devant les Anglais. *J'avais encore cette nuit averti ledit duc* (de Bourgogne) *de la crainte que j'avais de passer.* Mais Commynes se garda bien de lui dire qu'il avait demandé en même temps à Wenlock un sauf-conduit *car,* dit-il, *je me doutais bien de la réponse que j'eusse reçue* (du duc). Celui-ci lui envoya *une verge* (bague sans chaton) *qu'il portait au doigt pour insigne et me manda que je passasse outre et me deussent-ils prendre car il me rachèterait. Il ne craignait point fort à mettre en péril un sien serviteur pour s'en aider quand il en avait besoin* (I/212).

Cependant en dépit des deux sauf-conduits dont disposait Commynes, celui du duc et celui que Wenlock s'était empressé de lui faire parvenir, les marchands de Calais *voulaient fort que je fusse arrêté pour ce qu'on avait pris plusieurs de leurs biens à Gravelines et par mon commandement.* Commynes avait en effet donné l'ordre, avant même d'arriver à Calais, d'arrêter tous les marchands et marchandises d'Angleterre se trouvant dans la région de

Gravelines à une vingtaine de kilomètres de Calais, ceci en représailles pour les dégâts commis par la soldatesque anglaise nouvellement débarquée. Les esprits étaient montés contre tous ceux qui avaient manifesté quelque réticence à l'endroit de Warwick et sur la porte même du logis et de la chambre de Commynes *me firent plus de cent croix blanches et des rouges,* couleurs de Louis XI et de Henri VI, le nouveau roi d'Angleterre.

Mais ce qui devait le plus étonner Commynes ce fut le spectacle de la *mutation soudaine et hâtive* qui s'était produite parmi la garnison de Calais. *En moins d'un quart d'heure* après l'annonce de la réussite du nouveau coup d'Etat de Warwick, tout le monde avait changé de livrée, substituant celle des Lancaster à celle des York. *Ceux que je pensais les meilleurs* (pour Edouard IV) *étaient ceux qui plus le menaçaient* (I/213). *Et crois bien,* ajoute-t-il, *qu'aucuns le faisaient par crainte et d'autres le faisaient à bon escient.* Dans de telles circonstances il y avait lieu pour Commynes d'user de la plus extrême circonspection, quitte à mentir effrontément. *Je leur répondais à tout propos que le roi Edouard était mort et que j'en étais bien assuré nonobstant que j'en savais bien le contraire* (I/213). Il fallait en vérité être doté d'une singulière souplesse intellectuelle pour ne commettre aucun impair. Le duc de Bourgogne était le beau-frère du roi évincé mais il était lancastrien par filiation, sa mère étant elle-même petite-fille de Jean de Gand, l'ancêtre des Lancaster. Warwick était prêt à déclarer la guerre au duc de Bourgogne qu'il soupçonnait de sympathie yorkiste. Quant à Louis XI qui avait œuvré activement au rétablissement des Lancaster il était également sur le point d'attaquer le Téméraire. Celui-ci était fort embarrassé car il abritait dans sa cour même des Anglais appartenant aux deux camps, et il était soumis à leur pression contradictoire. Par ailleurs nul ne pouvait être assuré qu'un nouveau renversement ne vînt rétablir Edouard IV sur son trône tout aussi soudainement qu'il en avait été chassé.

Commynes fut cependant assez heureux pour arriver à un accord avec Wenlock, un *appointement* pour employer son expression. Les anciennes alliances entre la Bourgogne et l'Angleterre subsisteraient avec ce seul correctif qu'il était désormais convenu qu'elles avaient été passées non seulement *avec le roi* mais aussi *avec le royaume.* En tant que telles elles ne se pouvaient enfreindre pour ce qui était advenu. Celui que les Anglais jugeaient bon de prendre pour roi, les Bourguignons le reconnaîtraient automatiquement.

Cette solution ne procédait pas du seul génie diplomatique de Commynes. Il s'était conformé strictement à la substance de la créance que lui avait donnée son maître. Mais encore fallait-il qu'il trouvât moyen, tout en réservant entièrement l'avenir, de ne froisser aucune susceptibilité au cours des conversations qui devaient aboutir à ce remarquable accord. Il convenait de toujours trouver le mot juste et c'est là du reste la tâche essentielle d'un diplomate. La formule *avec le roi et le royaume* y subvenait adéquatement. Si Commynes le souligne dans ses Mémoires, c'est qu'il avait bien vu qu'il y avait aussi dans cette conclusion autre chose qu'une simple question de vocabulaire. L'accord de Calais permet en effet de saisir sur le vif l'évolution du droit international. Les relations entre nations étaient restées jusque-là essentiellement féodales. Elles liaient les princes, voire leurs sujets *d'homme à homme* (II/365). Mais dans cette deuxième moitié du XVe siècle, elles tendaient à se dépouiller progressivement de ce caractère personnel pour reposer toujours davantage sur des principes que sur des princes. C'est ce processus d'abstraction qui se manifestait clairement dans le cas particulier. Le duc Charles de Bourgogne et le roi d'Angleterre Edouard IV étaient compagnons des mêmes ordres chevaleresques, le premier était chevalier de la Jarretière et le second chevalier de la Toison d'or. Mais les liens entre la Bourgogne et l'Angleterre étaient fondés en réalité sur des rapports qui ne concernaient pas uniquement la personne de leurs princes. Aussi bien consistaient-ils dans l'interdépendance économique des deux pays. Si certains marchands anglais en voulaient à Commynes des saisies opérées sur son ordre à Gravelines, *les gros marchands* de Londres, quant à eux, voyaient plus loin et il y en avait plusieurs en ce moment à Calais. Ce sont eux, au dire de Commynes, qui *aidèrent à conduire cet appointement*. Ils parvinrent à retenir Warwick qui avait déjà envoyé à Calais quatre mille soldats *pour faire la guerre* (au duc de Bourgogne) *à bon escient*. Ce qui importait à ces gros marchands, c'était au contraire qu'ils puissent continuer à vendre leur laine en Flandres. Commynes n'avait pas manqué de s'en apercevoir et on l'imagine soignant tout particulièrement ses relations avec eux.

De toute manière il avait obtenu là un remarquable succès diplomatique. Cet appointement *fut bien agréable au duc de Bourgogne*, peut-il écrire avec une légitime satisfaction. Il avait gagné, haut la main, ses premiers galons de diplomate. Ce succès était dû à son intelligence mais aussi à son charme personnel. Au cours de sa première mission il s'était attiré la sympathie de Wenlock. Au cours de la seconde il était parvenu à séduire les gros marchands grâce sans doute à son « doux parler ». Mais ce faisant il avait aussi rendu un immense service à son maître. *Si ledit duc eût eu guerre avec les deux royaumes* (français et anglais) *à une fois* (comme il fut à deux doigts de l'avoir) *il était détruit*, affirme Commynes.

Ce péril momentanément écarté, le duc de Bourgogne eut le temps de se retourner. *Sous main et secrètement*, il finança la restauration d'Edouard IV. Débarqué le 12 mars 1471 sur la côte du Norfolk, celui-ci défit à Barnet les forces lancastriennes le 14 avril puis à Tewkesbury le 23 mai. Warwick y fut tué au moment où il s'apprêtait à fuir. On comprend, dans ces circonstances, que le duc de Bourgogne n'ait rien eu de plus pressé que de recourir de nouveau à Commynes pour intervenir cette fois-ci en Angleterre même. Il fut chargé en effet, comme il l'avait fait pour Wenlock, d'aller verser au chancelier Hastings une pension de mille livres. On ne sait combien dura son séjour dans l'île, le seul qu'il y fît probablement, mais il suffit à le remplir d'admiration pour les institutions anglaises.

Commynes eut tout d'abord l'occasion de faire plus

ample connaissance avec le roi et il nous en a laissé un portrait remarquable. Il le jaugea immédiatement comme étant essentiellement un jouisseur *accoutumé à ses aises et ses plaisirs, plus que prince qui ait vécu de son temps, car nulle autre chose il n'avait eu ne pensée que aux dames et beaucoup plus que de raison et aux chasses et à bien traiter sa personne. Quand il allait en la saison en ses chasses il faisait mener plusieurs pavillons pour les dames.* Il y faisait *très grande chère et aussi il avait le personnage ainsi propice à ce faire que homme que jamais je visse car il était jeune et beau autant que nul homme qui ait vécu en son temps ; je dis à l'heure de cette adversité car depuis s'est fait fort gras. Le roi Edouard n'était point homme de grand ordre. Il n'avait nulle crainte qui me semble une très grande espèce de folie de ne craindre son ennemi ni vouloir croire rien.* Commynes lui reconnaît cependant de la vaillance. Le fait est qu'il a été *bien fortuné en ses batailles car neuf grosses batailles pour le moins en a gagné et toutes à pied.* Il était du reste pacifique de nature et l'est resté *jusques à sa mort* mais non pas sans *grand travail d'esprit et grandes pensées.* Après qu'il eut liquidé le parti lancastrien il prit ses plaisirs *plus que devant, ne craignant personne ; et se fit fort gras et plein et en fleur d'âge lui vinrent aux reins ses excès et mourut assez soudainement d'une apoplisie* encore qu'y contribua aussi la *mélancolie* qu'il conçut de voir Louis XI renoncer au mariage du dauphin avec sa fille. De ce jugement sur le roi d'Angleterre, Commynes déduira en d'autres circonstances la conduite à tenir à son égard.

Ce vif intérêt pour la psychologie individuelle ne l'empêche pas cependant de dégager quelques traits plus généraux de la psychologie collective qu'il convient également de prendre en considération dans l'action diplomatique. C'est ainsi que les Anglais lui paraissent *fort colériques, au moins,* note-t-il, *ceux qui ne sont jamais partis d'Angleterre,* en quoi ils sont assez semblables à *toutes ces nations de pays froids.* Les Anglais sont vaillants et supérieurs aux Français sur les champs de bataille bien qu'ils paraissent en déclin à ce point de vue. Par ailleurs ils sont moins adroits dans les négociations. Dans ce domaine ils vont *grossement en besogne par quoi ne peuvent si tôt entendre les dissimulations dont on use de çà et d'ailleurs.*

Mais ce qui retient encore davantage l'attention de Commynes en Angleterre, ce sont les institutions et certaines règles qui régissent le comportement social. La particularité qui place l'Angleterre au-dessus de la plupart des grandes nations, c'est l'existence d'un Parlement régulièrement consulté. Cette institution, Commynes la qualifie de chose *très juste et très sainte.* Ses deux principales attributions concernent la guerre et les finances, étroitement liées du reste. En effet *le roi ne peut entreprendre une telle œuvre* (la guerre) *sans assembler le Parlement* qui est en outre seul habilité à décider la perception d'un impôt s'étendant à l'ensemble du royaume car *les rois d'Angleterre ne lèvent rien que leur domaine* (propre). Il n'a cependant pas échappé à Commynes que cet obstacle peut être tourné *car c'est bien une pratique que ces rois d'Angleterre font quand ils veulent amasser argent que faire semblant d'aller en Ecosse* (ou en France) *et faire armée* après quoi ils s'empressent de rompre leur armée et gardent le reliquat de l'impôt spécial qu'ils ont été autorisés à prélever pour le financement de l'expédition. N'empêche que ce recours obligatoire au Parlement joue le rôle de frein car *les choses y sont longues et l'issue n'en est pas brève.* Par ailleurs, dans leurs guerres intestines, *ils ne tuent rien et par espécial du peuple.* Aussi bien et en dépit du fait que les Anglais sont toujours *enclins* à descendre sur le continent et particulièrement en France *selon mon avis,* conclut Commynes, *entre toutes les seigneuries du monde dont j'ai eu connaissance où la chose publique est mieux traitée, où règne moins de violence sur le peuple, où il n'y a nul édifices abattus ni démolis par guerre c'est Angleterre, et tombe le sort et malheur sur ceux qui font la guerre.*

Dans ces diverses considérations sur les institutions publiques de ce pays, Commynes rejoint l'opinion de John Fortescue qu'il a peut-être eu l'occasion de rencontrer. De toute manière, il est le premier écrivain de langue française à vanter les institutions anglaises et à ce titre il n'est pas abusif de dire qu'il est à l'origine de ce courant de sympathie qui orientera plus tard un Bodin puis Montesquieu et les Encyclopédistes dans leur recherche du meilleur système de gouvernement et les amènera à s'inspirer du modèle anglais.

En 1471, Commynes fut également chargé de diverses missions diplomatiques en Bretagne, en Espagne et en Allemagne. Malheureusement il est resté beaucoup plus discret à leurs sujets bien qu'elles aient contribué à élargir considérablement le champ de son expérience et de sa réflexion et que l'une d'elles au moins, celle de Bretagne, soit à l'origine des relations personnelles très étroites qu'il entretiendra par la suite et jusqu'à la fin de sa vie avec cette maison ducale. C'est sans doute en vue de resserrer les liens entre la Bourgogne et la Bretagne qu'il fut envoyé, en août 1471, auprès de François II à la suite du traité d'Ancenis (1467) par lequel Louis XI était parvenu à détacher ce prince de son alliance avec le duc de Bourgogne. En Espagne, il est à présumer que sa mission ait eu quelque rapport avec la conclusion de l'alliance anti-française de la Bourgogne, de l'Aragon et du royaume de Naples, qui devait être signée à Saint-Omer le 1er novembre 1471, un acte diplomatique de la plus haute importance, puisqu'il est à l'origine de la conjonction hispano-bourguignonne qui bouleversera l'équilibre européen au XVIe siècle. Le mariage de Ferdinand d'Aragon et d'Isabelle de Castille survenu en 1469 était également susceptible de modifier considérablement dans un proche avenir les rapports de force franco-espagnols et il était naturel que le duc de Bourgogne cherchât à se rapprocher des souverains hispaniques. Là encore Commynes s'initiait à la grande diplomatie.

Ce voyage entrepris sous la couleur d'un pèlerinage à Saint-Jacques-de-Compostelle pouvait difficilement se faire sans que Louis XI en fût informé officiellement. Et le fait est que Commynes en profita pour rencontrer le roi de France, avec l'assentiment sinon l'ordre de son maître. Son itinéraire au travers de la France était du reste surveillé par les agents secrets du duc de Bourgogne comme le révèle un rapport annoté de la main même du duc. Nous aurons l'occasion d'y revenir par la suite. Quant à la mission de Commynes dans le duché de Gueldre pour tenter de trouver une solution à l'atroce rivalité du duc de Gueldre et de son fils, si elle était d'une tout autre nature que les deux autres, elle n'en offrait pas moins à l'émissaire du duc de Bourgogne l'occasion de se familiariser avec le monde germanique et ses mystères et de prendre la mesure de cette Allemagne qui lui parut *chose si grande et si puissante qu'il est presque incroyable.*

Grâce à ces expériences accomplies dans des circonstances parfois dramatiques, Philippe de Commynes, au cours des années 1470 et 1471, a élargi considérablement son horizon. Au seuil de sa vingt-cinquième année, il avait acquis une ouverture d'esprit déjà européenne. Après une enfance marquée par la pénible condition d'orphelin et une adolescence de modeste courtisan, la chance lui avait tout à coup souri. Il a pu mener une intense activité sur le plan militaire, politique puis diplomatique.

Doté d'une intelligence particulièrement vive, il en a retiré un enseignement infiniment précieux. Non seulement il a pu s'initier rapidement aux subtilités de la diplomatie et acquérir un sûr métier mais aussi dégager quelques principes fondamentaux d'une véritable philosophie politique. Son expérience anglaise en particulier lui fit l'effet d'une sorte de révélation sur la nature profonde des affaires humaines. Il a pris soin d'en noter la date. Ce fut lors de sa seconde mission à Calais en octobre 1470 que pour *la première fois... j'eus jamais connaissance que les choses du monde sont peu stables. Tout ceci,* avoue-t-il, *m'était bien nouveau car jamais je n'avais vu des mutations de ce monde* (I/211-213). Peut-être, se relisant, a-t-il remarqué qu'il se dépeignait là plus naïf qu'il n'était. Aussi a-t-il jugé bon de préciser après coup au sujet de cette dernière observation qu'en tout cas de telles mutations il n'en avait jamais vu *si avant.* Leçon que donne le manuscrit Dobrée.

De toute manière le jeune et modeste seigneur de Renescure, en pleine conscience de ses dons naturels, pouvait maintenant songer à une carrière plus ambitieuse que celle de simple diplomate à dix-huit sous par jour au service d'un duc dont tout indiquait qu'il était en voie de compromettre sérieusement son avenir et celui de sa Maison.

VI

LA CROISEE DES CHEMINS

1472

Dans la nuit du 7 au 8 août 1472, Philippe de Commynes déserta le camp du duc de Bourgogne établi près de la ville d'Eu en Normandie. Trois semaines plus tard il rejoignait Louis XI aux Ponts-de-Cé, près d'Angers.

Sur ce tournant capital de son existence, Commynes a été d'une discrétion remarquable. *Environ ce temps,* se borne-t-il à écrire dans ses Mémoires, *je vins au service du roi et fut l'an 1472* (I/247). C'est la seule allusion qu'il ait jamais faite à cet épisode crucial. Les précisions dont nous disposons à ce sujet, les historiens ont dû les rechercher dans les archives. C'est ainsi que l'on a découvert une pièce de la main même du duc écrite le 8 août à six heures du matin. Constatant que son chambellan s'était « distrait hors de son obéissance et rendu fugitif au parti à lui contraire » le duc, dans un mouvement de colère bien compréhensible, l'avait aussitôt dépouillé de tous ses biens. Il donnait à un certain seigneur de Quiévrain tous « les droits et actions » qui appartenaient à Commynes, « lesquels droits, ensemble tous les biens quelconques d'icelui messire Philippe étaient échus audit duc de Bourgogne, par droit de confiscation » (Dupont III/11). De son côté Louis XI reconnaissait dans une ordonnance d'octobre 1472 « les grandes pertes et dommages » subis par Commynes tant « en meubles et immeubles, chevances et héritages, terres et seigneuries... pour nous venir servir » (Dupont III/13).

Mais nous savons aussi que le même Louis XI, peu de temps avant la fuite de Commynes, a donné par écrit l'ordre de confisquer le dépôt de six mille livres que Commynes avait fait, probablement au cours de son voyage de 1471 à travers la France, auprès d'un marchand de Tours nommé Jean de Beaune. Le roi justifie son ordre en déclarant que le seigneur de Renescure a « forfait envers nous corps et biens ». Faisant état que Commynes « se tient avec (le duc) » et est toujours « en son service avec d'autres Bourguignons », le roi le qualifie de « rebelle et désobéissant sujet ». De là à penser que ces six mille livres représentaient un don de Louis XI et qu'en le confisquant il cherchait à faire pression sur Commynes pour qu'il se décide à passer ouvertement à son service il n'y a qu'un pas. Ce serait la preuve que la « trahison » de Commynes a été motivée essentiellement par sa cupidité. Il se serait laissé prendre bêtement dans la toile de l' « universelle aragne » et il aurait été contraint de faire le saut car l'ordre de confiscation donné par Louis XI ne pouvait manquer de parvenir à la connaissance du duc et Commynes risquait d'encourir sa disgrâce. Mais les choses sont rarement aussi simples, surtout quand on a affaire à un personnage aussi retors que Louis XI. Il s'est trouvé en effet un historien, généralement peu favorable à Commynes, pour suggérer que cet ordre du roi pouvait être une subtile machination destinée à mieux tromper et endormir le Téméraire (Dufournet, *Vie de Commynes*, p. 33) en le convainquant que Commynes était considéré par le roi comme un fidèle serviteur du duc. Cette divergence dans l'interprétation d'un même document montre bien l'extrême difficulté du problème. Commynes est-il bien le sinistre traître que l'on s'est plu à fustiger ? Est-ce vraiment pour une sordide question d'intérêt qu'il s'est décidé à ce moment-là à franchir le pas comme un vulgaire déserteur ? En tout cas aucun autre épisode de la vie de Commynes n'aura fait couler autant d'encre. Il vaut la peine à notre tour de nous y arrêter quelque temps.

L'une des qualités maîtresses de tout chef est de savoir reconnaître la *différence entre les hommes* (I/83) et de chercher à s'assurer le concours des meilleurs. *Un sage homme sert bien en une telle compagnie, mais qu'on le veuille croire, ne se pourrait trop acheter* (I/83). C'est *une grande grâce que Dieu fait au prince qui sait le faire* (I/72). Pour arriver à cette fin il ne doit pas être trop regardant. A cet égard la différence était sensible entre Charles le Téméraire et Louis XI. Du premier Commynes dira que ses *bienfaits n'étaient point fort grands pour ce qu'il voulait que chacun s'en sentît* (I/390) tandis que le second, lorsqu'il cherchait *à gagner un homme qui pouvait le servir,* il ne lésinait pas, *promettant largement et donnant par effet argent et états qu'il connaissaît qui lui plaisaient* (I/73). Nul n'était aussi attentif à la qualité des hommes. *Véritablement il connaissait toutes gens d'autorité et de valeur* en France comme dans les principaux pays de l'Europe occidentale et particulièrement dans *les seigneuries du duc de Bourgogne.* Les hommes étant ce qu'ils sont *car naturellement la plupart des gens ont l'œil ou s'accroître ou se sauver qui aisément les fait tirer aux plus forts,* il est généralement facile de les séduire. Il suffit de savoir y mettre le prix. Quant aux hésitants, Louis XI *ne s'ennuyait point à être refusé une fois... mais il continuait.* Et s'il s'agissait de regagner ceux qu'il *avait chassés et déboutés* par maladresse, *il les rachetait bien cher quand il en avait affaire.* Il n'y a rien là de nécessairement sordide. Il y a même une morale chrétienne du « faire-valoir », celle des calvinistes et des puritains, qui s'applique aux collectivités aussi bien qu'aux individus.

Or Commynes était incontestablement un de ces hommes d'autorité et de valeur dont un prince avisé et soucieux des intérêts supérieurs de son Etat ne devait pas hésiter à s'assurer la collaboration. Et Commynes aimait l'argent et les états. En l'achetant même très cher, Louis XI faisait bénéficier la France des qualités éminentes d'un de ses meilleurs sujets. Quant à Commynes, en passant du duc au roi il voyait la possibilité de « faire valoir » ses talents sur un champ mieux accordé à leur mesure. Il obtenait également une meilleure rémunération de ses services. Mais cela ne signifie pas nécessairement que la soif de l'argent et l'appétit du pouvoir aient eu chez lui la priorité sur tout autre mobile et sur toute autre considération. Du reste, s'il était resté au service du duc il n'était nullement exclu qu'il eût pu accomplir également une belle carrière. Sa parente la plus proche, Jeanne de Commynes, est devenue la collaboratrice de confiance de Marie de Bourgogne et, après la mort de celle-ci, en 1482, elle a continué d'être associée étroitement à la conduite des affaires austro-bourguignonnes. Rien *a priori* n'aurait empêché Commynes d'en faire autant. Mais qui aurait pu prévoir en 1472 une mutation politique aussi formidable que la conjonction de l'Autriche et de la Bourgogne puis de l'Espagne ? En revanche ce que Commynes a pu discerner et redouter, c'est le caractère néfaste que la politique du duc ne laissait pas de présenter à court terme pour la Bourgogne, à moyen et plus long terme pour la France et l'équilibre européen. Cet aspect du problème posé à la conscience de Commynes devait le préoccuper au moins autant que l'enrichissement et l'augmentation de puissance personnelle que pouvait lui assurer son ralliement à Louis XI.

Il est probable en effet que le spectacle du manque de mesure du duc a joué un rôle déterminant dans la résolution de Commynes. A cet égard les péripéties de la campagne de Normandie ont certainement contribué à précipiter sa décision. La dévastation du pays de Caux où le duc fit *mettre les feux partout où il arrivait,* le massacre de la garnison de Nesle le 12 juin 1472 ont indigné Commynes. C'était là, selon lui, *exploit de guerre ort et mauvais... La plupart furent tués. Ceux qui furent pris vifs furent pendus sauf aucuns que les gens d'armes laissèrent courre par pitié. Un nombre assez grand eurent les deux poings coupés. Il me déplaît,* ajoute Commynes, *à dire cette cruauté, mais j'étais sur le lieu et en faut dire quelque chose. Il faut dire que le duc était passionné de faire si cruel acte* (I/232). Commynes reconnaît bien que le Duc *n'avait jamais usé* jusque-là de pareilles cruautés. Ce pénible spectacle n'en confirmait pas moins à ses yeux le manque de contrôle de son maître. Aussi bien sa décision de le quitter était-elle l'aboutissement de longues années d'observation et de réflexion.

Dès sa première campagne militaire aux côtés du duc, dans la guerre du Bien Public, des doutes, comme on l'a vu, se sont élevés dans son esprit sur les qualités de chef de son maître. Mais il y avait plus grave. Bientôt initié aux secrets de la politique bourguignonne il est apparu toujours plus clairement à Commynes qu'entre Charles de Bourgogne et Louis XI il y avait bien autre chose qu'une simple rivalité de personnes. Ce qui était en jeu dans l'opposition de ces deux princes n'était rien moins que l'avenir de deux pays en voie de rapide évolution. Le duc comme le roi étaient animés d'une volonté égale de tendre à l'unification voire à la centralisation de leurs Etats respectifs. L'intention ouvertement déclarée du duc de Bourgogne, la ligne directrice de toute sa politique était d'édifier coûte que coûte et le plus rapidement possible un Etat d'un seul tenant territorial regroupant les provinces dispersées et disparates que ses prédécesseurs étaient parvenus à soumettre à leur autorité. Le but non moins évident de la politique royale consistait à en finir une bonne fois avec l'anarchie féodale. *Louis XI désirait de tout son cœur,* assure Commynes, *de pouvoir mettre une grande police en ce royaume* (II/37) au sens d'une unification complète du droit et de l'administration. Il était probablement inévitable que ces deux conceptions politiques, quoique identiques dans leur principe, s'acheminent vers un conflit armé mettant en cause l'existence même des entités nationales qu'elles se proposaient de renforcer ou même, s'agissant de la Bourgogne, de créer de toute pièce.

Or l'édification d'un Etat bourguignon indépendant et d'un seul tenant entraînait pour le royaume le détachement d'un certain nombre de provinces, la Flandre, l'Artois, la Picardie, Bar-sur-Seine, Nevers, Rethel, Château-Chinon, le Bourbonnais, la Bourgogne, le Charolais, le Mâconnais et l'Auxerrois. Aucun roi n'aurait pu se résigner à une telle amputation de la France. Les principaux féodaux, par contre, y auraient facilement consenti. Inversement, la réduction du nombre des fiefs entreprise systématiquement par les rois, et notamment par Louis XI, enlevait au duc de Bourgogne l'appui de ses alliés naturels sans la connivence active ou passive desquels il parviendrait difficilement à mener à chef son projet d'unification territoriale.

De cet état de chose découlait pour le duc de Bourgogne la nécessité d'apporter son soutien à toute velléité féodale de démembrer le royaume ou tout au moins de réduire ou de chercher à contenir le développement de l'autorité royale. Ce n'est pas là une simple vue de l'esprit reconstruisant l'Histoire en fonction de ce qui s'est réellement passé par la suite. Commynes était bien placé pour le savoir. N'était-ce pas à lui que Charles le Téméraire avait déclaré un jour *que pour un roi qu'il y a il y en voudrait six* (I/227) ?

Dès lors la question capitale pour Commynes était de savoir s'il pouvait sans arrière-pensée aider le duc à réaliser son dessein de démantèlement du royaume ou si, au contraire, il devait apporter son concours au roi de France. Sa décision impliquait un choix politique entre la féodalité et la royauté, entre la création d'un Etat bourguignon et la pérennité de la France. Il s'agissait bien, comme l'écrivait son maître au matin de sa défection, du choix d'un « parti ».

Or il était né sujet français. Sur ce point il ne saurait y avoir aucun doute. C'est par un acte royal que Jean de Commynes a été commis à la tutelle de son cousin Philippe. Il est vrai cependant que les liens de la Flandre avec la France n'ont jamais été très étroits. Ils s'étaient encore réduits au traité de Péronne d'octobre 1468 dont l'une des clauses exemptait les tribunaux de Flandres du ressort du Parlement royal. Mais si lâches que fussent ces liens Louis XI dénonce le fait que le pays de Flandre « combien qu'il soit en notre royaume est à présent occupé et sous la puissance d'aucuns de nos rebelles et désobéissants ». Cette déclaration se trouve précisément dans l'ordonnance royale du 28 octobre 1472 instituant une pension de six mille livres en faveur de Commynes. En réalité le roi tenait si peu à cette province qu'après la mort de

Charles le Téméraire, au moment de la curée, il l'offrit au roi d'Angleterre et même qu'il le *tînt sans hommage* (II/9). Les Flamands quant à eux aspiraient avant tout à l'indépendance à l'instar des Gantois dont Philippe le Bon disait volontiers qu'*ils aimaient bien le fils de leur prince mais le prince jamais* (I/122). Commynes lui-même devait se sentir plus Flamand que Bourguignon et même que Français. Il savait bien qu'il serait toujours considéré en France comme un étranger. En dépit des immenses services qu'il a rendus à Louis XI celui-ci, sur son lit de mort, tout en reconnaissant qu'il était un « honnête chevalier et un homme de bien qui l'avait bien servi », l'aurait cependant qualifié lui-même d'étranger s'il faut en croire le témoin de marque, mais sujet à caution, qu'était Etienne de Vesc (Dupont III/83).

L'attachement naturel de Commynes à sa Flandre natale n'a certainement pas peu contribué à retarder sa décision de quitter le duc de Bourgogne. A plusieurs reprises dans ses Mémoires il évoque ce mol et plantureux pays de Flandre. Il n'aura de cesse pendant vingt ans de chercher à récupérer ses terres confisquées par le duc et il parviendra finalement à obtenir satisfaction au traité de Senlis en 1493. On le verra même chercher à en acquérir de nouvelles dans cette région. Louis XI semble bien en tout cas avoir été conscient de cette hésitation de Commynes à « abandonner le lieu de sa nativité ». Il devait craindre que la nostalgie ou le remords ne le lui arrache un jour ou l'autre. Pourquoi, sans cela, aurait-il attendu une année après son ralliement pour lui restituer le dépôt d'argent confisqué à Tours ? Par ailleurs, lors du procès intenté en 1483 et 1484 par la maison de la Trémoille pour obtenir la restitution des terres de Talmont données par Louis XI à Commynes en octobre 1472 celui-ci a déclaré le 28 juillet 1484 que s'il y avait eu *aucunes doubtes ès dictes terres* le roi se serait bien gardé de lui en parler parce que lui, Commynes, apprenant que *lesdictes terres n'estre pas seures... eût eu cause de s'en retourner dont il estoit venu et de laisser ledict feu roi* (Dupont III/128). Cet argument de plaidoirie vaut ce qu'il vaut mais il atteste en tout cas que Commynes admettait qu'il pût songer, tout au moins au début de sa nouvelle carrière, à l'éventualité d'un retour en Flandre.

N'empêche qu'il se considérait de droit sujet français et on ne lui refusera pas ce minimum de conscience nationale qui devait, à l'heure du choix, l'incliner à opter pour la cause française dès le moment où son premier maître était résolu à procéder à la désintégration du royaume. Car telle était bien l'intention délibérée du duc de Bourgogne, ainsi qu'en fait foi le traité qu'il a signé à Londres le 25 juillet 1474. Sans doute l'*amour* de Commynes pour la France était-il plus de tête que de cœur. Il a découvert progressivement ce pays et c'est par comparaison avec d'autres régions de l'Europe qu'il en est arrivé à la considérer comme le plus beau pays du monde. Il loue l'excellence de sa situation géographique, la fertilité de son sol, l'abondance de ses fortes villes et châteaux. Il en aime les habitants plus divers que ceux des autres pays. Il est aussi frappé par cette sorte de préférence providentielle dont la France semble jouir. Si l'attachement de Commynes à la France n'est peut-être pas une donnée première de sa conscience il paraît néanmoins fondé sur un sentiment à la fois sincère et raisonné.

D'aucuns ont aussi argué du fait que le droit féodal de l'époque serait tombé à un si faible degré de réalité que Commynes n'a pu se prévaloir en son for intérieur de la désobéissance du duc à l'égard du roi pour se sentir lui-même dégagé de toute obligation de rester à son service. Le *serment de fidélité* (I/442) semble au contraire avoir gardé dans son esprit une certaine valeur. Sans cela il n'aurait pas si sévèrement condamné les peuples qui *commettent inobédiance et se mettent en rebellion et désobéissance contre leurs princes* (*id.*). Ces derniers sont aussi *d'opinion que l'on est bien tenu à les bien servir et trouvent bien qui le leur dit* (I/97-98). Dans les pays monarchiques *il faut que chacun les serve et obéisse aux contrées là où ils se trouvent.* Les sujets y sont non seulement *tenus* mais aussi *contraints* (I/97-98). La validité du serment de fidélité est si évidente pour Commynes qu'il l'évoque au sujet du chevalier d'Esquerdes qui rallia la cause du roi en 1477 après la mort du duc de Bourgogne. Selon Commynes, cet important personnage bourguignon *n'eût su méprendre à se mettre au service de Louis XI* étant donné qu'*il n'avait fait serment nouveau* à l'héritière du duc (I/417).

Pour Commynes cependant la situation était moins nette. Mais si, à ses yeux, le serment de fidélité était une réalité à prendre en considération dans les rapports entre sujets et princes locaux, elle gardait aussi toute sa force entre vassal et suzerain, c'est-à-dire entre le duc de Bourgogne et le roi de France.

En tout cas c'est bien le droit féodal que Louis XI évoque pour justifier la confiscation des six mille livres déposées par Commynes à Tours. En continuant de servir Charles le Téméraire, Commynes se solidarisait avec lui dans sa désobéissance à l'égard du roi et il se comportait en sujet rebelle. Inversement, en ralliant la cause du roi quelque temps plus tard, Commynes s'est comporté, dit Louis XI, « comme bon, vrai et loyal sujet doit son souverain seigneur ». Cela étant, lorsque Charles le Téméraire refusait de prêter au roi l'hommage qu'il lui devait pour ses terres de mouvance royale, que ce soit au titre de comte de Flandre ou de duc de Bourgogne, il ne déliait nullement ses sujets de leur serment implicite ou explicite d'allégeance royale. Le duc de Bourgogne pouvait bien quant à lui renoncer délibérément à sa qualité et à ses obligations de sujet français allant même jusqu'à se déclarer Portugais, ses propres sujets n'étaient pas tenus d'en faire autant. Dans ces conditions Commynes a pu fort bien envisager en son âme et conscience de le quitter dès le moment où son maître se mettait ouvertement en état de rébellion et de désobéissance à l'égard du roi. Ce ne sont assurément pas là arguties d'avocats.

Malgré tout, la décision de changer de camp a dû moralement coûter cher à Commynes. Même s'il ne commettait pas à proprement parler de trahison, il quittait néanmoins un maître à qui il devait beaucoup. Si le duc de Bourgogne s'était montré quelque peu chiche à son égard il n'en avait pas moins favorisé son ascension sociale et professionnelle. Il lui avait témoigné une grande confiance et peut-être éprouvait-il pour lui une véritable amitié. C'est sur ce plan des relations strictement personnelles que Commynes a pu avoir le sentiment de commettre une faute. On ne saurait faire valoir à ce sujet comme circonstance atténuante la dureté du duc et le mépris qu'il lui arrivait de manifester pour ses serviteurs même les plus haut placés. On ne retiendra pas, par exemple, la légende selon laquelle Commynes, dans les débuts de sa vie de courtisan, aurait été humilié par son maître qui lui aurait jeté à la tête les bottes que le jeune écuyer aurait eu l'inconscience de se laisser tirer par lui au retour d'une partie de chasse exténuante. Même si cette légende a un fonds de réalité et bien que l'on ne sache jamais jusqu'à quelle profondeur un amour-propre puisse être blessé par l'incident le plus anodin, il serait exagéré de lui attribuer ici une importance déterminante. C'est sur sa fin seulement que le duc devint *terrible à ses gens* (I/370) et que nul de ses conseillers, selon Commynes, ne se risquait plus à lui donner un conseil quelconque *craignant qu'il ne leur en fût mal pris*. Quelles qu'aient pu être les humiliations subies par Commynes du temps qu'il était au service du duc il ne lui en a pas moins gardé une sympathie profonde au point qu'un historien de la littérature bourguignonne a pu écrire que la page consacrée par Commynes à la mort de son premier maître est « la plus sincèrement émue de toutes celles qu'elle a inspirées » (D'Outrepont, *Histoire de la littérature bourguignonne*, p. 456).

Que sa sensibilité morale ait été extrêmement vive au fait de la trahison ne saurait non plus être contesté. Ses Mémoires constituent, comme on l'a dit, une véritable anthologie de la trahison. *J'ai vu beaucoup de tromperies de ce monde*, écrit-il, *et de beaucoup de serviteurs envers leur maître* (I/73). Le phénomène est si flagrant et si général qu'à ce point de vue comme à d'autres l'espèce humaine lui paraît en voie de dégénérescence. *Ainsi que nous sommes diminués d'âge et que la vie des hommes n'est si longue comme elle soulait ni les corps si puissants semblablement... nous sommes affaiblis de toute foi et loyauté les uns envers les autres... Et ne saurais dire par quel lien on se puisse assurer les uns des autres* (I/133) *et par espécial des grands. Tromperies, fraudes, parjurements,* ce n'est pas seulement dans ses propres Mémoires qu'on en trouvera des exemples dit-il. Dans toutes les *ystoires s'en voient largement* (*id.*).

Mais encore convient-il de distinguer. Il y a trahison et trahison comme il y a toutes espèces de traîtres.

Ce qui lui paraît le plus abominable, ce sont les fautes de foi qui entraînent mort d'homme. Or il se trouve dans ce domaine que le duc de Bourgogne lui-même en fournit un cruel exemple. *En baillant bon et loyal sauf-conduit au Connétable de Saint-Pol... et puis le prendre et le vendre pour avarice...* il a commis un véritable *crime* (I/337). Il y avait là évidente *faute de foi et d'honneur.* Aussi bien le Connétable y a-t-il perdu la vie. Mais le duc n'a pas tardé à le payer chèrement. Dieu en effet a *établi ce comte de Campobasso commissaire à faire la vengeance de ce cas du Connétable et en propre lieu et en la propre manière et encore beaucoup plus cruellement car il trahissait celui qui l'avait recueilli* (I/378-379). D'après Commynes, ce sinistre Campobasso a été en effet l'instigateur de l'assassinat du duc sous les murs de Nancy. La continuelle poursuite que faisait cet homme pour trahir son maître indigna tellement Louis XI que celui-ci fit tout son possible pour rendre attentif le duc au risque qu'il courait. Il arrive ainsi qu'un prince trahisse et qu'il soit lui-même trahi *par celui dont plus se fie* (*id.*).

On peut certes conclure de l'abondance dans les Mémoires de Commynes de cas illustrant cette diminution de la loyauté dans les affaires humaines l'aveu ou l'indice peut-être inconscient d'une faute personnelle. Mais il est tout aussi loisible d'y voir au contraire la manifestation d'une conscience particulièrement délicate et bien incapable de commettre de tels crimes ou même toute déloyauté quelconque.

Il n'empêche que sa fuite présente tout de même un aspect inquiétant. Le duc de Bourgogne ne s'est pas contenté en effet de le dépouiller de tous ses biens aussitôt qu'il s'est aperçu de sa désertion. Trois ans plus tard, le 3 septembre 1475, il a tenu, dans une clause de la trêve conclue avec Louis XI, à exclure Commynes de l'amnistie générale qu'il consentait à accorder à ceux qui l'avaient abandonné. Plus inquiétant encore, deux des trois autres personnes citées dans cette clause d'exception sont de réputation franchement douteuse. Le bâtard Baudoin et un certain Jean de Chassa étaient en effet soupçonnés de participation à une tentative de meurtre sur la personne du duc. Rien de tel ne pèse évidemment sur la mémoire de Commynes. Mais ce voisinage est bien compromettant, il faut l'avouer.

On en est ainsi réduit à des conjectures. Si trois ans après la fuite de Commynes le duc lui refuse son pardon et le place en si mauvaise compagnie, il faut bien qu'il ait eu à lui reprocher quelque chose de plus grave que d'avoir simplement trahi sa confiance ou son amitié. Commynes détenait peut-être quelque haut secret d'Etat. A tout le moins il connaissait les noms des principaux agents du duc à l'étranger et la liste des bénéficiaires de pension. Le cas du chancelier Hastings n'aura probablement pas été le seul que Commynes se soit empressé de communiquer à Louis XI. De toute façon il subsiste dans toute cette affaire un mystère qui échappera toujours à la portée de nos appréciations. Nous rejoignons entièrement sur ce point l'opinion de l'historien Varenbergh dans son Mémoire sur Commynes comme écrivain et homme d'Etat (Mémoires couronnés par l'académie royale de Belgique, tome XVI, p. 40). Cela constituerait en tout cas une explication plausible du fait que la réprobation du duc a été plus sévère à l'endroit de Commynes que pour la plupart des nombreux transfuges de marque qui l'ont abandonné avant comme après la défection de l'illustre mémorialiste.

A la limite, comprendre confine au refus de juger. La longue hésitation de Commynes avant de changer de camp s'explique par l'ambiguïté de sa situation. Par le lieu de sa naissance il était « tenu » et même contraint vis-à-vis de son premier maître comme d'ailleurs vis-à-vis du roi. La rupture par le duc de son serment de fidélité à l'égard du roi libérait son serviteur de l'obligation de rester auprès de lui, en tout cas sur le terrain du droit féodal. La perspective de s'élever à des responsabilités supérieures et mieux rémunérées ont pu l'engager à franchir le pas, de même que le spectacle de la démesure caractérielle de son maître. Mais il restait néanmoins attaché sentimentalement à sa Flandre natale et il avait conscience de tout ce qu'il devait au duc ainsi que du préjudice qu'il lui causerait en faisant profiter le roi de la connaissance intime qu'il avait des affaires bourguignonnes.

Quoi qu'il en soit, le caractère volontaire de sa décision allait donner à sa vie une dimension nouvelle. Jusque-là il s'était docilement conformé aux obligations que lui prescrivaient les circonstances particulières de sa naissance et de sa situation familiale. C'était son cousin et tuteur qui l'avait « amené » à la cour de Bourgogne et le comte de Charolais avait bien voulu accepter de le « prendre » à son service en qualité de simple écuyer. Il en allait tout autrement pour son ralliement à Louis XI. C'était Commynes qui en avait pris l'initiative et l'entière responsabilité. Désormais il servirait le maître de son choix et ce maître lui montrait bien qu'il s'estimait heureux de pouvoir compter sur la collaboration d'un conseiller d'une telle qualité. Commynes imprimait dès lors à son existence le sens d'un destin librement assumé. *J'ai peu vu de gens en ma vie qui sachent fuir à temps, ne ci ne ailleurs,* dit-il quelque part (I/323). La nuit du 7 au 8 août 1472 lui parut être ce moment opportun. Il était seul juge de sa décision. Mais nous allons voir qu'il n'aura guère à regretter de l'avoir prise à ce moment et dans ce sens.

DEUXIEME PARTIE

AU SERVICE DE LA FRANCE

SOUS LOUIS XI

I

GRAND SEIGNEUR

« Considérant que nous sommes tenu et obligé de le récompenser des grandes pertes et dommages qu'il a eus et soutenus aussi de reconnaître envers lui les grands périls, dangers et aventures qu'il a eus, endurés et attendus pour nous, ... » (octobre 1472).

Vu « sa grande et ferme loyauté et la singulière amour qu'il a eue et a envers nous... et à présent nous sert continuellement à l'entour de notre personne, au fait de nos guerres et autrement en plusieurs manières, en très grande cure, loyauté et diligence... » (*id.*).

« ... voulant et désirant la récompenser et rémunérer, comme en notre conscience nous y sentons tenu et obligé... » (*id.*).

« ... pour les grands et recommandables services qu'il (nous) a rendus en nos plus secrètes et importantes affaires. » (2 janvier 1473).

« ... pour lui aider et entretenir plus honorablement en notre service. » (7 octobre 1474).

« ... pour la grande, singulière et entière confiance que nous avons de sa personne et de ses sens, suffisance, loyauté, prudhomie et bonne diligence et pour certaines autres grandes considérations. » (24 novembre 1476).

« ... désirant singulièrement son bien et l'augmentation et l'accroissement de ses revenus afin qu'il ait mieux de quoi honorablement toujours entretenir son état en notre service. » (septembre 1477).

« ... donnons, cédons, quittons, transportons et délaissons par pure et vraie et irrévocable donation, pour lui, ses hoirs successeurs et ayants droit... » etc.[1].

C'est avec de telles formules que Louis XI de 1472 jusqu'à sa mort, combla Commynes de faveurs vraiment royales sous la forme de dons en espèces, en terres et en pensions à des titres divers.

Passons rapidement sur les dons en argent[2] octroyés à l'occasion de tel ou tel service ou de telle circonstance particulière comme ces deux cents marcs remis pour avoir été l'un des premiers à annoncer au roi la défaite de Charles le Téméraire à Morat, ou ces trente mille ducats à compter sur les cinquante mille versés par le duc de Milan pour l'investiture de Gênes et Savone.

Les libéralités reçues sous la forme de pension régulière ont été les suivantes :

Dès octobre 1472 six mille livres tournois à valoir jusqu'à concurrence de quatre mille livres sur les droits de passage du sel aux Ponts-de-Cé.

Dès novembre de la même année cent livres pour la charge de capitaine des château et donjon de Chinon.

Dès janvier 1474 une rente de quatre mille huit cent quatre-vingts livres sous la forme des deniers provenant des francs fiefs et nouveaux acquêts levés dans la ville de Tournay.

Dès novembre 1476, des gages de cinq cents livres pour l'office de Sénéchal du pays et comté du Poitou.

Dès février 1477, des gages de cent livres pour la charge de capitaine du château de Poitiers.

Les dons sous la forme de terres ont été de beaucoup les plus importants. C'est ainsi qu'en 1472 Commynes reçut

1. Les textes complets des lettres de donation se trouvent dans l'édition des Mémoires Dupont, III/12-8.

2. Sur la valeur des monnaies, voir une note explicative dans les annexes.

la principauté de Talmont avec ses baronnies, châteaux, châtellenies, terres et seigneuries d'Olonne, Curzon, Château-Gonthier, La Chaulme assis en Poitou, les terres, seigneuries, château et châtellenie de Berrye assis en Anjou, le tout représentant quelque mille sept cents fiefs et arrière-fiefs. A cela vint s'ajouter, en octobre 1474, le château et la terre de Chaillot près de Paris.

La possession de ces divers domaines assurait à Commynes des revenus considérables, quoique difficiles à évaluer, par le produit des terres, vignes, prés, bois, forêts, par les revenus des maisons, moulins et fours comme par le rendement des cens et rentes et autres droits, devoirs, profits, revenus et émoluments quelconques sans oublier, comme le mentionne expressément l'un des textes de donation le produit des « naufrages des vaisseaux venant à la côte de la mer ».

L'étendue des possessions de Commynes fut en outre considérablement augmentée par le mariage que le roi lui aménagea avec Hélène de Chambes. Le 27 janvier 1473 Commynes signait en effet son contrat de mariage avec la fille de Jean de Montsoreau et de Jeanne Chabot. Il entrait ainsi dans une vieille famille de l'Ouest français. Sa belle-mère était la fille de Thibaut Chabot, tué à la bataille de Patay et de Brunissant d'Argenton. La sœur d'Hélène de Chambes, Colette, la fameuse Dame de Montsoreau, avait été la maîtresse du duc de Guyenne, frère cadet du roi. Si la dot d'Hélène de Chambes, d'un montant de vingt mille écus, consistait essentiellement en biens meubles, Commynes, en application du contrat de mariage, pouvait acquérir de son beau-père des terres estimées à trente mille écus dont le roi en paya aussitôt vingt mille, le solde étant garanti par diverses personnes de l'entourage royal. Commynes ajoutait ainsi aux domaines reçus directement du roi les châteaux, ville, baronnies, châtellenies, terres et seigneuries d'Argenton, la Motte-de-Compos, la Motte-Boissou, Villentras, Lairegodeau, Le Buignon-en-Gastine, Vausselle, Gourge, Precigné, Sauvignes, Agenais et la Vacherasse. Outre leur valeur immobilière intrinsèque et celle des produits du sol ainsi que des maisons, Commynes bénéficiait des revenus assurés par l'exercice sur ces terres des droits de justice et juridiction haute, moyenne et basse (mère, mixte et impère), droits de guets, foires et marchés, coutumes, péages, travers, hommages, cens, rentes et corvées.

La liste de ces dons est loin d'être exhaustive notamment en ce qui concerne les versements en espèces qui n'ont certainement pas tous laissé de traces dans les comptes royaux. De plus, Commynes a bénéficié dans l'exercice de ses nouvelles fonctions de cadeaux souvent somptueux de la part de tous ceux qui avaient intérêt à soigner leurs relations avec lui. C'est ainsi que Milan lui fit remettre un jour par l'entremise de son ambassadeur François de Petrasancta une pièce de drap d'or et une chaîne d'or et que Florence lui fit don d'un service de vaisselle d'argent du poids de cinquante-cinq livres (Kerwyn I/144 et 191). Il est aussi probable qu'il ait reçu de ces deux puissances une pension régulière pour les informations plus ou moins confidentielles qu'il leur communiquait.

Grâce à cette ascension fulgurante il est devenu en quelques années l'un des plus riches personnages du royaume. Il régnait sur une portion de la France correspondant à sept départements, toute une petite France de l'ouest, comme on l'a dit. Chambellan et conseiller du roi, capitaine de Chinon et de Poitiers, il portait aussi les titres prestigieux de Sire d'Argenton, de Prince de Talmont et de Sénéchal du Poitou (et plus tard de Comte de Dreux).

Commynes ne s'est pas contenté de profiter de tous les avantages financiers que lui procurait sa nouvelle carrière. Il s'est aussitôt appliqué à faire valoir au mieux sa singulière fortune. Certaines parties de son immense domaine n'étaient pas sans lui rappeler sa Flandre natale. Sans désemparer il allait assécher les marais, développer les cultures, installer de nouvelles industries, embellir ses châteaux, construire des églises comme celle de Saint-Etienne à Chinon fut édifiée en dix mois. Un mois après être entré en possession de la seigneurie d'Olonne il obtenait de Louis XI l'exemption de toutes tailles pour les habitants de la ville de Sables. Car il avait tout de suite remarqué l'excellente situation de ce port et il savait par l'exemple de Bruges et de Calais, entre autres, l'importance des étapes maritimes. Le port des Sables-d'Olonne serait un excellent relais, à mi-chemin, pour les échanges commerciaux entre la Méditerranée et la mer du Nord. Le roi qui accordait une grande attention au développement économique de son royaume accéda immédiatement à son désir. « Sur l'avis et après la délibération de plusieurs des gens de notre conseil, écrit-il dans son ordonnance de décembre 1472, et en obtempérant à la supplication et requête à nous sur ce faite par notre dit conseiller, (Commynes) il affranchissait les manants et habitants des paroisses d'Olonne et de la Chambes de toutes tailles et autres subventions quelconques, moyennant qu'ils seront tenus faire clore et fermer de tours, portaux et murailles ladite ville de Sables et faire les fortifications... Et de notre plus ample grâce, poursuit-il, pour la décoration de la ville de Sables et afin qu'elle puisse être entretenue en grande et bonne police ainsi qu'il est bien requis et nécessaire, considéré les marchands et marchandises qui y affluent par le moyen dudit port et havre » le roi autorisait l'institution d'un prévôt et de quatre jurés qui « auront pouvoir ensemblement d'ordonner et disposer de toutes lesdites choses appartenant à ladite police, fortification et entretenement d'icelle ville ». De plus il donnait auxdits habitants « pouvoir et faculté d'élire pour la première fois dix personnes chargées des comptes et de l'administration ». Toutes ces mesures devaient concourir « au grand bien et évident profit qui pouvait advenir... à la chose publique de ce royaume » et assureraient aux Sables-d'Olonne « tel renom que tous marchands étrangers y viendraient volontiers aborder tant pour avoir la délivrance de leurs marchandises que pour en prendre et charger d'autres » (Dupont III/33-38).

Sans doute le texte en tout point remarquable de cette ordonnance royale est-il l'expression de la volonté et de la pensée de Louis XI. Mais le roi a tenu à bien préciser que c'était à la demande expresse de Commynes qu'il prenait ces mesures. Aussi bien sont-elles aussi marquées du sceau personnel de son nouveau collaborateur. Il n'est pas abusif d'y discerner la préfiguration de toute une doctrine. Cette ordonnance est empreinte du réalisme commynien. Chez lui l'économique prime de toute évidence sur le politique tout en concourant à sa promotion. Les Sables-d'Olonne seront dotés « pour la première fois » de leur histoire d'institutions communales élues par les habitants du lieu. Le mode d'accession du prévôt et de ses quatre assesseurs est réglé de telle manière qu'on soit assuré qu'il s'agit de « personnes notables et feables ». Les dix élus des habitants « seront présentés au seigneur dudit lieu d'Olonne ou à son lieutenant qui choisira parmi eux les cinq qu'il jugera les plus capables. Le premier mandat du prévôt et de deux de ses adjoints sera de trois ans et celui des deux autres de deux ans seulement après quoi les habitants seront appelés à en élire quatre parmi lesquels le seigneur ou son commettant en choisira deux pour remplacer les deux qui seront ôtés. L'année suivante seront remplacés de la même manière le prévôt et ses deux assesseurs et « dès lors et en avant, précise l'ordonnance, se fera ladite nomination en élection dudit prévôt et de deux desdits jurés de deux ans en deux ans, lesquels prévôts et jurés se pourront continuer par nouvelle élection et acceptation faite par la manière devant dite. Et après que lesdits prévôts et jurés auront servi le temps de leur charge et qu'il sera expiré et failli devront rendre compte et reliquat aux autres prévôts et quatre jurés leurs successeurs de l'administration qu'ils auront eue étant bien entendu que « le sénéchal et capitaine ou autres des officiers de icelui seigneur d'Olonne ou leurs lieutenants seront toujours chefs et principal en toutes affaires où ils seront appelés avec iceux prévôts et jurés ». Ainsi le bon ordre politique et social sera assuré et le développement économique des Sables-d'Olonne pourra prendre son essor car ce qui est à considérer avant toute chose dans l'existence d'une commune c'est, comme le seigneur d'Olonne l'écrira plus tard dans ses Mémoires, son *utilité pour le pays et chose publique dudit pays où elle est assise* (I/436).

De fait, une activité économique en entraînant une autre, le développement du trafic maritime aux Sables-d'Olonne provoquera la création de l'industrie locale du tissage des toiles destinées aux voiliers, industrie dont l'activité et le renom se maintiendront jusqu'au XIXe siècle.

Il suffira de cet exemple d'une mise en valeur prompte et efficace d'une des terres données à Commynes pour se faire une idée de l'activité qu'il a dû déployer dans l'accomplissement de ses devoirs de seigneur et de grand propriétaire. Il y trouvait son intérêt sans doute mais le pays lui-même tout autant et peut-être même davantage.

Dans la demande d'exemption du payement des tailles demandée et obtenue par Commynes en faveur des habitants et manants d'Olonne il n'est pas abusif non plus de découvrir une anticipation concrète d'un autre principe essentiel de la conception politique qu'il exposera plus tard dans ses Mémoires, à savoir la réduction du poids des charges militaires dans des limites convenables.

A ses yeux l'institution, par Charles VII, d'une armée permanente constituait pour le peuple français une *terrible bride* (I/192), tant à cause du passage des gens d'armes que des tailles, gabelles et autres impôts prélevés pour entretenir l'armée. Certes l'exemption accordée aux habitants d'Olonne l'avait été à condition qu'ils subviennent eux-mêmes aux frais de construction de leurs fortifications et de l'entretien des hommes assurant la garde. Mais au moins leur argent n'irait pas se perdre dans les caisses sans fond du roi. Il resterait au pays et la communauté locale en profiterait.

Tout en se préoccupant de l'intérêt public dans l'administration de ses terres, Commynes tenait aussi à soigner le cadre de sa vie personnelle. Il consacra des sommes considérables à l'agrandissement et à l'embellissement de ses châteaux notamment de celui d'Argenton où il résidait de préférence, ornant certaines pièces de tapisseries commandées spécialement à Tournay, veillant au choix des couleurs, aménageant une bibliothèque pour l'enrichissement de laquelle lui fut proposé à un moment donné d'acquérir une partie de celle des Médicis en remboursement d'une créance restée en souffrance. Il fallait bien qu'il songeât également à recevoir dignement les ambassadeurs qui se pressaient à sa porte. Aussi le roi lui accorda-t-il à diverses reprises des subventions importantes pour toutes ces dépenses somptuaires en rapport avec ses responsabilités de conseiller plus particulièrement chargé des affaires étrangères. Il arrivait aussi que le roi séjournât chez lui.

Avec toute cette activité il y avait de quoi occuper pleinement son homme. Lorsque les aléas de l'existence l'éloigneront du pouvoir ou dans la mesure où ses charges gouvernementales lui laisseront quelque loisir Commynes ne manquera pas de besogne. Pour autant il ne négligera pas ses responsabilités humaines à l'égard de ses nombreux sujets. L'auteur de son panégyrique funèbre l'a bien mis en évidence.

> N'a-t-il par moi (c'est Charité qui parle)
> maint homme à métier mis ?
> N'a-t-il par moi maint grand clerc élevé ?
> Par moi n'a-t-il pas été entremis
> D'aider aux pauvres, dont plusieurs relevé
> De maladie a et surtout levé
> Car soulevé
> Les a tresttous de toute sa puissance.
> ....
> Secouru a veuves et orphelins
> Et maintes filles pauvres a mariées
> Les retirant de maints vouloirs malins.
> Aux hôpitaux il n'a pas oublié
> De ses biens mettre, se montrant là plié
> où employé
> Voyait le mieux son argent et bienfait.
> (I/20-21)

Même si dans cet éloge de circonstance il convient de faire la part de l'éloquence conventionnelle on y perçoit l'écho d'un comportement social charitable que lui dictaient par ailleurs ses fermes convictions chrétiennes.

L'accession de Philippe de Commynes à de si hautes et si diverses responsabilités, son enrichissement spectaculaire, ne laissaient pas cependant de poser un certain nombre de problèmes.

La rapidité même avec laquelle son ascension sociale et politique s'est faite prêtait déjà, à elle seule, le flanc à la critique. En quelques mois cet « étranger » se trouvait fortement implanté dans la France de l'Ouest. Ce petit seigneur flamand devenait soudain un puissant féodal français. Il était inévitable qu'il prît aux yeux des jaloux et des envieux le visage d'un parvenu. Les circonstances de son ralliement à Louis XI permettaient aussi de laisser se répandre des doutes sur l'origine de sa fortune. Son passage du service bourguignon à celui du roi n'aurait-il pas donné lieu à un marchandage ? Commynes n'aurait-il pas abusé de l'obligation contractée à son égard par Louis XI à Peronne ? L'afflux de biens matériels, de titres nobiliaires, de fonctions gouvernementales, militaires, judiciaires et administratives, son mariage lui-même ne témoignaient-ils pas d'un appétit particulièrement vorace ? Sa manière de faire aussitôt valoir ses terres et ses droits, d'augmenter leur rendement, d'accepter de toute part des cadeaux souvent princiers ne montrait-elle pas qu'il était avant tout un homme de profit ? Si beaucoup de personnes allaient pouvoir bénéficier de sa générosité et de la sagacité avec laquelle il faisait fructifier sa fortune, d'autres ne manqueraient pas d'être irrités par le spectacle d'une aisance qui contrastait singulièrement avec la modestie de son état antérieur.

Et puis des ombres inquiétantes planaient sur l'origine de certains éléments de son enrichissement. Sa rente de 262 livres assise sur le corps de la ville de Tournay, par exemple, ne résultait-elle pas du partage des biens de Jean d'Armagnac décapité sur ordre de Louis XI ? La principauté de Talmont, le roi n'en avait-il pas dépouillé abusivement la famille des La Trémoille ? Les terres achetées à la faveur de son mariage n'étaient-elles pas échues à son beau-père par un testament contestable ?

De toute évidence Louis XI voulait créer dans cette partie de la France un véritable bastion royal entre la Guyenne et la Bretagne et en confier la garde à l'une de ses créatures dévouées. Mais cette politique de réduction systématique de l'ancienne féodalité et qui tendait à instaurer un nouvel ordre favorable à l'augmentation de la puissance royale portait en germe d'âpres contestations.

Etant donné le nombre des personnes avec lesquelles Commynes était désormais en relations suivies tant sur le plan politique qu'administratif et économique il était aussi à prévoir qu'il serait exposé à des mécomptes et contretemps imputables à la malignité de ses partenaires ou à l'excès même de son habileté ou encore à des erreurs d'appréciation toujours possibles. Qu'il s'agisse des aléas inhérents aux placements de ses fonds dans des banques étrangères ou, sur un plan plus terre à terre, des plaintes de ses fermiers s'estimant lésés par le débordement accidentel de l'un ou l'autre de ses viviers, il courait le risque de se voir bientôt accablé de tribulations incessantes.

Pour Commynes il y avait là en puissance des menaces graves de contestation quant à la légitimité de certains de ses droits de propriété, la perspective de pénibles procès et la source de tracas sans nombre. Tant qu'il pourrait compter sur la puissance, la confiance ou l'amitié du roi il ferait aisément face aux difficultés qui n'allaient pas manquer de surgir. Mais les relations humaines sont rarement stables et Commynes devait s'attendre dans ses rapports avec le roi à des variations soudaines, à des hauts et des bas également possibles. Et après Louis XI qu'adviendrait-il ? Un retour de fortune était probable, et nous aurons l'occasion de montrer que toutes ces menaces ne resteraient pas seulement virtuelles.

Ce qu'il est intéressant de chercher à cerner dans la description que nous faisons de cette phase particulièrement brillante de la carrière de Commynes c'est son attitude morale face à cette avalanche de faveurs dont il était gratifié tant sur le plan matériel que social et politique.

L'état de dépendance du serviteur vis-à-vis de son maître est aggravé en régime monarchique par la sujétion féodale. Dans le cas particulier de Commynes il se trouvait heureusement que le poids de ces obligations sociales était contrebalancé par la dette de reconnaissance du roi à son égard. Louis XI était « tenu » à son conseiller autant si ce n'est plus que celui-ci à celui-là. Depuis Peronne il lui devait sinon la vie du moins sa libération et la conservation de la couronne. Il avait conscience de l'obligation d'honneur qu'il avait contractée dans ces circonstances dramatiques. Les formules de dons déjà citées l'attestent formellement même si certaines d'entre elles peuvent avoir quelque chose de conventionnel. Cette situation n'était pas toutefois sans ambiguïté car le serviteur était tout aussi conscient de ce que le roi lui devait. Au cours de son procès de 1484, Commynes est allé jusqu'à déclarer à propos du don de la principauté de Talmont que sa valeur représentait de toute manière « moins de plus grande somme dont il (le roi) était tenu envers lui » (Dupont III/127). Il est naturel que Commynes se soit effectivement attendu à ce qu'une certaine marque de gratitude en rapport avec l'immense service rendu lui soit accordée ainsi qu'une juste compensation du dépouillement de tous ses biens ordonné par Charles le Téméraire.

Mais de là à marchander son ralliement comme un vulgaire spéculateur il s'en faut sans doute de beaucoup. Sa condition de sujet l'en empêchait. Il s'est du reste clairement expliqué sur la délicatesse du problème des relations entre donateur et bénéficiaire. Du simple témoignage de bienveillance au cadeau intéressé, de la récompense à la compensation du don marquant la reconnaissance du roi à l'occasion du succès d'une mission particulière à la rémunération régulière ou à l'octroi d'une pension correspondant au degré d'importance d'une responsabilité gouvernementale il y a toute une gamme de distinctions parfois subtiles.

D'une manière générale Commynes est d'avis que le bénéficiaire d'une libéralité quelconque doit bien se garder de la solliciter. Il est toujours un peu facile de parler à ce sujet de corruption, d'achat de conscience ou de manque de scrupule. Commynes cite à ce propos l'exemple du chancellier de Bourgogne Hugonet et du très sage seigneur de Humbercourt. Au cours du procès où ils furent finalement condamnés à mort *à tout ce qui touchait à cette matière de corruption,* dit Commynes, *répondirent très bien* (I/430). Au regard de l'argent qu'ils avaient touché, le chroniqueur souligne encore qu'ils firent valoir *qu'ils ne l'avaient point demandé ne fait demander, mais que quand on leur présenta ils le prirent* (*id.*). C'est exactement le langage que Commynes devait tenir lui-même au cours de son propre procès de 1484. S'agissant de divers dons que lui avait faits Louis XI il déclara au tribunal que *jamais il ne les demanda audit feu roi... et que celui-ci les lui bailla sans demander, de soi-même* (Dupont III/127).

Evidemment sans rien solliciter explicitement il est cependant toujours possible de suggérer adroitement. Dans un tel domaine et avant de juger il convient aussi de prendre en considération le code moral en vigueur et qui varie singulièrement, comme on le sait, non seulement d'une époque à une autre, mais d'un pays à l'autre et même à l'intérieur de celui-ci, d'un milieu à l'autre. Laurent de Médicis, dont l'expérience s'étendait en la matière à toute l'Europe et au-delà, a eu l'occasion d'attirer à ce sujet l'attention des ambassadeurs milanais venus le consulter précisément à propos de la première mission de Commynes en Italie en août 1478. « Quant au caractère du sire d'Argenton, leur dit-il, en lui parlant *etiam aperte* de rémunération il ne lui semblait point qu'il dût s'en fâcher aucunement parce que dans son pays, ajoutait-il, on n'y mettait pas de délicatesse ni de scrupule. » (Kerwyn III/15). Sur tous les aspects de ce problème particulièrement ambigu des relations entre donateur et bénéficiaire et d'une manière plus générale entre maître et serviteur Commynes a eu l'occasion de s'en entretenir tout à fait ouvertement avec Louis XI. C'est à lui que le roi, un jour où il était en veine de confidence, dit *qu'avoir trop bien servi perd aucunes fois les gens. Le plus souvent,* ajoutait-il, *les grands services sont récompensés par grandes ingratitudes. Mais cela peut aussi bien advenir par le défaut de ceux qui ont fait lesdits services qui trop arrogamment veulent user de leur bonne fortune tant envers leurs maîtres que leurs compagnons comme de la méconnaissance de leur prince. Pour avoir bien en cour,* disait encore Louis XI, *c'est plus grand heur à un homme quand le prince qu'il sert lui a fait quelque grand bien à peu de desserte* (mérite) *pourquoi il lui demeure fort obligé que ce ne serait s'il lui avait fait un si grand service que ledit prince en fût très fort obligé.* (Les princes) *aiment plus naturellement ceux qui leur sont tenus que ne font ceux à qui ils sont tenus* (I/258-259).

Ces propos, empreints de la sagesse des nations ou qui pourraient tout aussi bien être tirés de je ne sais quel manuel à l'usage du parfait courtisan, Commynes a jugé bon de les reproduire dans ses Mémoires. C'est sans doute qu'ils lui paraissaient correspondre en tout point à sa propre philosophie des rapports entre maître et serviteur. De fait chacun des termes de Louis XI amène le lecteur à évoquer comme malgré lui le destin de Philippe de Commynes. Aussi bien celui-ci après avoir ainsi « allégué » l'opinion de son maître conclut-il pour sa part que décidément *en tous états il y a bien affaire à vivre en ce monde* (*id.*).

Tel était bien le cas pour l'acquisition et l'administration de sa soudaine fortune. Il était à prévoir qu'il en irait de même dans son action politique.

II

CONSEILLER DU ROI

« Je jure par Dieu mon créateur sur le dampnement de mon âme que bien et loyaument je servirai le roi Louis de France, mon souverain seigneur envers tous et contre tous qui peuvent vivre et mourir sans nul excepter et nommément contre Charles soy disant duc de Bourgogne et contre ceux qui tiennent et tiendront son parti, soient mes frères parents et autres. »

Cette formule de serment à l'usage des transfuges bourguignons Philippe de Commynes dut probablement la signer ou la jurer lorsqu'il fut nommé chambellan et conseiller du roi. Quelque deux cents personnages français et étrangers portaient ces mêmes titres mais il était rare que tous fussent appelés à siéger dans le conseil royal. La haute noblesse n'y était représentée que par un dixième d'entre eux, l'église par un cinquième, la majorité des conseillers étant recrutée parmi les bourgeois, gens de lois pour la plupart. Le gouvernement effectif du royaume ne comprenait qu'un petit nombre de personnages. Or Philippe de Commynes figura d'emblée parmi cette équipe dirigeante restreinte. Au cours d'une promotion extrêmement rapide il joua bientôt le rôle d'une sorte de premier ministre dont la compétence plus particulière s'étendait à l'ensemble de la politique étrangère de la France. A ces titres il accompagna très fréquemment le roi dans ses déplacements incessants à travers le royaume. Son nom figure au pied de nombreuses ordonnances royales.

Les connaisseurs des affaires françaises ne pouvaient s'y tromper et tout particulièrement ces observateurs très perspicaces qu'étaient les ambassadeurs italiens. Le 20 juillet 1476, par exemple, l'ambassadeur François de Petrasancta écrivait à son maître le duc de Milan au sujet de la place qu'occupait le sire d'Argenton auprès du roi : « Solus il a été présent à toutes mes démarches, solus il gouverne et couche avec le roi. C'est lui qui est tout in omnibus et per omnia. Il n'y a personne qui soit un si grand maître ni d'un si grand poids que lui » (Kerwin III/3). Quelques mois plus tard, le 4 novembre 1476, il renchérissait encore : « Je ne voudrais point paraître présomptueux ni plus ardent en ce qui touche les affaires de Votre Seigneurie qu'elle ne le désire elle-même. Cependant et bien que je vous aie tant de fois entretenu de Monseigneur d'Argenton je me crois tenu de vous en parler de nouveau. Comme témoin de ce qui se passe, ayant reconnu et ressenti, connaissant et ressentant encore à toute heure l'avantage et le fruit qu'on a retiré et qu'on peut retirer de son entremise et de son appui je crois remplir le devoir d'un loyal serviteur en insistant sur ce point ; car chaque jour voit grandir sa faveur et son crédit et Sa Majesté le roi lui confie la plus grande partie des affaires les plus importantes surtout celles de Bourgogne, de Suisse, du Portugal et celles de Mme de Savoie » (*id.* III/7), liste à laquelle il aurait pu ajouter les noms de l'Angleterre et de l'Allemagne.

Philippe de Commynes semble en effet avoir atteint le faîte de sa puissance dans les années 1475 et 1476. Dans l'imagerie historiale de la France l'importance de son rôle est symbolisé par l'entrevue des rois de France et d'Angleterre le 29 août 1475 à Picquigny où Louis XI a tenu à ce que son conseiller reste à ses côtés, habillé exactement de la même manière que lui. Astuce diabolique, a-t-on suggéré, pour l'éventualité d'un attentat, mais, beaucoup plus sûrement, preuve d'une intimité très étroite. Le peuple ne s'y est pas trompé non plus et l'on en trouve un écho dans cette déclaration d'une plaignante, au cours du procès de 1484, alléguant l'opinion publique suivant laquelle Commynes, sous le règne de Louis XI, « pour lors était roi » (Ch. Fierville. Documents inédits sur Philippe de Commynes - 1881, p. 16). Mais la roche Tarpéienne étant proche du Capitole, comme on sait, dès le début de 1477 le roi prit ses distances. Il éloigna Commynes du théâtre principal des opérations. Durant quelques mois il le confina dans ses fonctions de Sénéchal du Poitou. Il lui confia cependant au printemps de 1478 la mission particulièrement délicate d'assurer la main-mise royale sur la Bourgogne proprement dite mais « soudainement », ainsi que l'écrit Commynes, il le dépêcha en Italie où il resta cinq mois. En octobre 1479 puis au début de 1482, le roi l'envoya en Savoie c'est-à-dire de nouveau en dehors des limites du royaume. De membre du conseil, Commynes devenait ainsi ambassadeur. De fait le nom du sire d'Argenton n'apparaît plus que rarement dans les ordonnances royales entre 1477 et la fin du règne (1483).

D'aucuns ont pu parler de disgrâce, alors que d'autres ont fait valoir qu'en ce temps la fonction d'ambassadeur était souvent le couronnement d'une carrière. Sans doute est-ce bien pour l'éloigner du pouvoir réel que son maître le convertit en plénipotentiaire itinérant. Il avait pour cela des raisons sur lesquelles nous aurons l'occasion de revenir. Mais le fait est qu'une nouvelle équipe de favoris était apparue, au premier rang de laquelle se sont trouvés tout d'abord Jean de Daillon puis des personnages de plus en plus douteux comme Olivier le Dain, barbier du roi, Doyat et le sinistre Coictier. Louis XI était atteint dans sa santé. Il devenait la proie des médecins, des astrologues et de sordides personnages sans scrupules. Mais Commynes n'était pas pour autant complètement évincé. Il continuait de figurer parmi les proches du roi. Louis XI séjourna chez lui, à Argenton, durant tout le mois de septembre 1481. Peu de temps avant sa mort il lui fit encore un don de quatre mille livres et il le recommanda au dauphin, le priant de lui assurer une pension de deux mille livres. Enfin, en août 1483, Commynes fut du petit nombre des intimes qui l'assistèrent durant son agonie.

A bien considérer l'ensemble de la carrière de Commynes sous le règne de Louis XI, son déclin, de 1477 à la mort du roi, surprend moins que la rapidité de son ascension et l'extension de sa puissance. Comment ne pas s'étonner en effet qu'un « étranger », un humble seigneur flamand, âgé de vingt-cinq ans à peine, fraîchement rallié, ait pu devenir en si peu de temps l'homme de confiance du roi et son véritable alter ego jusqu'en 1477 ? Sans doute, une des préoccupations premières de Louis XI ayant été alors la solution du problème bourguignon, il était naturel que Commynes fût appelé à jouer un rôle de premier plan auprès du roi grâce à la connaissance intime qu'il avait des affaires du duché et des hommes composant l'équipe dirigeante du duc. Et tout aussi logiquement la chute du Téméraire en janvier 1477 devait-elle rendre la présence de Commynes moins indispensable. Mais ainsi qu'il appert des observations de l'ambassadeur milanais que nous avons citées comme du reste de tout ce que l'histoire a révélé, le pouvoir du sire d'Argenton s'est étendu, de 1472 à 1477, bien au-delà du domaine spécifique que son expérience antérieure lui réservait pour ainsi dire d'office.

A cette promotion impressionnante de Philippe de Commynes plusieurs causes ont concouru. Il y avait tout d'abord entre le roi et lui d'évidentes affinités d'esprit. Elles étaient même si étroites qu'il est aujourd'hui bien difficile de distinguer dans la pensée et dans l'action du sire d'Argenton durant les onze années de sa collaboration auprès de Louis XI ce qui lui appartient en propre. Dans la détermination, par exemple, de la stratégie générale de la politique française à l'égard de la Bourgogne et de l'Angleterre, dans le choix des moyens mis en œuvre pour son accomplissement il est vain de se demander quelle part revient au maître et quelle part au serviteur. Il est probable et en tout cas vraisemblable que c'est Commynes qui a conseillé au roi de laisser le Téméraire *aller* (*se*) *heurter contre ces Almaignes.* Comme il l'a si bien exprimé dans ses Mémoires *à la grandeur et à la puissance qui y est n'était pas possible que tôt ne se consumât et ne se perdît de tous points* (I/263). Un historien contemporain de Commynes, Meyer, dans ses Annales de Flandres, lui a fait cet honneur de lui attribuer la paternité de cette stratégie géniale et payante. Si lui-même ne le dit pas expressément, il se rangeait à coup sûr parmi les conseillers du roi *mieux entendant ce cas et qui avaient plus grande connaissance pour avoir été sur les lieux* et qui abondèrent dans ce sens. On admirera la discrétion de Commynes car il lui aurait été facile de s'attribuer tout le mérite de cette politique. Mais c'est qu'il avait conscience qu'elle correspondait si bien à la perspective générale du roi que les opinions du maître et du serviteur, dans ce domaine comme dans tant d'autres, se recouvraient au point de se confondre.

L'identité des vues politiques de Louis XI et de Commynes n'était cependant pas absolue et notamment dans ce domaine plus particulier des affaires bourguignonnes. Nous y reviendrons par la suite. Le roi était un maître avec lequel il fallait *charrier droit* et lorsqu'il devint évident que des divergences de méthode le séparaient de son serviteur le roi n'hésita pas à l'éloigner. Mais si jusque-là, c'est-à-dire de la fin de 1472 au début de 1477, Louis XI fit de Commynes l'équivalent d'un premier ministre c'est qu'il avait reconnu d'emblée en lui, outre une connaissance étendue et approfondie des relations internationales, une vivacité d'intelligence, un « sens », comme il le dit dans une de ses ordonnances de donation, hors du commun. Plus encore que leurs affinités électives ce qu'il dut apprécier en lui c'était ses qualités d'homme d'Etat et son génie politique.

En effet Commynes témoignait, en dépit de son jeune âge, d'une hauteur de vue qui le mettait bien au-dessus de la plupart des conseillers du roi. Il avait des idées très précises non seulement sur les rapports entre nations, sur l'équilibre européen mais aussi sur le devenir de la France et du continent. Sa formation et son expérience en faisaient certes un expert de la politique étrangère mais les affaires intérieures du royaume l'intéressaient tout autant. Qu'il s'agisse de la limitation des pouvoirs féodaux, de la détermination du poids de la fiscalité, du rôle du Parlement, des Etats généraux et des pouvoirs locaux, du fonctionnement de la justice, de la nécessaire unification du droit et de l'administration, de la primauté à accorder à la diplomatie sur le recours à la force armée, du développement de l'économie et des rapports de l'Etat avec les marchands, les industriels et les banquiers, rien ne le laissait indifférent. Les idées qu'il avait sur chacun de ces aspects de la chose publique il les a exprimées en toute clarté dans la partie de ses Mémoires écrite ou dictée en 1489 et 1490 c'est-à-dire six ou sept ans seulement après la mort du roi. Sans doute n'étaient-elles pas toutes aussi élaborées dès le début de sa collaboration avec Louis XI. Mais la perspective générale de sa conception politique et l'ouverture de son esprit ont dû frapper tout de suite le roi et c'est là qu'il faut voir la raison essentielle de l'accès rapide de Commynes aux plus hautes responsabilités. Quant au déroulement de son activité quotidienne de collaborateur privilégié de Louis XI il est relativement aisé de se la représenter, bien que la méthode particulière de travail de Louis XI et la nature même des tâches qui incombaient à Commynes ne permettent pas de la suivre au jour le jour. Le roi se déplaçait très fréquemment à travers tout le royaume, changeant brusquement d'itinéraire, n'emmenant avec lui qu'un petit nombre de collaborateurs. Il ne subsiste pas de véritables procès verbaux de ce que l'on pourrait appeler les séances souvent improvisées du Conseil. Mais l'itinéraire du roi tout au long de son règne a pu être reconstitué avec beaucoup de précision. La présence de Commynes à ses côtés est moins bien connue mais divers recoupements permettent néanmoins de le suivre grâce à la correspondance du roi, à celle des ambassadeurs, aux actes officiels comme les ordonnances royales dont un certain nombre sont revêtues de la signature de Commynes. Enfin et surtout les Mémoires fournissent des indications précieuses bien que Commynes n'ait pas pris soin de noter tous ses déplacements ni toutes les campagnes diplomatiques ou militaires auxquelles il a pris part aux côtés de Louis XI. Nous en savons cependant assez pour être certain qu'il accompagna fréquemment le roi dès le début de sa collaboration. On se souvient que Louis XI a tenu à souligner dans l'une de ses ordonnances de donation que Commynes le sert « continuellement à l'entour de (sa) personne, au fait de (ses) guerres et autrement en plusieurs manières ». Il arrive à Commynes de cohabiter plusieurs mois d'affilée avec son maître comme ce fut le cas par exemple de décembre 1474 à fin avril 1475 à Paris, *mangeant et couchant avec lui ordinairement*. Il se déplace avec lui lors de ses grandes négociations et rencontres diplomatiques, avec le Connétable de Saint-Pol à Fargniers en mai 1474, avec le roi d'Angleterre à Picquigny en août 1475, avec le roi d'Anjou et les ambassadeurs italiens et bourguignons à Lyon de mars à juin 1476. Il est aussi à ses côtés dans ses campagnes militaires de mai et juin 1475 dans la Somme et en Normandie, participant à l'action, établissant les quartiers dans les localités conquises. Il accompagne aussi le roi dans certains de ses pèlerinages comme à Notre-Dame-du-Puy-en-Velay en juillet 1476, ou dans ses parties de chasse. Bref durant toute la première phase de son service auprès de Louis XI, soit de 1472 à 1477, Commynes est un des familiers les plus proches du roi qui l'associe étroitement à son travail comme à ses loisirs, plaisantant avec lui et lui parlant confidentiellement « à l'oreille ».

Etant donné la spécialisation initiale de ses compétences et l'attribution qui lui a été faite tout d'abord d'un secteur bien déterminé des affaires de l'Etat, Commynes était chargé en particulier de canaliser le flot des visiteurs français ou étrangers demandant audience pour des objets intéressant les relations étrangères. Tâche délicate avec un roi aussi volontaire, aussi actif et aussi mobile. Les entrevues étaient fréquemment déplacées, avancées ou retardées suivant les circonstances et l'humeur du souverain. Elles étaient fixées dans les lieux les plus divers et dans des locaux parfois aussi peu conventionnels que ceux d'une simple auberge de village. Il fallait que Commynes s'enquît adroitement de l'objet de l'entretien sollicité afin de prévenir le roi ou de ne pas l'importuner avec des questions d'un intérêt mineur. Il arrivait que le roi remît entièrement à son collaborateur le soin de les recevoir s'il était lui-même accaparé par d'autres besognes plus pressantes ou s'il jugeait préférable de ne pas les entendre personnellement. Commynes devait aussi les *entretenir de paroles* comme il dit en utilisant une expression caractéristique de Louis XI, avant comme après les audiences, les entourer, les séduire ou éventuellement les éconduire suivant les cas. Selon qu'il s'agît de visiteurs venant de pays amis ou ennemis la conduite à tenir était différente. A l'école de Louis XI et surtout à celle de l'expérience Commynes en est arrivé à tirer à ce sujet des règles de conduite qu'il a pris soin de formuler dans ses Mémoires. *Ceux qui viennent des vrais amis et où il n'y a point de matière de soupçons je serais d'avis,* dit-il, *qu'on leur fasse bonne chère et privée... et voir le prince assez souvent... et l'en retirer tôt.* Au contraire *si les ambassadeurs secrets ou publics* viennent de princes qui se haïssent *selon mon avis on les doit bien traiter et honorablement recueillir comme envoyer au devant d'eux, les faire bien loger et ordonner gens sûrs et sages pour les accompagner qui est chose honnête et sûre car par là on sait ceux qui vont vers eux et garde-t-on les gens légers et mal contents de leur aller porter nouvelles car en nulle maison tout n'est content. Davantage je les voudrais tôt ouïr et dépêcher car ce me semble très mauvaise chose que de tenir ses ennemis chez soi. De les faire festoyer, défrayer, faire présent cela n'est* (au contraire) *que honnête* (I/221).

Commynes était naturellement admis à assister souvent aux audiences accordées par le roi. Il le secondait alors dans la mesure de ses moyens mais Louis XI était assez avisé et surtout si parfaitement au courant de ses affaires qu'il n'avait guère besoin de qui que ce soit pour le conseiller sur la réponse à donner. Commynes était cependant assez adroit pour se prêter à des stratagèmes aussi singuliers que celui qu'imagina un jour le roi lorsque son conseiller vint lui annoncer la visite d'un émissaire du Connétable de Saint-Pol, nommé Louis de Céville. Un ambassadeur du duc de Bourgogne, le seigneur de Contay, se trouvait précisément en audience à ce moment.

Connaissant par Commynes l'objet de la visite de Louis de Céville *le roi fit mettre ledit de Contay dedans un grand ostevent et vieil, lequel était en sa chambre et moi avec lui afin qu'il entendît et pût faire rapport à son maître des paroles dont usait ledit Connétable et ses gens au sujet dudit duc... Et le roi se vint asseoir dessus un escabeau rasibus dudit ostevent afin que nous puissions entendre les paroles que disait Louis de Céville... Et en disant ces paroles pour cuider complaire au roi, ledit de Céville commença à contrefaire le duc de Bourgogne et à frapper du pied contre terre et à jurer Saint Georges... Le roi riait fort et lui disait qu'il parlât haut et qu'il commençait à devenir un peu sourd, qu'il le dît encore une fois. L'autre ne se faignait pas et recommençait encore de très bon cœur. Monseigneur de Contay qui était avec moi en cet ostevent était le plus ébaï du monde et n'eût jamais cru pour chose qu'on lui eût su dire, ce qu'il oyait* (I/304-305). Scène digne de Molière, Marivaux ou Feydeau mais aussi manœuvre de la plus grande habileté pour convaincre le duc de Bourgogne du double jeu mené par le Connétable et dont lui-même comme le roi ont été des années durant les victimes abusées.

Commynes était également chargé de veiller sur la réception et l'expédition du courrier diplomatique, voire sur son interception car Louis XI ne reculait pas devant un tel moyen à l'instar de la plupart des princes de ce temps. Tâche de nouveau très délicate car il s'agissait, comme pour les visiteurs, d'opérer un tri judicieux afin de ne pas importuner le roi en lui transmettant des messages de peu d'importance. Il lui fallait donc en analyser le contenu et préparer les réponses au cas où le roi ne s'en chargerait pas directement lui-même. Par sa formation antérieure qui était davantage celle d'un courtisan que d'un secrétaire diplomatique Commynes n'était pas particulièrement préparé à ce genre de travail. Bien qu'il ait porté le titre de « secretarius secretissimus » du duc de Bourgogne il avait agi jusqu'ici surtout par la parole où il excellait du reste. Mais dès lors qu'il ne s'agissait plus pour lui d'accomplir essentiellement des missions personnelles mais de coordonner l'ensemble de la diplomatie française sous la haute direction du roi, bien entendu, il était appelé à consacrer une part toujours plus grande de son activité à la rédaction du courrier. Il ne tarda pas à se révéler bientôt un grand maître dans ce domaine. Sleidan, son premier biographe, et qui tenait son information d'un proche collaborateur de Commynes raconte que « souventes fois, il dictait en un même temps, à quatre, qui écrivaient sous lui, choses diverses et concernantes à la République, voire avec une telle promptitude et facilité comme s'il n'eût devisé que d'une certaine matière ». Malheureusement il ne subsiste guère qu'une soixantaine de ses lettres et cela doit rendre les exégètes de Commynes particulièrement prudents dans l'appréciation de son action sans compter que celle-ci n'en a pas moins continué à consister, pour l'essentiel, en interventions orales à jamais volatilisées. Son écriture était particulièrement difficile à déchiffrer et il lui arrive de s'en excuser auprès de ses correspondants. Cela n'empêche pas de découvrir en lui un maître épistolier. Telle de ses lettres a été jugée par un historien généralement peu favorable à Commynes comme « une remarquable instruction du plus beau, du plus grand style diplomatique » (Maulde la Clavières, *la Diplomatie au temps de Machiavel*, tome II, p. 361).

D'autres tâches nécessitant encore plus d'habileté, de talent et de perspicacité lui ont été imparties. Avec Louis XI il peut en effet être considéré comme un des principaux organisateurs de la diplomatie française. Sans doute faut-il se garder d'affirmer que l'institution d'un véritable service diplomatique date de Louis XI. Mais il est incontestable que sous ce roi il a pris un essor remarquable. Au début du siècle chaque féodal peut envoyer des ambassadeurs. A la fin il leur est défendu de négocier contre le roi. L'institution par Louis XI de la poste royale a joué à cet égard un rôle décisif car elle a servi de garantie au privilège du souverain d'envoyer des ambassadeurs. C'est également sur l'initiative de Louis XI qu'a été instituée la première ambassade permanente avec l'installation de l'évêque Charles de Martigny en octobre 1477 à Londres. Quelques années plus tôt, en 1470, ce même roi avait organisé dans la capitale anglaise une véritable foire d'échantillons pour stimuler les échanges économiques entre la France et l'Angleterre.

Pour l'organisation et le développement de son service diplomatique Louis XI a trouvé en Commynes un collaborateur efficace. Certes le roi veillait personnellement au choix de ses représentants à l'étranger. Il allait jusqu'à désigner lui-même ses émissaires les plus obscurs. Il faisait du reste preuve dans ce domaine comme dans les autres d'un flair remarquable. Mais Commynes lui apportait une contribution importante en lui proposant des candidats et en se chargeant de les styler et de les préparer soigneusement à leur besogne. Mais il arrivait aussi que le roi ne fût pas d'accord avec son conseiller tant pour le choix des émissaires français que pour le recrutement à l'étranger de « correspondants » susceptibles de servir les intérêts du royaume. Lorsque Commynes, au moment de la conquête des Flandres et du Hainaut, au début de 1477, proposa au roi de recourir à la collaboration d'un certain nombre de personnages bourguignons prêts à composer, dont un de ses propres parents et *plusieurs autres à qui j'avais écrit en les priant de se vouloir réduire au service du roi* (I/406) celui-ci écarta ces propositions *et me dit de lui et des autres qu'ils n'étaient pas tels qu'il lui fallait. L'un lui déplaisait d'un cas, l'autre d'un autre et lui semblait que leur offre était nulle et qu'il aurait bien tout sans eux.* Dans ce cas particulier Commynes maintient que ses propositions étaient judicieuses et que le roi s'est lourdement trompé. *Encore estimé-je ce refus et mépris que le roi fit de ces chevaliers, venu de Dieu, car je l'ai vu depuis qu'il les eût bien estimés* (id.).

Comme pour l'accueil des émissaires envoyés par des puissances étrangères Commynes s'est fait toute une doctrine quant au recrutement des agents diplomatiques français, espions y compris, quant à leur formation et au comportement qu'ils devaient avoir dans l'exercice de leurs fonctions. *Quand on vient à tels marchés que de traiter paix,* dit-il, *il doit se faire par les plus fiables serviteurs que les princes ont, et gens d'âge moyen, afin que leur faiblesse ne les conduisît à faire quelque marché déshonnête ne à épouvanter leur maître à leur retour plus que est besoin et plutôt empêcher* (= employer) *ceux qui ont reçu quelque grâce ou bienfait de lui que autres mais surtout sages gens car d'un fol ne fit jamais homme son profit* (I/72). Aussi bien les princes *devraient penser ceux qui vont dehors pour eux s'entremettre en telles matières et qui s'en pourraient excuser ne se empêcher point sinon que on vît que eux-mêmes s'y entendissent bien et eussent affection à la matière* (I/97). *En telles choses faut gens complaisants et qui fassent toutes choses et toutes paroles pour venir à la fin de leur maître* (I/224). Quant au service d'intelligence proprement dit *un sage prince met peine toujours d'avoir quelque ami ou amis avec partie adverse et s'en garder comme il peut, car en telles choses on ne fait point comme on veut. On pourra dire que votre ennemi en sera plus orgueilleux. Il ne m'en chaut car ainsi saurais-je plus de ses nouvelles. Et combien que les autres pourraient faire le semblable chez moi si ne laisserais-je point à envoyer et à cette fin entreprendrais-je toutes pratiques sans en rompre nulles pour toujours trouver matière* (I/223). *Pendant que la guerre serait jà commencée,* indique-t-il ailleurs, *si ne doit-on rompre nulle pratique ni ouverture que on fasse paix car on ne sait l'heure que on a affaire, mais les entretenir toutes et ouïr messages et faire bon guet quels gens iraient parler à eux qui vous seraient envoyés, tant de jour que de nuit mais le plus secrètement que l'on peut. Et pour un message ou ambassade qu'ils m'enverront je leur en enverrai deux et encore qu'ils s'en ennuyassent et dire qu'on n'y renvoyât plus si y voudrais-je renvoyer quand j'en aurais opportunité et le moyen car vous n'y sauriez envoyer espie si bonne ne si sûre ne qui eût si bien loi de voir et d'entendre. Et si vos gens sont deux ou trois il n'est pas possible qu'on sût si bien donner garde que l'un ou l'autre n'ait quelques paroles ou secrètement ou autrement de quelqu'un : j'entends tenant termes honnêtes comme on tient à ambassadeurs* (I/222-223).

Toutes ces considérations témoignent de la grande expérience de Commynes en la matière. Elles ont été exprimées dans la première partie de ses Mémoires c'est-à-dire avant qu'il n'ait eu l'occasion de compléter et d'affiner ses conceptions de la diplomatie sous Charles VIII et Louis XII. Elles reflètent donc bien la nature du travail qui lui incombait lorsqu'il était au service de Louis XI.

Tout n'était pas toujours bien reluisant dans les services que le roi exigeait de lui. Il lui arrivait par exemple de devoir surveiller le propre entourage de Louis XI. C'est que la plus grande confiance ne régnait pas dans ce milieu. Selon l'aveu même de Commynes il fut chargé par exemple d'épier le comportement des commensaux du roi le jour où il célébra par un banquet la nouvelle qui venait de lui parvenir de la mort du Téméraire. *Le roi fit mettre la table en sa chambre et les fit tous dîner avec lui. Et y étaient son chancelier ainsi que d'autres gens du Conseil. Et en dînant parlait toujours de ces matières. Et je sais bien,* dit Commynes, *que moi et d'autres prîmes garde comme ils dîneraient, ni de quel appétit ceux qui étaient à cette table. Mais à la vérité (je ne sais si c'était de joie ou de tristesse) un seul par semblant ne mangea la moitié de son saoûl* (I/395). Et cependant ils n'étaient pas gênés de manger avec le roi car la plupart l'avaient souvent fait. Et Commynes n'ignorait pas que le roi le faisait aussi surveiller. Lorsque Louis XI le retira de la campagne de Flandres pour le reléguer provisoirement en Poitou, Monseigneur du Lude vint le narguer en lui disant : *Or vous vous en allez à l'heure que vous devriez faire vos besognes où jamais vu les grandes choses qui tombent entre les mains du roi dont il peut agrandir ceux qu'il aime. Et en ce qui me concerne je m'attends à être gouverneur des Flandres et m'y faire tout d'or. Et riait fort. Je n'eus nulle envie de rire,* ajoute Commynes, *parce que je me doutais qu'il ne procédât du roi et je lui répondis que j'en serais très joyeux s'il en advenait ainsi et que j'avais espérance que le roi ne m'oublierait point. Et ainsi partis.* Réponse sans doute très adroite mais surtout très révélatrice du constant contrôle de soi-même auquel le contraignaient sa condition de serviteur d'un roi très soupçonneux et l'atmosphère de suspicion générale qui régnait dans son entourage.

Cet aspect particulièrement sordide des relations

humaines ne marquait pas seulement le milieu dans lequel évoluait Commynes. Dans ses fonctions de responsable des services de renseignements il était aussi inévitable qu'il fût amené à côtoyer et à recevoir des personnages douteux. Il nous révèle par exemple qu'il a *connu deux ou trois de ceux qui demeurèrent* (à Nancy) *pour tuer le duc* (I/387). Il ne précise pas s'il les a rencontrés après ou avant le coup. S'il n'hésite pas cependant à mentionner qu'il a connu personnellement ces assassins c'est assurément qu'il n'était en rien compromis dans leur criminelle entreprise. Mais le seul fait qu'il ait eu l'occasion de les rencontrer, sans doute dans l'exercice de ses fonctions, n'a pas manqué de laisser planer des doutes sur son comportement.

Mais l'accueil et la surveillance des visiteurs étrangers, la réception et l'expédition du courrier, le recrutement et la formation du personnel diplomatique, l'organisation du service d'espionnage et le versement de pensions aux agents externes, tout cela ne constituait encore que le travail d'intendance. L'essentiel de son rôle de conseiller royal se situait sur un plan bien supérieur. Ce que Louis XI attendait de lui c'était en effet des avis et des conseils sur la détermination des objectifs de la politique étrangère, sur l'établissement d'une stratégie à longue portée et sur la recherche des meilleurs moyens pour l'inscrire dans les faits. Nous allons en donner une idée par la description de l'action et de la pensée de Commynes dans la conduite des affaires bourguignonnes, anglaises, savoyardes et italiennes.

III

L'EQUILIBRE EUROPEEN

Au moment où Commynes entrait de plain-pied dans l'équipe dirigeante de la France pour y assumer bientôt, quoique pour un temps relativement court, un rôle prépondérant, le maître qu'il venait de quitter n'en avait plus que pour quatre ans à *courir après son esteuf* (I/374). L'allusion au jeu de la balle est un euphémisme bien dans la manière de l'illustre chroniqueur. Le destin de Charles le Téméraire prenait plutôt l'aspect d'une véritable corrida qui devait se terminer par une mise à mort dans toutes les règles de l'art.

Cette façon de se représenter les choses simplifie toutefois le problème. Elle en fausse même complètement la perspective. Qui aurait pu prévoir en 1472 que la partie se terminerait si rapidement et si tragiquement ? L'illusion rétrospective dans laquelle on tombe si souvent en histoire est ici difficilement évitable. La fin du Téméraire a été spectaculaire et comme marquée par une sorte de fatalité. Les contemporains en ont été profondément frappés et la mémoire populaire en a gardé le souvenir durable. Depuis l'entrée en lice des Suisses, tout particulièrement, il semblait que l'issue de la grande entreprise du duc de Bourgogne ne pouvait guère être différente. *Jà le conduisait son malheur,* dit Commynes. Cependant une étude objective de l'ensemble du problème montre qu'un redressement et même un renversement complet de la situation est resté parfaitement possible jusqu'au dernier moment.

Certes il y avait de fort risques pour le duc de Bourgogne qu'il fonce désormais tête basse vers sa perte. Mais Commynes lui-même, en dépit de sa conviction intime qu'il en irait bien ainsi, réservait toujours l'éventualité d'une évolution toute différente du cours de l'histoire. Nous avons montré combien il avait été impressionné, dès la guerre du Bien Public, par l'imprévisibilité foncière de l'enchaînement des causes et des effets, puis par l'instabilité des affaires humaines.

Cette expérience l'avait marqué à tel point qu'il en avait tiré un des éléments essentiels de sa représentation du monde. Le destin du Téméraire en fournissait une illustration éclatante. Le duc de Bourgogne avait choisi de recourir aux armes pour arriver plus rapidement à ses fins. Or c'est dans la guerre et les batailles que le hasard joue un rôle souvent déterminant, selon Commynes. On devait bien l'apercevoir à Grandson comme à Morat et sous les murs de Nancy.

Dans ces conditions on comprend qu'il cède volontiers à la tentation de refaire l'histoire. Dans son récit des dernières années de son premier maître, à tout moment il met en évidence l'importance des accidents imprévisibles. *Pour quelle querelle commença cette guerre,* demande-t-il ? *Ce fut pour un chariot de peaux de moutons que Monseigneur de Romont prit d'un Suisse passant sur sa terre* (I/348-349). Et il conclut aussitôt : *Si Dieu n'eût délaissé ledit duc il n'est pas apparent s'être mis en péril pour si peu de chose* (I/349).

Cet exemple de l'enchaînement imprévisible des causes et des effets a été très discuté et contesté. Il est vrai que la décision des Suisses de déclarer la guerre au duc de Bourgogne est bien antérieure à l'interception du convoi de peaux de moutons de deux marchands allemands le 6 octobre 1475 entre Lausanne et Morges. C'est le 26 octobre de l'année précédente que le duc de Bourgogne reçut pendant le siège de Neuss, le défi des Suisses et c'est le 13 novembre 1474 que ceux-ci battaient une première fois les Bourguignons à Héricourt. Il n'empêche que la querelle des peaux de moutons se situe bien sur la même chaîne causale qui a conduit le Téméraire aux défaites de Grandson, Morat et Nancy. Elle n'en constitue qu'un des maillons mais un maillon important. Les Suisses se sont bel et bien prévalus de l'incident de Morges pour envahir et piller le pays de Vaud dès le 14 octobre 1475 et c'est bien pour venger cette offense faite à son allié le comte de Romont, de la Maison de Savoie, que le duc de Bourgogne a franchi le Jura au début de 1476. Ce n'était là de part et d'autre que simples prétextes. Mais rien ne contraignait le duc à choisir cette occasion ni ce moment pour attaquer à son tour les Suisses. Il aurait fort bien pu laisser tomber l'affaire ou du moins temporiser. Du reste Commynes se garde de dire que l'interception des chariots de peaux de moutons a été la cause de la guerre entre les Suisses et le duc. Il constate simplement que c'est ainsi que *commença* l'offensive de Charles le Téméraire.

Au fort l'incident de Morges n'est pas le seul qui arrête la réflexion de Commynes sur les *petites occasions et monettes* qui sont à l'origine ou qui surviennent au cours d'une série causale. *SI* le duc de Bourgogne n'avait pas perdu un temps précieux à se morfondre à Rivière après la défaite de Morat et *S'IL* était accouru plus rapidement au secours de Nancy il aurait pu, selon Commynes, éviter la reddition de cette ville aux forces lorraines. D'après lui toujours *SI* le chef de la garnison anglaise de Nancy, Colpin, n'avait pas été accidentellement tué sur les remparts de cette cité et *SI* le commandant de la place, le seigneur de Bieuvre, avait été de taille à tenir tête aux archers anglais désemparés par la mort de leur chef, la ville aurait pu tenir jusqu'à l'arrivée, même tardive, du duc. Enfin *SI* le duc de Bourgogne avait bien voulu entendre les avertissements de Louis XI sur les menées criminelles du sinistre Campobasso... *S'IL* n'avait pas ordonné de pendre Syffred de Baschi qui conduisait tous les marchés entre Campobasso et le duc de Lorraine, *SI* le duc de Bourgogne n'avait pas été si cruel et qu'il ait daigné ouïr ce personnage clé avant de le pendre... Si, si et si..., *par adventure s'il l'eût fait il serait encore en vie,* écrit Commynes en 1489, *et sa maison serait entière et de beaucoup accrue vu les choses survenues en ce royaume depuis* (I/377).

La reconstruction de l'histoire à partir d'éventualités non advenues peut paraître un jeu dérisoire. Mais si Commynes s'y livre avec tant d'insistance c'est qu'il avait conscience au plus haut degré de cette bifurcation constante au-devant de laquelle s'acheminent les destins des individus et des collectivités et qui les oblige, souvent malgré eux, à des choix irréversibles influant tout le cours de leur histoire. S'il avait été lui-même présent aux côtés du duc de Bourgogne au moment de l'affaire des peaux de moutons par exemple il n'aurait pas manqué de lui montrer que le jeu n'en valait décidément pas la chandelle. Par-delà la mort, s'adressant à son ancien maître, il écrit dans ses Mémoires : « *Contre quels gens* alliez-vous vous battre ? La Suisse était un pays *pauvre et très stérile.* Vous ne pouviez *avoir nuls acquêts ni nulle gloire* à y remporter une victoire. De plus des *offres* vous avaient été faites par les Suisses, offres que vous n'avez pas daigné saisir. Ils étaient très divisés devant le conflit qui vous opposait au roi et il suffisait d'un peu d'or pour les rallier à votre cause. » Et Commynes en allègue l'opinion d'un de leurs chevaliers (Bubenberg ?) *qui avait été des premiers ambassadeurs qu'ils avaient envoyés devers ledit duc.* Non, en vérité, rien n'était fatal dans cet enchaînement de causes et d'effets, ni dans la décision des Suisses d'envahir le pays de Vaud après la saisie des fameuses peaux de moutons ni dans la décision du duc de voler au secours du comte de Romont.

A ce caractère imprévisible du surgissement continuel de nouvelles séries causales, de leur rencontre fortuite, de leur rebondissement ou de leur évanouissement s'ajoute l'instabilité inhérente aux affaires humaines. Là c'était son expérience de Calais qui lui avait ouvert les yeux, on s'en souvient : Henri VI roi d'Angleterre et de France à neuf mois, détrôné, séquestré, rétabli sur le trône pour quelques mois, puis réemprisonné et massacré en 1472 ; Edouard IV chassé du trône puis réinstauré fait disparaître son frère le duc de Clarence en le noyant, d'après Commynes, dans un tonneau de malvoisie ; les deux fils d'Edouard IV éliminés à leur tour en 1483, par étouffement sous leurs oreillers, sur ordre de Richard III leur oncle. Tel était le spectacle qu'offrait à Commynes l'Angleterre de son temps.

Que les princes meurent de mort naturelle, accidentelle ou criminelle, qu'ils aient ou n'aient pas d'héritiers légitimes, les changements de règne entraînent généralement des bouleversements complets dans les équipes dirigeantes et dans la politique qu'elles mènent.

Cette instabilité et cette imprévisibilité commandent la plus grande circonspection dans la conduite des affaires d'un Etat et plus particulièrement dans celle des affaires étrangères. Une telle philosophie générale, inspirée à Commynes par son expérience antérieure, lui permettait d'apporter à Louis XI un précieux concours. La hauteur et la profondeur de la perspective dans laquelle nous l'avons vu se placer à propos de la Bourgogne s'ouvrait maintenant sur des horizons beaucoup plus vastes. Aussi bien le grand duché ne constituait-il plus à ses yeux qu'une des pièces de l'échiquier européen qu'il avait désormais l'obligation de considérer dans son ensemble. Certes la Bourgogne n'en était pas le pion le moins important. Ses relations avec les autres éléments de ce grand jeu faisaient que son évolution influait toute la partie. Par les données de sa situation géographique, politique, dynastique et économique le destin de la Bourgogne n'était pas seulement en étroite interdépendance avec celui de la France. L'Allemagne était également concernée par le devenir des terres bourguignonnes de mouvance impériale. L'Angleterre vivait en symbiose économique avec les Flandres. Il n'était pas jusqu'à l'Espagne et l'Italie qui ne fussent intéressées et en partie liées à son sort. Jean II d'Aragon avait des intelligences actives à Milan et à Naples et c'étaient les banquiers italiens qui finançaient le Téméraire. Tout succès remporté par Louis XI sur Charles le Téméraire aussi bien que tout revers se répercutait dès lors sur l'attitude des autres puissances à l'égard de la France. L'ordre intérieur du royaume en dépendait directement. Louis XI a avoué à Commynes qu'il estimait *n'être pas bien aimé de tous ses sujets et par espécial des grands* (I/267). *Si j'osais tout dire,* poursuit Commynes, *il m'a maintes fois dit qu'il connaissait bien ses sujets et qu'il le trouverait si ses besognes se portaient mal.* Il avait donc *grand doute de la désobéissance qui pourrait advenir en son royaume s'il advenait qu'il perdît une bataille* (id.)

Il importait dans ces conditions que Louis XI et son conseiller prennent en considération la totalité de cet échiquier extrêmement complexe afin de mener une politique générale cohérente et solidaire dans toutes ses parties. Le roi disposait sans doute de l'intelligence, des connaissances et de l'expérience nécessaires pour maîtriser ce jeu très subtil. Son expérience était sensiblement plus longue que celle de Commynes. Sa connaissance de la Bourgogne égalait la sienne pour y avoir séjourné six années lorsqu'il y avait cherché un refuge pour échapper à son père. Il avait voyagé en Italie dans sa jeunesse alors que Commynes n'avait encore jamais franchi les Alpes. Toutefois son conseiller lui était d'un grand secours. Il connaissait *à l'œil* une partie de l'Allemagne, de l'Angleterre et de l'Espagne. Il en avait foulé le sol. Il s'était fait une idée de la psychologie générale des différents peuples européens. Il avait aussi eu l'occasion de rencontrer personnellement au cours de ses voyages et à la cour du duc quelques-uns des principaux meneurs du jeu de la politique occidentale. Et de tous les princes dont il n'avait pas eu *la vue* il pouvait néanmoins se flatter d'en avoir *eu connaissance* grâce à sa participation active dans la conduite des affaires de la Bourgogne *par communication de leurs ambassades, par lettres et par instructions par quoi,* précise-t-il, *on peut assez avoir d'information de leur nature et condition* (I/2-3). Enfin et surtout Commynes était parvenu, en dépit de son jeune âge, à se faire toute une conception de l'équilibre européen et du rôle que la France lui paraissait être appelée à y jouer.

Dans l'Europe occidentale de son temps le pays, de loin le plus important sinon par le nombre de ses habitants du moins par son étendue géographique, c'était l'Allemagne. La distinction entre l'Allemagne proprement dite et l'Empire peut parfois donner l'impression de manquer de netteté chez Commynes. Si sur la frontière française du nord et de l'est *c'est Almaigne qui vient joindre le royaume, de ces parties de Flandres et de Hollande et partout vers la Champagne* il est clair cependant que les seigneuries du duc de Bourgogne à l'est de cette frontière il les tenait bel et bien de l'Empire (I/270). Ce qui impressionne Commynes c'est l'immensité du pays. *Ces Almaignes,* dit-il, *est chose si grande et si puissante qu'il est presque incroyable* (I/263). Le pays, certes, est très divisé. Il ne constitue pas réellement une nation. En tout cas Commynes n'emploie jamais ce terme à son propos. *Pour Almaigne,* dit-il, *vous avez et de tout temps la Maison d'Autriche et de Bavière contraires et en particulier pour la Maison d'Autriche les Suisses. Maintes autres partialités il y a en cette Allemagne comme ceux de Clèves contre ceux de Gueldre, les ducs de Gueldre contre ces ducs de Julliers, ces Ostrelins qui sont situés tant avant en ce nord contre les rois de Danemark.* L'autorité impériale, quoique en voie de régression, est une réalité avec laquelle il faut cependant compter. L'empereur Frédéric III est un vieil avare, peu vaillant. Mais *combien que cet homme a été toute sa vie homme de très peu de vertu si est-il bien entendu et par longtemps qu'il a vécu a eu beaucoup d'expérience.* Mais si les Allemands sont gens *enclins à mal faire et à piller et à rober,* se livrant à des querelles intestines sans fin, château contre château, ville contre ville, province contre province, *usant de défiance pour petite occasion,* qu'on ne s'y trompe pas : si divisé que soit le pays et si faible l'autorité de l'Empereur, dès qu'un étranger s'y risque il agit en véritable catalyseur *Comme il est de coutume quand il touche le fait de l'Empire* (I/280) tous ces seigneurs *y donneraient bon ordre* laissant là leurs querelles et se mobilisant à leurs propres frais. Aussi la France doit-elle se garder de les mettre en branle. Du reste, *entre les rois de France et empereurs il y a grand serment et confédération de n'entreprendre rien l'un sur l'empire l'autre sur le royaume* (II/18). Le respect de l'antique frontière carolingienne est intangible. Selon Commynes il ne saurait être question pour la France de conquérir une terre de mouvance impériale.

Quant à l'Angleterre elle est sans conteste, parmi les grandes nations de l'Europe occidentale, la plus évoluée politiquement. On a vu l'admiration que Commynes a conçue pour l'institution et le fonctionnement du Parlement et pour certaines coutumes réglant le comportement des Anglais dans leurs guerres intérieures. Malheureusement il se trouve que *à toute heure les Anglais, tant nobles que communes et gens d'église sont enclins à la guerre contre ce royaume* (de France) (II/2). Le temps n'était pas loin où les *Anglais cuidèrent posséder le tout du royaume* (II/90). Il est vrai, au demeurant, *qu'ils ont perdu beaucoup plus légèrement qu'il ne le conquirent et ont plus perdu en un jour qu'il n'en gagnèrent en un an* (II/15). Aussi Commynes approuve-t-il l'œuvre de reconquête opérée par Charles VII. Mais le danger d'une invasion reste permanent. L'analyse des causes de la guerre des Deux Roses a cependant convaincu Commynes de la possibilité de neutraliser l'Angleterre. C'est l'intérêt qui est le principal mobile de la propension des Anglais à descendre sur le continent, les marchands pour les besoins de leur commerce, les nobles pour le pillage des richesses et les rançons qu'ils retirent de la libération des prisonniers. Précisément le roi Edouard IV est avant tout un jouisseur plus amateur d'argent que de gloire militaire. Commynes en tirera une conclusion d'une logique implacable. Si c'est bien l'intérêt qui pousse les Anglais depuis des siècles à entreprendre et entretenir la guerre contre la France et si leur roi actuel est d'une complexion si caractérisée il est possible également de les neutraliser. Il suffit de leur assurer le versement d'une certaine quantité d'or. Qu'ils appellent cela *tribut* et les Français simple *pension,* peu importe.

Avec l'Espagne il s'agit de tout autre chose. Les liens

de la France avec ce pays sont encore imprégnés de l'esprit féodal. Les rois de France et de Castille sont *les plus alliés princes qui soient en la chrétienté car ils le sont de roi à roi, de royaume à royaume et* (même) *de homme à homme de chacun de leurs sujets* (II/365). Aussi bien les souverains de ces deux pays paraissent-ils à Commynes *obligés sur grande malédiction de bien garder ces liens* (I/139). Cette conduite s'impose d'autant plus à la France que le récent mariage (1469) de Ferdinand d'Aragon et d'Isabelle de Castille menaçait de modifier considérablement les rapports de force. A la mort d'Henri de Castille (1474) puis de Jean II d'Aragon (1479) les nouveaux souverains espagnols deviendraient les rois *qui plus possédaient de terres que ne fit jamais prince de la chrétienté.* Si pour l'heure *ce fort et uni mariage* n'avait pas encore porté tous ses fruits il était à prévoir que l'Espagne procéderait grâce à lui à une très rapide unification. Certes les rapports des rois espagnols avec le peuple ont été *fort troublés à Barcelonne et autres.* Mais ailleurs, comme au Roussillon, ils avaient *les cœurs des sujets.* L'importance du facteur psychologique dans les affaires de la péninsule frappe Commynes et il note en particulier qu'*il n'est nulle nation que les Espagnols haïssent tant que les Portugais et si les méprisent et s'en moquent.*

Le dynamisme espagnol ne laissait pas non plus d'inquiéter Commynes mais il ne se prononce pas quant à la priorité des droits des rois d'Aragon sur ceux de la France concernant le royaume de Naples. *Le royaume de Naples,* écrit-il, *de la nature dont il est et les gens qui l'habitent il me semble qu'il est à celui qui le peut posséder car ils ne veulent que mutation* (II/368).

De ces diverses considérations il découle que la France doit se garder d'entreprendre quoi que ce soit du côté de la péninsule ibérique ou italique qui puisse faire sortir l'Espagne de sa neutralité.

Entre les quatre grands de l'Europe occidentale Commynes était d'avis qu'un état d'équilibre s'imposait. Certes la France avec ses quinze millions d'habitants comptait à elle seule à peu près autant de sujets que les trois autres puissances réunies. Elle disposait d'une armée régulière, très entraînée et supérieurement équipée notamment en artillerie. Mais elle ne pouvait pas se permettre, à cause de ses divisions intérieures, de provoquer une rupture de cet équilibre de nature nécessairement instable. La prudence recommandait aussi d'entretenir avec les ennemis héréditaires de ces trois puissances des rapports privilégiés, c'est-à-dire avec les Suisses, les Ecossais et les Portugais afin de pouvoir les faire intervenir si besoin était pour accaparer ou détourner une partie des forces de l'Empire, de l'Angleterre ou de l'Espagne pour peu que ces puissances songeassent à attaquer la France.

Restait pour la France le problème du comportement qu'il lui convenait de suivre à l'égard des puissances secondaires entre lesquelles se répartissaient les terres de l'ancienne Lotharingie c'est-à-dire les Pays-Bas, la Bourgogne, la Lorraine, la Savoie, la Provence et les puissances italiennes. En vertu des antiques *serments et confédération* entre l'Empire et le royaume de France il n'était pas question pour ce dernier, selon Philippe de Commynes, de songer à conquérir l'une ou l'autre de ces terres. Mais l'histoire montrait qu'il existait pour la France un danger permanent de voir se développer dans cette zone des entités politiques redoutables. Tel avait été le cas avec la Maison d'Anjou qui avait réuni sous son sceptre la Lorraine, la Provence et le royaume de Naples. La Maison de Savoie avait également connu à un moment donné une extension considérable du Jura aux rivages de la Méditerranée englobant le pays de Vaud, la Savoie proprement dite, le Piémont et la Provence. Ce danger prenait une forme nouvelle avec l'intention ouvertement déclarée de Charles le Téméraire de constituer un Etat d'un seul tenant, s'étendant de la mer du Nord au Jura et même au-delà. C'était là le domaine que Commynes connaissait le mieux et c'était à son sujet aussi qu'il différait le plus d'avis avec Louis XI. Il ne croyait pas à l'existence d'un sentiment national légitimant la réunion en une seule entité politique de pays aussi divers et disparates que la Hollande, la Flandre, le Hainaut, le Brabant, l'Artois, la Picardie, le Luxembourg, la Lorraine et les deux Bourgognes, ducale et comtale. Mais leur rassemblement en un Etat unifié ou leur réunion sous l'autorité d'une maison étrangère comme le mariage de l'héritière du duc en faisait planer la menace, paraissaient à Commynes aussi dangereux pour l'avenir de l'équilibre européen entre les quatre grands que l'annexion par la France de l'une ou l'autre de ces terres. Par contre il concevait fort bien l'extension de l'influence française dans toute cette zone médiane de l'Europe occidentale. En s'y prenant adroitement Louis XI pouvait *aisément* tenir *toute cette seigneurie* (de Bourgogne) *sous son arbitrage* (I/414). La même politique pouvait être menée à l'égard de la Savoie, de la Provence et des puissances italiennes. En recourant à une procédure pacifique comme celle d'alliances matrimoniales avisées ou d'habiles captations d'héritages ou même, à défaut de tout droit, *par vraie et bonne amitié aisément y pouvait faire* (I/401-402).

Toute cette conception de l'équilibre européen et du rôle que devait y jouer la France procédait de la priorité qu'il convenait, selon Commynes, d'accorder en politique au développement de la prospérité économique. Le recours à la force armée devait être écarté dans toute la mesure du possible. Commynes avait une horreur viscérale des atrocités de la guerre et des ruines qu'elle causait. Il appartenait à la diplomatie d'assurer le maintien de la paix, condition *sine qua non* de tout accroissement du bien public.

Sur la plupart de ces principes Commynes s'accordait parfaitement avec Louis XI. Ils différaient cependant d'avis sur un certain nombre de points d'application. Tout l'effort du conseiller consistera à tenter de résorber ces divergences et à rallier le roi à ses conceptions personnelles de la conduite de la France dans le grand jeu de la diplomatie européenne. On verra que cela n'ira pas sans peine.

IV

LE GRAND JEU

Le temps qu'il se reposait, son entendement travaillait car il avait affaire en tant de lieux et se fut aussi volontiers occupé des affaires de ses voisins que des siennes. Quand il avait la guerre, il désirait paix ou trêve ; quand il l'avait à grand peine le pouvait-il endurer. De maintes menues choses par son royaume il se mêlait et d'assez dont il se fut bien passé. Mais sa complexion était telle et ainsi vivait (II/85).

C'est Commynes qui parle ainsi de Louis XI. En vérité il ne devait pas être très aisé de collaborer avec un être d'une telle nature d'autant plus qu'il était maître avec qui il fallait *charrier droit.* Le nouveau conseiller du roi parviendrait-il jamais à tempérer cette inquiétude permanente ? Son propre tempérament de temporisateur et de pacificateur qu'on a vu à l'œuvre à Peronne en particulier aurait-il autant de succès auprès du roi ?

Les affinités électives entre le maître et le serviteur faciliteraient sans doute leur entente mais la différence de leur complexion ne devait pas manquer de les opposer fréquemment. Il y avait aussi entre eux une différence de génération. Alors que Commynes n'avait que vingt-cinq ans au moment où débute sa collaboration, Louis XI avait atteint la cinquantaine. Le roi avait conscience de n'en avoir plus que pour une dizaine d'années à vivre. Nombre de ses prédécesseurs n'avaient pas dépassé soixante ans. De fait il mourra à soixante et un ans. Sa santé ne laissait pas de lui donner quelque souci. Il souffrait régulièrement de crises d'hémorroïdes accompagnées de fièvres et de maux de tête. Peut-être était-il atteint d'épilepsie et avait-il même subi déjà de petites attaques d'apoplexie. Au printemps de 1473 une crise d'hémorroïdes particulièrement douloureuse l'obligea à prendre du repos. Au milieu de mai il s'isola pour quelques semaines au château d'Amboise, interdisant à quiconque, sous peine de mort, de s'approcher, sans autorisation expresse, à moins de trois lieues de sa résidence. A peine rétabli, au début de juin il eut le chagrin de perdre son second fils, François, âgé de quelques semaines. Sa peine fut d'autant plus grande que son aîné, le futur Charles VIII, était lui-même de santé très délicate. Et voilà qu'à la fin de cette même année Louis XI faillit être empoisonné criminellement. Sans la loyauté de son chef de cuisine et de son grand saucier il aurait eu le sort de son frère le duc de Guyenne mort peut-être empoisonné l'année précédente. Jean Hardy qui avait déjà remis le poison aux deux serviteurs du roi et auxquels il avait promis 20 000 francs pour accomplir leur crime fut arrêté puis exécuté au printemps 1474.

Ces diverses circonstances amenèrent le roi à opérer un retour sur lui-même et à repenser l'ensemble de sa politique. Après l'agitation quelque peu désordonnée de la première moitié de son règne et dont il eut à pâtir il s'efforcera de mener désormais une action beaucoup plus réfléchie. Mais il devra pour cela faire violence à son tempérament. Il trouvera en Commynes un confident et un véritable ami à la hauteur de la situation.

L'année 1473, la première de leur collaboration, marque incontestablement une certaine pause dans l'activité du roi. L'année suivante est caractérisée par une intense activité diplomatique où apparaît en clair la stratégie générale méditée avec Commynes pendant la période de relatif repos qu'il s'était accordée. Il en récolta les fruits au cours des trois années suivantes, parvenant simultanément grâce à son génie et à tout un concours de circonstances fortuites à se débarrasser des fauteurs de troubles intérieurs et à éloigner les périls extérieurs. Malheureusement ses succès mêmes semblent lui avoir troublé le sens. L'Angleterre neutralisée et Charles le Téméraire mort *étant hors de toute crainte,* écrit Commynes, *Dieu ne lui permit pas de prendre cette matière* (la liquidation de l'héritage bourguignon) *qui était si grande, par le bout qui lui était le plus nécessaire* (I/400). La maladie vint aggraver les choses et le règne se termina dans les affres d'une mort qu'il redoutait plus que tout au monde et qu'il chercha à reculer au prix des plus extravagantes mesures.

Les Mémoires de Commynes reflètent bien cette évolution de la deuxième moitié du règne de Louis XI. Ils ne comprennent que deux pages pour 1473, une vingtaine pour 1474 mais plus de deux cents pour les années cruciales de 1475, 1476 et 1477, puis soixante-dix seulement au total pour les six dernières années. Ces variations considérables dans la part qui est faite par Commynes à chacune des onze années que dura sa collaboration avec le roi sont aussi en rapport, bien entendu, avec la nature et l'importance très variables de sa participation à la conduite des affaires du royaume. Tour à tour humble valet de chambre veillant sur la santé du roi ou premier ministre et véritable alter ego de Louis XI, grand maître de sa diplomatie ou ambassadeur plénipotentiaire mais aussi recruteur d'espions et acheteur de consciences il fut également, et bien malgré lui, homme de guerre, conquérant de villes, présidant à la mainmise de la France sur des provinces nouvellement contrôlées par le roi, comme la Bourgogne ducale et la Savoie ou au contraire, en période de semi-disgrâce, se confinant dans l'administration de ses propres terres.

Il est compréhensible que Commynes ait été très discret sur son rôle de confident du roi comme sur son activité d'éminence grise de la diplomatie souterraine. Plusieurs de ses anciens agents étaient encore vivants au moment où il rédigeait la première partie de ses Mémoires et il tenait à ne pas leur porter préjudice par des révélations compromettantes. Qu'il s'agisse de membres de sa propre parenté ou d'autres personnages, nombre d'entre eux ont pu cependant jouer des rôles non négligeables dans le déroulement des événements. Hélas cela échappera toujours à notre connaissance. Nous ignorons aussi la part réelle que Commynes a prise pour engager le roi à renoncer dès la fin de 1472, et à la seule exception de quelques mois en 1475, à un affrontement direct avec le duc de Bourgogne. La trêve de cinq mois signée le 3 novembre 1472 a été reconduite une première fois et pour une année le 1er avril 1473 puis une seconde fois et également pour une année le 1er mai 1474, enfin, cette fois-ci pour une période de neuf années, au traité de Soleuvre le 30 septembre 1475. Il est certain que Commynes fut de ceux, et probablement parmi eux le plus convaincant, qui poussèrent le roi à pratiquer à l'égard de la Bourgogne cette politique si différente de celle de la première moitié de son règne. Nous ne saurons non plus jamais quel a été son rôle exact dans la conclusion de la Ligue de Constance en mars 1474 qui unit le duc d'Autriche aux Suisses, ces ennemis héréditaires, ainsi qu'aux villes de Haute Alsace. Il se borne à nous dire à ce sujet que les nombreux *espies* et *messages* y furent dépêchés *pour la plupart de (sa) main* (I/350). Il ne cite pas même le nom de Nicolas de Diesbach qu'il dut cependant bien connaître et par l'entremise duquel de nombreux Bernois et d'autres Suisses aussi furent gagnés à la cause du roi. Mais toute cette stratégie et toute cette vaste action diplomatique portent visiblement sa marque.

Il nous suffira de ce qu'il a bien voulu nous raconter pour nous faire une idée de l'importance et de la diversité des tâches qu'il a assumées pendant toute la seconde moitié du règne de Louis XI.

1. - *Echec au roi*

Nous voici au printemps de 1475. Commynes vient de passer plusieurs mois en tête à tête avec Louis XI à Paris, mangeant et couchant ordinairement avec lui. Le tempérament nerveux du roi a repris le dessus. Commynes n'est pas parvenu à le faire renoncer à la reconquête du Roussillon où il a déjà englouti des sommes considérables et sacrifié la vie de nombreux soldats. Le 10 mars 1475 une forte armée française s'empare de Perpignan. Pourquoi dresser ainsi contre la France le roi d'Aragon au moment où se précisait à l'autre extrémité du royaume la menace anglaise et bourguignonne ? Sans doute Louis XI spéculait-il sur le poids de l'Empire pour neutraliser la conjonction anglo-bourguignonne. Une armée allemande de 120 000 hommes était sur le point d'être mobilisée. Mais Louis XI savait bien que Charles le Téméraire avait convenu avec Edouard IV roi d'Angleterre, au traité de Londres du 24 juillet 1474, d'entreprendre en 1475 le démembrement du royaume français. Louis XI avait réussi à se procurer une copie de ce traité. Il n'ignorait pas non plus que le Parlement anglais avait accordé au roi l'autorisation de prélever un impôt destiné à financer l'invasion de la France. Une armée d'une vingtaine de milliers de combattants, la plus grosse qui ait été mise sur pied à cet effet depuis le roi Arthur, au dire de Commynes, se concentrait sur la côte de Douvres. Cinq cents bateaux appelés « santes », plats et bas de bord, bien propices à porter chevaux, avaient été réquisitionnés en Hollande et en Zélande pour le transbordement de cette armée. Edouard IV n'attendait plus que la décision du duc de Bourgogne de lever enfin le siège de Neuss où ses troupes, évaluées à 20 000 hommes se fatiguaient inutilement et se corrompaient depuis septembre 1474. Alors pourquoi blesser si inutilement ce grand politique qu'était Jean II d'Aragon qui avait ses intelligences actives en Bretagne comme en Angleterre et en Italie ? C'était de nouveau là une de ces inconséquences dont Louis XI avait donné déjà tant de preuves au début de son règne.

Quoi qu'il en soit force lui était bien maintenant de se hâter. Il fit monter vers le nord quelque cinquante mille soldats. Face à la menace anglo-bourguignonne il fallait bien qu'il prît les devants. Le 25 avril il rompt la trêve avec le duc de Bourgogne qui arrivait à échéance à la fin du mois. C'était cependant à son *très grand regret*, selon Commynes, qu'il le faisait car en vérité *il eût mieux aimé un allongement de trêve*. Mais il n'avait plus le choix. Commynes est de la partie. Il assiste au siège d'un *méchant petit château appelé le Tronchoy* près d'Amiens, pris d'assaut le 2 mai. Le lendemain le roi l'*envoya parler à ceux qui étaient dedans Montdidier. Ils s'en allèrent leurs bagues sauves et laissèrent la place*. Le jour suivant, même opération à Roye. Les habitants se rendent. *Ils ne l'auraient pas fait*, précise Commynes, *si le duc eût été au pays* mais n'espérant nul secours ils se résignèrent. Puis le roi alla mettre le siège devant Corbie, sur la Somme. Après *de très belles approches et des tirs d'artillerie qui durèrent trois jours*, la ville se rendit à son tour. Le roi espérait encore que ces succès suffiraient à engager le Téméraire à renouveler sa trêve avec lui. Mais une *femme d'état* dont Commynes nous assure qu'il la connaissait très bien mais dont il taira le nom parce qu'elle était encore de ce monde au moment où il relate cette circonstance, engagea le roi à prendre Arras lui indiquant le moyen d'y parvenir. La guerre engendrait la guerre et une annexion en entraînait une autre. Entre-temps Louis XI envoyait un corps d'armée en Normandie car le Connétable de Saint-Pol l'avait averti que le débarquement avait bien des chances de se faire sur cette côte. Commynes là encore est de la partie, fin mai et début juin à Rouen, puis dans le pays de Caux. Ce n'était sans doute pas sans de pénibles rappels de mémoire qu'il participait à ces actions militaires qui devaient lui faire souvenir de la campagne de 1472 alors qu'il était encore au service du duc de Bourgogne : campagnes ravagées, pour que l'envahisseur présumé ne puisse vivre sur les ressources du pays, une grande quantité de villes brûlées entre Abbeville et Arras (cent cinquante localités dit-on) et *contrairement aux promesses* faites par Commynes Montdidier et Roye rasées parce que leurs fortifications étaient jugées insuffisantes pour résister aux Anglais.

Et voici qu'à la mi-juin un héraut anglais nommé Jarretière et natif de Normandie se présente au quartier général de Louis XI. Commynes est auprès du roi. Jarretière apportait *une lettre de défiance de par le roi d'Angleterre requérant au roi de France qu'il lui rendît le royaume qui lui appartenait afin qu'il pût remettre l'église et les nobles et le peuple en leur ancienne liberté et ôter des grandes charges et travaux en quoi ils étaient tenus par le roi. Et protestait, en cas de refus, des maux qui s'en suivraient, en la forme et la manière qu'il est accoutumé de faire en tels cas* (I/288-289). C'était de Douvres qu'Edouard IV avait envoyé ce messager. L'embarquement de ses troupes n'allait pas tarder.

Il se produisit ici un de ces retournements imprévus dont Louis XI était coutumier. Contrairement au duc de Bourgogne, qui plus la situation s'embrouillait plus s'enferrait, Louis XI était en effet, au témoignage de Commynes, *entre tous les princes* qu'il a connus, *le plus sage pour se tirer d'un mauvais pas en temps d'adversité* (1/73). Il le prouva bien en cette occasion. Il lut la lettre de défi *seul et puis se retira en une garde robe tout fin seul* (I/281). Que se passa-t-il dans cet entretien solitaire avec lui-même ? Il lui apparut probablement tout d'abord, comme à Commynes, que le *langage* de cette lettre et son *style* étaient trop *beaux* pour *que jamais Anglais n'y eût mis la main.* Edouard était visiblement manœuvré par d'autres qui avaient intérêt à son passage sur le continent. Louis XI connaissait aussi la complexion du souverain anglais qui n'aimait rien tant que ses aises. Commynes lui avait expliqué par ailleurs qu'il était arrivé à plus d'une reprise aux rois d'Angleterre de dresser des projets d'invasion à seule fin d'obtenir du Parlement l'autorisation de prélever un impôt dont ils garderaient le reliquat après avoir, sous un prétexte quelconque, rompu l'armée d'invasion avant même de la mettre en marche. S'agirait-il en l'occurrence d'un tel stratagème ? Et puis la saison était déjà bien avancée et le duc de Bourgogne prolongeait stupidement le siège de Neuss. Toutes ces considérations conduisirent le roi, dans une intuition géniale, à faire du héraut Jarretière son propre avocat auprès d'Edouard IV. Il le fit appeler, lui exposa toutes les raisons qu'il avait de penser que son maître ne se lançait dans cette entreprise qu'à son corps défendant *contraint tant par le duc de Bourgogne que par les communes d'Angleterre.* Invoquant encore *plusieurs autres belles raisons* il demanda au héraut *d'admonester Edouard IV de prendre appointement avec lui.* Louis XI, *de sa main donna 300 écus à Jarretière et lui en promit mille si l'appointement se faisait.* Quand il eut terminé, Louis XI appela Commynes et lui demanda *d'entretenir toujours le héraut jusqu'à ce qu'on lui baille compagnie pour le reconduire (afin que nul ne lui parlât) et de lui faire délivrer une pièce de velours cramoisi contenant trente aunes.*

Il semble bien que Jarretière n'ait pas été insensible à un tel accueil et à tant de prévenances. Peut-être même y avait-il été préparé par Edouard IV. Aussi répondit-il au roi qu'*il travaillerait à cet appointement et qu'il croyait que son maître y travaillerait volontiers mais qu'il n'en fallait point parler jusqu'à ce que le roi d'Angleterre fût deçà de la mer, mais quand il y serait qu'on envoyât un héraut pour demander sauf-conduit d'envoyer des ambassadeurs devers lui et qu'on s'adressât à Monseigneur John Haward ou à Monseigneur Thomas Stanley et aussi à lui pour aider à conduire le héraut* (I/289-290).

Le transbordement de l'armée anglaise s'étendit sur trois semaines et ce n'est que le 6 juillet qu'Edouard IV débarqua lui-même à Calais où le duc de Bourgogne ne le rejoignit que le 14 juillet après avoir dû signer la paix avec l'Empereur Frédéric III qui avait massé dans la région de Cologne une armée trois fois plus forte que les armées bourguignonnes et anglaises réunies. Marchait-on cette fois-ci vers la conflagration générale à laquelle tout le monde s'attendait ?

Rarement pareille concentration de troupes aura-t-elle

été mise sur pied. Aux 50 000 Français s'opposaient les 22 000 Anglais et les 20 000 soldats du duc de Bourgogne. Mais qu'en serait-il des 120 000 impériaux ? Louis XI avait bien signé avec l'empereur le traité d'alliance d'Andernach les 31 décembre 1474 et 17 avril 1475. Mais Frédéric III était inconstant. Craindrait-il, sur ses arrières, une attaque de Mathias Corvin, roi de Hongrie, avec qui Charles le Téméraire a des contacts ? Par ailleurs le duc de Bretagne François II semble aussi prêt à prendre à revers Louis XI. Travaillé lui aussi par le roi d'Aragon, le duc de Milan Galeas Sforza, jusqu'ici allié du roi de France, rejoint le camp du duc de Bourgogne. Mais en sens contraire le duc de Lorraine adhère à la Ligue de Constance et se rallie à Louis XI. Il a envoyé des lettres de défi au duc de Bourgogne le 9 mai 1475. Les Suisses quant à eux sont déjà intervenus en Haute Alsace et en Franche-Comté l'année précédente. Le bannissement, à fin 1474 de l'avoyer bernois Adrien de Bubenberg favorable à la Bourgogne et son remplacement par Nicolas de Diesbach, agent français notoire, permet à Louis XI d'espérer une nouvelle intervention des Suisses.

Le duc de Bourgogne *qui avait travaillé toute sa vie pour faire passer deçà* (les Anglais) *et jamais n'en était pu venir au bout jusqu'à cette heure* (I/285) semblait maintenant se dérober. S'il était accouru de Neuss vers Calais à *grandes journées* il y était arrivé le 14 juillet en fort *petite compagnie*. Inconcevable aberration ? Que non pas. Son armée de Neuss était *si rompue, si mal en point et si pauvre* (I/282) après un siège de près d'une année qu'il n'était pas question pour lui de la montrer dans cet état au roi d'Angleterre. Il avait envoyé ses Lombards se reposer au Luxembourg, ses Allemands en Gueldre, n'emmenant avec lui que ses Picards. Il avait aussi de graves soucis financiers. Ses Etats provinciaux de Flandres avaient déjà refusé, le 26 octobre 1474, de lui apporter un contingent militaire pour les besoins du siège de Neuss. Ils lui refusaient maintenant leur appui financier. Deux jours avant sa rencontre avec Edouard IV à Calais le duc de Bourgogne avait affronté à Bruges les trois membres de ses Etats de Flandres. Il leur avait sévèrement reproché leur « trahison ». Mais il n'en obtint rien de plus pour autant. Le clergé particulièrement était dressé contre lui, à cause du versement qu'il avait exigé d'un forfait au titre des droits d'amortissement qu'il lui devait sur l'acquisition de biens immobiliers et qu'il avait négligé d'acquitter dans le passé. C'est que le duc était maintenant presque aux abois. Sa Recette générale qui était montée à 1 500 000 livres tournois en 1471, 1 400 000 L.T. en 1472 était tombée à 900 000 L.T. en 1473. En 1474 et 1475 le bilan de la Recette générale tombe à 600 000 L.T. En 1476 elle atteindra à peine 300 000 L.T. Ses prêteurs attitrés, les villes flamandes, les villes italiennes, ont porté apparemment sur les chances de succès de sa grande entreprise d'édification d'un nouvel Etat unifié et centralisé le même jugement que Commynes. Ils se récusent tous à la seule exception de la Banque des Médicis représentée sur la place de Bruges par Thomas Portinari, mais elle ne pouvait suffire à couvrir ses besoins. Dès lors l'avenir du duc était sérieusement compromis.

Cependant le roi d'Angleterre et le duc de Bourgogne se mirent en mouvement à partir de Calais le 18 juillet avec pour but Reims où le roi d'Angleterre devait être couronné roi de France. Ils passèrent par Boulogne. Edouard établit son camp à Saint-Christ-sur-Somme tandis que Charles le Téméraire s'arrêta à Peronne le 6 août. Les deux princes se voyaient fréquemment. Toutefois Edouard IV commençait à trouver le comportement de son allié singulièrement équivoque. Par le traité de Londres du 27 juillet 1474 ne s'était-il pas engagé à assister l'armée anglaise d'un corps de troupes de 10 000 hommes au moins et de commencer à attaquer le roi de France trois mois avant son débarquement afin que les Anglais *trouvassent le roi plus bas et plus foulé* ? Or rien de tel ne s'était passé. A Saint-Quentin où Edouard IV s'attendait selon les promesses du duc, qu'on sonnât les cloches à son arrivée et qu'on portât la croix et l'eau bénite, les Anglais sont reçus à coups de canon. La pluie se met de la partie. Et voici que le duc de Bourgogne, à la stupéfaction du roi d'Angleterre, lui parle de prendre congé lui disant qu'il avait l'intention de se diriger sur le Barrois où il se proposait de faire beaucoup de choses pour lui.

Ici survint un incident en apparence très anodin. Comme le duc s'apprêtait à partir, le valet d'un écuyer français, pris par les Anglais, fut amené au devant des deux princes. Après qu'ils l'eurent interrogé le duc prit effectivement congé du roi. Au lieu de prendre la direction du Barrois il s'en alla vers le Brabant et s'arrêta à Namur où il devait séjourner jusqu'au premier septembre. Le duc parti, le roi, sous couleur d'esprit chevaleresque, libéra le prisonnier français, étant le premier que les Anglais avaient fait. En réalité ce valet fut chargé de porter au roi de France un message d'une extrême importance. *Au départir,* relate en effet Commynes, *Monseigneur Haward et Monseigneur Stanley lui donnèrent un noble* (écu) *et lui dirent : Recommandez-nous à la bonne grâce du roi votre maître si vous pouvez lui parler* (I/296). On se souvient que le héraut Jarretière avait déjà fait mention de ces deux seigneurs anglais quelque deux mois plus tôt. A grande diligence le valet français libéré accourut auprès du roi de France qui se trouvait alors à Compiègne. Le premier mouvement de Louis XI fut de le mettre aux fers craignant qu'il ne s'agît d'un espion. Mais après en avoir débattu, sans doute avec Commynes, le roi se ravisa. Le lendemain le roi interrogea le rescapé. Au moment de se mettre à table Louis XI dit quelques mots à l'oreille de Commynes. Le repas à peine commencé le roi, s'adressant à son conseiller et lui parlant de nouveau « en l'oreille » le pria de se lever et d'aller manger en sa chambre lui commandant d'y faire venir un humble personnage, le serviteur d'un échanson du roi et à qui il n'avait jamais parlé qu'une seule fois. Commynes était chargé de préparer cet inconnu à une mission de la plus haute importance auprès des Anglais. Il convient de céder ici la parole à Commynes. *Je fus très ébaï,* dit-il, *quand je vis ledit serviteur car il ne me semblait ni de taille ni de façon propice à une telle œuvre. Toutefois il avait bon sens comme je connus depuis et la parole douce et aimable... Ledit serviteur fut très ébaï quand il m'ouït parler et se jeta à deux genoux devant moi comme quelqu'un qui croyait déjà être mort. Je l'assurai le mieux que je pou-*

vais et je lui promis une élection en l'île de Ré et de l'argent. Et pour plus l'assurer je lui dis que ceci procédait des Anglais et puis je le fis manger avec moi où nous n'étions que nous deux et un serviteur. Et petit à petit je le mettais en ce qu'il avait à faire. Je n'y eus guère été que le roi m'envoya quérir. Je lui parlai de notre homme et lui en nommai d'autres plus propices, à mon entendement. Mais il n'en voulut point d'autre et vint lui-même lui parler. Il l'assura plus en une parole que je n'avais fait en cent... Et quand il sembla au roi que notre homme fut en bon propos il envoya quérir une bannière de trompète pour lui faire une cote d'armes... Le grand écuyer (du roi) *et un de mes gens firent cette cote d'arme le mieux qu'ils purent. Ledit grand écuyer alla quérir un émail d'un petit héraut qui était à l'amiral Plain Chemin et qui fut attaché à notre homme. On lui apporta secrètement ses housseaux et son habillement. Son cheval fut amené. Il y fut mis dessus sans que personne n'en sût rien. On lui mit un beau petit sac de voyage en cuir à l'arçon de sa selle pour mettre sa cote d'arme et bien instruit de ce qu'il avait à dire il s'en alla tout droit vers l'armée des Anglais.* Reçu aussitôt par le roi d'Angleterre lui-même, ce singulier messager s'acquitta apparemment si bien de sa mission qu'Edouard IV et une partie de ses privés trouvèrent ces ouvertures très bonnes. Il s'agissait rien moins que de la signature d'un traité de paix entre la France et l'Angleterre. Un sauf-conduit fut remis au héraut français pour cent cavaliers devant accompagner les ambassadeurs que le roi de France se proposait d'envoyer au roi d'Angleterre. Un héraut anglais accompagna le messager français pour venir quérir un sauf-conduit semblable pour les ambassadeurs anglais qui devaient rencontrer ceux de Louis XI, le lendemain dans un village près d'Amiens. Commynes ne faisait pas partie du groupe des ambassadeurs français. Il lui appartenait de rester auprès du roi pour conduire toute l'affaire à ses côtés et la coordonner avec diverses actions diplomatiques, non moins importantes, qui étaient menées simultanément sur d'autres fronts. Il importait aux Français d'aller vite en besogne. *Si cet appointement n'avait pu se faire,* dit

Commynes, *de grands maux fussent advenus en ce royaume car nous avions pour lors beaucoup de choses secrètes parmi nous.* On a vu les précautions prises pour le choix du messager royal, pour sa préparation et son départ. La moindre indiscrétion pouvait compromettre toute l'affaire non pas tant du fait des Anglais que de la part de certains membres du conseil de Louis XI. L'unanimité n'était toutefois pas non plus parfaite dans le conseil d'Edouard IV, et il fallait être extrêmement attentif à ce qu'aucun impair ne soit commis.

Les Anglais commencèrent comme à l'accoutumée par réclamer la couronne de France et pour le moins la Normandie ainsi que la Guyenne. Mais passé ce préambule, *bien assailli et bien défendu,* selon la formule de Commynes, on en arriva rapidement aux requêtes concrètes. *Leurs demandes et dernières conclusions furent : 72 000 écus tout comptant avant de partir* (de France), *le mariage de la fille aînée du roi d'Angleterre avec le dauphin de France et, pour* la *nourrir,* le *duché de Guyenne ou 50 000 écus à verser tous les ans, rendus dans le château de Londres, pendant 7 ans, après quel délai les deux conjoints devaient jouir pacifiquement* des revenus de la Guyenne. Pour ne pas alourdir le récit de cette négociation Commynes passe sur *plusieurs autres petits articles touchant le fait des marchands* alors même qu'ils étaient du plus grand intérêt puisqu'il s'agissait rien moins que d'instituer entre la France et l'Angleterre et leurs alliés respectifs la liberté de séjour et de commerce, Louis XI songeant toujours à établir entre les deux pays un nouveau courant commercial supplantant celui de l'Angleterre avec les Flandres. Louis XI, soutenu fermement par Commynes, passa outre aux objections qui lui étaient faites par plusieurs membres de son conseil qui pensaient que tout cela n'était qu'*une tromperie et une dissimulation de la part des Anglais* (II/30) *Il me semblait,* dit Commynes, *que le roi parlait plus sagement que quiconque de la compagnie et qu'il entendait mieux ces matières de quoi on parlait.* Le roi conclut qu'*à très grande diligence on cherchât cet argent* (les 72 000 écus exigés comptant). Il fallait saisir la balle au vol. Cette liquidation réaliste de la séculaire rivalité anglo-française était très audacieuse. D'aucuns parmi les conseillers de Louis XI estimaient que le roi s'humiliait par trop en acceptant de verser aux Anglais de pareilles sommes. Mais qu'on appelât cela tribut ou pension selon qu'on fût d'un bord ou de l'autre de la Manche, peu importait. L'essentiel pour Louis XI était que les envahisseurs déguerpissent au plus vite et ne reviennent plus jamais. La guerre de Cent Ans prendrait ainsi fin. Il n'y avait plus qu'à parapher les divers accords. Il fut convenu que les deux rois *se verraient et qu'après qu'ils se seraient vus et juré les traités* le roi d'Angleterre ayant reçu les soixante-douze mille écus s'en retournerait dans son pays. Jusqu'à ce qu'il ait repassé la mer, le 11 septembre, il laisserait en otages le seigneur de Howard et le grand écuyer John Cheyne. Seize mille écus furent en outre promis à divers personnages et *largement argent et vaisselle* furent distribués aux serviteurs du roi Edouard.

En sa qualité de grand stratège de toute l'affaire et de sagace manœuvrier, Commynes prendrait place au premier rang de cette rencontre historique qui eut lieu le 29 août à Picquigny, petite localité à quatorze kilomètres en aval d'Amiens sur la Somme. On ne saurait résumer sans les ternir les pages où Commynes raconte cette glorieuse journée. Il avait bien mérité l'honneur que Louis XI lui fit de l'associer très étroitement à son tête-à-tête avec Edouard IV.

De la conception générale des accords jusqu'aux plus petits détails pratiques, Commynes avait contribué très activement à la réussite de cette liquidation audacieuse, réaliste et d'un esprit véritablement moderne d'une guerre dite de Cent Ans mais qui, en fait, avait empoisonné les rapports franco-anglais pendant plus de deux cents ans.

L'efficacité de Commynes était fondée tout d'abord sur sa connaissance approfondie de la matière. Il s'était fait une idée très précise de la psychologie générale du peuple d'outre-Manche. Avec les Anglais *il faut,* dit-il, *avoir un peu de patience et ne débattre point colériquement. Ils vont grossement en besogne et ne sont pas si subtils en traité et en appointement que sont les Français. Ils n'entendent pas la dissimulation dont on use en deçà* (I/294).

Commynes connaissait aussi personnellement quelques-uns de leurs dirigeants et notamment le roi Edouard IV dont il pensait qu'il *n'était point complexionné pour porter le travail qui serait nécessaire à un roi d'Angleterre qui voudrait faire conquête de la France* (I/326). Aussi bien était-il évident qu'*il n'avait point fort la matière à cœur* (id.). Il ne s'était décidé à passer la mer *que pour deux fins : l'une que tout son royaume le désirait comme bien ils ont accoutumé du temps passé et la presse que leur en faisait le duc de Bourgogne. L'autre raison était pour réserver une bonne grosse some d'argent de celui qu'il levait lors en Angleterre pour faire ce passage.* Cette prépondérance de l'intérêt matériel ne lui était du reste pas particulière. On pouvait en dire autant de la plupart des membres de la noblesse et des communes et à plus forte raison des gros marchands de Londres. Il n'était cependant pas possible de les satisfaire tous et les accords de Picquigny laisseraient nécessairement quelques mécontents. Aussi bien les hésitations et les rivalités perceptibles chez les Anglais, comme chez les Français du reste, commandaient d'agir avec la plus grande discrétion et la plus grande célérité. D'où le soin avec lequel Commynes veillait sur les allées et venues des émissaires, les instruisait minutieusement de ce qu'ils avaient à dire et à ne pas dire. Si les Anglais tenaient à qualifier de *tribut* les *pensions* que les Français se montraient disposés à leur verser il convenait de leur laisser cette satisfaction d'amour-propre. Un mot malheureux et tout pouvait être compromis. *Il y a peu à faire à mettre débat entre les Français et les Anglais quand ils se trouvent ensemble,* dit-il (I/330). Un jour où Louis XI recevait une ambassade bourguignonne fort bien accompagnée, un des otages anglais, laissés auprès du roi de France jusqu'à ce qu'Edouard ait repassé la Manche, ne put s'empêcher de dire à Commynes que *si beaucoup de tels gens* (s'étaient trouvés) *avec le duc de Bourgogne* (au moment de sa rencontre avec le roi d'Angleterre à Calais) *par aventure n'eussent-ils point fait la paix* (I/327). Ce à quoi le vicomte de Narbonne commit l'imprudence de lui rétorquer qu'apparemment les Anglais étaient si désireux de retourner dans leur pays que *600 pipes de vin et une pension y ont suffi.* L'otage en fut profondément blessé. *C'est bien ce que chacun nous disait,* lui répondit-il, *que vous vous moqueriez de nous... Vous pourriez bien tant dire,* ajouta-t-il, *que nous retournerions.* Commynes coupa court et convertit le propos en humour. Louis XI lui-même commit de tels impairs. Il se vanta un jour d'avoir chassé les Anglais plus aisément que ne le fit son père avec les armes car lui s'en tira en les gavant de pâtés de venaison et de bons vins. Quand Louis XI s'aperçut qu'un intrus, un commerçant français établi en Angleterre, avait entendu ses propos il chargea Commynes d'acheter son silence avec un très bon office en la ville de Guyenne où il était né, des franchises pour son négoce et mille francs comptant pour faire revenir sa femme d'Angleterre et en veillant que ce ne soit pas lui-même qui aille la chercher. Le roi se punissait ainsi *connaissant qu'il avait trop parlé.*

On ne saurait en effet jamais prendre assez de précautions dans de telles affaires. Les Anglais ne se sont par exemple jamais doutés que Commynes a trouvé moyen de repérer, pour la rencontre des deux rois sur la Somme, un endroit non guéable où du côté français la terre était ferme tandis qu'en face la chaussée par où les Anglais devaient s'acheminer vers la rivière, était bordée de marécages dangereux où il était exclu qu'ils s'aventurent au cas où ils auraient songé à un coup de force par surprise.

Bien qu'il ait œuvré efficacement à la conclusion des accords de Picquigny, Commynes n'en a pas tiré gloire. D'ailleurs il ne s'était jamais fait d'illusion sur la sincérité ni sur la volonté de paix des deux partenaires. Quinze ans plus tard, dans ses Mémoires, il conclut philosophiquement au sujet de Picquigny qu'il *se tint peu de choses qui y furent promises.* Certes, les deux rois ne se firent plus jamais la guerre... *Aussi la mer était entre deux,* ne peut-il se retenir de faire remarquer ironiquement. Edouard IV reçut tout son argent mais sa fille Elisabeth n'épousa jamais le dauphin de France et Edouard en conçut un tel dépit que sa mort en fut hâtée. Les deux rois continuèrent de *besogner* en *dissimulation* et *parfaite amitié n'y eut-il jamais* entre eux.

L'essentiel pour l'heure et quant aux Français était que l'armée anglaise ait repassé la Manche. Avec une singulière inconséquence le duc de Bourgogne avait négligé de couvrir le roi d'Angleterre alors même que c'était à sa demande et sur son insistance qu'Edouard IV était descendu sur le continent. Louis XI en avait aussitôt profité pour marquer un superbe échec au roi. En usant de la même adresse, de la même célérité et de la même subtilité il allait s'efforcer maintenant et sans désemparer de mettre le duc mat.

2. - Le chevalier éliminé

Le danger d'une invasion anglaise étant écarté il convenait d'exploiter immédiatement les avantages de la situation nouvelle ainsi créée afin de parer maintenant au péril bourguignon. C'était une tout autre paire de manches ou plutôt une autre espèce de Manche. Après la menace de démembrement du royaume, la France courait le risque de l'isolement politique et économique. Charles le Téméraire restait en effet toujours résolu à constituer un Etat d'un seul tenant. Pour cela il lui fallait tout d'abord conquérir la Lorraine afin d'avoir le passage du Luxembourg en Bourgogne car *ayant le petit duché* (de Lorraine) *il venait de Hollande jusque près de Lyon toujours sur lui* (I/335). Et il n'avait pas l'intention de s'arrêter là. Il avait déjà posé ses jalons pour la conquête de la Savoie dont la duchesse ne cachait pas ses sympathies bourguignonnes. Il croyait également pouvoir compter sur la cession de la Provence que le vieux roi René d'Anjou lui avait promise. *Si ces choses fussent advenues,* dit Commynes, *il tenait de pays en son obéissance depuis la Mer du Ponant* (la mer du Nord) *jusqu'à celle du Levant* (la Méditerranée) si bien que *ceux de notre royaume n'eussent su en saillir sinon par mer* (I/350). L'avenir politique et économique de la France était sérieusement menacé par cette vaste entreprise. Aucun roi de France ne pourrait jamais s'y résigner.

Louis XI trouva en Philippe de Commynes le collaborateur efficace qui lui permit d'opérer dans cette direction un nouveau rétablissement spectaculaire. Il fallait à tout prix reprendre à l'égard de la Bourgogne la politique de trêve dont nous avons déjà signalé que l'historien Meyer, contemporain de Commynes, lui attribue la paternité. *A bien connaître la condition du duc,* écrit Commynes, *le roi lui faisait beaucoup plus de guerre en le laissant faire et lui sollicitant ennemis en secret que s'il se fût déclaré contre lui car dès que le duc eût vu la déclaration il se fût retiré de son entreprise* (I/367). Voilà pour la stratégie générale. Sur le plan pratique, il convenait d'éliminer tout d'abord entre le roi et le duc un facteur d'hostilité d'une habileté consommée : le Connétable de Saint-Pol *cause et véritable nourrice de cette guerre,* selon l'expression de Commynes. Et c'est précisément ce personnage qui devait fournir à Louis XI l'occasion inespérée de reprendre langue avec le duc.

Pas plus tard qu'au lendemain même de la rencontre royale de Picquigny, le 30 août 1475, le Connétable de Saint-Pol dépêcha en effet à Louis XI *un sien serviteur nommé Rappine... lequel apporta lettres au roi. Ledit seigneur voulut que Monseigneur du Lude et moi ouïssions sa créance* (I/323). Il s'agissait d'une proposition consistant tout bonnement à *détrousser le roi d'Angleterre et toute sa bande* avant même que les Anglais ne repassent la Manche. De plus le Connétable se faisait fort d'associer le duc de Bourgogne à cette singulière entreprise. Le Connétable commettait une grossière erreur de jugement en pensant que le roi de France tomberait dans le traquenard qu'il lui tendait. Louis XI savait bien que le duc avait été outré du comportement de son plus puissant allié, qu'il avait tenté vainement de le faire renoncer à ses pourparlers de paix avec le roi de France. Par contre il n'était pas absolument exclu, compte tenu des circonstances, d'amener le duc à signer une nouvelle trêve. L'affaire fut rondement menée. Des ambassadeurs français et bourguignons se rencontrèrent à Vervins le 13 septembre et le 30 septembre le duc signait à Soleuvre une trêve de neuf ans. Le roi lui donnait carte blanche pour la conquête de la Lorraine en échange de son accord pour l'arrestation du Connétable.

Dans la conception du principe même de cette trêve comme dans la mise au point de certaines de ses clauses et dans leur exécution nous allons de nouveau voir Commynes aussi actif qu'à Picquigny. S'agissant tout d'abord du Connétable de Saint-Pol il est certain en effet que Commynes a été un des agents principaux de sa perte. Louis de Luxembourg comte de Brienne, de Saint-Pol et de Convarsan était l'un des grands seigneurs franco-bourguignons de ce temps. *Il était,* écrit Commynes, *justement entre le roi et le duc. Il tenait Saint Quentin en Vermandois grosse ville et forte. Il avait Ham et Bohain* (respectivement à vingt kilomètres au nord et au sud de cette ville) *et autres très fortes places toutes près de Saint Quentin et y pouvait mettre gens à toute heure de tel parti qu'il voulait* (I/252). De plus il était apparenté au roi d'Angleterre qui avait épousé sa nièce et qui *merveilleusement aimait tous les parents de sa femme et spécialement ceux de cette maison de Saint Pol.* Il était aussi beau-frère du roi de France par mariage avec Marie de Savoie, sœur de la reine Charlotte qui lui était toute *port et faveur.* Après avoir été le principal conducteur des armées du comte de Charolais lors de la guerre du Bien Public il avait été l'un des bénéficiaires des traités de Saint-Maure et de Conflans dont il avait été du reste également l'habile négociateur. Louis XI avait été en effet contraint de le nommer grand Connétable de France, c'est-à-dire chef de l'état-major du royaume.

En tant que tel ce personnage était très représentatif de cette classe de privilégiés qui avait intérêt à ce que les souverains soient accaparés par la guerre. Pour la plupart des féodaux le bien public avait tendance à se confondre avec la somme de leurs intérêts particuliers. Or ces seigneurs craignaient *que ces très grands états qu'ils avaient ne fussent diminués si la paix continuait* (I/177). Ils pensaient que *la condition du roi* (de France) était telle que *s'il n'avait débat par le dehors et contre les grands* (entendez les autres puissances) *qu'il fallait qu'il l'eût avec ses serviteurs domestiques et officiers.* Les princes faisaient du reste un calcul semblable mais en sens contraire car *sous couleur de leurs grandes guerres prises à volonté* ils cherchaient moins à conquérir ou à se défendre qu'à *donner aux nobles sans cesse travail et dépense* (I/442).

En sa qualité de Connétable, Louis de Luxembourg *avait du roi quatre cents hommes d'armes bien payés dont lui-même était commissaire et se faisait la montre sur quoi il pouvait pratiquer grand argent car il ne tenait point le nombre. Outre il avait d'état ordinaire bien quarante à cinquante mille francs et si prenait un écu par pippe de vin qui passait parmi ses limites pour en aller en Flandres ou en Hainaut. Et si avait de très grandes seigneuries siennes et grandes intelligences au royaume de France et aussi au pays du duc où il était fort apparenté* (I/252). C'était donc essentiellement par intérêt personnel que le Connétable allait s'employer sa vie durant à attiser la guerre entre la France, la Bourgogne et l'Angleterre.

Ce personnage semble avoir exercé sur Philippe de Commynes une véritable fascination. Notre mémorialiste le connaissait fort bien. Il avait pu l'observer à loisir du temps qu'il avait été lui-même au service de la Bourgogne puis, maintenant, de Louis XI. Aussi pouvait-il écrire qu'il *était informé à la vérité de deux côtés* (I/252). Il admirait ses qualités militaires et politiques. C'était selon lui un *très sage et vaillant chevalier et qui avait beaucoup vu.* Après Louis XI, Charles le Téméraire et Edouard IV aucun nom ne revient aussi souvent sous sa plume. Du début à la fin des Mémoires le Connétable apparaît fréquemment et souvent au premier plan de la grande fresque commynienne.

Comment un homme aussi habile et aussi doué a-t-il trouvé moyen non seulement de s'aliéner Edouard IV mais de réussir à faire en sorte que Louis XI et Charles le Téméraire se soient accordés à le faire mourir ce qui fut bien, dit Commynes, *la seule occasion où ils s'entendirent jamais ?* Comment un être aussi retors a-t-il pu se mettre dans un tel état que *chacun de ces trois grands hommes lui voulait la mort ?* (I/325). Voilà des questions qui n'ont pas cessé de hanter l'esprit de Commynes.

C'est à l'occasion de la signature de la trêve du 3 novembre 1472, entre le roi et le duc, que *se commença à pratiquer la manière de défaire le Connétable* (I/252). Commynes venait précisément de passer au service de Louis XI. *Du côté du roi en furent ouvertes quelques paroles par gens qui s'adressaient à ceux qui étaient ennemis du Connétable étant au service du duc et n'avaient point moins de soupçons sur le Connétable que le duc et se commencèrent à découvrir toutes paroles et tous traités menés par lui* (Saint-Pol) *tant d'un côté que d'autre et mettre avant sa destruction* (I/251).

Tout indique que Commynes fut du nombre de ces dénonciateurs. Il avait gardé des contacts en Bourgogne avec sa parenté et très probablement avec le seigneur de Humbercourt, l'homme avec lequel Commynes se sentait le plus d'affinités et qui détestait le Connétable.

Louis de Luxembourg était-il donc si habile que Charles le Téméraire ni même Louis XI n'aient pu s'apercevoir plus tôt de son double jeu et de son rôle de boute-feu ? A cette question Commynes répond on ne peut plus catégoriquement. *Quelqu'un pourra demander,* écrit-il à ce sujet, *si le roi ne l'eût su faire seul ? A quoi je réponds que non* (I/252). Il fallait précisément qu'il trouvât des gens aussi perspicaces que Commynes et renseignés *à la vérité des deux côtés* pour déjouer une bonne fois ces sombres et très subtiles machinations grâce auxquelles la guerre se perpétuait entre le roi et le duc. Tant et si bien qu'au début de mai 1474, lors d'une rencontre entre ambassadeurs de ces deux princes, à Bouvines, près de Namur, il fut convenu par écrit *que ledit Connétable était déclaré ennemi et criminel envers les deux princes qui promettaient et juraient l'un l'autre que le premier des deux qui lui pourrait mettre la main dessus le ferait mourir dedans huit jours après ou le baillerait à son compagnon pour ce faire à son plaisir ou à sa détrempe il serait déclaré ennemi des deux parties... Et d'avantage promettait le roi bailler audit duc la ville de Saint Quentin... et tout l'argent et autres meubles du Connétable qui se pourraient trouver devers le royaume avec toutes seigneuries tenant au duc* (I/254). Ce traité était déjà signé et scellé quand un messager de Louis XI vint enjoindre aux ambassadeurs du roi de ne rien conclure de définitif. Le Connétable, avec une suprême habileté et sachant que sa vie était en jeu, avait trouvé moyen de convaincre le roi que le duc ne s'était prêté à ces négociations qu'à seule fin de le faire passer du camp royal au sien. Commynes admet que tel aurait été probablement le cas. Le Connétable *eût été reçu du duc de Bourgogne en lui baillant Saint Quentin quelque promesse qu'il y eût en contraire* (I/256).

Pour en découdre, Louis XI décida de prendre lui-même l'affaire en main. Une entrevue entre le roi et le Connétable fut fixée à Fargniers le 14 mai 1474. Louis XI y emmena Commynes. Il l'envoya d'abord *faire excuse audit Connétable de quoi il l'avait fait tant attendre. Tôt après il vint et parlèrent ensemble et nous étions cinq ou six présents de ceux du roi et des siens* (du Connétable) *aussi.* Singulière entrevue où le chef de l'état-major français accompagné de plus de trois cents hommes d'armes et portant lui-même cuirasse sous sa robe non ceinturée se présenta au roi son maître venu de son côté avec six cents hommes d'armes. Une barrière avait été dressée au milieu de la chaussée. Il s'en fallut d'un rien ce jour-là que le Connétable ne fût tué. Mais, payant d'audace, il ouvrit la barrière, passa du côté du roi, s'excusa d'être venu en armes. *Il fut dit que toutes choses passées seraient oubliées et que jamais ne s'en parlerait.* Certains conseillers du roi estimèrent que leur maître s'était par trop humilié. *Il a semblé à beaucoup de gens que peur et crainte lui faisaient faire ces choses* (I/256). Commynes est d'avis au contraire que la conduite du roi à Fargniers *procédait de grand sens* (I/256). *Il connaissait bien s'il était temps de craindre ou non* (I/257).

Le Connétable ne perdait rien pour attendre et le temps viendrait bien où le roi trouverait une occasion plus opportune d'en finir. On se souvient que le roi d'Angleterre avait été très étonné d'être reçu à coups de canon à Saint-Quentin alors qu'il pensait pouvoir y entrer sans combat. C'était le Connétable qui lui avait fait cette promesse par l'intermédiaire du duc. Quelques jours plus tard c'était le Connétable encore qui avait conseillé à Louis XI de prendre trêve avec Edouard IV assurant le roi de France qu'il se faisait fort de la guider. Il suggérait au roi de céder aux Anglais une ou deux petites villes pour y passer l'hiver. *Et lui semblait que par ce moyen les Anglais se contenteraient de lui et du refus qu'il leur avait fait de lui livrer Saint Quentin et d'autres places.* Quelques jours avant la conclusion des accords de Picquigny, vers le 13 août, le Connétable envoya son confesseur à Edouard IV le *priant pour l'amour de Dieu de n'ajouter foi aux promesses et aux paroles du roi* (I/309). Il lui offrait les villes d'Eu et de Saint-Valéry pour y passer l'hiver et même un prêt de cinquante mille écus. Le roi d'Angleterre déclina froidement cette offre ajoutant que si le Connétable *avait tenu ce qu'il lui avait promis il n'eût point fait cet appointement* (avec le roi de France). Edouard IV envoya même à Louis XI deux lettres confidentielles que le Connétable lui avait écrites.

Les jeux désormais étaient faits et lorsque le Connétable opérant une nouvelle volte-face proposa au roi de France de détrousser les Anglais avant même qu'ils aient rebroussé chemin il signait définitivement sa perte. Pendant que les ambassadeurs français et bourguignons reprenaient langue à Vervins pour la conclusion de la trêve dite de Soleuvre le Connétable songea à fuir en Allemagne *avec une grande somme d'argent pour acheter une place sur le Rhin et s'y tenir jusqu'à ce qu'il se fut appointé de l'un des deux côtés.* Il envisagea aussi de se réfugier dans son château de Ham qu'il avait fait fortifier en vue d'une telle éventualité. Il supplia le duc de lui accorder la possibilité de lui parler. Le duc lui délivra à cette fin un sauf-conduit. Il n'était pas jusqu'à la reine de France elle-même, sa belle-sœur, qui ne tentât de le sauver en lui faisant parvenir secrètement l'avis de fuir « pour peu qu'il tienne à la vie ». Réfugié à Mons-en-Hainaut il y fut, malgré tout, saisi par ordre du duc de Bourgogne puis conduit d'abord à Valencienne et ensuite à Peronne. Le duc, non content d'avoir déjà trahi la « sûreté » du Connétable se livra encore à un répugnant marchandage. Le roi lui offrait en effet, jusqu'au 20 janvier 1476, la faculté d'opter entre la confiscation de tous les biens du Connétable et la possession de la Lorraine. Pressé par les ambassadeurs du roi et redoutant que celui-ci ne s'impatientât et l'empêchât d'achever la conquête de la Lorraine il donna l'ordre de lui livrer le Connétable. A la porte de Peronne, Louis de Luxembourg fut remis entre les mains des émissaires de Louis XI et emmené à Paris où son procès commença le 27 novembre. Condamné à mort il fut décapité sur la place de Grève le 19 décembre devant une foule de vingt mille curieux.

Ce qui est remarquable dans la présentation que Commynes fait du destin du Connétable c'est sa retenue. Sans doute a-t-il contribué à sa perte en révélant son double jeu. Il ne cherche pas un instant à l'excuser. *Au roi comme au duc le Connétable avait tenu grand tort* (I/337). Mais méritait-il une mort si ignominieuse ? Les circonstances de sa capture et le honteux marchandage dont elle fut l'objet ont indigné Commynes. Ce qu'il reproche au duc c'est non seulement d'avoir trahi sa foi, mais d'avoir livré le Connétable par *avarice*. Et quelle cruauté de la part du roi aussi bien que du duc ! Louis XI se plaisait à faire des jeux de mot équivoques sur le Connétable disant à l'un de ses émissaires qu'il n'avait cure de son corps ayant déjà fort à besogner d'une tête comme la sienne. Le duc quant à lui répondit au dernier message du Connétable qu'en lui écrivant celui-ci n'avait fait que perdre un peu de papier.

Aussi bien Commynes se montre-t-il en somme dans cette affaire plus sévère pour le duc et le roi que pour leur commune victime. Il se refuse à condamner le Connétable devant le tribunal de l'Histoire. Son destin lui paraissait néanmoins exemplaire sur le plan philosophique. Tout le XVe siècle a retenti du vieux débat de Fortune. Que l'Histoire soit un tissu de hasards n'était certes pas mis en doute et Commynes en était aussi convaincu que quiconque. Mais qu'une raison profonde gouverne cependant le surgissement continuel de causes imprévisibles, voilà qui prêtait à la controverse. Y a-t-il une force extérieure aux acteurs de l'Histoire et qui les mène comme de simples marionnettes ? Cette puissance est-elle le fait d'une divinité maligne ou n'est-ce pas plutôt Dieu lui-même qui régit souverainement toute l'Histoire ? Si la déesse Fortune existe quelle en est la nature ? Commynes ne pouvait éluder la question. L'un des beaux livres de sa bibliothèque ne s'ouvrait-il pas sur cette interrogation ? Le premier chapitre des *Faits et dits mémorables* de Valère Maxime était intitulé : constance de l'inconstance et variabilité de Fortune. Aussi n'est-il pas abusif de trouver chez Commynes un écho de cette grande controverse du siècle et l'on ne s'étonnera pas non plus de le voir hésiter dans le choix des termes de sa réponse personnelle. La distinction entre le plan de la causalité et celui de la raison des choses était encore confuse dans les esprits et il a fallu attendre jusqu'à Augustin Cournot dans la seconde moitié du XIXe siècle pour y voir plus clair. Dans le cas particulier du Connétable de Saint-Pol, Commynes demande : *Que dirons-nous ici de Fortune ?* Et dans un premier mouvement de sa pensée il répond : *Il faut bien dire que cette tromperesse l'avait regardé de son mauvais visage* (I/333). Mais il se reprend aussitôt. Ce n'est pas là une explication valable. *Fortune n'est rien fors seulement une fiction poétique* (ou peinte selon un autre manuscrit) *et elle ne saurait y avoir mis la main.* Alors fallait-il que Dieu l'ait *abandonné ?* La formule ne satisfait pas non plus Commynes car elle implique aussi une intervention extérieure au sujet. *Il est vraisemblable et chose certaine,* conclut Commynes, que le Connétable s'était lui-même *éloigné de la grâce de Dieu.* Point n'est donc besoin dans ce cas de recourir à une explication irrationnelle. Dans le malheur des hommes et au-delà de ses causes accidentelles il faut en rechercher la raison. *S'il appartenait à homme de juger, ce que non et espécialement à moi,* dit-il, *je dirais que ce que raisonnablement devait avoir été cause de sa punition était que toujours avait travaillé de toute sa puissance que la guerre durât entre le roi et le duc car là était fondée sa grande autorité et son grand état* (I/334).

En poussant à la guerre et, qui pis est, par intérêt personnel, le Connétable s'est éloigné volontairement de Dieu qui s'identifie à la recherche de la paix. Saint-Pol a aussi manqué de la plus élémentaire mesure en ne reculant pas devant le risque de faire cavalier seul et de finir par ne pouvoir compter sur *un seul ami qui l'eût osé loger une seule nuit*. Or Dieu ne s'identifie pas seulement à la paix. Il est aussi Mesure parfaite. La démesure dans l'action et l'entretien délibéré de l'état de guerre trouvent leur condamnation dans les effets qu'ils entraînent par eux-mêmes sur la personne qui commet de telles fautes dans son comportement.

Les réflexions de Commynes sur le destin du Connétable de Saint-Pol attestent le progrès de sa pensée sur le plan philosophique. Mais les hésitations de son vocabulaire témoignent aussi de sa perplexité et de son manque de préparation pour aborder un problème aussi redoutable que celui de l'immanence et de la transcendance. Dieu intervient-il activement dans les affaires de ce monde notamment en qualité de justicier ou n'y a-t-il pas ici-bas une sorte de justice immanente résultant de l'enchaînement naturel des causes et des effets ? Le bouteur de feu ne peut manquer de se brûler au foyer qu'il allume, qu'il active ou qu'il entretient sciemment à des fins intéressées. D'une manière tout aussi naturelle celui qui ne respecte pas une certaine mesure dans son comportement court de fort risques d'être précipité vers sa perte par le rythme même qu'il a imprimé à son action. Comme ce fut le cas pour la découverte de l'imprévisibilité foncière du déroulement de l'Histoire lors de la guerre du Bien Public et de celle de l'instabilité du pouvoir à l'occasion de ses missions à Calais et en Angleterre, Commynes accède maintenant à un nouveau degré de son initiation philosophique. Nous verrons plus tard s'il parviendra à fondre ces divers éléments dans une conception cohérente des rapports de Dieu et du Monde.

PHILIPPE DE COMMYNES

Dessiné par Jacques le Boucq, quelque cinquante ans après la mort de Commynes, ce portrait présente de nettes ressemblances avec la statue funéraire faite de son vivant. Recueil d'Arras. *(Giraudon.)*

CHARLES LE TÉMÉRAIRE

De 1464 à 1462. Recueil d'Arras. *(Giraudon.)*

LOUIS XI

De 1472 à 1483, par un élève de Fouquet, s. doute Colin d'Amiens, vers 1474. *(Giraud*

LES MAÎTRES QUE COMMYNES A SERVIS

CHARLES VIII

De 1483 à 1498, portrait identifié par Henri Bouchot. *(Plon/B.N.)*

LOUIS XII

De 1498 à 1511, manuscrit 143. *(Plon/B.*

SAVONAROLE

SAVONAROLA

a vie était la plus belle du monde. » *(B.N.)*

SAINT FRANÇOIS DE PAULE

CHA
RI
TAS
S FRANCISCVS DE PAVLA Sacri ordinis Minimorum fundator.
Natus 1416. ordinē incœpit 1435. obiit 1507. ætat. suæ 91. a Leone X. Canonizat.° 1519
Nicolaes Lauwers excudit.

« Et je pense jamais avoir vu de si sainte vie. » *(B.N.)*

PERSONNAGES ADMIRÉS

GUY DE BRIMEU

. des plus sages cavaliers et des plus entendus je connus jamais. » Recueil d'Arras. raudon.)

LAURENT DE MÉDICIS

« Un des plus sages hommes de son temps. » Détail du voyage des Rois Mages, de Gozzoli. *(Giraudon.)*

CHÂTEAU DES PONTS-DE-CÉ

C'est dans ce château que Commynes se mit au service de Louis XI, après avoir quitté le duc de Bourgogne dans la nuit du 7 au 8 août 1472. *(Plon.)*

CHÂTEAU DE LOCHES

De janvier à juin 1487, Commynes fut emprisonné dans ce donjon où il « tâta » d'une des célèbres cages de fer qu'y fit installer Louis XI. *(Coll. Gagnières. B.N.)*

▼

GLISE SAINT-ÉTIENNE · CHINON

n sa qualité de capitaine de Chinon, Commy-es acheva en 1480 la reconstruction de cette glise. Ses armes sont visibles au-dessus de la orte de gauche. *(Hachette.)*

HÂTEAU DU PLESSIS-LEZ-TOURS

Est-il possible de tenir roi en plus étroite rison que lui-même se tenait ? Si le lieu était lus grand que d'une prison commune, aussi tait-il plus grand que prisonnier commun. » *Coll. Gagnières. Hachette.)*

▼

Veüe du Chasteau
DV PLESSIS LEZ TOURS
dessiné du dedans de la Court.
1699.

ANNE DE BRETAGNE
duchesse de Bretagne et deux fois reine de France

« Plaise vous toujours, Madame, me commander votre bon plaisir pour l'accomplir à mon pouvoir. » Lettre du 17 juillet 1505. *(B.N.)*

LUDOVIC SFORZA
duc de Milan

« Homme très sage mais fort craintif et bien souple quand il a peur... et homme sans foi s'il voit son profit pour la rompre. » Portrait par Léonard de Vinci. *(Giraudon.)*

▶ La miniature ci-contre se trouve dans un manuscrit de *la Fleur des histoires,* de Jean Mansel, ayant appartenu à Commynes. Ses armes encadrent ces six portraits et témoignent de son intérêt pour l'Histoire. Ms français n° 727. *(B.N.)*

L

Q. Metellus, pleuré

USTE
rès une vie de bonheur

La miniature ci-dessous figure en tête de chapitre sur le Bonheur dans *les Faits et Dits mémorables,* de Valère Maxime, ayant appartenu à Commynes. Ses armes se voient au pied du lit funéraire. En haut à droite, les initiales gothiques de Philippe et d'Hélène, sa femme. Ms Harley n° 4374. *(British Library.)*
▼

« BAIGNOIRIES AVEC FEMMES À PEU DE HONTE... »

Cette miniature se trouve en tête du chapitre sur la Luxure dans *les Faits et Dits mémorables,* de Valère Maxime. Par suite d'une erreur de traduction puis d'interprétation, l'enlumineur a représenté, sous la forme de cuves suspendues, l'invention romaine des salles de bain chauffées par hypocauste. Ms Harley n° 4374. *(British Library.)*

Cette miniature se trouve en tête du plus ancien manuscrit des Mémoires et date de la fin du XVe siècle ou du début du XVIe. Elle représente Commynes en train de dicter le premier livre de ses Mémoires, où il évoque quelques-uns des principaux protagonistes de la guerre du Bien Public. *(Musée Dobrée - Nantes.)*

DÉFI DU DUC DE GUELDRE À SON FILS (1471)

« Je vis le bonhomme vieil présenter le gage de bataille à son fils. » Commynes f effectivement chargé par Charles le Téméraire de proposer aux deux adversaires une solutio honorable, mais ce fut sans succès. *(Musée Dobrée - Nantes.)*

Cette miniature de Jean Fouquet figure dans le Livre d'heures offert par Commynes à femme, à l'occasion de leur mariage en janvier 1473. Elle témoigne de son intérêt pour l'a Ms Harley n° 2863. *(British Library.)*

ANNONCIATION

Devant le porche d'une église, celle d'Argenton probablement, un évêque se tient auprès de Commynes et de sa femme qu'il vient de marier. Cette miniature est d'un élève de Fouquet. Elle figure dans le Livre d'heures de la mariée. *(The Burlington Magazine, numéro d'avril 1914.)*

TOMBEAU DE COMMYNES

Les statues de Commynes et de sa femme (ci-dessus) sont l'œuvre de Guido Mazzoni, celle de sa fille (ci-dessous), Jeanne de Penthièvre, est due à un artiste français. Les trois sont exposées aujourd'hui au Louvre. *(H. Josse - Plon.)*

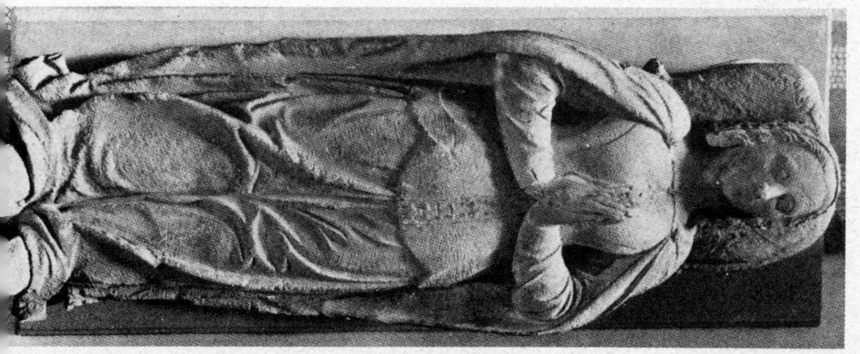

PHILIPPE COMMINES
Chevalier sieur d'argenton
Historiografe né en Flandre il mourut
à argenton en Poitou l'an 1709. agé de
64. ans.
A Paris chez Daumont
Oculaire temoin, chevalier sans reproche
Rare peintre sur tout de Princes et de Roys
Plus quelq'un te lira de fois
Et plus il avoüra qu'auq'un de toi n'approche

Gravure du XVIIe siècle. *(Coll. de l'auteur.)*

3. - Le duc mat

On aurait grand tort de voir dans la conclusion de la trêve dite de Soleuvre la preuve et l'aveu implicite d'une certaine faiblesse du Téméraire. Certes il avait perdu son plus puissant allié. Mais les armées bourguignonnes avaient remporté des succès appréciables sur les troupes royales durant les affrontements de l'été. Du 30 avril au 13 septembre 1475 c'était Louis XI qui avait attaqué. Mais en Picardie après une avance rapide et la prise de très nombreuses places les troupes françaises durent reculer. L'offensive royale en direction du Mâconnais et du Charolais fut stoppée. Aux frontières du Nivernais les succès et les revers furent indécis. Les Français ne purent cependant pas exploiter leur victoire de Guipy remportée sur Antoine de Luxembourg. Dès le mois d'août une armée placée sous les ordres du Grand bâtard de Bourgogne a procédé à une vigoureuse reconquête du terrain perdu.

Aussi bien n'est-ce pas en chiens battus que les ambassadeurs du duc se présentèrent à Vervins pour la négociation d'une trêve de neuf ans. La longueur même de cette trêve met bien en évidence une volonté délibérée du duc d'opérer un choix dans ses objectifs. Il allait désormais porter tout son effort sur la conquête des terres de mouvance impériale, à commencer par la Lorraine. Les ambassadeurs du duc se montrèrent *fiers* au dire de Commynes. Et le fait est que, s'agissant de notre chroniqueur, le duc tint à ce qu'il fût bien précisé que Commynes restait exclu de l'amnistie accordée aux transfuges. « Esdites présentes trêves et abstinence de guerre, en tant qu'il touche les articles de communication, hantise, retour et jouissances de biens l'ancien sire de Renescure et trois autres personnages en seront et demeureront de tout forclos et exceptés » (Kervyn I/130). Si Commynes ne pouvait par rentrer en possession de ses terres flamandes il obtint néanmoins que la ville de Tournay ne passât pas sous l'autorité du duc. Il pourrait en conséquence continuer d'y encaisser les ressources provenant des droits que lui avait octroyés Louis XI sur les francs fiefs et nouveaux acquêts de la ville. Apparemment heureux d'être restés français, les échevins de Tournay décidèrent d'offrir à Commynes une tapisserie. Comme il en avait précisément commandé une grande d'une valeur de 280 livres à un artisan de la place, Commynes demanda aux échevins de bien vouloir verser à ce « tapisseur », en déduction de sa facture, le montant de quarante livres qu'ils s'étaient proposés de consacrer à l'achat de leur cadeau.

Aussitôt la trêve signée le duc de Bourgogne poursuivit sa campagne de Lorraine. Une simple promenade militaire, à l'exception toutefois de la prise de Nancy qui ne céda qu'après un siège de deux mois. Le duc y fit son entrée solennelle le 11 janvier 1476. L'établissement d'une paix durable était désormais concevable pour peu que le duc de Bourgogne fît preuve de quelque contrôle dans la conduite de ses affaires. Malheureusement pour lui et ses sujets, emporté par le mouvement même qu'il avait donné à sa vaste entreprise d'unification et d'expansion territoriale, il repartait le 12 janvier pour aller châtier les Suisses qui avaient profité des circonstances pour ravager en octobre le pays de Vaud, riche domaine du comte de Romont, un des principaux officiers du duc.

Si Charles le Téméraire avait pris le temps de dresser un bilan objectif des dix années de règne effectif qu'il venait de vivre il en aurait tiré la conclusion qu'il convenait de marquer une pause avant que le bilan ne risque de devenir négatif. Il avait ajouté au patrimoine hérité de son père la Gueldre et maintenant la Lorraine. Mais l'Alsace et le comté de Ferrette qu'il avait un moment tenus en gage d'un prêt consenti au duc d'Autriche s'étaient révoltés et lui avaient échappé en août 1474. Lors de sa rencontre avec l'empereur Frédéric III en novembre 1473 à Trèves où il espérait être reconnu roi il avait essuyé un cuisant affront, l'empereur s'étant dérobé au dernier moment et sans prendre congé. Le 13 juin 1475, il avait dû lever le siège de Neuss. Et voici qu'en août de cette même année le roi d'Angleterre lui avait à son tour faussé compagnie. Dans quelle mesure pouvait-il compter sur ses alliés et sympathisants comme la duchesse de Savoie, le roi René d'Anjou, le duc de Milan, l'avoyer de Berne Adrien de Bubenberg banni de sa ville à cause de lui mais maintenant rentré en grâce ? Et puis les différentes composantes de son Etat étaient loin d'être acquises à sa politique centralisatrice. Pour mener à chef cette tâche considérable il avait les capacités et la puissance de travail nécessaires. La conjoncture internationale ne présentait pas de menace grave. Il était en paix avec la France et le principal fauteur de discorde entre le roi et lui venait d'être décapité. Tout cela aurait dû engager le duc à se consacrer pendant un certain temps aux problèmes intérieurs. Cependant le voilà qui se lance sans désemparer dans une nouvelle escalade guerrière. Et ce fut la trilogie des désastres de Grandson, de Morat et de Nancy.

Durant toute cette dramatique dernière année du règne de Charles le Téméraire l'activité de Louis XI fut prodigieuse tant sur le plan intérieur qu'extérieur. Afin de suivre de plus près les affaires bourguignonnes le roi s'établit d'avril à septembre sur les bords du Rhône, à Valence puis à Lyon. Philippe de Commynes est presque constamment auprès de lui. Il assiste à la plupart des séances du Conseil, signe les ordonnances les plus diverses. Cette année 1476 marquera incontestablement le sommet de sa puissance.

C'est ainsi que l'on voit le sire d'Argenton associé aux manœuvres du roi pour le rétablissement de la Pragmatique sanction de Bourges de 1436 qui avait renforcé l'autorité royale sur l'Eglise mais qui était tombée en désuétude. Un Concile du clergé français fut réuni à Lyon. Commynes approuve et signe différentes lettres qui défendent aux possesseurs de bénéfices ecclésiastiques de quitter le royaume ou qui interdisent à tout religieux, sous peine d'expulsion de son ordre religieux, de se rendre aux chapitres généraux hors de France.

Mais c'est surtout aux affaires diplomatiques que Commynes participe activement. On a vu que c'est par sa main qu'étaient dépêchés la plupart des espions et messagers français envoyés vers l'Empire et les Suisses. Ces allées et venues devenaient de plus en plus dangereuses. Elles requéraient de la part de ceux qui les accomplissaient comme de celui qui était chargé de les coordonner beaucoup de vigilance pour que les messages ne tombent pas aux mains des agents du duc. Vu les *grandes difficultés des chemins il fallait* y envoyer *mendiants et pèlerins et semblables gens,* dit Commynes. Plus que jamais il convenait cependant d'entretenir les sympathies françaises, de veiller à ce que des défections ne se produisent pas, de chercher à susciter de nouveaux ennemis au duc de Bourgogne. Beaucoup d'or fut répandu et spécialement chez les Suisses. Commynes est si intimement mêlé à toute cette action souterraine qu'il peut avancer des chiffres précis. *Je ne pense point mentir de dire,* écrit-il, *que depuis cette première bataille de Grandson jusqu'au trépas du roi les villes et particuliers desdites villes desdits Suisses ont amendé* (= touché) *de notre roi un million de florins du Rhin* (I/358). Et Commynes prend encore soin de bien préciser que ce chiffre ne concerne que Berne, Lucerne, Fribourg, Zurich et leurs cantons. Et tout cela sans compter les ressources qu'ils retiraient pour le financement de leurs expéditions en Franche-Comté et ailleurs, ni le produit des dépouilles qu'ils emportaient de leurs victoires. *Chacun de leurs ambassadeurs qui vint devers le roi eut grands dons de lui en argent et en vaisselle et de plus les renvoyait les bourses pleines et revêtus de draps de soie* (I/357). En dépit de toutes ces libéralités les Suisses n'étaient pas sûrs. Ils redoutaient les conséquences de la trêve de Soleuvre qui laissait au duc les mains libres pour la poursuite de sa politique de conquête à l'est et au sud. *Aussi lesdites villes répondaient orgueilleusement* (au roi), disant à ses émissaires que s'il ne *se déclarait pas contre le duc eux s'appointeraient avec lui et même se déclareraient contre le roi.* Louis XI craignait fort *que ainsi le fissent* (I/351). Il se garderait bien cependant de se déclarer ouvertement contre le duc ce qui reviendrait à rompre leur trêve et il redoutait que ses messagers soient interceptés. Il appréciait d'autant plus l'extrême habileté de Commynes dans ce domaine.

Il incombait aussi à Commynes de suivre de près les affaires savoyardes et italiennes. Le duc de Milan n'était pas plus sûr que les Suisses et tout aussi intéressé. En janvier 1476, Galeas Sforza avait conclu une nouvelle alliance avec le duc de Bourgogne. Cela ne l'empêcha pas d'adresser au mois d'avril à Commynes, sitôt après Grandson, un certain Jean Blanco, bourgeois de Milan, pour offrir au roi cent mille écus comptant s'il s'engageait à ne pas traiter avec le duc de Bourgogne. Il proposait également une action militaire commune pour surprendre et détruire le duc dans les vallées de la Suisse. Louis XI accueillit plutôt mal ces propositions milanaises. En présence de Commynes et, *à l'exclusion de toute autre personne,* tient à souligner le chroniqueur, le roi dit à l'émissaire du duc de Milan qu'*il ne voulait point d'argent de son maître et qu'il en levait une fois l'an trois fois plus que ce qu'il lui offrait.* Quant à la paix et à la guerre il en ferait *à son vouloir* (I/353). Peu de temps après le duc de Milan se rapprocha une nouvelle fois du duc de Bourgogne allant même jusqu'à traiter avec lui et l'empereur d'une ligue contre la France. Mais au mois d'octobre Galeas Sforza se retourna encore vers le roi.

Il fallait à Commynes une singulière souplesse d'esprit pour s'adapter à tous ces revirements et toutes ces fluctuations, comme il en fallait aussi aux émissaires milanais pour ne pas trop perdre la face. Le nouvel ambassadeur du duc de Milan, Francisque de Petrasancta, semble avoir particulièrement apprécié les talents du sire d'Argenton. Après le refus méprisant opposé par le roi à son prédécesseur, cet obscur bourgeois de Milan, il craignait un mauvais accueil de la part de Louis XI. Commynes le rassura dans une lettre qui semble avoir été écrite de Paris, au mois d'octobre 1476.

Monsegneur l'ambassadeur, je seray bien tost devers le roy et y pense estre avant trois jours ou quatre et peut-estre bocoup plus bref, car j'atens d'eure en eure qui me mande. Il y a deux ans que je fus icy : pour coy il faut que vous me tenés pour escusé et ne vous soussyés mais tenés en repous des besongnes de vostre mestre ; car y ne se fera respons où vostre mestre ait honte, ny doumage et ne parlés de vos besongnes à personne jusqu'à ma venue.

De la main du tout vostre
Commynes

C'est la plus ancienne lettre qui ait subsisté de la correspondance diplomatique de Commynes. Aussi avons-nous tenu à la reproduire telle quelle. Elle met bien en évidence la nature très délicate de ses fonctions et son souci de l'extrême discrétion que requérait le moindre de ses contacts. Les Italiens ne mirent pas long à s'apercevoir de l'importance de son rôle et des traits particuliers de son caractère. La lettre suivante qui émane du premier ministre du duc de Milan en témoigne :

A monseigneur d'Argenton

Nous savons par les lettres de François de Petrasancta notre secrétaire et par ce que nous avons éprouvé nous-même quelle affection singulière vous portez à nous et à nos affaires et avec quel zèle vous embrassez nos intérêts auprès de Sa Majesté Très-Chrétienne. Nous vous en rendons les plus grandes grâces qu'il est possible ; nous vous prions de vouloir y persister et nous ne doutons pas que vous ne le fassiez. Ledit François vous offrira de notre part une pièce de drap d'or et une chaîne d'or de ducat non en présent mais en témoignage de bienveillance. Daignez les accepter d'aussi bon cœur que nous vous les envoyons ainsi que vous l'apprendrez par François de Petrasancta.

Cico
(Francisco Simonetta)

Outre les munificences que lui attirera l'entretien de telles relations, Commynes s'en prévaudra pour obtenir en échange des services rendus toutes sortes d'interventions précieuses. C'est ainsi que nous le voyons s'interposer au nom du roi pour que les Milanais relâchent un facteur de la banque des Médicis à Lyon qui avait été arrêté par leur ordre à Gênes. Il s'agissait probablement d'un des nombreux espions travaillant pour la France au-delà des Alpes.

La subtilité des affaires de la péninsule était bien faite pour plaire à Commynes. Parmi les princes italiens, Frédéric d'Aragon, second fils de Ferdinand Ier roi de Naples, avait rejoint Charles le Téméraire en Lorraine en octobre 1475. Commynes semble l'avoir très bien connu. Il est ainsi probable que c'est lui qui parvint à rallier ce prince à la cause du roi. Le prince de Tarente (c'est sous ce nom que Commynes le désigne dans ses Mémoires) fut gagné à Louis XI par l'entremise d'Angela Cato, ce médecin et astrologue napolitain lui-même au service du Téméraire et qui passa au roi après la bataille de Morat. Nommé archevêque de Vienne il devint l'ami de Commynes. C'est à sa requête que furent écrits les Mémoires. Il est fort probable que ce soit à l'instigation de Commynes que Cato réussit à amener le prince de Tarente à trahir le Téméraire à la veille de la bataille de Morat, une circonstance déterminante pour l'issue de cet affrontement puisqu'aussi bien ce prince italien commandait l'un des quatre corps de l'armée du Téméraire.

C'est également Commynes qui fut l'agent principal du ralliement plus ou moins volontaire de la duchesse de Savoie à la cause royale. Yolande de Savoie, bien que sœur de Louis XI, éprouvait des sympathies pour le duc de Bourgogne. Le duc de Bourgogne craignait que la duchesse qui était devenue régente de Savoie le 3 juillet 1475 ne fût circonvenue par le roi. Le 27 juin 1476, au soir, au Grand Saconnex, dans les faubourgs de Genève, elle fut enlevée par un commando bourguignon et emportée sur la croupe du cheval d'Olivier de la Marche qui conduisait l'opération. Déposée tout d'abord à Saint-Claude, dans le Jura, elle fut conduite ensuite au château de Rochefort, près de Dôle, puis à Rouvres, près de Dijon. Elle parvint cependant à faire transmettre un message à Commynes par l'intermédiaire d'un gentilhomme piémontais nommé Riverol. Commynes présenta cet émissaire au roi. Une expédition fut aussitôt organisée pour délivrer la duchesse. *L'entreprise fut bien faite et bien exécutée,* dit simplement

Commynes (I/362) qui s'en était probablement occupé lui-même avec diligence. Yolande fut emmenée à Langres puis au château royal du Plessis-lès-Tours. Et c'est encore Commynes, l'homme à tout faire décidément, qui dut veiller sur son sort. *J'eus la charge du roi de ce qui était à faire en cette matière : premier de trouver argent pour ses défrais et pour s'en retourner* (en Savoie) *et des draps de soie et de faire mettre par écrit leur alliance* (de Louis XI et de Yolande) *et forme de vivre pour le temps advenir* (I/368).

Cette même année Commynes fut aussi associé au ralliement du roi René d'Anjou. Celui-ci s'était déclaré tout d'abord franchement pour le duc de Bourgogne, allant jusqu'à lui promettre la cession de la Provence. Aussitôt reçue la nouvelle de la bataille de Grandson, Louis XI fit amener le vieux prince à Lyon. Commynes assista à leur rencontre. Force fut bien au roi René de se résigner à accepter une pension du roi de France en échange de la cession à Louis XI par voie testamentaire de tout l'héritage de la Maison d'Anjou.

Enfin, au mois d'octobre 1476, il appartient encore à Commynes de recevoir et d'entourer le roi du Portugal Alphonse V venu à Tours solliciter l'aide de Louis XI dans la rivalité qui l'opposait au royaume de Castille. Affaire de nouveau très délicate car il importait à Louis XI au moment où les affaires de Bourgogne prenaient un cours précipité de ne pas se mettre à dos les souverains espagnols. On se rappelle que la neutralité de l'Espagne constituait aux yeux de Commynes un élément essentiel de l'équilibre européen. Le roi de Portugal venait aussi dans l'intention de servir de pacificateur entre Louis XI et Charles le Téméraire. Au point où en étaient les choses, son intercession auprès du duc était vouée à l'échec. Trop occupé à suivre l'évolution du siège de Nancy pour entendre *ce pauvre roi du Portugal* (I/382) qui était *très bon et juste* mais quelque peu chimérique, Louis XI chargea Commynes d'éconduire le plus gentiment possible le souverain lusitanien. Nul ne pouvait savoir si la France n'aurait pas besoin un jour d'une intervention portugaise dans le dos de l'Espagne. Alphonse V, déçu de l'indifférence de Louis XI et craignant même que celui-ci ne s'emparât de sa personne délibéra en désespoir de cause de *s'en aller à Rome pour entrer en religion* (I/383). Intercepté par un valet de chambre de Louis XI il fut confié à un capitaine nommé Georges le Grec qui, sur ordre du roi de France, reconduisit le roi du Portugal dans son pays par voie de mer. Louis XI *eut quelque honte de ce cas,* conclura Commynes.

L'hallali de la chasse au duc de Bourgogne sonnait déjà. Commynes, tenant en main tous les fils des intrigues de Louis XI, ne pouvait pas ne pas être aussi au courant du singulier comportement d'un condottière italien, Nicolas de Montfort, comte de Campo-Basso, qui était resté au service du Téméraire après la défaite de Morat bien qu'il fût une créature du prince de Tarente. Selon Commynes, Campo-Basso aurait offert à Louis XI de capturer ou même de tuer Charles le Téméraire. Louis XI aurait repoussé avec indignation cette proposition et il en aurait même informé le duc qui se serait refusé à accorder foi à cette confidence douteuse. Cette version de la trahison de Campo-Basso a été très controversée en France comme en Italie. On est même allé jusqu'à insinuer que Commynes s'est prêté à ces sinistres manœuvres. Il est certain qu'il en connaissait tous les détails. Mais en l'absence de toute possibilité d'établir le bien ou le mal fondé de sa présentation des choses nous nous bornerons à rappeler que Campo-Basso quitta effectivement le Téméraire sous les murs de Nancy quatre jours avant la mort du duc pour rejoindre le prince de Tarente, emmenant avec lui cent quatre-vingts hommes.

Commynes ne pouvait pas non plus ignorer les hésitations des Suisses à participer à la curée finale. L'or de Louis XI eut raison de leur manque d'enthousiasme. En dépit des rigueurs de la saison ils envoyèrent à Nancy quelque dix mille hommes. Il est à présumer également que Commynes ne fut pas étranger à cette participation décisive.

Toutes ces trahisons, tous ces revirements et tous ces

ralliements *in extremis* d'acteurs plus intéressés les uns que les autres s'inscrivaient dans le cadre de cette stratégie à longue portée dont nous avons vu que le début coïncide avec l'entrée de Commynes dans le conseil de Louis XI. Elle s'était concrétisée notamment par la conclusion de la trêve de Soleuvre, le 30 septembre 1475, et déjà l'année précédente, le 14 mars 1474, par cet acte diplomatique d'une efficacité encore plus considérable que fut la conclusion de l'Union de Constance. Commynes considérait que cette alliance du duc d'Autriche, des Suisses et des villes de la Haute Alsace conduite par Louis XI *à son prochaz* (initiative) *et à ses dépens* (= frais) (I/344) fut *une des plus sages choses qu'il fit oncques en son temps et plus au dommage de tous ses ennemis.* Selon lui tous les maux du duc de Bourgogne découlèrent de la reprise du comté de Ferrette et des villes d'Alsace effectuée grâce à la conjonction des forces autrichiennes et suisses. Aussi est-ce en plein accord avec son maître que Commynes participa à toutes les opérations diplomatiques qui finirent par mettre le duc échec et mat le 5 janvier 1477 sous les murs de Nancy.

Ce n'était assurément pas seulement de l'action personnelle de Commynes dans les affaires milanaises que l'on pourrait dire, en reprenant les propos de François de Petrasancta, que le sire d'Argenton en avait été *le principe, le milieu et la fin* (Kervyn III/3) et l'on comprend que Louis XI tînt à le récompenser de son zèle et de son habileté. C'est en novembre 1476 qu'il le nomma sénéchal du Poitou. Cette même année le roi usa aussi d'autorité pour mettre un terme, provisoire, aux contestations élevées par le clan des La Trémoille contre la donation qui lui fut faite des terres de Talmont et de Thouars. Louis XI soutint énergiquement son conseiller aux prises avec les autorités de Tournay qui contestaient à leur tour la perception des droits de Commynes sur les francs-fiefs et les nouveaux acquêts de cette ville. Commynes avait bien mérité ce soutien du roi, cette augmentation et cette consolidation de sa fortune personnelle.

Mais que devait-il penser du destin dramatique et de la

fin misérable de celui qui fut son premier maître et dont il avait été l'un des intimes ? On lui a reproché les deux cents marcs que lui remit Louis XI pour avoir été l'un des premiers à lui annoncer la défaite de Morat. On lui a fait grief de toutes les observations égrenées dans ses Mémoires et qui mettent en évidence les défauts et les erreurs du Téméraire, son manque d'ordre dans la conduite de ses affaires et sur les champs de bataille, son caractère irascible, son comportement déraisonnable, son aveuglement quasi volontaire. On a trouvé qu'il a par trop insisté sur son état maladif durant ses dernières semaines, sur cette barbe qu'il avait laissé pousser, sur cette espèce de folie dont il semble avoir été atteint. Oui, certes. Mais il a aussi vanté son courage, son ardeur au travail, son sens de la grandeur. Le duc avait des défauts *comme chacun de nous,* note du reste Commynes, mais c'était incontestablement un grand prince. *Qui eût pu prendre partie des conditions du roi et partie des siennes on en eût fait un prince parfait* (I/193). Quel plus bel éloge aurait-on pu attendre d'un ancien serviteur du duc, qu'il avait, dans sa jeunesse, admiré plus que tout autre prince au monde, qui l'avait certes quitté mais seulement lorsqu'il s'était convaincu que malheureusement son comportement général le conduirait probablement à sa perte et à celle de toute sa maison et qui gardait de sa défection un sourd remords. La page des Mémoires où il évoque la fin du duc est bien l'une des plus sincèrement émues qui aient été écrites à ce sujet. On y trouve l'expression d'une authentique sympathie humaine, celle que tout chrétien sincère doit éprouver devant la mort de son semblable quel qu'il fût.

4. - Commynes forfait

Le samedi 11 janvier 1477, à l'aube, deux cavaliers, suivis d'une importante escorte, quittent le château du Plessis-lès-Tours où se tient le roi. L'un d'eux est le grand amiral de France, Louis, bâtard de Bourbon. L'autre est Philippe de Commynes. Ils traversent la ville de Tours, franchissent la Loire et prennent la direction du nord. En dépit de la basse température, *le plus grand froid que j'aie vu faire de mon temps*, dit Commynes, ils font diligence. Leur mission est d'importance. Ils ont en effet *pouvoir du roi de mettre en obéissance tous ceux qui s'y voudraient mettre* (I/395). C'est que Louis XI, aux nouvelles reçues de Nancy, a aussitôt décidé de prendre l'offensive dans deux directions, celle de la Bourgogne et celle du nord, cette dernière étant de loin la plus difficultueuse. Les deux ambassadeurs du roi ont aussi l'ordre d'ouvrir toutes les lettres de poste et d'arrêter les messagers qu'ils rencontrent en chemin. L'incertitude subsiste encore sur ce qu'il est advenu du duc de Bourgogne. Et suivant ce qu'il en était la mission des deux ambassadeurs en serait naturellement affectée.

Les nouvelles les plus contradictoires circulaient à ce sujet et il y avait *beaucoup de gens qui avaient les oreilles bien ouvertes pour les ouïr les premiers et les rapporter au roi dans l'espoir d'en recevoir une forte récompense si elles étaient de nature à le réjouir.* Il était hors de doute que le duc avait essuyé une nouvelle défaite. Mais s'était-il simplement enfui comme à Grandson et à Morat ? Ou bien avait-il été fait prisonnier ? D'aucuns affirmaient qu'il avait été tué. Bien que la France fût en avance sur les autres Etats pour la transmission des nouvelles grâce à l'institution des postes royales dès 1464, les chemins n'étaient pas toujours très sûrs. Il fallait compter trois ou quatre jours à un bon chevaucheur pour aller de Nancy à Tours. Le duc avait été tué le 5 janvier mais son cadavre n'avait été identifié que le 7 si bien que, lorsque les deux ambassadeurs de Louis XI partirent de Tours ils ignoraient si le duc était mort ou vivant. L'amiral et Commynes n'avaient pas galopé une demi-journée qu'ils interceptèrent un messager apportant à la cour de Bourgogne établie en Flandres la confirmation formelle de la découverte du cadavre du duc au bord de l'étang de Saint-Jean, nu, défiguré, la moitié de la face prise dans la glace, quinze blessures et déjà les loups au travail... Les deux ambassadeurs redoublèrent de vitesse. Ils arrivèrent bientôt dans les faubourgs d'Abbeville. Une première déconvenue leur était réservée. Alors qu'ils avaient déjà obtenu la reddition de la garnison, forte de quatre cents Flamands, les échevins ouvrirent les portes de la ville à un autre émissaire de Louis XI, survenu entre-temps, Jean d'Estouteville, seigneur de Torcy, qui tenait garnison à Amiens. Les sept ou huit officiers d'Abbeville furent ainsi frustrés des *états et pensions* que Commynes et l'amiral leur avaient promis pour leur reddition. D'autres villes de Picardie ouvrirent aussi facilement leurs portes et *ce n'était pas merveille,* remarque Commynes, car il avait été convenu autrefois que les terres de ce pays, cédées au duc de Bourgogne par Charles VII au traité d'Arras devaient retourner au roi *au défaut de heoir mâle* (I/397).

La mission des deux ambassadeurs devenait plus délicate dès le moment où ils pénétrèrent en Artois. Là il s'agissait d'un ancien patrimoine des comtes de Flandres et en tant que tel il *était accoutumé d'aller à fille comme à fils.* Le pays revenait ainsi de plein droit à l'héritière du duc, Marie de Bourgogne, qui allait atteindre ses vingt ans le 13 février. L'amiral laissa Commynes négocier seul la reddition d'Arras tenue par Philippe de Crèvecœur, seigneur d'Esquerdes, louvoyant sans cesse entre la Bourgogne et le royaume. Commynes ne se faisait pas d'illusion sur l'accueil que serait réservé à sa demande de reddition. Aussi bien *la principale occasion de mon allée auxdits lieux,* confie-t-il, *était pour parler à aucuns particuliers de ceux qui étaient là et pour les convertir au roi* (I/398). Et effectivement *on parla à aucuns qui tôt après furent bons serviteurs du roi.* Mais pour l'heure Philippe de Crèvecœur refusa de livrer la ville.

De retour auprès de l'amiral pour lui faire rapport, Commynes apprit que le roi s'était mis en route pour les rejoindre. Il avait amassé un grand nombre de gens d'armes en Beauce et à Paris et il fonçait dans la direction de Peronne. C'est à huit kilomètres à l'ouest de cette ville, dans une petite localité nommée Sailly, que l'amiral et Commynes rencontrèrent Louis XI le 2 février. Ils dînèrent avec lui et s'aperçurent tout de suite que le roi n'était pas content de leur travail. Il les informa qu'il avait dépêché lui-même plusieurs émissaires vers les grandes villes de Flandres, du Brabant et du Hainaut. Or c'était là un peu le domaine réservé de Commynes, son pays natal et dont il connaissait tous les notables. Louis XI se plaisait à provoquer Commynes par la bouche de son nouveau favori Jean Daillon, seigneur du Lude, vantant les mérites d'Olivier le Dain chargé de mettre Gand en l'obéissance du roi et ceux de Robinet d'Oudenfort, envoyé à Saint-Omer, ville à proximité de laquelle se trouvait le château de Renescure, patrimoine de Commynes. On imagine la déception du sire d'Argenton d'autant plus qu'il avait envoyé lui-même de nombreux messages à ses connaissances et à certains membres de sa parenté pour les engager à *se réduire au service du roi* (I/406). Estimant qu'il ne lui *appartenait pas d'arguer ni de parler contre le plaisir du roi,* Commynes se borna à répondre à Jean Daillon qu'il doutait que *Maître Olivier et les autres qu'il lui avait nommés ne chevilleraient point si aisément de ces grandes villes comme ils pensaient* (I/403). Le lendemain Louis XI, sur le point de partir pour faire son entrée à Peronne, signifia à Commynes qu'il devait se rendre incontinent au Poitou dont il avait été nommé sénéchal le 24 novembre 1476. Pour atténuer sa peine le roi lui annonça qu'il lui accordait la capitainerie du château de Poitiers. Commynes n'avait qu'à s'incliner. Il recommanda au roi divers personnages *lesquels s'étaient tournés de son parti par (son) moyen et à qui il avait promis pension et bienfaits. Le roi en prit de moi les noms par écrit,* dit-il, *et il leur tint ce que je leur avait promis.* Il n'en alla pas de même de plusieurs autres dont Commynes venait d'apprendre par un sien parent, chevalier du Hainaut, arrivé moins d'une demi-heure plus tôt, qu'ils étaient prêts à *faire ouverture de bailler les principales places et villes du pays de Hainaut.* Le roi daigna ouïr ce chevalier mais il dit à Commynes que ni lui ni les autres ne lui paraissaient *gens tels qu'il lui fallait... et que leur offre était nulle.* Du reste, conclut le roi, *j'aurai bien tout sans eux.* Au moment de monter à cheval pour se rendre au Poitou, Commynes dut encore subir un dernier affront du seigneur du Lude. *Vous vous en allez,* lui lança celui-ci, *par manière de moquerie sagement dite, à l'heure où vous devriez faire vos besognes où jamais vu les grandes choses qui tombent entre les mains du roi et dont il peut aggrandir ceux qu'il aime,* ajoutant encore, pour mieux blesser Commynes, que *quant à lui il s'attendait à être nommé gouverneur des Flandres et s'y faire tout or.*

Que s'était-il donc passé ? Comme toujours lorsqu'il s'agit de sa personne et plus particulièrement d'un tournant important de sa carrière, Commynes est ici d'une discrétion remarquable. *Le roi m'envoya en Poitou et sur les frontières de la Bretagne.* C'est tout. Nous voici réduit à des spéculations mais par bonheur tout le contexte des Mémoires nous permet de reconstituer sans grand risque d'erreur les principaux éléments du drame. Commynes avait-il commis de graves fautes ? Sans doute avait-il hâte de rentrer en possession de son patrimoine flamand dont il avait été dépouillé lors de sa défection en 1472. Mais ce désir légitime avait-il pu le conduire à faire des maladresses telles que le roi était fondé à prendre une mesure aussi rigoureuse que celle qui consistait à l'écarter et à l'éloigner de son pays natal au moment même où son intégration dans le royaume devenait réalisable ?

Commynes aurait-il touché de substantiels présents de la part de certains notables ou de certaines villes ? Cela n'est pas exclu. Mais d'autres que lui en ont reçu autant sinon davantage sans pour autant encourir l'ire de Louis XI. Des êtres aussi dépourvus de scrupules que Jean Daillon et Olivier le Dain n'attendaient même pas qu'on leur en offrît. Ils les exigeaient. Le premier, en particulier, dont Commynes nous assure qu'il était venu pour *cuider faire son profit et s'enrichir,* n'hésita pas à demander d'entrée de cause à ce chevalier, parent de Commynes, ce que les villes lui donneraient en *conduisant leurs affaires* (I/407).

Louis XI soupçonnait-il Commynes d'être secrètement de connivence avec sa cousine Jeanne de Hallwin ? Première dame d'honneur de Marie de Bourgogne dont elle avait été la gouvernante, elle était opposée au mariage de l'héritière de Bourgogne avec le fils du roi de France, disant ouvertement que *les Bourguignons avaient besoin d'un homme et non point d'un enfant* (le dauphin n'avait que sept ans), ajoutant encore que sa maîtresse était *femme pour porter enfant et que de cela le pays avait besoin* (II/11).

Tout indique que c'est bien sur le plan politique principalement que Louis XI et son conseiller se sont opposés au point de rendre inévitable leur séparation. Tant et aussi longtemps que Charles le Téméraire était vivant Louis XI a pu prêter une oreille attentive aux conseils de Commynes d'user de patience, de souplesse et de subtilité à l'égard du duc. Le roi s'était souvent entretenu avec son conseiller sur ce qu'il conviendrait de faire dans l'éventualité d'un effondrement de la puissance bourguignonne. Suivant que le duc s'enfuirait simplement, ou serait pris, voire tué, la conduite du roi serait nécessairement différente. Dans le premier cas la résolution du roi était, d'après Commynes, de *faire entrer immédiatement son armée en Bourgogne, de saisir le pays à l'heure de ce grand épouvantement et dès qu'il serait dedans d'avertir le duc qu'il le faisait à l'intention de le lui sauver et de garder que les Allemands ne le détruisent et que ce que lui* (le roi) *aurait pris, le lui rendrait.* Et Commynes nous assure qu'il était convaincu que tel aurait été le comportement du roi, si étonnant que cela eût pu paraître à beaucoup de gens. Dans le cas où le duc serait pris, mais vivant, Louis XI ne doutait pas que Charles le Téméraire parviendrait à s'accorder avec ses geôliers *par grande somme d'argent* et il ne pouvait s'agir de nouveau ici que des Allemands. Tout serait alors à recommencer. Quant à ce que ferait le roi si le duc venait à mourir (I/401) Commynes affirme que, huit jours encore avant l'événement, Louis XI répétait ce qu'il avait déjà dit à plusieurs reprises à son conseiller à savoir qu'il tâcherait de marier son fils avec Marie de Bourgogne ou, si celle-ci s'y refusait à cause de la différence de leurs âges, de la marier avec quelque jeune seigneur de ce royaume. Dans l'une ou l'autre des trois éventualités envisagées, la fuite, la capture ou la mort, il ressort de ce que Commynes rapporte que leur crainte majeure, à lui comme au roi, était de voir les Allemands profiter des circonstances pour étendre leur puissance sur toute cette zone médiane de l'Europe occidentale. Aussi considère-t-il que le roi tenant ces *sages propos* parlait *en grande raison.* Face au danger allemand la seule politique que devait suivre la France consistait à maintenir entre le royaume et l'empire une zone où l'*arbitrage du roi* (le mot est de Commynes) pouvait s'exercer grâce aux rapports d'amitié qu'aurait établis une entente pacifique entre la France et la Bourgogne. Une annexion pure et simple était ainsi exclue à ses yeux. Pour *joindre toutes ces grandes seigneuries à sa couronne,* si tant est que la chose fût concevable, trois voies pouvaient se présenter au roi : *par bon titre, par mariage* ou à défaut de l'une ou l'autre de ces possibilité *par vraie et bonne amitié aisément y pouvait faire* (I/400) *vu le grand déconfort et pauvreté et débilitation en quoi ces seigneuries étaient.* Quant aux bons titres aucun de ceux que Louis XI aurait pu invoquer n'était absolument incontestable et Commynes le laisse bien entendre. Même pour la Picardie un droit de rachat en faveur de la Bourgogne avait été formellement réservé dans le traité d'Arras. Pour le mariage de Marie, la préférence de Commynes allait au comte d'Angoulême, Charles d'Orléans. Quant à la troisième voie, celle de l'amitié, elle excluait le recours à la force. D'où la politique menée par Commynes dès ses premiers contacts à Abbeville, à Arras en Flandres et en Hainaut. Elle était conforme à l'esprit des entretiens qu'il avait eus avec le roi à diverses reprises. Son malheur voulut que Louis XI *changeât de volonté* lorsque le problème de la succession de Charles le Téméraire, de purement spéculatif qu'il avait été jusque-là, se posa en termes d'action.

Le changement d'attitude du roi était déjà perceptible avant même que la mort du duc ne fût confirmée. Commynes n'était pas encore parti pour sa mission dans le Nord que le roi faisait déjà des promesses de terres à ses proches. Il n'avait pas échappé à Commynes que son maître avait déjà *commencé un peu à changer.* Toutefois le roi en avait *peu parlé.* Mais lorsque Commynes le rencontra à Sailly le 2 février force lui fut bien de constater que la *passion* l'avait emporté sur la raison. Louis XI faisait part ouvertement de son intention de procéder à la dislocation de l'héritage bourguignon. *Les grandes pièces comme le Brabant et la Hollande* il les réservait *à aucuns seigneurs d'Allemagne qui deviendraient ainsi ses amis et lui aideraient à exécuter son vouloir* (I/403). Quel vouloir ? Toute volonté d'hégémonie française en Europe n'était peut-être pas absente de son esprit. De toute façon il n'en avait jamais débattu en conseil. Ce changement d'attitude était en telle contradiction avec ses résolutions antérieures que le roi tint à expliquer à Commynes *pourquoi il muait* (I/404). Il tenta de lui montrer que cette voie nouvelle (celle de la conquête) était *plus utile pour son royaume qui beaucoup avait souffert à cause de la grandeur de cette maison de Bourgogne et des grandes seigneuries qu'elle possédait* (I/404). Mais Commynes n'était pas dupe. Depuis longtemps il savait que ce retournement était à craindre. Louis XI haïssait la Bourgogne. Il était *enclin de tout point à défaire et détruire cette maison de Bourgogne.* N'avait-il pas proposé un jour à l'empereur Frédéric III de partager entre eux les terres du duc ? L'empereur lui avait répondu par la fable de l'ours et des trois compagnons autrement dit qu'il ne fallait pas vendre la peau de l'ours avant qu'il ne soit tué. Maintenant que c'était chose faite Louis XI cédait à son obsession. Commynes ne s'était jamais fait beaucoup d'illusion quant à l'efficacité des conseils qu'il lui avait prodigués. L'effort sur soi que constituait pour le roi la volonté de contenir son impatience était trop grand pour qu'à la première occasion la passion ne l'emportât pas sur la raison. Il était *maintenant hors de toute crainte* tant à l'intérieur qu'à l'extérieur de son royaume. Son frère le duc de Guyenne était mort et il en avait recueilli la succession. L'héritage de la maison d'Anjou lui était assuré. Les grands meneurs de la résistance féodale, le duc de Nemours, le connétable de Saint-Pol avaient été décapités et le cardinal de la Balue incarcéré, le comte d'Armagnac tué à Lectoure. Le roi était en paix avec l'Angleterre. *Et lui semblait bien qu'à sa vie ne trouverait nul contredit en son royaume ni ès environs près de lui* (I/400).

Ainsi le problème de l'héritage laissé par Charles le

Téméraire ne posait pas seulement des questions de principe et de méthode. Il présentait aussi un aspect psychologique en la personne du roi. Il débouchait également sur la morale, la philosophie et la religion. Commynes devait bien convenir que les raisons qu'il a plu au roi de lui exposer pour justifier son changement d'attitude n'étaient pas dépourvues de toute pertinence. *Quant au monde,* reconnaît Commynes, *il y avait grande apparence en ce que ledit seigneur* (Louis XI) *disait mais quant à la conscience me semblait le contraire* (I/404). Déclaration cardinale et qui montre bien l'élévation de pensée du chroniqueur. Certes Louis XI connaissait son métier de roi. *Ni moi ni autre qui fût en la compagnie n'eussions su voir si clair en ses affaires.* Commynes hésite à mettre en cause l'intelligence du roi. Il n'y avait *point de la faute de son sens,* dit-il, car *il était très grand.* Mais quelques pages plus loin il lui semble cependant que Dieu avait *troublé le sens de notre roi en cet endroit* (I/413). Son erreur ne procéderait-elle pas plutôt *du cœur ?* D'ailleurs à qui n'arrive-t-il pas de se tromper ? *Nous sommes tous hommes et qui les voudrait chercher tels que jamais ne faillissent à parler sagement ni qui jamais ne s'émissent* (se trompent) *plus une fois que autre il les faudrait chercher au ciel* (I/107). Toutefois dans un conseil il y aura *tel qui parlera très sagement et très bien qui n'aura accoutumé de ainsi le faire souvent et ainsi les uns redressent les autres* (id.). Or le fait était que *rien n'y fut débattu ni là ni ailleurs touchant ladite matière* (I/404). Il n'est pas certain du reste que si le conseil avait été consulté il ne se serait pas trouvé une majorité pour abonder dans le sens du roi. *Autres qui savaient et connaissaient plus que moi seraient et étaient lors de l'avis qu'il était... Il est vrai* (*aussi*) *que les plus grands sénats et conseils qui aient jamais été ni qui sont, ont bien erré et errent comme il s'est vu et voit chaque jour* (I/405). Que le prince use d'autorité ou qu'il consulte ses conseillers il résulte de toutes ces considérations que *quand on veut entreprendre une si grande chose* il est prioritaire et essentiel de *s'en recommander spécialement à Dieu et le prier qu'il lui plaise adresser le meilleur chemin car de là vient tout.*

Comme on le voit cette grande épreuve morale que Commynes a subie le 2 février 1477 près de cette ville de Peronne où en 1468 il avait déjà eu l'occasion de déployer toutes les ressources de son intelligence atteste la fermeté de ses principes. S'il n'avait songé qu'à l'avenir de sa carrière rien ne lui aurait été plus facile que de s'adapter aux circonstances et de se plier à la volonté du roi. Mais il n'a pas cédé à cette tentation. Il en a durement souffert dans ses intérêts. Sa carrière a été brisée car plus jamais il n'accédera à cette toute-puissance qu'il a connue en 1475 et 1476. Son amour-propre a été aussi profondément blessé. Qu'allaient en effet penser tous ceux qui avaient placé leur confiance en lui et qu'il avait convertis au roi?

Mais les jeux étaient faits. Entre le roi et son conseiller l'opposition se révélait insurmontable dans la conception générale de la politique de la France sur le grand échiquier européen en ce tournant capital de l'histoire du continent comme sur la méthode qu'elle commandait de suivre sur le terrain, dans le rôle aussi du conseil royal. Cette opposition procédait de la différence de leurs tempéraments, source elle-même de profondes divergences non seulement sur le plan de la politique mais aussi de la morale, de la philosophie et de la religion. Du point de vue du roi cette séparation était sans doute nécessaire pour assurer la cohésion de son équipe et l'efficacité de son action. Durant toute la phase diplomatique de sa politique antibourguignonne Louis XI avait trouvé en Philippe de Commynes un collaborateur de toute confiance. La présence de son conseiller cessait cependant d'être utile dès le moment où il s'agissait d'une action militaire. Elle devenait même gênante.

Commynes n'allait du reste pas avoir le temps de se morfondre dans les sombres pensées que pouvait susciter en lui ce brutal éloignement. Son installation dans ses nouvelles fonctions de sénéchal du Poitou exigeait toute une adaptation et une reprise en main sans parler de ses autres responsabilités administratives (châtellainies de Chinon et de Poitiers, seigneurie des Sables-d'Olonne, de Talmont et de Thouars) ni de la gestion de ses terres privées. Et puis il était peut-être aussi temps qu'il se consacre un tant soit peu à ses obligations conjugales. Depuis son mariage avec Hélène de Chambes en janvier 1473 il n'en avait guère eu le loisir.

Les nouvelles qui lui parvenaient des affaires du Nord ne laissaient cependant pas de l'inquiéter. Tout confirmait que décidément le roi n'avait pas pris les choses *par le bout qui lui était le plus nécessaire* (I/400). Olivier le Dain dut s'enfuir de Gand pour échapper au risque d'être jeté en la rivière. L'arrière-pays de Tournay, en Flandres et en Brabant, subissait de *merveilleux dommages. Maint beau village et maintes belles censes y furent brûlés.* Les Flamands, probablement conduits par les autorités de Gand, perdirent beaucoup de gens. Arras fut soumise à un bombardement et lors de sa prise par les troupes royales elle fut le théâtre d'un cruel massacre, à titre d'exemple.

Mais l'événement qui parut à Commynes de loin le plus désastreux fut la perfidie inqualifiable de Louis XI à l'égard de la veuve et de la fille de Charles le Téméraire. Madame la Grande et la nouvelle duchesse de Bourgogne, entrée en seigneurie le 25 janvier, s'étaient spontanément tournées vers le roi pour implorer son soutien. Marie de Bourgogne était sa filleule. Elle aimait la France et désirait *tant demeurer alliée de la Maison de France.* Elle lui avait adressé le 18 janvier une lettre émouvante mais Louis XI ne daigna même pas la lire et il fit diriger sur Paris la délégation chargée de la lui remettre. Le 6 février le roi reçut une nouvelle ambassade composée des plus importants conseillers de Marie. Elle repartit sans pouvoir rapporter à la jeune duchesse un espoir quelconque d'un arrangement pacifique. Le 10 mars une ambassade émanant cette fois-ci des Etats de Flandres fut reçue par le souverain à Arras. Elle était venue pour l'informer de l'engagement qu'aurait pris la duchesse de s'en remettre désormais à la volonté des Trois Etats de ses pays du Nord. Le roi exhiba alors une lettre confidentielle de Marie de Bourgogne lui notifiant que tout ce qu'il aurait à lui dire devait passer par quatre personnes qu'elle lui nommait et parmi lesquelles se trouvaient le chancelier Hugonet et le seigneur de Humbercourt. La délégation des Etats est stupéfaite. Elle voit dans cette lettre la preuve d'un double jeu de la duchesse et de ses conseillers. Le roi pousse alors l'indélicatesse jusqu'à remettre aux délégués la fameuse lettre. De retour à Gand, le 12 au soir, ils obtiennent, le lendemain, au nom de Gand et à la requête des quatre pays de Flandres, du Hainaut, de Hollande et de Zélande l'arrestation des quatre hommes de confiance de la duchesse. Leur procès, entaché de diverses irrégularités et troublé par de violentes manifestations du peuple de Gand, de tout temps profondément anti-bourguignon, dure huit jours. Il se termine le jeudi saint 4 avril vers midi par la condamnation à mort du chancelier Hugonet et du seigneur de Humbercourt. Soumis encore à la question, les membres disloqués ils sont conduits à quinze heures sur la place du marché et décapités.

C'est avec une très grande tristesse que Commynes dut apprendre l'horrible fin de ce seigneur de Humbercourt, l'homme qu'il semble avoir le plus admiré au monde et qui l'avait initié aux subtilités de la politique. Surcroît d'amertume pour Commynes : c'était indubitablement son maître qui portait la responsabilité morale de ce crime puisqu'il résultait directement de la divulgation de la lettre confidentielle de Marie de Bourgogne.

Il importe de relever ici que cette fameuse lettre a disparu. Son existence ne saurait toutefois être mise en doute bien que Commynes soit le seul chroniqueur qui en ait révélé non seulement le contenu mais aussi la forme. Il est à même de préciser en effet qu'elle était écrite *partie de la main de ladite Demoiselle, partie de la main de la duchesse de Bourgogne douairière et partie du seigneur de Ravestin frère du duc de Clèves et proche parent de ladite Demoiselle.* Commynes signale qu'elle ne parlait toutefois qu'au nom de la jeune duchesse et que si elle avait été ainsi écrite de trois mains différentes c'était pour *ajouter plus grande foi* (425). Quant à son contenu, Commynes souligne que Marie demandait expressément à son parrain que ce qu'il *lui plairait faire conduire envers elle passât par la main des quatre personnages* nommément désignés et qu'il *lui plût s'en adresser à eux et à nul autre n'en avoir communication* (425).

Commynes continuait donc d'être extrêmement bien renseigné sur ce qui se passait au quartier général de Louis XI. Mais ce qui lui parut beaucoup plus inquiétant dans la scandaleuse trahison du roi c'était le contrecoup qu'elle n'allait pas manquer de provoquer sur toute l'évolution des relations franco-bourguignonnes et par là même sur tout le cours de l'histoire européenne. Car il lui apparut immédiatement que la perfidie du roi allait porter un coup mortel à toute entente entre la France et la Bourgogne. Il était fatal en effet que la duchesse conçut dès lors une véritable *haine contre le roi à cause de ces dites lettres qui lui semblait avoir été occasion de la mort de ces deux bons personnages dessus nommés et de la honte qu'elle reçut quand publiquement lui furent baillés devant tant de gens* (II/10). La princesse n'a même pas attendu la fin du procès intenté à Hugonet et Humbercourt pour tirer quant à elle la leçon de la perfidie du roi. Son mariage avec le dauphin comme avec tout autre seigneur français devenait dès maintenant inconcevable. Le 26 mars, soit seize jours après la divulgation de la fameuse lettre, elle écrivit à Maximilien d'Autriche une lettre secrète rédigée, chose curieuse, en trois langues, française, thioise et polonaise. Elle lui annonçait sa résolution irrévocable de l'épouser. Le 16 avril une délégation impériale arriva à Gand, le 21 avril le mariage par procuration était célébré, le duc de Veldenz représentant Maximilien. Le 19 août à cinq heures du matin le mariage était consacré dans la chapelle de l'Hôtel de Ten Wall à Gand.

On admirera la pénétration du jugement de Commynes. De son regard d'aigle dominant l'ensemble du devenir de l'Europe il a tout de suite pressenti l'importance de ce petit fait divers qu'était en somme la remise à la délégation des Etats de Flandres, le 10 mars 1477, de la lettre confidentielle de Marie de Bourgogne. Il lui consacre de nombreuses pages. C'en était fait désormais de *la longue paix qui était appareillée* par la mort du duc. Quelque douze ans plus tard, dictant la première partie de ses Mémoires, Commynes pouvait dire avec un accent prophétique qui ne saurait manquer de frapper tout lecteur non prévenu : *par ce qui s'est passé nous voyons que de ce mariage qui fut fait* (à la suite de l'indiscrétion intentionnelle de Louis XI) *sont sorties plus grandes guerres, tant deçà que delà qu'il n'eut fait si elle* (Marie de Bourgogne) *eût épousé Monseigneur d'Angoulême. Et en ont porté depuis les pays de Flandres et de Brabant et autres, grandes persécutions et ne savons quelle en sera la fin* (II/11). La conjonction austro-bourguignonne fut incontestablement une des sources principales des guerres qui ensanglantèrent l'Europe pendant quatre cents ans.

Le renvoi brutal de Commynes au Poitou revenait à l'éliminer de la nouvelle équipe dirigeante de Louis XI. Elle ne signifiait cependant pas pour autant qu'il soit tombé en disgrâce. On ne comprendrait pas, si tel avait été le cas, pourquoi Louis XI aurait jugé bon quelques mois plus tard d'octroyer à Commynes de nouveaux droits et de surcroît, au cœur même de cette région du Nord d'où il venait d'être retiré précipitamment. En effet, en septembre 1477, par ordonnance donnée à Arras, Louis XI transmettait à son amé et féal conseiller ... considérant ses grands, bons, louables, loyaux et recommandables services une rente annuelle et perpétuelle de 272 livres assise sur le corps de la ville de Tournay. Cette rente représentait une partie des revenus provenant des anciennes terres et seigneuries de Jacques d'Armagnac exécuté en 1476. On ne comprendrait pas non plus que ce soit à un disgracié que Louis XI ait pu faire l'honneur de le recevoir dans l'ordre de Saint-Michel, en janvier 1478. Trente-six hauts personnages seulement portaient le collier d'or de l'illustre compagnie fondée en 1469 et qui dura jusqu'en 1830. Commynes continuait du reste à faire des apparitions au conseil royal. Son nom figure dans des lettres signées au Plessis du Parc le 4 décembre 1477 et le 9 janvier 1478. Dans ce dernier cas il s'agissait même d'une importante action diplomatique consistant à rétablir les relations commerciales entre la République de Venise et la France. Commynes a également été appelé dès la fin de cette même année 1477 à participer à la conduite des affaires de Bourgogne. Le roi lui communiquait les rapports qui lui parvenaient de cette province maintenant occupée par les forces royales et c'était Commynes qui souvent en *faisait les réponses par le commandement du roi* (II/24). Aussi bien sa connaissance des affaires suisses était-elle précieuse car les forces royales se heurtaient en Franche-Comté aux troupes confédérées. Des négociations ardues s'y menaient pour les rallier au roi. L'occupation française rencontrait des difficultés là comme en Flandres, en Artois et au Hainaut. Louis XI dut même nommer un gouverneur en la personne de Charles d'Amboise pour suppléer aux insuffisances de Georges de La Trémoille qui avait conquis cette province. Commynes avait si bien gardé la confiance et l'estime du roi que celui-ci l'envoya en avril 1478 en Bourgogne en qualité de chef d'une mission composée des pensionnaires de sa Maison, un honneur et une innovation que le chroniqueur se plaît à souligner. Plusieurs villes comme Beaune, Semeur, Verdun et d'autres se rebellaient. Commynes recourut à la méthode qu'il avait appliquée dans le Nord. Il tenta d'acquérir les bonnes grâces des notables. Le 3 mai Dijon lui ouvrit ses portes. Quatre jours après, le conseil de la ville lui offrit deux muids de vin et une émine d'avoine. Commynes toucha-t-il d'autres présents plus substantiels ? Se montra-t-il trop compréhensif ? Georges de la Trémoille et Charles d'Amboise dont il dénonce dans ses Mémoires la cupidité, sont-ils les auteurs des lettres qu'on écrivit au roi pour l'informer que son conseiller *épargnait certains bourgeois de Dijon touchant le logis des gens d'armes ?* Il est à présumer qu'il ait commis des actions plus discutables pour que lui-même fasse allusion à *d'autres petites suspictions* également rapportées au roi. En tout cas il avoue que c'est pour de *telles causes* que Louis XI décida *très soudainement* le 12 mai 1478 de l'envoyer à Florence. Une page de sa fulgurante carrière se tournait. Mais de nouveaux horizons allaient s'ouvrir devant lui en Savoie et en Italie. Louis XI avait sans doute compris que la vraie vocation de Commynes était dans la diplomatie. Il allait en faire un spécialiste des affaires italiennes.

V

INTERMEZZO ITALIEN

1478

Officiellement Louis XI envoyait Philippe de Commynes en Italie pour apporter aux dirigeants de Florence l'aide de la France dans le châtiment qu'ils étaient en voie d'infliger aux responsables de l'assassinat de Julien de Médicis survenu le 26 avril 1478. « Votre honneur et le nôtre en ont reçu la plus grave offense, écrivait le roi à ses très chers et grands amis. Nous regardons cet outrage et la mort de notre dit cousin Julien comme équivalant à des attentats commis contre nous-même. Nous tenons les Pazzi pour criminels de lèse-majesté. Nous ne voudrions pour rien au monde souffrir que leur crime restât impuni mais nous souhaitons de tout notre cœur qu'il en soit tiré un châtiment et une punition qui servent à jamais d'exemple. Nous avons donc résolu de dépêcher vers Vos Seigneuries notre amé et féal conseiller et chambellan le Seigneur d'Argenton, Sénéchal de notre pays de Poitou, un des hommes en qui nous avons la plus grande confiance, afin de vous faire connaître bien au long notre intention. Il vous communiquera plusieurs choses qui se rapportent à cette matière. Nous vous prions de vouloir le croire et d'ajouter la plus grande foi à tout ce qu'il vous dira de notre part autant que vous le feriez envers nous-même parce que telle est l'intention dans laquelle nous vous l'envoyons. » (Kervyn I/172).

En réalité la mission de Commynes s'inscrivait dans le cadre d'une vaste entreprise de Louis XI contre la Papauté. Antoine d'Applano, ambassadeur de Milan, ne s'y était pas trompé. Le 16 juin il écrivait à la duchesse de Milan que « depuis quelque temps déjà le roi de France a nourri constamment le dessein de provoquer un schisme dans l'Eglise. Ce qui vient de se passer à Florence lui paraît en offrir un assez bon motif : c'est pourquoi il envoie le seigneur d'Argenton qui était en Franche-Comté vers Madame la duchesse de Savoie, vers Vos Excellences et à Florence. Il n'ira pas à Venise, le roi étant bien sûr que cette seigneurie fera tout ce qu'il lui demandera par une simple lettre, vu la ligue qui les unit. La substance de sa mission est de se plaindre du Pape parce qu'il ne songe pas à défendre la foi catholique contre le Turc et qu'il n'a d'autre souci que d'élever ses parents et de les enrichir en tolérant toutes les trahisons et toutes les perfidies qui peuvent contribuer à les enrichir et qu'il leur permet de faire toutes choses à leur gré comme cela a eu lieu à Florence. Il voudrait pour ce motif que Madame de Savoie, Vos Altesses et les Vénitiens ne laissassent passer et aller à Rome aucune personne venant d'au-delà des Monts et sans prendre les armes contre Sa Sainteté il ferait repentir celle-ci de ses erreurs et ensuite de jour en jour il marcherait en avant avec prudence selon les circonstances et les avis qu'il recevrait » (Kervyn I/173).

Commynes s'est montré, une fois de plus, très discret dans ses Mémoires sur la nature de ses occupations tout au long des cinq mois que dura sa mission. Sur les six pages qu'il leur consacre la plus grande partie consiste dans la relation détaillée des événements du 26 avril. *Ce pourquoi le roi l'envoyait à Florence,* dit-il, était *le différend et débat de deux grandes lignées fort renommées de citoyens. L'une était celle des Médicis et l'autre celle des Pazzi, lesquels ayant le soutien du Pape et du roi Ferrand de Naples crurent faire tuer Laurent de Médicis et toute sa séquelle. Toutefois, quant à lui, ils faillirent. Mais ils tuèrent son frère Julien de Médicis en la grande église de*

Florence et un appelé Francescino Nori qui se mit devant Julien et était serviteur de la Maison des Médicis. Laurent fut fort blessé et se retira au vestiaire de l'église dont les portes sont de cuivre que son père avait fait faire. Un serviteur qu'il avait délivré de prison deux jours avant le servit bien à cette occasion et reçut plusieurs plaies pour lui. Et cela fut accompli à l'heure que l'on chantait la grande messe. Ils avaient leur signe pour tuer : c'était au moment où le prêtre qui chantait la grande messe dirait le Sanctus. Il en advint autrement que ceux qui l'avaient entrepris ne pensaient. Car croyant avoir tout gagné, certains d'entre eux montèrent au Palais dans l'intention de tuer les seigneurs qui étaient là (qui se renouvellent de trois mois en trois mois et sont au nombre de neuf qui ont toute l'administration de la Cité). Mais ils se trouvèrent mal suivis. Comme ils avaient gravi les escaliers du Palais quelqu'un ferma une porte derrière eux et quand ils se trouvèrent en haut ils n'étaient que quatre ou cinq, tout épouvantés et ne savaient que dire. Les seigneurs qui étaient en haut et les serviteurs qui étaient avec eux voyaient par les fenêtres l'émeute de la ville et ils avaient déjà ouï Messire Jacques de Pazzi et d'autres, sur la place devant le Palais, qui criaient : liberta ! liberta ! et Peuple ! Peuple ! mots par lesquels ils croyaient émouvoir le peuple en leur faveur ce que le peuple ne voulut faire et restait coi. Voyant cela ledit Pazzi et ses compagnons s'enfuirent de la place, tout étonnés de leur entreprise. Les gouverneurs qui étaient dans le Palais, voyant ces choses, s'emparèrent en un instant des quatre ou cinq hommes qui étaient montés (mal accompagnés et mal suivis) et qui avaient l'intention de tuer les gouverneurs pour pouvoir commander toute la cité. Ils les firent aussitôt pendre et étrangler aux croisées du Palais et parmi eux fut pendu l'archevêque de Pise (François Salviati). *Les gouverneurs, voyant toute la ville déclarée pour eux et pour le parti des Médicis, écrivirent incontinent aux gardes des portes que l'on prît tout homme que l'on trouvait fuyant et qu'on le leur amenât. Messire Jacques de Pazzi fut pris en l'heure ainsi qu'un autre, envoyé du Pape Sixte IV qui avait charge de gens d'armes sous le comte Jérome Riaro* (un neveu du pape) *lequel était de cette entreprise. Jacques Pazzi et ses compagnons furent pendus aux fenêtres du Palais. Le serviteur du Pape eut la tête tranchée et plusieurs furent pris en ville qui furent tous pendus en chaude dont Francisque Pazzi. En tout il me semble que quatorze grands personnages furent pendus en ville ainsi qu'un certain nombre de menus serviteurs.*

Commynes est beaucoup moins abondant pour la relation des événements dont il a été lui-même témoin ou qui sont survenus en Italie pendant son voyage. Par bonheur les archives italiennes ont conservé plusieurs lettres qu'il a écrites à cette occasion ainsi que celles de nombreux personnages avec qui il a été en relation ou qui parlent de lui. Grâce à elles il a été possible de reconstituer son itinéraire et de nous faire une idée relativement précise de son action.

Parti de Bourgogne à mi-mai il n'est rentré à Tours pour y rejoindre le roi qu'à mi-octobre. Il passa tout d'abord à Turin où se tenait la cour de Savoie. Il quitta cette ville le 16 juin pour se rendre à Milan où il arriva le 18. Quatre jours plus tard il partait pour Florence qu'il atteignit dans la dernière semaine de juin. Il y séjourna presque deux mois et en repartit le 24 août pour regagner Milan par Asti et Pavie. Il resta dans la capitale lombarde du 3 au 7 septembre. Le jour suivant il remontait en selle pour se rendre à Turin où il resta du 13 au 21 septembre. Au début d'octobre il est à Lyon. Le 12 de ce mois il est de passage au Pont de Sauldre près de Romorantin et il se hâte pour atteindre le Château du Plessis lès Tours le jour suivant *au lever du roi.*

Pendant tout ce long voyage Commynes déploya comme à l'accoutumée une intense activité et les événements se chargèrent de rendre sa mission plus passionnante qu'il n'aurait pu l'imaginer au départ. Il y avait tout d'abord pour lui les plaisirs d'une découverte. C'était la première fois qu'il franchissait les Alpes. Le Piémont, la Lombardie et la Toscane lui firent une forte impression de richesse et de beauté. La plaine du Pô ne laissait pas de lui rappeler son pays natal. *Un des beaux et bons pays du monde et un des plus habités,* constate-t-il avec admiration. *Et combien qu'il soit difficile à chevaucher car il est tout fossoyé comme est Flandres, ou encore plus, mais il est bien meilleur et plus fertile tant en bons froments qu'en bons vins et fruits. Leur terre,* observe-t-il, *ne séjourne jamais en friche* (I/260-261). Les fossés, de part et d'autre des chemins, sont *beaucoup plus profonds* que ceux de Flandres. Ils ne facilitent pas le voyage car *l'hiver les fanges y sont grandes et l'été la poudre y est épaisse.* Commynes voyageait avec un modeste équipage de 25 ou 26 chevaux. Mais il était reçu partout avec de grands honneurs. Outre ceux que les Italiens rendaient au représentant de sa Majesté Très chrétienne ils honoraient le personnage que leurs ambassadeurs leur avaient présenté comme l'homme fort du royaume de France. A Turin la duchesse Yolande, sœur de Louis XI, lui fit *un bien bon recueil.* A Milan c'est une autre illustre princesse, Bonne de Savoie, qui le reçut en sa qualité de régente du duché. Mais c'est à Florence que l'accueil fut le plus impressionnant. « Monseigneur d'Argenton a fait son entrée hier, écrivent les ambassadeurs milanais. Nous allâmes au-devant de lui ainsi que tous les députés de la ligue (Venise, Florence et Milan) et beaucoup de bourgeois avec le magnifique Laurent, Lorenzino son cousin et un grand cortège de gens d'armes pour sa garde » (Kervyn III/11). Logé aux frais de la Seigneurie et *mieux traité encore le dernier jour que le premier,* selon son expression, Commynes noua bientôt des liens d'amitié avec Laurent de Médicis.

Il est probable que sa mission n'avait pas été prévue initialement aussi longue. C'est en passant à Milan que la duchesse lui fit part de son désir de confirmer le traité d'alliance entre Milan et le royaume. L'assassinat de son mari Galleazzo Maria le 26 décembre 1476 justifiait cette demande ainsi que celle qu'elle lui fit de renouveler l'investiture du duché de Gênes et de Savone alors même qu'elle était encore valable pour cinq ans. Commynes s'empressa d'en informer le roi qui adressa immédiatement à son ambassadeur tous les actes lui donnant pleins pouvoirs pour mener à chef ces deux importantes opérations diplomatiques. Louis XI demandait simultanément à Laurent de Médicis de bien vouloir seconder le sire d'Argenton dans l'accomplissement de cette mission.

Par ailleurs l'ensemble de la conjoncture politique et militaire de la péninsule évoluait rapidement. Une sédition antimilanaise éclate à Gênes en juin, portant au pouvoir le clan des Fregosi. Le 7 juillet les troupes milanaises sont battues par les Gênois. Le jour où Commynes quitte Milan le pape fulmine l'excommunication de Florence où la répression contre les tenants et aboutissants des Pazzi prend les allures d'une véritable chasse à l'homme. Les troupes alliées du roi Ferrand de Naples et de Sixte IV conquièrent toute une série de villes d'obédience florentine et voici que le 27 août survient la mort de la duchesse de Savoie.

Pour sa première expérience péninsulaire Commynes était bien servi. Mais quelle conduite tenir au milieu de tant d'assassinats, de pendaisons, de morts naturelles et accidentelles, de séditions et de combats aux fortunes les plus diverses ? Passe encore pour toutes ces complications inhérentes à l'imbroglio italien où la sagacité de Commynes lui permettait de se mouvoir sans commettre trop de maladresses mais comment prévoir les réactions de Louis XI ? Sa politique italienne avait beaucoup varié depuis le début de son règne. Il avait nourri pour l'usurpateur Francesco Sforza une profonde admiration au point de songer à se réfugier chez lui aux mauvaises heures de la guerre du Bien Public. Avec Galleazzo Maria ses rapports avaient été beaucoup moins bons car ce prince avait pactisé avec le duc de Bourgogne. Aussi Louis XI avait-il été amené à sympathiser avec le clan des San Severini qui reprenait ses intrigues depuis la mort du duc. Commynes, qui avait noué de bonnes relations personnelles avec Francescino Simonetta, l'homme de confiance de la duchesse et son premier ministre, devait simultanément s'efforcer de rétablir l'entente entre la France et Milan tout en essayant d'obtenir au nom de son maître la réhabilitation de Robert de San Severino qui s'était réfugié en Savoie avant de se mettre au service de la Papauté et du roi Ferrand de Naples.

Détentrice d'un droit de souveraineté sur Gênes depuis

1396, la France avait participé à la rivalité commerciale entre cette ville et Venise. Mais au début de 1478 les relations du royaume avec la Sérénissime République avaient été rétablies. C'est avec Florence et plus particulièrement avec les Médicis que les relations françaises avaient été les plus stables. Il en allait autrement avec le royaume de Naples. Héritier testamentaire des Anjou depuis 1476 et par conséquent de leurs droits sur Naples, le roi de France aurait dû logiquement se comporter en adversaire des Aragon de Naples qui avaient chassé les Français de ce royaume en 1456. Or Louis XI inclinait au contraire à entretenir de bonnes relations avec le fils du roi de Naples, prince de Tarente, auquel il avait fait miroiter un mariage avec sa propre fille Jeanne. Mais sa résolution n'était pas ferme et il devait finir au début de 1479 par réaliser le mariage de Frédéric avec Anne de Savoie, fille de Yolande et donc nièce de Louis XI. Commynes entretenait lui-même les meilleures relations avec le prince de Tarente qui lui promettra un jour quatre mille livres s'il réussissait à assurer son accession sur le trône de Naples. Quant à la Savoie, porte de l'Italie et lieu de passage des mercenaires italiens, Louis XI tenait à y établir solidement la tutelle française. Avec l'aide de Commynes il était parvenu à soustraire la duchesse Yolande à l'attraction bourguignonne. Mais maintenant que la duchesse venait de mourir, laissant un fils maladif, Philibert, âgé de treize ans, la question se posait de savoir qui, de ses quatre oncles, Louis, roi de Chypre, Philippe, comte de Bresse, Jean, comte de Genève ou Jacques, comte de Romont, assumerait la continuation de la régence, autrement dit de savoir lequel d'entre eux se montrerait le plus docile à l'égard du roi. A l'aller comme au retour Commynes a séjourné assez longuement en Savoie. Il a eu le temps d'y nouer de nombreuses relations. Il n'est pas exclu, ainsi que le déclare explicitement l'ambassadeur Applano, qu'il ait aspiré à assumer lui-même la direction du gouvernement du duché.

A l'égard du Pape Sixte IV et de la Papauté en général Commynes semble avoir partagé entièrement les vues de Louis XI. Il admirait l'habileté des dirigeants romains *car toujours,* dit-il, *les papes sont bien conseillés.* Mais la corruption de la cour romaine, le népotisme choquant des papes lui paraissaient nécessiter une profonde réforme de l'Eglise. Une *si grande œuvre que de réformer l'Eglise,* écrira-t-il beaucoup plus tard, *je crois que toutes gens de connaissance et de raison l'eussent tenu à une bonne, grande et très sainte besogne mais il y faudrait grand mystère* (au sens de travail particulièrement difficile) (II/188). Louis XI quant à lui tenait un langage beaucoup plus direct. Sur la base des renseignements que Commynes dut probablement lui communiquer dès son arrivée à Florence il écrivit au pape Sixte IV la fameuse lettre du 10 août où il ne mâche pas ses mots. « Fasse le Ciel, lui dit-il, que votre Sainteté prenne conscience de ce qu'elle fait... Qu'elle renonce à faire tort à quiconque de manière à ne pas faillir à son ministère ! » Heureusement pour Commynes ce n'est pas à lui qu'incomba la mission de remettre ce document au Pape. Un autre ambassadeur avait été simultanément dépêché à Rome. Louis XI n'avait du reste pas l'intention d'entrer en conflit armé avec la papauté car si telle avait été sa résolution il en aurait donné les moyens à Commynes. Celui-ci le regrette d'ailleurs. Il avait bien obtenu de la duchesse de Savoie l'envoi d'un contingent pour secourir les Florentins. La duchesse de Milan, à la requête de Commynes, fournit également trois cents hommes d'armes, en quoi elle ne faisait qu'accomplir *son devoir d'alliée de Florence,* précise-t-il. Cette *aide à la faveur du roi leur fit quelque chose,* reconnaît-il, *mais non point tant que j'eusse voulu car je n'avais arme pour les aider mais seulement avais mon train.* Il était allé inspecter le camp des Florentins et il en avait gardé l'impression qu'ils étaient mal préparés pour résister à l'attaque des troupes romaines et napolitaines. Ils avaient *peu de chefs et leur armée était très petite. Aussi fut grande aventure que de tous points... ne furent détruits.*

Bien que son itinéraire se soit limité à trois capitales, Turin, Milan et Florence, Commynes n'en a pas moins retiré de son premier voyage au-delà des Alpes, une vue d'ensemble de l'Italie. Elle n'était guère favorable sur le plan de la politique. Les Italiens lui parurent, dans leur généralité, *jaloux, avides, complaisants aux plus forts,* toujours *prêts à pratiquer* et par conséquent inconstants. *Plus grande sûreté ne saurait-on demander aux Italiens que partialité* (II/353), écrira-t-il quelque vingt ans plus tard et telle devait déjà être son impression en 1478. Un pays profondément divisé dont la plupart des seigneurs possèdent *leur terre sans titre, si ne leur est donné au ciel, et de cela,* ajoute-t-il avec son humour habituel, *ne pouvons-nous que deviner.* Ce scepticisme s'étendait du reste aux droits des Orléans sur Milan et des Anjou sur Naples. Principauté contre principauté, république contre république, seigneuries contre villes de communauté et, à l'intérieur de chacune d'elles, faction contre faction et dynastie contre dynastie, Aragon et Anjou à Naples, Visconti, Sforza, Orléans à Milan ou bien Fregosi, Adorni et Doria à Gênes, Médicis et Pazzi à Florence, Orsini, Colonna à Rome, partout Commynes ne voit que rivalités, séditions et renversements continuels d'alliances. Sans doute les affaires humaines présentent-elles dans toute l'Europe la même instabilité et les mêmes rivalités mais ce phénomène atteignait son comble en Italie. Le seul remède à ce mal congénital ne pouvait provenir que du mal lui-même. Si, malgré tout, l'Italie tendait vers un certain équilibre c'était malgré elle, par un effet quasi mécanique, *in modo bilanciate,* selon la formule de Laurent de Médicis ou par le seul fait que dans ce pays *chacun a l'œil que son compagnon ne s'accroisse,* selon la formule frappante de Commynes.

Il en résultait pour le comportement d'un ambassadeur étranger la nécessité d'une extrême prudence. L'imbroglio italien est tel qu'*un autre prince que le roi de France toujours se mettra à l'hôpital de vouloir entendre au service des Italiens et à leurs entreprises et secours car toujours il y mettra ce qu'il aura et n'achèvera point* (II/353). Il découlait également de cet état de chose qu'un émissaire d'une puissance extérieure ne pouvait pas ne pas être amené à entretenir simultanément des intelligences avec les factions rivales. On a beaucoup reproché à Commynes d'avoir non seulement accepté des cadeaux somptueux et des rémunérations de la part des puissances en place mais d'avoir en même temps manifesté certains égards aux opposants du régime. Ne dénonce-t-il pas, par exemple, au chancelier de Milan Cicco Simonetta, mais par personne interposée, les intrigues de Robert de San Severino tout en recommandant, dans une autre lettre à la duchesse de Milan, de se réconcilier avec cet exilé ? Ce double jeu ne procédait pas de la seule initiative de Commynes car il ne faisait, le commettant, que se conformer aux instructions de Louis XI. Jeu dangereux de toute manière. Aussi Commynes prend-il la précaution de demander à son correspondant de *jeter au feu* ses lettres après les avoir montrées à Cicco Simonetta. Il se prémunissait ainsi, vainement du reste dans le cas particulier puisque cette lettre a été conservée, pour toute éventualité d'un renversement de situation. A sa décharge on peut considérer que s'il n'avait pas agi de cette manière le reproche pourrait lui être fait tout aussi légitimement de n'avoir pas su ménager l'avenir et d'avoir manqué de prévoyance. N'empêche qu'il y a entre certaines de ses lettres et ses Mémoires des contradictions quelque peu inquiétantes de même que certains silences de ces mêmes Mémoires ne laissent pas de prêter à toutes les suppositions.

De toute manière Commynes aura témoigné, au cours de son voyage, d'une rare faculté d'adaptation. Les Italiens se sont bien rendu compte de ses qualités comme de ses faiblesses notamment vis-à-vis de l'argent. D'une manière générale ils semblent avoir conçu pour lui une grande admiration. « Un homme d'un esprit éminent et d'une rare vertu, bien digne d'être aimé de Votre Majesté et de lui être cher », écrivent à Louis XI les prieurs de Florence (Kervyn I/192). « Quant à moi, renchérit Laurent de Médicis, je ne voudrais pas ne pas l'avoir vu et connu à cause du grand bien qui est en lui. Je crois qu'il a peu de pareils, s'il en a même un seul en Italie et en France » (Kervyn I/194). « On peut à juste titre, écrit pour sa part le jeune duc de Milan à Louis XI, l'appeler dans le monde son véritable élève et le meilleur ministre de sa volonté. Il est remarquable par son talent, plein de sagesse, doué d'un noble esprit. S'il ne s'était pas consacré, dès son enfance, aux affaires de Votre Majesté, il eût pu assurément prétendre aux positions les plus élevées » (Kervyn I/197).

Il convient naturellement de faire, dans ces compliments, la part de l'inclination des Italiens à l'hyperbole. Peut-être même que certains de ces témoignages ont pu être suggérés par Commynes lui-même dans l'espoir qu'ils contribuent à renforcer ou à rétablir entièrement sa position auprès de Louis XI. Le moins que l'on puisse dire est qu'il aura fait preuve de compétence professionnelle. Nous le voyons attentif à la rédaction des actes diplomatiques préparés à Florence, insistant sur la nécessité de disjoindre soigneusement les deux objets en négociation, l'alliance entre Milan et la France d'une part et l'investiture du fief de Gênes d'autre part, alors que les diplomates milanais voulaient les réunir dans un même texte. Nouvelle preuve de la prudence de Commynes qui tenait ainsi à préserver l'avenir. Le moment le plus brillant de son voyage fut certainement celui où, le 7 septembre 1478, il reçut au nom du roi, l'hommage de la duchesse de Milan. Ce fut sans contredit, écrit Kervyn de Lettenhove, historien belge peu porté à la complaisance à l'égard de Commynes, l'une des plus mémorables journées de sa carrière politique. Introduit solennellement au Palais que l'on appelait dans les actes publics le Palais de la Porte de Jupiter et conduit dans la chambre à coucher de la duchesse, il lui donna au nom même de Louis XI, l'investiture par le baiser. Puis la duchesse après avoir touché le livre des saints Evangiles, plaça sa main entre les siennes et jura, pour son fils, qu'il serait le fidèle vassal du roi de France, qu'il aurait les mêmes amis et les mêmes ennemis et qu'il se conformerait à sa volonté en faisant la part de la guerre. Ceci se passait en présence de Cicco Simonetta et du marquis de Palavicini. L'ambassadeur plénipotentiaire de Louis XI avait avec lui pour la circonstance Perron de Baschi, un autre transfuge bourguignon (Kervyn I/196).

On comprend, dans ces circonstances, que Lionetto de Rossi, gouverneur de la banque des Médicis à Lyon, ait pu écrire à Antoine de Médicis ambassadeur de Florence à Milan, qu'il avait vu Philippe de Commynes sur le chemin de son retour aussi content qu'on peut le dire des illustres seigneurs de Milan et de notre Seigneurie de Florence et de notre chef (mazore) et qu'il était fort disposé à s'employer en leur faveur. Tous les honneurs qu'on lui a rendus sont bien payés, concluait-il (Kervyn I/214). Louis XI semble de son côté avoir été fort satisfait du travail de son ambassadeur. A son retour il lui fit *bonne chère et bon recueil.* Sans doute lui remit-il à cette occasion quelque substantiel cadeau à valoir sur le prix que son ambassadeur avait obtenu pour le renouvellement de l'investiture de Gênes. Ne lui avait-il pas déjà fait don, lors d'un précédent renouvellement d'investiture, de trente mille écus sur les cinquante mille ducats que lui versa alors le duc Galeazzo Maria Sforza ?

VI

CREPUSCULE D'UN REGNE

Quelques semaines après le retour de Commynes auprès de Louis XI, le soir du dimanche 22 novembre 1478, un courrier milanais, nommé Lorenzo, frappe à la porte de l'ambassadeur Jean André Cagnola à Tours. Il lui apporte en toute hâte d'importantes nouvelles au sujet des intrigues menées par le roi Ferrand de Naples contre Laurent de Médicis. Cagnola juge immédiatement qu'elles sont ourdies surtout en vue d'abaisser l'autorité du roi de France en Italie. Il s'empresse d'alerter ses collègues florentins et vénitiens. D'un commun accord ils conviennent de demander à être reçus d'urgence par Louis XI afin de le rendre attentif au danger d'une aggravation de la situation dans la péninsule. Sur le champ un des quatre ambassadeurs italiens est dépêché auprès de Philippe de Commynes, intermédiaire obligé pour l'obtention d'une audience royale. Le sire d'Argenton l'assure qu'il fera tout son possible. Mais le lendemain il a le regret de les informer qu'il n'a pas pu parler au roi qui, du reste, a soudainement décidé de partir le jour même pour Chinon où il se propose de rester une quinzaine de jours. Louis XI irait tout d'abord ouïr la messe à la cathédrale Saint-Martin comme il a l'habitude de le faire toutes les fois qu'il quitte la ville. Commynes conseille aux ambassadeurs de se rendre à l'église où ils pourront peut-être avoir la chance d'obtenir une audience. C'est ce qu'ils font aussitôt.

« Nous nous trouvâmes tous les quatre à Saint-Martin bien longtemps avant l'arrivée de Sa Majesté, raconte Cagnola dans une longue lettre qu'il adresse le 28 novembre à ses " illustrissimes, excellentissimes et très espéciaux seigneurs ". Beaucoup de personnages y entrèrent pendant que nous attendions, et finalement on vint, de la part de Monseigneur d'Argenton, nous prévenir tous de ne pas dire un mot dans le trajet du roi à l'église ni jusqu'à ce qu'il eût ouï la messe parce que tel était l'ordre de Sa Majesté qui avait fait proclamer que jusqu'à son arrivée à ladite église de Saint-Martin personne n'eût la témérité de lui adresser la parole, sous peine d'encourir sa disgrâce. Comme nous étions placés dans le chœur, Sa Majesté vint à passer et se rendit à l'autel, vêtue d'un habit de couleur sombre, fourré de peaux blanches et descendant à mi-jambes, avec un de ces capuchons qu'on porte à cheval garni des mêmes fourrures, la tête couverte d'un chapeau très ordinaire, bottée et éperonnée. Nous nous bornâmes à lui faire la révérence comme si nous avions peine à la reconnaître sous ce costume. La messe entendue, le roi nous fit venir près de l'autel et nous dit qu'à cause du froid qu'il éprouvait il allait passer dans un autre endroit plus chaud, qu'il ne pouvait nous entendre pour le moment mais que si nous avions à dire n'importe quoi nous pouvions le confier librement à Monseigneur d'Argenton, là présent. A ces mots sans écouter davantage nos discours il se retira tout à coup nous laissant au milieu d'un tel tumulte de gens et si étonnés de sa manière d'agir que nous eûmes toute la peine du monde à nous dégager de cette foule. En quittant l'église Sa Majesté se rendit à une taverne près de là sur le marché à l'enseigne de Saint-Martin où elle déjeuna familièrement. » (Kervyn, I/225).

Cette relation de l'ambassadeur Cagnola fait bien sentir l'étrange climat qui règne en France à ce moment-là. Sans doute le roi a-t-il souvent donné le spectacle de ces sautes d'humeur déconcertantes mais il semble bien qu'elles ont tendance depuis quelque temps à se multiplier. C'est que la santé du roi est atteinte. Commynes ne s'y est pas trompé. Lorsqu'il a rejoint son maître au retour d'Italie il l'a *trouvé envieilli* (II/33). De son coup d'œil pénétrant il a bien vu qu'il *commençait à se disposer à maladie.* Chacun ne s'en est pas aperçu aussi rapidement. *Il n'y parut pas de si tôt,* dit-il, *et il conduisait toutes les choses par grand sens.* Cependant son comportement ne laissait pas de créer un sentiment d'insécurité. Alors que Commynes est de nouveau au mieux avec Louis XI il rencontre parfois quelque difficulté à l'approcher, comme on vient de le voir. Tantôt le roi lui témoigne un attachement touchant. Il veut l'avoir auprès de lui, dans sa chambre à coucher voire dans son lit. Tantôt il l'éloigne du conseil sans raison apparente. C'est qu'il souffre et qu'il sent venir la vieillesse et la mort. Il a cinquante-sept ans. Il est de souche et de tempérament neuro-arthritique, ce dont témoignent les antécédents familiaux, les hémorroïdes, la goutte. Sur ce terrain s'est développée une hypertension artérielle. Une néphrite chronique azotémique et hypertensive, tel est le diagnostic que le docteur Ludovic Ipcar émet sinon avec certitude du moins de façon plausible. Les divers symptômes présentés par le roi viennent ainsi s'ordonner logiquement. A l'azotémie appartiennent la somnolence, l'asthénie, la frilosité et le prurit, un prurit véritablement intolérable et qui a été attribué, sans preuve convaincante d'ailleurs, à la lèpre. L'hypertension a déclenché à partir de l'âge de cinquante-sept ans une série d'ictus, dont les crises par spasme vasculaire ont déterminé de petites atteintes transitoires de la zone rolandique gauche entraînant une aphasie transitoire et une monoparésie du membre supérieur droit.

C'est au début de mars 1481, un dimanche, après la messe, à Saint-Benoît-du-Lac-Mort, que Louis XI subit sa première grave attaque. *Etant aux Forges près de Chinon, à son dîner, vint comme une percution et perdit la parole. Il fut levé de table et tenu près du feu et les fenêtres closes et combien qu'il s'en voulût approcher on l'en garda (d'aucuns croyaient bien faire). Il perdit de tout point la parole et toute connaissance et mémoire.*

Sur l'heure y arrivâtes-vous, Monseigneur de Vienne (Angelo Cato, l'ami de Commynes et l'un des médecins de Louis XI) *et sur l'heure lui fut baillé un clystère et ouvrir la fenêtre et bailler l'air. Et incontinent quelque chose de parole lui revint et du sens et monta à cheval et retourna aux Forges car ce mal lui prit en une petite paroisse à un quart de lieue de là. Ledit seigneur fut bien pansé et faisait des signes de ce qu'il voulait dire. Entre les autres choses demanda l'official de Tours pour se confesser et fit signe que l'on me mandât car j'étais allé à Argenton qui est à quelques dix lieues de là. Quand j'arrivai je le trouvai à table. Il entendait peu de ce qu'on lui disait mais de douleur il n'en sentait point. Il me fit signe que je couchasse en sa chambre. Il ne formait guère de mots. Je le servis l'espace de quinze jours à table et à l'entour de sa personne comme valet de chambre, ce que je tenais à grand honneur, et j'y étais bien tenu. Au bout de deux ou trois jours la parole lui commençait à revenir et le sens et lui semblait que nul ne l'entendait si bien que moi. Aussi voulait-il que toujours me tinsse auprès de lui. Et se confessa audit official moi présent car autrement ne se fussent entendus. Il n'avait pas grandes paroles à dire car il s'était confessé peu de jours par avant. Comme il se trouva un peu amendé il commença à s'enquérir qui étaient ceux qui l'avaient tenu par force. Il lui fut dit. Incontinent les chassa tous de sa maison. A aucuns leur ôta leurs offices et oncques puis ne les vit. Aux autres, comme Messeigneurs Jacques d'Epinay et Gilbert de Grassay il n'ôta rien mais les renvoya. Beaucoup furent ébahis de cette fantaisie, blâmant ce cas, disant qu'ils l'avaient fait pour bien et disaient vrai. Mais les imaginations des princes sont diverses et ne les peuvent pas entendre tous ceux qui se mêlent de parler* (II/39-40).

Quel témoignage plus convaincant pourrait-on trouver de l'intimité des rapports entre le roi et son serviteur ? Témoignage aussi d'une certaine amitié réciproque. Mais ce récit permet également d'imaginer l'extrême adresse dont les familiers du roi devaient faire constamment preuve pour garder la confiance du roi. Avec beaucoup de finesse Commynes observe que la réaction du roi à l'endroit de ceux qui l'avaient tenu par force ne procédait pas tant de sa colère d'avoir été ainsi physiquement maîtrisé que de sa crainte de voir des ambitieux sans scrupules profiter des circonstances pour s'ingérer dans l'expédition de *ses affaires et matières sous couleur de dire que son sens n'était pas bon* (II/42). La susceptibilité du roi dans ce domaine était maladive. Elle était avivée par le souvenir de la fin lamentable de son propre père et encore plus par les affres d'une mort qu'il sentait proche et qu'il redoutait plus que toute chose au monde. Commynes, en dépit de son adresse, ne fut pas exempt des rigueurs de son maître. Son nom n'apparaîtra plus que rarement au pied des ordonnances royales. Une nouvelle équipe de personnages douteux s'était formée à la faveur de ces circonstances et au premier rang de laquelle figurent un Olivier le Dain qui finira par être pendu au gibet de Montfaucon et Jacques Coitier ce soi-disant médecin d'une avidité inouïe, encaissant jusqu'à 54 000 écus d'honoraires en l'espace de cinq mois et parvenant à se faire nommer vice-président de la Chambre des comptes en 1480 sans avoir l'obligation de remplir cette fonction bien que touchant à ce titre de gros appointements. Commynes ne lui ménage pas ses reproches. Cependant, malgré les hauts et les bas de sa propre situation, depuis son retour d'Italie à la mort de Louis XI, le 30 août 1483, Commynes peut se flatter de n'avoir pas été trop malmené par son maître. Il l'accompagne en juin 1479 à Paris, en juillet à Nemours, en septembre à Orléans. L'année suivante en mai et juin il est de nouveau auprès du roi qui le soutient énergiquement contre une nouvelle offensive procédurière des La Trémoille au sujet de ses terres de Thouars et de Talmont.

Mais la maladie continuait à faire son œuvre. En septembre 1481 une deuxième attaque frappe Louis XI à Tours où *derechef il perdit la parole et fut quelque deux heures qu'on croyait qu'il fut mort. Il était en une galerie couché sur une paillasse.* Commynes accourut à brides abattues. Avec Monseigneur du Bouchage il voua le roi à Saint Claude. *Et tous les autres qui étaient présents lui vouèrent aussi. Incontinent la parole lui revint et sur l'heure alla par la maison très faible* (II/44). Et c'est dans les châteaux de Commynes, à Argenton tout d'abord pendant le mois de décembre puis à Thouars en janvier et février 1482 qu'il alla se reposer. Mais il y fut encore très malade.

Il se remit cependant en route peu après pour se rendre à Saint-Claude dans le Jura et pria Commynes de venir le rejoindre à Beaujeu en Beaujolais où il séjourna du 9 au 12 avril. Le sire d'Argenton fut *ébahi de le voir tant maigre et défait* et il s'étonnait qu'il fût capable de monter à cheval. *Mais son grand cœur le portait,* écrit-il en une formule saisissante. Dès juin le roi s'enferma au château du Plessis-lès-Tours. *Peu de gens le voyaient,* note Commynes. *Il entra en merveilleuse suspition de tout le monde et eut peur qu'on ne lui ôtât et diminuât son autorité. Il éloigna de lui toutes gens qu'il avait accoutumé et les plus prochains qu'il eût jamais,* parmi lesquels Commynes se range, à n'en pas douter. *Mais ceci ne dura guère car il ne vécut point longuement. Il fit bien d'étranges choses dont ceux qui ne le connaissaient pas bien le tenaient pour diminué de sens.* Le 25 août 1483 une dernière attaque le terrassa. La mort survint le 30 août.

Dans de telles conditions on conçoit que la nouvelle phase de la collaboration de Commynes auprès du roi, du retour d'Italie à la mort de Louis XI, se soit déroulée dans un tout autre climat que la précédente. L'intermezzo de mai à octobre 1478 marque incontestablement une césure. Après avoir connu les satisfactions de la toute-puissance en 1475 et 1476, Commynes verra l'étendue de son pouvoir effectif se restreindre aux seules affaires de Savoie et d'Italie et encore pour cette dernière aux seules relations avec Milan et Florence. Sauf exception il ne participe plus aux responsabilités des affaires bourguignonnes, flamandes ou anglaises où cependant des problèmes importants se posent, comme à propos du mariage, convenu à Picquigny, du Dauphin de France avec Elisabeth fille d'Edouard IV, un projet auquel renonça Louis XI au grand dam du roi d'Angleterre pour lui préférer le mariage du futur Charles VIII âgé de 13 ans avec Marguerite d'Autriche, la petite-fille de Charles le Téméraire, âgée elle-même de trois ans. Commynes n'a pas participé non plus aux négociations qui aboutirent le 23 décembre 1482 à la signature du traité d'Arras avec Maximilien d'Autriche. Il semble cependant qu'il n'ait pas été tenu absolument à l'écart de ces affaires particulièrement délicates puisque l'on voit Louis XI le charger d'apporter à ces divers sujets des conseils au chancelier de France. Il est même possible que la femme de Philippe de Commynes, Hélène de Chambes, ait été l'une des trois gouvernantes désignées pour s'occuper de la petite Marguerite d'Autriche, installée à Amboise dès le 22 juin 1482 pour ses fiançailles suivies aussitôt de la cérémonie du mariage dans la chapelle du château.

La rareté de la présence du nom de Commynes dans la correspondance du roi ou dans les ordonnances royales, ses fréquentes absences du conseil et ses séjours prolongés dans ses terres expliquent, du moins en partie, le petit nombre de pages qu'il consacre dans ses Mémoires à toute cette période de cinq ans qui s'étend du retour d'Italie à la mort du roi : cinq pages pour 1479, cinq pour 1480, une page pour 1481, neuf pour 1482. Si l'année de la mort du roi est représentée par une cinquantaine de pages c'est que Commynes y dresse un véritable bilan de l'ensemble du règne.

Cet état de fait est-il cependant en aussi complète contradiction qu'on l'a dit avec la déclaration de Commynes aux termes de laquelle dès le retour d'Italie de son ambassadeur plénipotentiaire le roi *l'entremit de ses affaires plus qu'il n'avait jamais fait, moi couchant avec lui* (II/33) ?

En dépit de son éloignement progressif de la conduite effective de l'activité gouvernementale, Commynes a conservé une place privilégiée auprès de Louis XI. Les deux missions qu'il lui a confiées en Savoie à la fin de 1479 puis à la fin de 1481 et au début de 1482 attestent qu'il a continué de jouir de sa pleine confiance pour l'accomplissement de tâches très concrètes et de la plus grande importance pour le destin de la France. Nous y reviendrons plus en détail dans le prochain chapitre. Mais c'est désormais sur un tout autre plan que la présence de Commynes auprès du roi se manifeste. A l'heure où le spectre de la mort frappe à la porte de Louis XI c'est à son ami très spécial qu'il fait appel, un ami qui le comprend à demi mot, celui qui l'accompagne au confessionnal et lui sert d'interprète, celui qui le voue avec succès à Saint Claude, celui avec qui enfin il s'entretient des mesures à prendre en vue de la succession car il était temps d'y songer.

A ce dernier sujet on ne saurait être trop attentif à la concordance entre les Mémoires et les recommandations de Louis XI à son fils, le futur Charles VIII. Le 21 septembre 1482 le roi s'est rendu au château d'Amboise où le dauphin était confiné dans les limites d'une étroite surveillance tant était grande la crainte du père de voir son fils circonvenu par tous ceux qui aspiraient à se saisir du pouvoir réel dès la mort du roi et peut-être d'en disposer avant même qu'elle ne survienne.

Arrivé au terme d'un règne de 22 ans tout entier passé à guerroyer à l'intérieur et sur les frontières de son royaume, Louis XI recommande à son fils de consacrer toutes ses forces à établir la paix et l'union. Accomplissant un retour complet sur lui-même le roi reconnaît avoir commis une grande erreur au début de son règne en n'ayant pas entretenu les grands seigneurs de son royaume et ses officiers en leurs états, charges et offices. Louis XI a pris conscience qu'il s'est ainsi rendu responsable des grands maux et dommages irréparables que ses sujets ont subis par les grandes guerres et divisions qui ont duré depuis son avènement jusqu'à présent et qui ne sont pas encore toutes éteintes. Il pense à cette « merveilleuse » effusion de sang humain, à ces destructions et désolations de grand nombre de peuples. Elles pourraient, après la fin de ses jours, recommencer et longuement durer si son fils commettait la même erreur lors de son avènement. Aussi lui ordonne-t-il, commande-t-il et enjoint-il, ainsi que père peut faire à son fils, de prendre garde à ne muer, changer, décharger ni désappointer (au sens de priver de leurs pensions) aucun des seigneurs de sang et de lignage royal, barons, sieurs, gouverneurs, chevaliers, écuyers, capitaines et chefs de guerre et tous autres ayant charge, garde et conduite de gens, villes et places et forteresses et les officiers ayant offices tant de judicature que autres. La conscience des méfaits de la guerre commande au prince de rechercher avant toute chose l'établissement de la paix et le meilleur moyen de l'assurer consiste dans la préservation de la stabilité à l'intérieur comme à l'extérieur du royaume.

Nous retrouvons dans ces recommandations de Louis XI à son fils l'esprit même qui a inspiré toute la pensée et toute l'action de Commynes. Paix et stabilité. Du prologue à la conclusion de la première partie de ses Mémoires tel est en effet le leitmotiv du conseiller de Louis XI. *C'est bien chose accoutumée,* lisons-nous dès la première page des Mémoires, *qu'après le décès de si grand et si puissant prince les mutations sont grandes* (I/3). La connaissance que Commynes a acquise par l'expérience, l'information et la lecture de l'histoire ancienne, l'autorisent à généraliser. Au terme des Mémoires, en un écho amplifié de sa déclaration liminale, il constate que *de leurs sujets* (les princes) *désappointeront ceux qui bien auront servi leurs prédécesseurs pour faire gens neufs pour ce qu'ils mettent trop à mourir* (I/442). Et il peut invoquer à l'appui de cette observation non seulement toute l'histoire des rois de France mais aussi celle de la Bourgogne, de l'Angleterre, de l'Espagne, de l'Allemagne, de l'Italie et de la Hongrie. Les divisions qui résultent des mutations consécutives au changement de règnes sont sources de guerres. Le phénomène n'est pas propre à l'Europe *car bien orrons nous dire qu'en* (Afrique et en Asie) *ils ont guerres et divisions comme nous et encore plus méchamment* (I/439). Les républiques y succombent aussi bien que les monarchies. Ce n'est pas à Gand seulement que les bourgeois ne songent qu'à *faire un monde neuf* (I/425). Les villes italiennes offrent le même spectacle. Il n'y a guère que Venise qui échappe à la règle. Aussi Commynes y découvrira-t-il par la suite le meilleur des régimes politiques possibles.

Il ne saurait être question de prétendre que les instructions de Louis XI au futur Charles VIII aient été directement inspirées par Commynes. Sans doute était-il présent lors de la rencontre du père et du fils à Amboise quoique son nom ne soit pas mentionné dans l'ordonnance qui résume l'essentiel de ce qui s'est passé dans cette journée mémorable. Mais il est à noter que c'est en revenant de son pèlerinage à Saint-Claude que Louis XI s'est rendu à Amboise. Or c'est à la suite du vœu émis par Commynes que le roi était allé se recueillir dans l'église du saint grâce à l'intercession duquel il croyait avoir recouvré un peu de santé. Et c'est sur le chemin de ce même pèlerinage que Louis XI demanda à Commynes de venir le rejoindre à Beaujeu en Beaujolais. Il est à présumer qu'ils s'entretinrent à cette occasion du problème de l'accession prochaine du dauphin sur le trône royal.

Louis XI, nous assure Commynes, *avait eu peur de son fils comme lui-même avait fait peur à son père le roi Charles VII,* comme le comte de Charolais *s'était troublé avec les gouverneurs de Philippe le Bon. Et telles sont les misères des grands rois et princes,* souligne Commynes, *qui ont peur de leurs propres enfants.* Aussi loue-t-il Louis XI d'avoir *pourvu sagement et à temps* à sa succession. Quant à la nécessité d'éviter des mutations au début d'un nouveau règne, Louis XI s'en était entretenu à plusieurs reprises avec son conseiller intime. En matière de *brouille de court et gouvernement* il parlait d'expérience et il *m'en a maintes fois conté,* dit Commynes. Le roi lui a aussi avoué qu'il avait commis *une erreur à l'heure qu'il vint à sa couronne, chassant les conseillers de son père, nonobstant qu'ils l'eussent bien servi au recouvrement et pacification du royaume et maintes fois depuis s'en est repenti de les avoir ainsi traités.* Commynes apporte ainsi d'intéressants recoupements aux instructions de Louis XI à son fils notamment quant au conseil qui aurait été donné au futur Charles VIII de maintenir le royaume en paix au moins cinq ou six ans après son accession sur le trône.

De cette concordance étroite entre les instructions royales et les Mémoires il serait sans doute abusif de conclure à une influence du serviteur sur le maître. Mais l'inverse serait tout aussi contestable. Il faut voir dans cette convergence frappante une identité spontanée de leurs vues générales et de leurs aspirations profondes, identité qui explique leur entente intime depuis le début de leur collaboration jusqu'à l'heure de la mort en dépit des divergences parfois pénibles qui sont survenues en cours de route.

Certes y a-t-il dans la manière dont ils ont conduit leur vie une différence fondamentale et qui tient à leur tempérament particulier. Le souci d'établir la paix et d'éviter toute mutation dans le personnel gouvernemental, tel qu'il apparaît dans les instructions royales, contraste singulièrement avec le comportement effectif de Louis XI tout au long de son règne. Aussi bien peut-on considérer que le roi a été partiellement contraint, par les circonstances et les nécessités de l'action politique, à agir comme il l'a fait. Sa complexion inquiète l'y portait également. Chez Commynes au contraire nous croyons découvrir une volonté constante de rester conséquent avec lui-même au risque d'encourir les plus cruels mécomptes comme ce fut le cas en 1477 et 1478 en Flandres et en Bourgogne et comme il adviendra encore plusieurs fois par la suite dans d'autres tournants de sa carrière.

Entre Louis XI et son conseiller la concordance des vues ne concernait pas seulement la paix et la stabilité. Ils étaient aussi d'accord sur la nécessité de réformer profondément l'administration générale du royaume qu'il s'agisse du fonctionnement du Parlement ou de l'établissement d'*une seule coutume, et d'un poids et d'une mesure.* Mais là comme dans d'autres domaines c'est le temps qui a manqué à Louis XI. *Si Dieu,* conclut Commynes, *lui eut donné la grâce de vivre encore cinq ou six ans, sans être trop pressé de maladie il eût fait beaucoup de bien à son royaume.*

Il ressort de toutes ces considérations que si le voyage de Commynes en Italie marque bien un changement important dans sa situation au sein de l'équipe gouvernementale son rôle auprès de Louis XI n'a pas cessé d'être celui d'un confident privilégié et d'un véritable alter ego du roi.

VII

LA MANIERE FORTE

1479-1481

Le 20 novembre 1479 Philippe de Commynes arrive à Valence en Dauphiné avec une escorte de deux cents archers. Le soir même de son arrivée il a un long entretien avec Antoine de Applano, ambassadeur de Milan. Ils parlent de la révolution de palais survenue à Milan le 11 septembre. Ce jour-là en effet Ludovic le More, rappelé imprudemment à la cour de la Duchesse trois jours auparavant, avait arrêté, contre sa promesse formelle, le chancelier et premier ministre du duché Cicco Simonetta. Il lui avait fait traverser la ville de Milan enfermé dans un tonneau pour être conduit ensuite à Pavie où il devait être emprisonné. Une année plus tard il y était décapité.

Louis XI avait appris avec satisfaction l'élimination de Cicco Simonetta auquel il vouait une haine mortelle. Mais il était inquiet des intentions de Ludovic le More et du clan des San Severini, les nouveaux maîtres de Milan qu'il avait pourtant aidés à rétablir. Roberto de San Severino était en effet lié au pape et au roi de Naples. Un renversement d'alliance était à craindre en Italie et Florence pourrait en pâtir. Dans son entretien avec l'ambassadeur milanais, Commynes n'y est pas allé de main morte :

« On verra quelle tournure prendront les choses, lui dit-il. Si l'on agit avec droiture vis-à-vis de la ligue (qui unissait Milan, Florence et Venise) en favorisant les Florentins et le Magnifique Laurent, je sais que le roi mon maître sera satisfait et que Milan le trouvera toujours bien disposé à son égard. Mais si on les abandonne et si l'on accorde la moindre faveur au roi Ferrand (de Naples), en ce cas je vous préviens que j'ai l'ordre de faire arrêter tous les marchands, toutes les marchandises et tous les sujets milanais qui se trouvent en France, en Savoie et en Piémont, de retirer la majeure partie des troupes que Sa Majesté a par deçà en Bourgogne et en Franche Comté, de faire des levées dans la Savoie, le Dauphiné et le Piémont, de réunir des archers, de renforcer tous les corps et de marcher sur Verceil ou sur Asti et de faire la guerre à Milan, non pas pour agir contre l'illustrissime duchesse ou messeigneurs ses fils, le roi sachant bien que ni la duchesse, ni lesdits seigneurs ne voudraient prêter leur appui au roi Ferrand, ni abandonner les Florentins et Laurent de Médicis qui sont depuis si longtemps les amis et les alliés de Milan. Ce seraient ceux qui gouvernent qui payeraient les avantages que le roi Ferrand pourrait leur avoir promis. Et s'il ne suffisait pas des troupes que je lèverais par deçà, le roi s'allierait au duc d'Orléans et porterait ses forces sur Asti pour diriger de là son expédition contre Milan et je vous assure que cette ville et son territoire s'en trouveraient mal. » Il parla, écrit d'Applano à la Duchesse, encore longuement de ce sujet sur le même ton, disant qu'il vous a envoyé un ambassadeur, chargé de la part du roi de vous remettre le même message (Kervyn I/305).

Sa Seigneurie paraissant vouloir en rester là et être de mauvaise humeur je lui demandai, poursuit d'Applano, si le voyage (du duc de Savoie en France) devait se faire bientôt : « Je ne le sais pas encore, me dit-il, nous nous reverrons demain et tous les jours et chaque jour aussi je vous informerai de ce qui se passe. Vous viendrez familièrement à mon logis où vous serez toujours le bienvenu et j'irai chez vous », etc.

Que voilà un langage que l'on est étonné d'entendre

dans la bouche du sire d'Argenton, d'habitude toujours extrêmement mesuré. Mais la mission de Commynes ne consistait pas seulement à intimider les Milanais. Il était chargé également de procéder à l'enlèvement du jeune duc de Savoie. Cela n'alla pas sans peine car il convenait de ménager les apparences.

Le 22 novembre Commynes, flanqué du comte de Dunois, gouverneur du Dauphiné, et du seigneur d'Illins, régent du duché de Savoie depuis la mort de la duchesse Yolande, réunit les notables savoyards afin de prendre leur avis sur ce que Commynes appelait pudiquement le voyage du jeune duc à Tours. Après une foule de discours confus, relate d'Applano, ils résolurent de se réunir de nouveau après le dîner pour arrêter leur conclusion. Ils firent ainsi et demeurèrent réunis jusqu'à une heure de la nuit. « En somme, conclut d'Applano, les envoyés du roi ont décidé que ledit duc irait en France devers le roi et ils le déclarèrent avec tant de fermeté et d'énergie que personne n'osa rien arguer, ni prétexter dans un sens contraire. » (Kervyn I/306-307).

Le lendemain l'ambassadeur de Milan se rendit au logis de Commynes qui lui avait fait dire de venir lui parler de bonne heure.

« Nous allâmes d'abord à la messe, raconte d'Applano, et il me communiqua la décision prise qui est que Monseigneur le Duc ira présenter ses hommages au roi : il partira de suite et c'est Monseigneur de Dunois qui en est chargé. Il se rendra aujourd'hui à Lyon et attendra là certaine réponse du roi et de l'ambassadeur (envoyé à Milan)... Il me dit ensuite que nous devions encore nous voir avant son départ et je lui promis de retourner chez lui. » Après avoir rendu visite au comte de Dunois et cherché vainement à rencontrer le seigneur d'Illins à la cour, d'Applano retourna chez Commynes qui était sur le point de partir. « Je le priai de me dire ce que j'avais à faire, écrit encore l'ambassadeur. — Nous en parlerons à Lyon, me répondit-il. Je lui demandai ensuite quand partirait le duc. — Je crois que ce sera demain, dit-il, mais il s'arrêtera à Lyon trois ou quatre jours et je prendrai les devants. Je lui demandai s'il comptait se rendre auprès du roi avant le duc. — Je ne sais, me répondit-il. J'attendrai les réponses du roi et de l'ambassadeur qui est allé à Milan pour savoir comment vont les affaires d'Italie et j'agirai selon les avis que je recevrai. Je lui dis que je croyais que tout irait bien. Il se mit à rire et dit : Ceux qui gouvernent actuellement (à Milan) sont un peu au roi Ferrand. Ils n'appartiennent qu'à la Duchesse, répliquai-je. Il n'en parla plus et dit : Or ça, montons à cheval. Et il monta en selle. » (Kervyn I/307-308).

Le jour suivant le jeune duc partit pour Lyon et quelques jours plus tard il était à Tours auprès du roi. Il devait y rester plusieurs semaines avant d'être reconduit dans son duché par l'évêque d'Albi pour y recevoir à l'occasion de sa majorité les serments de ses sujets. Les quatre oncles du duc s'étaient résignés et le seigneur d'Illins restait chef du gouvernement. De toute cette affaire Commynes ne dit pas un mot dans ses Mémoires. A-t-il craint que ses lecteurs ne soient amenés à faire un parallèle avec l'enlèvement de la duchesse Yolande de Savoie opéré par un autre chroniqueur, Olivier de la Marche, en juin 1476 ? Il n'est pas téméraire de le penser. De toute manière on découvre ici un nouvel aspect de Philippe de Commynes. Il contraste singulièrement avec l'image que l'on s'était faite de lui jusqu'ici. Et il ne s'en est pas tenu là.

A la fin de l'année 1481 et au début de 1482 il fut de nouveau envoyé en Savoie. Louis, comte de la Chambre, venait en effet d'y commettre un coup de main sur la personne du duc et de son protecteur le seigneur d'Illins. Ils avaient été arrêtés au moment où ils s'apprêtaient à quitter Turin pour se rendre à Valence. Commynes commença par concentrer à Mâcon une grande force de gens d'armes pour parer à toute éventualité. Il jugea bon cependant de recourir cette fois-ci aux vieux procédés de la diplomatie souterraine. En se conformant strictement aux ordres de Louis XI il s'accorda en secret avec l'un des quatre oncles du duc de Savoie, Philippe, comte de Bresse. Il fut convenu entre eux que ce dernier refuserait d'obtempérer à l'ordre que lui donnerait Commynes de quitter la Savoie et de se rendre dans le Dauphiné, ceci afin de ne pas éveiller les soupçons du comte de la Chambre. Sous prétexte de chasse, le comte de Bresse s'en alla alors à Pignerol puis à Turin où il put procéder le plus facilement du monde à l'arrestation du comte de la Chambre couché avec le duc. Il libéra le seigneur d'Illins et fit emprisonner le comte de la Chambre. Commynes avait annoncé qu'il avait l'intention de se rendre en Italie en compagnie du comte de Dunois. Ils se mirent effectivement en route et s'arrêtèrent tout d'abord à Suze. On avait fait à Turin de grands préparatifs pour recevoir convenablement les deux ambassadeurs de Louis XI. Deux cents chevaux suivaient la route qu'ils se proposaient de prendre pour se rendre dans la capitale piémontaise. Mais aussitôt que Commynes fut informé de l'arrestation du comte de la Chambre il fit retirer les troupes massées aux frontières de la Bresse et de la Savoie et il se rendit à Grenoble pour y recevoir le 9 mars, en compagnie de Rodolphe de Hochberg, seigneur de Neuchâtel, le pauvre duc de Savoie conduit par le seigneur d'Illins et le comte de Bresse. Emmené tout d'abord à Valence puis à Lyon, Philibert de Savoie ne put supporter toutes ces tribulations. Le 22 avril il mourait à Lyon, âgé de 17 ans à peine.

Les deux missions accomplies par Commynes en 1479 et 1481-82 sont édifiantes à plus d'un titre. Elles montrent tout d'abord que Louis XI continuait de lui faire entièrement confiance. Un changement sensible apparaît néanmoins dans les rapports entre le maître et son serviteur. Lors de la conquête de la Picardie, de l'Artois, du Hainaut et des Flandres en janvier et février 1477 puis de la Bourgogne et de la Franche Comté en avril 1478 le sire d'Argenton avait appris à ses dépens ce qu'il en coûtait de prendre certaines libertés avec les directives de Louis XI. Maintenant que le caractère autoritaire du roi s'accentuait encore par l'effet de l'âge et de la maladie il convenait pour Commynes d'en tenir un peu mieux compte. Il l'avoue du reste dans ses réflexions sur l'accueil que le roi lui a réservé à son retour d'Italie. Tout en se félicitant de voir que Louis XI l'entremettait encore plus qu'avant de la plupart de ses affaires ce n'est pas par hasard qu'il tient à ajouter à cet endroit précis de ses Mémoires que le roi entendait qu'*on obéît seulement à ce qu'il commandait sans y rien ajouter du sien* (II/33). Les exécutants de sa volonté ne couraient du reste pas grand risque en se conformant scrupuleusement à ses ordres. *Le roi était si sage,* écrit Commynes en ce même passage, *qu'on ne pouvait pas faillir avec lui.*

Toutefois la manière forte à laquelle Commynes dut recourir à deux reprises pour ramener l'ordre en Savoie devait susciter quelque arrière-pensée en lui. L'intimidation, la menace, la colère feinte ou réelle, n'étaient pas dans son style naturel. Encore moins les voies de fait. A l'endroit du jeune duc de Savoie il devait lui répugner d'user une première fois de contrainte morale pour l'engager à s'éloigner de son duché puis une deuxième fois de se saisir de sa personne par irruption dans la chambre où il dormait. La conscience de Commynes dut en souffrir d'autant plus que la santé de Philibert ne résista pas à ces violences. Cela expliquerait l'extrême discrétion de Commynes au sujet de sa deuxième mission et l'absence, dans ses Mémoires, de toute mention de la première. En tout cas la relation que l'ambassadeur d'Applano fait de ses divers entretiens avec Commynes n'est pas sans nous laisser l'impression que l'envoyé de Louis XI a quelque peu forcé le ton. N'y apprend-on pas aussi que Commynes s'est mis à rire à l'une des questions que lui posa l'ambassadeur milanais ? C'est bien la seule fois, à notre connaissance, que le sire d'Argenton se soit départi de sa légendaire impassibilité

Toute politique comporte évidemment une part de comédie. Celle que Commynes avait jouée à deux reprises en Savoie, quoi qu'on puisse penser et qu'il ait lui-même pensé en son for intérieur des moyens employés, avait eu au moins ce mérite de clarifier la situation et de resserrer les liens entre le duché et le royaume. Simultanément elle avait amené les Milanais à renoncer, pour un certain temps, à toute velléité de troubler l'équilibre italien.

Sur la question de principe d'assurer le contrôle de

la France sur la Savoie, Commynes n'avait aucune hésitation. Il était partisan d'une extension de l'arbitrage français sur toute la zone médiane de l'Europe occidentale de la Mer du Nord à la Méditerranée, des Flandres jusqu'à la Provence y comprise. Cette expansion française au-delà de l'antique frontière entre le royaume et l'Empire ne devait cependant pas, selon lui, se faire sous la forme d'une conquête des provinces limitrophes de mouvance impériale. Dans le cas particulier de la Savoie tout un concours de circonstances accidentelles et de raisons profondes poussait la France à intervenir. Il y avait tout d'abord entre les deux pays d'étroites relations dynastiques. La deuxième femme de Louis XI, Charlotte, était fille du duc Louis. La sœur du roi, Yolande, avait épousé le duc Amédée IX. Ces alliances matrimoniales franco-savoyardes étaient cependant compensées du côté italien par le mariage de Bonne de Savoie, fille du duc Louis, avec Galeazzo Maria Sforza duc de Milan. Philibert, le fils de Yolande, s'il n'était pas mort prématurément, aurait épousé, comme convenu, Blanca-Maria Sforza.

Par ailleurs il s'était trouvé que la Maison de Savoie, depuis qu'elle avait été élevée à la dignité ducale par l'empereur Sigismond en 1416, n'avait connu qu'une succession malheureuse de princes incapables de maintenir l'ordre dans le duché. Amédée VIII, le premier duc, avait abdiqué et s'était retiré à Ripailles avant d'être élu pape sous le nom de Félix V, fonction dont il devait également se démettre en 1449. Louis, deuxième duc, bon à l'excès, n'avait pu avoir raison des rivalités qui dressaient les uns contre les autres, Savoyards, Piémontais et Chypriotes (partisans d'Anne de Lusignan, devenue princesse savoyarde par son mariage et héritière de la grande île dont elle fut d'ailleurs frustrée par un frère naturel). Selon l'historien Henri Menabrea, le duc Louis laissa le duché en plein désordre. Les trois Etats lui avaient signalé les extorsions et les abus des baillis et des châtelains, la misère grandissante, le brigandage qui s'en suivait (Henri Menabrea, Histoire de Savoie. B. Grasset. 2e édition, 1933, page 99). Par malchance, son successeur, Amédée IX, était incapable de rétablir la situation. Ses infirmités l'obligèrent à confier la régence du duché à sa femme Yolande, la sœur de Louis XI. Toutes ces difficultés s'étaient inévitablement traduites par la réduction territoriale du duché. En 1475 les Bernois et les Fribourgeois avaient ravagé le pays de Vaud et s'étaient maintenus, après la défaite du Téméraire, à Orbe, Yverdon, Grandson, Echallens, Estavayer, Moudon et Aigle tandis que les Valaisans s'emparaient du Bas-Valais également terre savoyarde.

Dans ces conditions on comprend que Louis XI, à la mort de sa sœur, la duchesse Yolande, le 27 août 1478, ait pu craindre que l'effritement de la Savoie ne se poursuive aux dépens de l'influence française. On se souvient que, déjà avec le concours de Commynes, il avait amené la duchesse, en 1476, à se distancer de la Bourgogne pour laquelle elle éprouvait des sympathies jugées excessives. Maintenant qu'elle était décédée il était à prévoir que ses quatre beaux-frères profiteraient de la faiblesse de l'héritier de la couronne ducale pour s'emparer du gouvernement. D'autres amateurs, Suisses, Allemands et Italiens se profilaient à l'horizon, et tous également plus ou moins hostiles à la France. Il fallait agir sans tarder. Sur le chemin de son retour de Florence Commynes a-t-il participé à l'opération qui consista à faire venir en France les trois filles de la défunte duchesse ? Ce n'est pas exclu. De toute manière le sire d'Argenton connaissait intimement le problème savoyard et il n'est pas surprenant que Louis XI l'ait choisi pour mener à bien sa nouvelle entreprise qui n'était autre qu'une mise du duché sous la tutelle de la France. Sans procéder toutefois à sa conquête.

Commynes caressait-il le secret espoir d'être récompensé de son zèle par sa désignation au poste de gouverneur de la Savoie ? En dépit de ce qu'ont pu insinuer à ce sujet certains ambassadeurs italiens rien ne témoigne irrécusablement que telle fut son ambition. Par contre il pouvait légitimement se flatter d'avoir conduit avec succès les deux missions dont il avait été chargé. De surcroît, il était parvenu à retenir les maîtres de Milan de se retourner contre Florence.

Les deux opérations conduites par Commynes en Savoie attestent encore que Louis XI lui a attribué dès son retour d'Italie la responsabilité de la conduite des affaires de Savoie, de Milan et de Florence. Sans doute d'autres personnages ont-ils été également appelés à s'occuper de ce secteur particulier de la politique étrangère de la France. Mais il semble bien qu'il ait incombé à Commynes d'en assumer la direction. Dans une lettre du 4 octobre 1479, Jean-Marie Cagnola, ambassadeur de Milan à Tours, informe ses maîtres que « le Sire d'Argenton a résolu de se faire remplacer près du roi par le comte Boffilo et monseigneur du Bouchage auxquels, durant son absence, on s'adresserait pour les affaires qui se présenteraient ». Le ton des lettres de Commynes est bien celui d'un véritable ministre notamment dans celle qu'il écrit le 3 octobre 1479 à l'ambassadeur français Pierre Palmeri envoyé à Rome et dans laquelle il lui annonce qu'il se rend lui-même en Savoie pour *faire mettre tout en ordre s'il en est besoin.* Commynes enjoint à cet ambassadeur, en un style d'une rare fermeté et d'une grande clarté, de véritables ordres et bien que ceux-ci ne fassent qu'exprimer la volonté du roi ils portent néanmoins la marque d'une autorité personnelle qui n'a rien perdu de son pouvoir [1].

Tout indique donc que Commynes, dès son retour d'Italie, s'est spécialisé dans les affaires de la péninsule. Il ne faisait en cela qu'obéir à son maître. Mais une fois de plus il pouvait se féliciter d'avoir été favorisé par le sort. Certes il tournait désormais le dos à ses horizons familiers en s'orientant carrément vers le sud. La subtilité des Italiens convenait particulièrement bien à son tempérament. Il apprit bientôt leur langue. C'est à la banque des Médicis qu'il confie une partie de ses fonds par l'intermédiaire de ses agents de Lyon et de Bruges, Lionel de Rossi et les frères Portinari. Il acquiert une grosse galéasse qui fait le commerce entre Marseille et la Sicile. Ce faisant il s'installe par avance dans la pers-

1. *Cf. infra*, p. 405.

pective où la France va bientôt orienter sa politique étrangère. Alors qu'elle avait dû consacrer le meilleur de ses forces, depuis plus de deux cents ans, à lutter contre les Anglais, les Allemands et les Bourguignons elle pouvait songer à canaliser ses énergies vers un nouveau champ d'activité, maintenant que les traités de Picquigny (1475) et d'Arras (1482) la soulageaient du péril d'une invasion au nord et à l'est.

Le contrôle de la France sur la Savoie, réalisé de main de maître par Commynes, constituait la première étape de cette stratégie à longue portée qui devait la conduire pendant un demi-siècle, pour son bonheur et son malheur, à jouer un rôle particulièrement actif en Italie et dans tout le bassin méditerranéen. C'était du reste la seule direction dans laquelle elle pouvait envisager une expansion de sa puissance et le maintien de son hégémonie européenne face à une Espagne et un Portugal qui s'orientaient délibérément vers la conquête de monde extra-européen. Le sire d'Argenton, là encore, aura été, aux côtés de Louis XI, l'artisan avisé, appliqué et efficace de la grandeur de la France.

VIII

L'EXPERIENCE DE LA MORT[1]

Par un lundi (le 25 août 1483) *lui prit la maladie dont il partit de ce monde* quelques jours plus tard. Ayant cependant recouvré assez rapidement la parole après cette troisième attaque d'apoplexie, Louis XI disait qu'*il espérait ne mourir que le samedi et que Notre-Dame lui procurerait cette grâce. Et toujours il parlait jusqu'à une patenôtre avant sa mort, ordonnant de sa sépulture et qui il voulait qui l'accompagnât et par quel chemin. Et tout ainsi lui advint car il décéda le samedi, pénultième d'août 1483, à huit heures du soir au lieu du Plessis où il avait pris la maladie le lundi devant. Et j'étais présent à la fin de la maladie. C'est pourquoi j'en veux dire quelque chose* (70-82).

Ce n'est pas moins d'une cinquantaine de pages que Commynes consacre à la mort de Louis XI c'est-à-dire à toute cette ultime période de quinze mois qui commence le 2 juin 1482, date à laquelle le roi s'enferma dans le châ-

1. Le titre et la perspective générale de ce chapitre sont inspirés du très remarquable *Essai sur l'expérience de la mort* de P.L. Landsberg. Paris 1936.

teau du Plessis, près de Tours, parfaitement conscient qu'il ne tarderait pas à y terminer ses jours. Aussi bien, dit Commynes, *semblait-il à le voir, mieux homme mort que vif* (II/56). A part quelques considérations sur les deux événements majeurs qui survinrent durant ces quinze mois c'est-à-dire la rencontre du roi et du dauphin le 21 septembre 1482 à Amboise et la signature du traité d'Arras le 23 décembre 1482 la majeure partie de ces cinquante pages concerne bien l'acheminement inéluctable du roi vers sa fin. C'est ce que Commynes appelle lui-même *la principale conclusion de tous* (ses) *Mémoires* (II/58). C'est à la fois une description très réaliste de la maladie du roi, du cadre et de l'atmosphère dans lesquels elle poursuit son œuvre, et l'établissement d'un véritable bilan de la vie du roi et de son règne. C'est aussi une prise de conscience en profondeur de notre commune condition humaine.

Ces pages sont bien connues. Elles figurent dans toutes les bonnes anthologies de la littérature française. Nous nous garderons de les déflorer en tentant de les résumer. Et nous ne pouvons qu'engager nos lecteurs à relire ce témoignage qui est capital non seulement pour la connaissance de Louis XI mais aussi pour celle de Commynes et de toute cette époque de transition à l'aube des temps modernes.

Ce qui nous importe, au point de vue qui est le nôtre et qui concerne Commynes lui-même plus que le roi qu'il a servi, c'est d'essayer de mettre en évidence la perspective dans laquelle il se place face à ce moribond illustre. En conséquence nous ne chercherons pas à déterminer le degré d'objectivité de son témoignage. D'autres historiens s'y sont employés souvent avec succès, parfois en faisant preuve d'un certain acharnement. Quand un homme se penche sur le destin d'un autre homme avec qui il était intimement lié son témoignage ne peut être que subjectif.

La description que Commynes fait des progrès de la maladie dont Louis XI devait mourir est celle d'un véritable clinicien s'adressant, ne l'oublions pas, à un autre clinicien, cet Angelo Cato, à la requête de qui il a écrit ses Mémoires et qui a été lui-même l'un des médecins du roi. Son témoignage est d'une telle précision qu'il a permis à d'éminents représentants de la Faculté de porter sur la maladie du roi, plus de quatre siècles après, un diagnostic scientifique d'une très haute probabilité.

Commynes a toujours été très attentif à l'aspect physique et même physiologique des personnages qu'il a été amené à rencontrer. Il n'est pas prisonnier de la terminologie ni des concepts médicaux de son époque. Entre l'âme et le corps l'interdépendance lui paraît très étroite. Aussi bien préfère-t-il parler de la condition d'un être, de sa complexion ou de sa nature, mots qui subsument sans les subordonner l'un à l'autre les deux termes de la relation. Le physique influe le moral, le sens ou l'entendement, mais l'inverse est aussi vrai. Si Edouard IV par exemple, si beau dans sa jeunesse, se fait, au dire de Commynes, *fort gras et plein en la fleur de l'âge* c'est qu'il s'adonne de plus en plus aux plaisirs de la table et du lit si bien que *ses excès lui vinrent aux reins* (II/91). Mais le catarre (attaque d'apoplexie) qui l'emporta fut consécutif à la très vive déception qu'il éprouva de voir Louis XI abandonner définitivement le projet de mariage entre le Dauphin et Elisabeth d'Angleterre. Un autre illustre contemporain de Louis XI, Mahomet II, fut atteint d'une mystérieuse enflure des jambes qui devinrent *grosses comme d'un homme par le corps et n'y avait nulle ouverture et puis cela s'en allait et jamais chirurgien n'y sut entendre ce que c'était mais bien disait-on que sa grande gourmandise y aidait bien* (II/96). Les maladies viennent *selon la vie* et c'est généralement la *forme de vivre* qui commande l'état de santé morale ou physique.

Quant à Louis XI plus particulièrement, s'il vécut plus longtemps que la plupart des princes ses contemporains, il l'a dû à sa forme de vivre *plus vertueuse, aussi était-il roi très chrétien. Jamais,* déclare Commynes, *je n'ai connu prince où il y eut moins de vices qu'en lui, à considérer le tout* (I/2). Au chevet de son maître il s'apitoie sur ce corps si misérable, si maigre et défait et il admire d'autant plus la vivacité de son esprit. Mais si dans ses derniers jours il n'eut jamais *le sens si bon* c'est aussi qu'*incessamment il se vidait ce qui lui ôtait toutes fumées de la tête* (II/71-

72). En dépit de la dernière thrombose qui survint cette fois-ci dans une circonvolution différente et qui devait entraîner la mort par ramollissement cérébral, il a terminé sa vie *en grande santé de sens et d'entendement, en bonne mémoire aussi,* parlant aussi *sec* que jamais et ne souffrant apparemment d'aucune douleur physique.

Mais Commynes n'était toutefois pas dupe des apparences. Si Louis XI ne souffrait plus dans son corps il était torturé par les remords et la peur, peur de ses proches, de son fils et de sa fille, peur d'être supplanté, encore vivant, par les maîtres de demain, impatients de le voir mourir. Quelle douleur était à ce roi d'éprouver *ces passions et ces peurs !* Louis XI savait qu'il n'était pas aimé ni du peuple ni des grands. Il avait conscience d'avoir opprimé ses sujets par des impôts plus lourds que jamais. Il pensait aussi à tout ce sang versé sur les champs de bataille, à tous ces massacres et toutes ces pendaisons collectives, à toutes ces exécutions ordonnées froidement avec ou sans simulacre de justice. Il s'en repent à l'exception de celle du Connétable de Saint-Pol. Il s'humilie. Il prie et recourt à l'intercession des gens pieux qu'il fait venir de partout. Il n'en continue pas moins jusqu'au bout à passer son temps, pour mieux se faire craindre, *à faire et défaire gens,* comme il l'avoue lui-même à Commynes. Il éloigne de lui ses meilleurs serviteurs et les remplace par des hommes souvent dépourvus de tout scrupule et il multiplie les dons en argent et en terre à l'église et à certains particuliers à tel point que les exécuteurs de ses dernières volontés seront dans l'impossibilité matérielle de les respecter toutes. Un être contradictoire donc et dont la fin a été parfaitement conforme à tout son comportement sa vie durant car *telle était sa nature et ainsi vivait.*

Le bilan du règne est néanmoins positif. Louis XI a laissé à son fils un royaume en paix sur presque l'ensemble de ses frontières, un royaume accru en territoire sinon en puissance. Mais à quel prix ? Certes n'était-ce pas pour ses aises personnelles qu'il a tant pressuré son peuple. *Une bonne chose avait en lui notre maître,* dit Commynes, *il prenait tout et il dépensait tout. Il ne gardait rien en trésor*. Encore a-t-il, là aussi, manqué de mesure et d'équité car *il prenait aux pauvres et donnait à ceux qui n'en avaient nul besoin.* Le même défaut caractérise la manière dont il a mené sa vie. A-t-il jamais goûté un plaisir pur ? Même dans l'exercice de la chasse, sa seule vraie passion, il trouvait encore moyen de s'irriter. *Je crois que depuis l'enfance et innocence,* dit Commynes, *qu'il n'eut jamais que travail jusqu'à la mort. Je crois,* poursuit-il, *que si tous les bons jours qu'il a eus en sa vie et dans lesquels il a eu plus de joie et de plaisir que d'ennui et de travail, étaient bien nombrés qu'il s'y en trouverait bien peu. Et je crois qu'il s'y en trouverait bien vingt de peine et de travail contre un de plaisir et d'aise* (II/87). Cinq pour cent de joie, c'est décidément bien peu. Dans cette dernière observation apparaît cette manière si caractéristique de Commynes de tout quantifier, de tout ramener à du mesurable, même la qualité. Qu'il s'agisse de la chose publique ou de la vie personnelle tout peut se traduire en chiffres. Il n'est pas jusqu'aux peines de l'enfer qui ne soient convertibles en nombres. Jean le Bon, roi de France, fait prisonnier à la bataille de Poitiers, donna *le tiers du royaume* pour payer sa rançon tant il avait *peur de mourir en prison.* Quel manque de mesure et du sens des proportions ! *Si les Anglais l'eussent fait mourir,* dit Commynes, *si n'eut été la peine semblable à la cent millième partie de la moindre peine d'enfer* (I/450).

Quant à Louis XI les douleurs morales éprouvées à la fin de son existence lui vaudront sans doute dans l'au-delà une certaine rémission de ses peines. *Les maux et douleurs qu'il a soufferts avant de mourir... j'ai espérance,* dit Commynes, *que c'aura été partie de son purgatoire* (II/72). Mais dans quelle mesure ? Pour la détermination de la durée de la peine à laquelle son maître ne pourra manquer d'être condamné il est d'avis qu'il conviendrait de tenir compte de la différence de condition entre le roi et ses victimes. Certes les maux qu'il a soufferts de son vivant n'ont pas été aussi *grands ni aussi longs qu'il a fait souffrir à plusieurs* (II/72) *mais aussi avait-il autre et plus grand office en ce monde qu'ils n'avaient.* Le barême différentiel qui permettait de procéder à une juste estimation des peines vécues afin de réduire équitablement la durée du séjour en purgatoire pourrait être établi, selon Commynes, par analogie avec la comparaison à laquelle il se livre des dimensions des prisons où le roi enferma nombre de ses victimes et celles de la prison où il s'enferma lui-même délibérément. Les fameuses *cages de fer et de bois, couvertes de plaques de fer par le dehors et le dedans avec terribles serrures, de quelque huit pieds de large et de la hauteur d'un homme et pied plus* (II/77) Commynes les connaît bien pour en avoir *tâté* six mois durant. Tout bien considéré elles n'étaient peut-être pas plus pénibles que l'*étroite prison* où le roi se tenait (II/80), ce beau château du Plessis que Commynes dépeint en couleurs si sombres dans l'intention inconsciente d'avantager le roi dans le calcul auquel il procède. Les cages où il avait tenu les autres avaient *quelque huit pieds en quarré et lui qui était si grand roi avait une bien petite cour de château où se promener et encore n'y venait-il guères mais se tenait en la galerie, sans partir de là.* S'enchaînant de si étranges *chaînes et clôtures* le roi a souffert autant que les hôtes des cages de fer car si *le lieu* (du Plessis) *était plus grand que d'une prison commune aussi était-il plus grand que prisonniers communs.*

Toute cette casuistique de comptable relève du même réalisme qu'atteste l'observation pénétrante qu'il fait des caractéristiques psychologiques et physiologiques des acteurs de l'Histoire dont il a été le témoin attentif. Dans toutes ses parties ce réalisme impénitent porte la marque de Commynes mais aussi celle de ses origines flamandes. Il ne comporte toutefois pas moins d'élévation spirituelle que ne le font les représentations naïves de l'enfer et du purgatoire peintes par ses compatriotes van Eyck et van der Heiden.

Mais on découvre encore dans les dernières pages des Mémoires une autre dimension de leur auteur. Auprès du prisonnier volontaire du Plessis, Commynes a accompli en effet une expérience cruciale, celle de la mort du prochain. Il avait déjà vu mourir de nombreux êtres humains, notamment sur les champs de bataille et comme spectateur horrifié des massacres perpétrés sur ordres tant de Charles le Téméraire que de Louis XI et d'autres personnages. Mais la mort est une idée de civils. On n'en prend conscience en profondeur qu'auprès de son prochain. Or Louis XI était sans aucun doute la personne dont il a été le plus proche ici-bas. Il a probablement admiré davantage Guy de Brimeu, seigneur d'Humbercourt mais il ne lui a pas été donné de l'assister dans ses derniers instants. Il avait éprouvé également une grande admiration pour Charles le Téméraire. Mais il s'en était aussi éloigné en passant au service du roi. A-t-il aimé sa femme ? Il est permis d'en douter car sans cela il n'aurait pas pu écrire un jour qu'on peut *faillir pour avoir trop d'amour pour sa femme et ses enfants.* Lorsqu'il rédige la première partie de ses Mémoires en 1489 et 1490 il laisse entendre qu'il n'a pas un seul ami. *Je conseillerais à un mien ami... si je l'avais...* (I/257). C'était, il est vrai, au sortir d'un emprisonnement de vingt-six mois et six ou sept ans après la mort de Louis XI. A-t-il vraiment aimé son roi ? Il répète à plusieurs endroits de ses Mémoires qu'il lui était *teñu comme chacun sait* et réciproquement, tient-il à préciser. Il était cependant d'avis que tout serviteur doit s'efforcer d'*aimer son maître* et de chercher à gagner son amour plutôt que de *le tenir en crainte.*

Quant à celui qu'il avait lui-même délibérément choisi il l'a certainement admiré. Il se sentait des affinités avec lui. Dès sa première campagne militaire en 1465 alors qu'il était au service du comte de Charolais il a pris conscience de la supériorité intellectuelle de Louis XI. Lors de l'affaire de Peronne et de la campagne de Liège il s'en est approché de très près et des liens définitifs se sont noués entre eux. Durant les onze ans qu'a duré leur étroite collaboration il a vécu avec lui dans une intimité rare, l'accompagnant dans ses incessants déplacements, mangeant et couchant avec lui, partageant ses plaisirs et ses peines. D'aucune autre personne il n'aura bénéficié d'autant de *privautés, de biens et d'honneurs* ce qui lui rend d'autant plus difficile la tâche de faire œuvre *de vérité* en racontant la vie et la mort de son maître. Son affection raisonnée a-t-elle été payée de retour ? Il est bien difficile de l'affirmer. On peut même se poser la question de savoir si dans le cœur du roi comme dans celui de Commynes il y avait place pour une vraie amitié. Mais Louis XI fut incontestablement, de tous les êtres qu'il lui fut donné d'approcher, celui qu'il connut le mieux. Aussi bien toutes conditions étaient-elles réunies pour que devant le spectacle de la fin misérable du roi il éprouve en profondeur l'expérience cardinale de la mort.

Devant le corps de son prochain, torturé plus encore moralement que physiquement, il sympathise charnellement. Il prend existentiellement conscience de la nécessité de la mort. L'intensité d'une telle expérience varie évidemment selon les individus. Elle dépend de leur degré de personnalisation et du caractère de leurs relations entre eux-mêmes et la personne du mort-vivant. L'épreuve de la mort de Louis XI était d'autant plus retentissante dans la conscience de Commynes que le roi avait terriblement peur de mourir. *Oncques homme ne craignit tant la mort ni ne fit tant de choses pour tenter d'y mettre remède et avait tout le temps de sa vie prié à ses serviteurs et à moi-même comme à d'autres que si on le voyait en cette nécessité qu'on lui dise seulement « Parlez petit » et qu'on l'admonestât seulement de se confesser sans lui prononcer ce cruel mot de la mort car il lui semblait n'avoir pas cœur pour ouïr une si cruelle sentence* (II/74). Pour comble de malheur il se trouva que les trois personnes qui avaient charge de l'avertir, Jacques Coitier, son médecin, François de Paule, l'ermite qu'il avait fait venir du fond de la Calabre et un certain théologien nommé Philippe, un religieux de l'abbaye de Saint-Martin, lui signifièrent la mort en *brèves paroles et rudes lui disant : Sire il faut que nous nous acquittions, n'ayez plus d'espérance en ce saint homme* (l'ermite) *ni en autre chose car sûrement il en est fait de vous et pour ce pensez à votre conscience car il n'y a nul remède* (II/74). Commynes s'indigne d'un pareil manque d'égards et comme *peu discrètement lui fut signifié la mort* (II/76). *Quelle douleur lui fut d'ouïr cette nouvelle !* Dans ce récit la sympathie de Commynes éclate de sincérité.

Tout le témoignage de Commynes est cependant marqué d'une certaine distanciation. Il sympathise certes mais cela ne l'empêche pas de regarder impassiblement et attentivement ce moribond se débattre misérablement, se cramponner avec acharnement à la vie, tout essayer pour retarder l'heure fatale. C'est qu'entre le serviteur et son maître la différence est grande dans l'attitude face à l'échéance inéluctable. Louis XI, après une enfance et une adolescence impies s'était progressivement laissé aller à une piété superstitieuse. Si sa foi avait été sincère il ne se serait pas pareillement insurgé contre le verdict de ses médecins, s'écriant : *par adventure je ne suis pas si malade que vous pensez* (II/74). Commynes, au contraire, semble avoir intégré à ce moment-là déjà, dans sa conception du monde, la nécessité de la mort. Aussi considère-t-il avec quelque ironie le recours que fait Louis XI à toutes *ces choses spirituelles et de dévotion* et à ces *choses temporelles pour lui allonger la vie. Le tout n'y fit rien,* constate-t-il et *il fallut qu'il passât par là où les autres sont passés* (II/69). Cette acceptation de la maladie et de la mort comme inhérentes à notre commune condition humaine n'est peut-être pas intégrale chez Commynes. N'avoue-t-il pas qu'il supporte mal la douleur ? A cet égard Louis XI lui paraît bien plus maître de soi. *Jamais en toute sa maladie ne se plaignit comme font toutes sortes de gens quand ils se sentent mal, au moins suis-je de cette nature et en ai vu plusieurs autres et aussi dit-on que le plaindre allège la douleur* (II/72). Mais il a cependant atteint, grâce à la foi et à la vertu de son tempérament particulier un certain degré de stoïcisme. Il n'y a pas trace chez lui de l'angoisse qui saisit Louis XI à l'heure de la mort.

L'expérience de la mort que Commynes put faire au chevet du roi s'est traduite par un approfondissement important de sa pensée. Elle l'a tout d'abord amené à désacraliser la fonction royale. Les rois sont *hommes comme nous,* écrit-il dans la première page de ses Mémoires. En conséquence il n'hésitera pas à montrer qu'il y a en eux, en Louis XI comme en chacun de nous, *du bien et du mal car à Dieu seul appartient la perfection.* C'est pourquoi le portrait qu'il brossera, à petites touches subtiles tout au long de son œuvre écrite, ne sera *pas tout à la louange du roi* et il s'en excuse par avance.

D'autre part le bilan que sa méditation, devant la fin de son maître, l'amène à dresser le confirme dans la conclusion qu'il avait sans doute déjà tirée de sa vaste expérience quant aux différentes manières de conduire sa vie. Selon lui il faut *élire le moyen chemin en ces choses, c'est assavoir moins se soucier et moins se travailler et entreprendre moins de choses, plus craindre à offenser Dieu et à persécuter le peuple et leurs voisins par tant de voies cruelles et prendre plus des aises et plaisirs honnêtes* (II/96). *Ceux qui départent le temps, et selon leur âge une fois en sens et en conseil, autrefois en fêtes et en plaisirs, ceux-là sont bien à louer* (II/20).

Troisième aboutissement et sans doute le plus important de cette confrontation poignante, à l'heure de la mort, entre ce maître et ce serviteur si intimement liés : Commynes écrira ses Mémoires. Ils marquent un moment capital du devenir de la conscience occidentale et par-là même de la conscience universelle. Car ils constituent, en vérité, la première biographie véritablement intime qui ait jamais été écrite. Jamais jusque-là un homme ne s'était penché avec autant de réelle sympathie humaine sur le destin d'un autre, n'avait pareillement cherché à l'appréhender dans son unicité et à en pénétrer le mystère. Sans doute Plutarque avait raconté la vie de nombre d'hommes illustres, mais il le faisait de l'extérieur et sans avoir connu personnellement les personnages dont il parlait. Saint Augustin, avec ses Confessions, était allé aussi loin qu'il est possible dans l'introspection intime mais il ne s'y intéressait qu'à lui-même. Avec le récit de la vie et de la mort de Louis XI, Commynes fait entendre un langage nouveau, celui d'un homme qui tente d'en comprendre un autre. La rencontre de Louis XI et de Commynes, si fortuite qu'elle ait été, est ainsi le révélateur d'une nouvelle étape de l'histoire humaine. Elle témoigne de cette dilution de la cohésion sociale à laquelle on assiste au cours de la deuxième moitié du quinzième siècle et qui s'est traduite par l'expansion de la peur de la mort mais qui a rendu possible, par ailleurs, l'accélération du processus d'individualisation et de personnalisation qui se manifeste soudainement dans tous les domaines de la pensée et de l'activité humaine. A ce titre Commynes peut être considéré comme un annonciateur de notre civilisation moderne. Il le doit à son génie personnel mais aussi au profond retentissement qu'a eu en lui l'expérience existentielle de la mort de son prochain.

TROISIEME PARTIE

AU SERVICE DE LA FRANCE

SOUS CHARLES VIII

I

D'UN REGNE A L'AUTRE

1483

Dans la nuit du 30 au 31 août 1483, peu après que Louis XI eut fermé les yeux pour toujours, un message confidentiel partait des bords de la Loire à destination d'Alain d'Albret grand seigneur pyrénéen.

« Monseigneur, disait ce message, il est besoin que faites diligence de vous en venir car il est temps que vous serviez, vous et vos serviteurs, et amis, et soyez sûr qu'en vous attendant vous aurez un serviteur là partout où je suis. Il est besoin que vous envoyez devers Monseigneur de Commynes afin que par votre moyen il se range avec vous et vos amis ; car, en ce faisant, ce n'est chose, dont le seigneur qui est à présent ne vous soit tenu et obligé pour ce que vous entendez bien que Monseigneur de Commynes autant peut vous servir que homme de ce royaume de son état. Monseigneur, faites la meilleure diligence que vous pourrez, priant à Dieu qu'il vous donne ce que plus désirez. Ecrit ce 30e d'août.

« Notre maître est allé à Dieu aujourd'hui qui est samedi environ dix heures de nuit.

« Monseigneur, si vous faites jamais diligence, faites-la à présent. »

Le signataire de cette lettre n'était rien moins que

Pierre de Rohan, maréchal de France et le destinataire était le chef d'une maison seigneuriale appelée à jouer un grand rôle dans l'histoire de la France puisque le fils d'Alain d'Albret monterait bientôt sur le trône royal de Navarre. Sa lignée donnerait un jour à la France, en la personne d'Henri IV, l'un de ses plus grands rois. Ce message révèle l'existence d'intrigues parmi les grands seigneurs du royaume dès la mort de Louis XI et sans doute avant même qu'elle ne soit intervenue. Il atteste aussi que Philippe de Commynes, en dépit des hauts et des bas de sa carrière dans les dernières années du règne de Louis XI, continuait de jouir d'une grande considération parmi les personnages importants. Il semble avoir recherché en particulier la compagnie des grands ducs du royaume. Il était au mieux avec Louis d'Orléans dont il nous assure qu'il était *aussi privé de lui que nulle autre personne* (II/387). Le duc de Bourbon, Jean II, frère aîné du seigneur Pierre de Beaujeu tuteur de Charles VIII, était aussi du nombre de ses relations personnelles. Le duc de Lorraine, René II, le vainqueur de Charles le Téméraire, rechercha à son tour la collaboration de Commynes. Anne de Bretagne, qui deviendra par la suite l'épouse de Charles VIII puis de Louis XII, lui témoignera également sa confiance et lui accordera son appui efficace dans des heures particulièrement difficiles.

Mais sur les grands en général et à peu d'exceptions près il ne devait guère nourrir d'illusions. Il savait que tous étaient prêts à le laisser froidement tomber lorsqu'ils n'auraient plus besoin de ses conseils ou de ses services. Aussi trouvera-t-on rarement sur eux, dans ses Mémoires, des jugements qui ne soient pas accompagnés de réserves voire de critiques parfois très vives. Au début du nouveau règne, Commynes n'eut cependant pas trop à se plaindre du traitement qui lui fut réservé. Le 2 octobre 1483 il fut confirmé dans ses fonctions de sénéchal du Poitou. Tôt après il entrait dans le Conseil royal qui fut porté de douze à quinze pour lui permettre d'en faire partie avec deux autres nouveaux conseillers. Dès lors il fut un membre assidu du gouvernement provisoire. Son nom figure au pied de nombreuses ordonnances royales.

Toutefois sur un autre terrain Commynes connaissait simultanément de graves soucis. Dès la mort de Louis XI quelques-uns de ses favoris furent en effet exposés à la vindicte des jaloux et des envieux qui estimaient à tort ou à raison avoir été lésés. Bien sûr Commynes n'avait pas à redouter un sort aussi ignominieux que celui d'Olivier le Dain, livré au Parlement qui le fit aussitôt pendre au gibet de Montfaucon sans même en avertir le roi. Commynes ne risquait pas non plus de connaître le destin de Jean Doyat, un autre grand favori de Louis XI, qui fut battu de verges au pilori des Halles et banni du royaume après qu'on lui eut encore coupé une oreille et percé la langue d'un fer chaud. Mais d'autres exemples de retour de fortune devaient l'inquiéter. Jacques Coitier, le sinistre médecin du défunt roi, se vit rapidement déchu de son titre de Président de la Cour des comptes et une action officielle fut entreprise en vue de lui faire restituer une partie des sommes considérables qu'il avait encaissées au titre d'honoraires. Plus menaçante encore pour Commynes était l'ordonnance royale du 22 septembre 1483 révoquant toutes les aliénations que Louis XI avait faites du domaine royal tant au bénéfice de l'Eglise que de certains particuliers. Or le don de la principauté de Talmont et du vicomté de Thouars que le roi avait octroyé à son conseiller en 1472 tombait sous l'empire de cette ordonnance. De fait Louis de la Trémoille, Jean, Jacques et Georges ses fils, avaient adressé au roi dès le 9 septembre une supplication pour rentrer en possession de ces seigneuries dont ils prétendaient que Louis XI avait abusivement spolié Louis d'Amboise le beau-père de Louis. Commynes pouvait cependant avoir quelque raison de ne pas désespérer de rester en possession de ces terres. L'application de l'ordonnance de révocation des aliénations du domaine royal opérées par Louis XI se révélait en effet assez difficile. Il fallut que Charles VIII confirmât son ordonnance le 29 décembre. Soumis aux pressions que l'on imagine il dut finalement consentir à de nombreuses dérogations. Toutefois d'autres plaignants, spéculant sur une disgrâce possible de Commynes à l'occasion du changement de règne, l'attaquaient pour diverses irrégularités qu'il aurait commises lorsqu'il était au faîte de sa puissance.

Mais qu'il s'agisse de la préservation de sa situation matérielle ou du maintien de sa position dans la nouvelle équipe gouvernementale ce n'était pas là le plus grave des soucis de Commynes. Le problème majeur en ce début du règne était de nature politique. Si *sagement*, d'après Commynes, que Louis XI ait *pourvu* (II/341) à sa succession par les instructions qu'il donna de son vivant à son fils, l'appelant lui-même du nom de roi peu de temps avant de mourir, donnant à Pierre de Beaujeu *toute la charge et gouvernement dudit roi son dit fils* (II/71) il n'avait pas laissé de véritable testament. Or Charles était encore mineur à la mort de son père. Il n'atteindrait sa majorité légale de quatorze ans que le 30 juin 1484. Pendant ces dix mois de minorité la France allait connaître l'un des épisodes les plus dramatiques de toute son histoire et nous verrons que Commynes fut appelé à y jouer un rôle éminent.

En l'absence de toute disposition formelle établissant une régence et dans les circonstances confuses d'une minorité qui s'annonçait ainsi pleine d'embûches il était fatal qu'on assistât à la ruée vers Amboise de tous ceux qui s'attendaient à un nouveau partage des *offices, des bénéfices et des grands maniements du royaume* (II/16), pour reprendre une formule de Commynes, alors même que Louis XI avait recommandé d'une manière pressante à son fils de ne pas procéder à un bouleversement général de l'appareil de l'Etat. Pour calmer leurs appétits et se concilier leurs faveurs, Anne de Beaujeu et son mari s'empressèrent d'entrée de jeu de procéder à une large redistribution de prébendes royales. Louis d'Orléans fut nommé gouverneur de Paris, de l'Île-de-France, de la Champagne et de la Brie. Il reçut la présidence du Conseil provisoire avec une compagnie de cent lances. Le duc de Bourbon obtint pour sa part l'épée de Connétable et le gouvernement du Languedoc. Le duc de Lorraine rentrera bientôt en possession du Barrois. Dunois, bâtard d'Orléans, reçut le gouvernement du Dauphiné, enlevé à Miolans, ainsi qu'une pension de 3 960 ducats. Et tant d'autres à l'avenant. Comment les Beaujeu auraient-ils pu décemment se refuser à toute concession ? Pierre de Beaujeu s'était enrichi sous Louis XI des biens du duc de Nemours qu'il avait lui-même fait condamner à mort en sa qualité de président du tribunal appelé à le juger. Son installation avec sa femme dans le donjon du château d'Amboise, à peine Louis XI disparu, ressemblait quelque peu à une « usurpation » ainsi que l'écrit P. Pélicier dans son essai sur le gouvernement de la Dame de Beaujeu (*op. cit.*, p. 50).

Anne de Beaujeu n'était pas femme à renoncer au rôle de tutrice de son frère cadet, rôle qu'elle avait exercé, conjointement avec son mari, depuis une année, au château d'Amboise, résidence du dauphin. Elle était la digne fille de son père. Très intelligente, volontaire, pleinement consciente de ses capacités politiques en dépit de ses vingt-deux ans, elle était de surcroît terriblement intéressée. « Elle fait tout pour de l'argent, écrira un jour le Vénitien Zorzi, sans considération pour l'honneur de Dieu ni pour celui de la couronne. » Elle ne pouvait dissimuler son avidité, écrit Yvonne Labande-Mailfert dans sa volumineuse et très sérieuse étude sur Charles VIII et son milieu (*op. cit.*, p. 34) « Les faits sont là. Les cadeaux des bonnes villes ne sont pas toujours à son gré. Reims, avant le sacre, avait préparé à son intention, une fine nappe, semée de fleurs de lys et trois poinçons de vin ; mais après la cérémonie il fallut y ajouter deux douzaines de serviettes. A Lyon, en 1494, la vaisselle d'or qu'on lui présente n'est pas à son goût ; elle le dit et le cadeau est changé. » Elle obtiendra de son frère outre une pension confortable d'importants frais de représentation montant à plus de quinze mille livres en moins de deux ans. A ses côtés, Pierre de Beaujeu, de vingt et un ans plus âgé qu'elle, faisait plutôt pâle figure. De toute évidence ce serait elle qui dirigerait les affaires du royaume si elle parvenait à maintenir la situation privilégiée qui lui avait été dévolue oralement par son père. Elle n'avait du reste pas grande considération pour le jeune roi. A son sujet son jugement devait probablement être plus sévère que celui de Commynes qui écrira un jour *si petit homme de corps ne fut jamais que ledit roi, et peu entendu mais si bon qu'il n'est pas possible de voir meilleure créature* (II/346-347). Les rapports du jeune roi avec sa sœur ne devaient guère être agréables, témoin la scène qui se passa lors du banquet le jour du sacre. Alors que Charles VIII s'amusait en compagnie de ce jouisseur effréné qu'était son voisin de table, le duc Louis d'Orléans, Madame, car c'était ainsi qu'on appelait Anne de Beaujeu, fit une apparition, toute drapée d'or, pour voir comment se comportait son frère. Au regard que lui lança sa sœur, le jeune roi jugea préférable de quitter la table avec son voisin pour aller s'ébattre ailleurs, « à cause de quoi, dit le chroniqueur Foulquart de Reims, le service du four et les entremets de confiture et de dragées ne furent pas servis » (Labande, *op. cit.*, p. 51).

Parmi les prétendants à la régence, la reine-mère, cette modeste Charlotte si méprisée par son défunt mari, semblait, contre toute attente, tenir à ses prérogatives. Elle avait ses partisans mais sa santé était atteinte et elle devait mourir au début de décembre. Le rival le plus dangereux des Beaujeu était bien le duc d'Orléans, héritier présomptif du trône et futur Louis XII. Il avait épousé une fille de Louis XI, la pauvre et contrefaite Jeanne de France. Il ne cachait pas son intention de tout tenter pour supplanter Madame. *Homme jeune,* devait écrire Commynes à son sujet, *et beau personnage mais aimant son plaisir* (II/129-130). Anne de Beaujeu se trompait cependant en pensant que Louis d'Orléans se satisferait de tous les avantages financiers et de tous les honneurs qu'elle lui octroya. Il ne renonça pas pour autant à son intention d'assumer lui-même la régence. Or il n'était pas dans la compétence du Conseil provisoire d'en décider. Le 24 octobre 1483, sur la proposition du duc et contre la volonté des Beaujeu, il fut décidé qu'on en appellerait aux Etats généraux. Ils seraient convoqués pour le 15 janvier 1484 à Tours.

Il est hautement probable que c'est Philippe de Commynes qui suggéra au duc d'Orléans cette procédure. On peut s'en étonner étant donné que l'accession de Charles VIII à sa majorité était une affaire de quelques mois. Etait-il vraiment judicieux de prendre des dispositions spéciales pour un si court délai ? Si Commynes l'a jugé tel c'est qu'il avait de bonnes raisons. Non pas tellement, comme on l'a souvent prétendu, dans l'espoir de pouvoir satisfaire encore mieux son appétit d'argent et sa soif de pouvoir. S'il n'avait été mu que par son ambition rien ne lui aurait été plus facile que se comporter comme le seigneur du Bouchage et Etienne de Vesc par exemple, ses deux anciens collègues du temps de Louis XI, qui parvinrent à se maintenir constamment au pouvoir après la mort du roi et à s'enrichir sous les règnes de Charles VIII et de Louis XII. Sa souplesse, son habileté, son talent, ses capacités de séduction lui auraient sans doute permis de s'adapter comme eux et sans plus de peine aux nouvelles circonstances, de flatter, de séduire, de temporiser, de soudoyer. Il pouvait aussi compter sur les précieuses relations qu'il comptait parmi les grands du royaume.

Mais, dans les circonstances présentes, il s'agissait de bien autre chose que de la seule considération de ses intérêts matériels et de sa carrière. Il ne les perdait pas de vue évidemment car il est bien rare que tel ne soit pas le cas chez un homme de gouvernement. Mais il se trouvait qu'en ces heures troubles un grand espoir de libération soulevait la France.

Depuis l'échec des révolutions tentées par Etienne Marcel en 1353 et de Caboche en 1413 la monarchie française avait poursuivi sa marche vers l'absolutisme. *Charles VII,* dit Commynes, *fut le premier (par le moyen de plusieurs sages et bons chevaliers qu'il avait qui lui avaient aidé et servi en sa conquête de Normandie et de Guyenne, que les Anglais tenaient et qu'il gagna) qui se prit d'imposer tailles à son plaisir sans consentement des Etats du royaume. Et pour lors,* convient Commynes, *il y avait grande matière tant pour garnir les pays conquis que pour départir les gens de compagnie qui pillaient le royaume. Et à ceci s'en consentirent les seigneurs de France pour certaines pensions qui leur furent promises pour les deniers qu'on levait sur leurs terres. Si ce roi eut toujours vécu et ceux qui étaient lors avec lui en son conseil je louasse fort cette œuvre* (II/48-49). Malheureusement, si les rois se suivent il ne se ressemblent pas. Bien que Charles VIII ne fût pas brillant Commynes n'a jamais contesté sa légitimité ni rien entrepris contre lui. Cependant ce n'était pas lui qui dirigeait la France en ce moment mais bien Anne de Beaujeu. Or elle incarnait incontestablement la tendance absolutiste tandis que Louis d'Orléans, par intérêt et par opportunisme, se montrait prêt à composer avec ceux qui rêvaient de l'établissement en France d'une monarchie constitutionnelle semblable à celle que l'Angleterre connaissait depuis 1215 ou qui aspiraient tout au moins à une consultation régulière des Etats généraux.

Tel était bien le problème posé à la conscience de Commynes. Au-delà de ses préoccupations personnelles pour assurer le maintien de sa situation matérielle et l'avenir de sa carrière, au-delà même de la question de l'établissement éventuel d'une régence c'était le devenir politique de la France qui lui paraissait être en jeu. Si Anne de Beaujeu restait au pouvoir c'en serait fait et pour longtemps d'une certaine libéralisation du régime monarchique. On assisterait au renforcement du caractère absolutiste que Charles VII et Louis XI avaient donné à la monarchie française. Or Commynes, par tempérament naturel et par les réflexions que son expérience l'avait amené à faire auprès de Charles le Téméraire comme auprès de Louis XI, était résolument acquis à l'idée d'instituer un frein et un correctif à l'arbitraire royal. Le concours exceptionnel de circonstances qui se présentait le plaçait devant un choix qu'il ne lui était pas possible d'éluder pour peu qu'il ait eu à cœur de mettre son comportement en accord avec ses idées politiques. Comme à Peronne en octobre 1468 lors de la rencontre de Louis XI et de Charles le Téméraire, comme sous les murs d'Eu, dans la nuit du 7 au 8 août 1472, lorsqu'il prit la décision de quitter son premier maître, comme en janvier 1477 au moment où s'était posé le problème du mode d'expansion de la France sur l'Artois, la Flandre et le Hainaut, il allait opter, maintenant comme dans chacun des tournants précédents et en jouant une nouvelle fois toute sa carrière, pour une certaine idée qu'il s'était faite de la conduite des affaires publiques.

II

LE GRAND TOURNANT DE LA FRANCE
1484

Entre le 24 octobre 1483, jour où fut prise par le Conseil provisoire de Charles VIII la décision de convoquer les Etats généraux et le 9 mars 1484 qui marqua la fin de cette session historique, le destin de la France a été infléchi pour plus de trois siècles dans un sens déterminé. De tous côtés des voix se faisaient entendre qui réclamaient une certaine libéralisation du régime, parmi les princes du sang, la noblesse, le clergé, la bourgeoisie et le menu peuple comme au sein des institutions telles que le Parlement (la Cour de justice) la Cour des comptes, l'Université, les communes et les corporations de métier. Cette mise en question du statut de l'Etat n'était pas un phénomène propre à la France. Dans toute l'Europe se posait le même problème d'une nécessaire adaptation du pouvoir aux nouvelles réalités de la vie politique, économique, sociale et culturelle. Et c'est à peu près simultanément, entre 1475 et 1485, que s'opérèrent des mutations importantes en France, en Angleterre, en Espagne, en Allemagne, en Italie comme en Europe orientale. Les solutions furent très diverses suivant les rapports de force entre les classes sociales, entre les villes et la campagne, entre les institutions représentatives, syndicales, communales, régionales ou nationales et les pouvoirs exécutifs. Aux Cortès de Madrigal en 1476 et de Tolède en 1480, à Florence en 1478, après la révolte des Pazzi, en Suisse à la diète de Stans de 1481, en Flandres avec la promulgation de la Provision générale, en mars 1477, appelée plus communément le Grand privilège, avec l'arrivée en 1485 des Tudors sur le trône d'Angleterre qui mirent fin à l'anarchie parlementaire, partout furent trouvées de nouvelles formules modifiant parfois profondément le statut politique antérieur.

Ces mutations se firent dans des sens très différents mais les protagonistes des diverses tendances en présence s'efforcèrent partout de trouver quelque bonne couleur pour leur bannière. En France c'est sous celle du rétablissement des Etats généraux que se groupèrent la plupart des mécontents et des ambitieux mais aussi tous ceux, et ils étaient les plus nombreux, qui rêvaient d'un nouvel ordre politique et social. Commynes était de ces rêveurs réalistes. Sa propre conception du rétablissement des Etats généraux et de leur réunion régulière n'avait pour autant rien de révolutionnaire. Il était un défenseur résolu de l'ordre et du respect du serment de fidélité, ce ciment des sociétés monarchiques. Mais il était tout aussi résolument un contempteur de l'arbitraire et de la volonté désordonnée, de la part des princes comme des peuples. *Notre roi est le seigneur du monde qui moins a cause de user de ce mot de dire : j'ai privilège de lever sur mes sujets ce qu'il me plaît car lui ni autre ne l'a... Le roi Charles V ne le disait pas aussi ne l'ai-je pas ouï dire à de leurs serviteurs à qui il semblait qu'ils faisaient bien la besogne ; mais selon mon avis ils méprenaient envers leurs seigneurs et ne le disaient que pour faire les bons valets et aussi qu'ils ne savaient ce qu'ils disaient* (I/443-445).

On ne saurait être plus explicite. Si Commynes est bien à l'origine de la décision du Conseil provisoire de convoquer les Etats généraux à Tours pour le 15 janvier 1484 il ne saurait y avoir de doute quant au but qu'il poursuivait. Il s'agissait pour lui de tenter de renouer avec une tradition interrompue par les nécessités de la reconquête du royaume sur l'occupant anglais. Maintenant le péril anglais semblait écarté grâce aux accords de Picquigny du

30 août 1475 à l'établissement desquels Commynes a œuvré efficacement. Louis XI avait également mis fin au péril bourguignon par le traité d'Arras du 23 décembre 1482 qui avait confirmé le mariage du dauphin avec Marguerite de Bourgogne, petite-fille de Charles le Téméraire. Le temps paraissait venu d'opérer un retour aux sources. L'inclination de Commynes pour une monarchie constitutionnelle remontait au temps où il avait eu l'occasion d'étudier sur place le fonctionnement des institutions anglaises. On se souvient qu'il en avait conclu qu'entre toutes les seigneuries du monde dont il avait eu connaissance *celle où la chose publique est la mieux traitée, où règne le moins de violence sur le peuple, où il n'y a nuls édifices abattus ni démolis par la guerre c'est l'Angleterre* (I/444). Il était cependant trop avisé et trop averti des astuces du pouvoir pour nourrir quelque illusion que ce soit sur l'intelligence politique des assemblées. Il ne croyait pas qu'elles fussent détentrices d'une sagesse infuse. Il avait appris de la bouche même d'Edouard IV comment les prérogatives du Parlement anglais pouvaient être subtilement subverties au profit du gouvernement puisqu'il suffisait de faire appel à l'esprit antifrançais des parlementaires anglais pour obtenir tout l'argent que le roi voulait dès le moment où on leur disait qu'il servirait à financer une descente sur le continent, quitte à ce qu'on en emploie, en fait, la majeure partie à de tout autres fins. Cette astuce est du reste de tous les temps et elle a été utilisée dans la plupart des pays.

Commynes ne souscrit pas plus au dogme de la bonté naturelle du peuple qu'à celui du caractère divin des monarques. Ce n'est pas seulement en Italie que *la plupart des princes possèdent leur terre sans titre.* Il a *vu ou su se commettre tant d'usurpations* en Angleterre, comme en Espagne, en Allemagne et ailleurs qu'il aurait été bien surprenant que la France fît exception à la règle. Aussi ne manque-t-il pas de rappeler à propos de Pépin le Bref et d'Hugues Capet que *tous les deux, maîtres du Palais ou gouverneurs des rois, usurpèrent le royaume sur leursdits rois et le prirent pour eux* (II/388). Les rois sont du reste *hommes comme chacun de nous* et il n'est pas question dans l'esprit de Commynes d'en faire des êtres placés au-dessus du commun des mortels.

Sur d'autres problèmes de principe comme celui du droit des Etats généraux de décider souverainement de la guerre, Commynes est tout aussi catégorique. A ceux qui prétendent *qu'il y a des saisons qu'il ne faut pas attendre l'assemblée et que la chose serait trop longue à commencer la guerre,* il répond *qu'à l'entreprendre il ne se faut point tant se hâter et qu'on a assez de temps. Et aussi vous dis-je que les rois et princes sont trop plus forts quand ils entreprennent du conseil de leurs sujets et plus craints de leurs ennemis. Et quand on vient à devoir se défendre on voit venir cette meute de loin, spécialement quand il s'agit d'étrangers* (I/443).

Mais sa foi en la vertu d'un organe consultatif, loin d'être fondée uniquement sur des considérations de pure politique et encore moins sur l'intérêt personnel, relevait aussi d'un postulat philosophique. L'utilité d'une assemblée comme celle des Etats généraux ou du Parlement anglais ne tient pas à la qualité de leurs membres. Les meilleurs conseils du monde ne peuvent-ils pas se tromper ? Le rôle essentiel d'un organe représentatif, consultatif et souverain en matière de guerre et d'impôt gît dans son action modératrice et cela par le seul fait que les délibérations y sont nécessairement longues. *L'issue n'en est pas brève,* écrit-il textuellement au sujet du Parlement anglais. L'existence d'une assemblée régulièrement convoquée et consultée est un garant de modération, un frein à la volonté désordonnée des princes, un correctif à l'arbitraire où ils tombent si facilement. La lenteur même de ses délibérations permet d'éviter la précipitation, elle retient le pouvoir, elle tempère les ardeurs gouvernementales. L'assemblée sert de contrepoids à l'exécutif, c'est un organe de pondération, de contrôle, de mesure. Qu'il s'agisse de politique intérieure ou extérieure il faut *le tout faire modérément.* Une bonne gestion de la chose publique doit s'inspirer de l'idéal de la *mesure parfaite* que nul n'atteint en ce monde mais que Commynes considère comme la valeur suprême au point de l'identifier à Dieu. C'est pourquoi les Etats généraux comme le Parlement anglais malgré leur faiblesse sont une *chose très juste et très sainte* (I/266). La consultation d'une assemblée nationale, notamment pour les impôts et la guerre, est une obligation de conscience. Elle répond à des exigences spirituelles aussi bien que politiques. C'est *envers Dieu aussi bien qu'envers le monde* qu'il est *plus juste de lever* (des impôts) *par cette forme* (celle des Etats généraux) *que par volonté désordonnée. Nul prince ne peut lever autrement que par octroi.* En réclamant d'exercer à nouveau ce droit, l'assemblée ne commet pas un crime de lèse-majesté. Bien au contraire ! Etant donné le caractère juste et saint des Etats généraux si le prince passe outre à l'obligation de les consulter c'est lui qui *commet un crime,* et un crime beaucoup plus grave puisque c'est envers Dieu. Par voie de conséquence celui qui s'en rend coupable mérite d'être *excommunié.* Commynes s'empresse d'ajouter que ce ne sont pas les rois qui contestent la légitimité des Etats généraux mais bien certains de leurs *serviteurs* (I/447) et parmi eux plus particulièrement ceux qui sont de *petite condition et de petite vertu.* Ce sont ceux-là *qui disent que c'est crime de lèse-majesté que de parler d'assembler les Etats* (I/445). Ce sont eux en réalité qui commettent ce crime *envers Dieu et le roi et la chose publique.*

Il apparaît ainsi que la conviction de Commynes n'est pas accidentelle. Ce n'est pas une prise de position momentanée, limitée au cas particulier de l'assemblée de Tours. Elle n'est pas essentiellement motivée par des circonstances, des ambitions ou des intérêts personnels. On la dénaturerait aussi en y voyant l'expression de l'amertume qu'ont pu lui laisser les difficultés qu'il a rencontrées par la suite et qui ont été en partie la conséquence logique de sa participation active à la convocation des Etats généraux. Sa doctrine en la matière Commynes considère qu'elle n'est pas valable seulement pour la France ou l'Angleterre. Elle a une portée universelle. *Il n'y a, sur terre,* proclame-t-il, *ni roi ni seigneur qui ait pouvoir, outre son domaine, de mettre un denier sur ses sujets sans octroi et consentement de ceux qui le doivent payer sinon par tyrannie et violence* (I/443). Il en va de même pour les guerres car avant de les commencer le moins qu'un prince doive faire c'est de consulter ceux qui y ont à employer leurs personnes et leurs biens.

Comme on le voit la pensée de Commynes dans ce domaine est d'une cohérence remarquable. Elle se réclame d'une longue tradition, malheureusement interrompue par Charles VII et Louis XI. Elle s'appuie sur la connaissance de l'histoire de la France et sur une expérience s'étendant à de nombreux pays. Elle satisfait aux exigences du bon sens élémentaire (qui paye commande et qui est appelé à souffrir de la guerre doit être appelé à en décider). Elle fait appel à la conscience. Enfin et surtout elle procède d'une inspiration véritablement philosophique et sincèrement religieuse ce qui lui assure du même coup son universalité et sa pérennité.

On est relativement bien renseigné sur les Etats généraux de 1484. Le chanoine Jean Masselin, membre de la députation de Normandie, en a tenu un journal en latin. Il était partisan lui-même d'une réunion régulière de cette institution, si bien que son témoignage doit être lu avec une certaine prudence car il a pu en rajouter après coup pour mieux défendre sa thèse. On peut lire dans son œuvre des discours d'une très belle éloquence où souffle, par anticipation, l'esprit de 1789. Certaines pages, celles notamment qui décrivent la misère des paysans et l'état de ruine où se trouvaient des provinces entières, font penser à La Bruyère. Commynes qui fit partie de la délégation de Paris consacre aussi à ces délibérations, en divers passages de ses Mémoires, de nombreuses considérations. Il avait probablement sous les yeux, quand il rédigea la conclusion de la première partie des Mémoires, certains textes imprimés dès la fin de la session et qu'il va jusqu'à reproduire presque textuellement.

Malheureusement et en bref, la réunion de Tours aboutit à un lamentable échec du « parti » constitutionnel. Il faut convenir qu'Anne de Beaujeu sut déjouer avec une extrême habileté toute tentative tendant à l'évincer du pouvoir ou à assurer la suprématie de l'assemblée sur le gouvernement. Faisant bonne mine à mauvais jeu, car elle avait été opposée à la convocation des Etats généraux, elle commença tout d'abord par organiser très attentivement et très astucieusement les élections. Elle institua un système à deux degrés où tous les électeurs d'une même paroisse désignaient des délégués chargés de nommer ensuite des députés. Entre les deux opérations elle veilla à faire entrer parmi les 287 députés certaines de ses créatures. En faisant siéger tous les députés dans une même salle et sans distinction d'ordre (noblesse, clergé et bourgeoisie) elle noyait par avance les résistances nobiliaires et plus particulièrement celles des partisans des princes du sang conduits par Louis d'Orléans. Elle capta leur bonne volonté en prenant toute une série de mesures allégeant le budget de l'Etat. Mais, tels quels, les Etats généraux de Tours n'en constituaient pas moins et pour la première fois dans l'histoire de France une véritable assemblée représentative exprimant la volonté de la nation tout entière.

L'astuce la plus adroite d'Anne de Beaujeu consista à faire intervenir au moment opportun un de ses hommes de confiance en la personne de Philippe Pot, seigneur de la Roche, sénéchal de Bourgogne quoique ancien serviteur de Philippe le Bon et chevalier de la Toison d'or. Le 9 février il prononça son fameux discours sur la souveraineté populaire. « La royauté, se serait-il écrié, est une dignité et non un héritage. L'Histoire raconte et je tiens de mes pères que le peuple souverain créa dans l'origine les rois par son suffrage. L'Etat est la chose du peuple. La souveraineté n'appartient pas aux princes qui n'existent que par le peuple et j'appelle peuple non point la populace mais l'universalité des habitants du royaume. Un fait ne prend force de loi que par la sanction des Etats généraux. Rien n'est sain ni solide sans leur consentement, etc. » En réalité ce discours était pipé. Son seul but était de contrer Louis d'Orléans et de l'amener à réagir en sens opposé, pour la défense des droits des princes et donc des siens, ceci afin de mieux détourner de lui la majorité de l'assemblée. La manœuvre réussit au-delà de tout ce que pouvait espérer Anne de Beaujeu. Les députés qui avaient écouté la harangue de Philippe Pot avec une ferveur marquée et qui l'avaient applaudi avec enthousiasme, tirés ensuite en sens contraire par les porte-paroles de Louis d'Orléans dont personne n'ignorait qu'il avait été à l'origine de la réunion des Etats généraux, étaient profondément perplexes. Ils se rallièrent alors à une formule transactionnelle qui consistait à ne pas nommer de régent ni à placer provisoirement Charles VIII sous la tutelle de qui que ce soit. Ils se contentèrent d'exprimer le vœu que le seigneur et la dame de Beaujeu « soient auprès de la personne du roi comme ils y ont été jusqu'à présent ». Le tour était joué. Louis d'Orléans ne serait pas régent. Il se bornerait à continuer d'assumer la présidence du Conseil et encore à égalité avec le sire de Beaujeu et le duc de Bourbon. Madame, quant à elle, ne serait pas régente mais elle pourrait continuer d'exercer le pouvoir effectif et elle avait bien l'intention de le faire dans un esprit de plus en plus absolutiste.

Commynes pour sa part n'avait pas trop à se plaindre du comportement des députés. Il était tacitement confirmé dans ses fonctions de membre du conseil restreint. Mais il était parfaitement conscient de la faillite de toute l'entreprise. Il pouvait certes rendre hommage à la bonté du peuple français telle qu'on venait d'en faire *l'expérience. Dans ce royaume tant foulé et tant oppressé en mainte sorte, tant les grands que les moyens et les petits pour ce qu'ils avaient porté et souffert vingt ans ou plus de grandes et horribles tailles qui ne furent jamais si grandes à trois millions de francs près... y eut-il, après la mort de notre roi,* demande Commynes, *division du peuple contre celui qui règne ? Les princes et les sujets se mirent-ils en armes contre leur jeune roi ? En voulurent-ils faire un autre ? Lui voulurent-ils ôter son autorité ? Le voulurent-ils brider qu'il ne pût user d'office de roi et commander ? My Dieu, nenny... A la dite assemblée des Etats généraux furent faites aucunes requêtes et remontrances en grande humilité pour le bien du royaume remettant tout toujours au bon plaisir du roi et de son conseil. Ils lui octroyèrent tout ce qu'on leur voulut demander et ce qu'on leur montra écrit être nécessaire pour le fait du roi sans rien dire encontre...* (I/447). Mais déjà il estime que les Etats ont été par trop généreux car les deux millions cinq cents mille francs qu'il accordèrent (pour deux ans) c'était *plus trop que trop peu, sans autres affaires* (id.).

Les députés avaient été joués. Après plus d'un mois de délibérations une certaine fatigue les gagnait. Masselin constate avec tristesse que « déjà l'engourdissement avait saisi nos collègues les plus élevés qui étaient rassasiés de promesses et de faveurs. Ils n'avaient plus cette activité d'âme qu'ils montraient au commencement. Quand nous poursuivions nos intérêts ils restaient chez eux, les bras croisés. Quand nous parlions en leur présence ils gardaient le silence ou n'ajoutaient à l'appui de nos arguments que quelques faibles paroles » (*Journal,* pages 639 à 641). Aussi les absolutistes reprirent-ils du poil de la bête. Dans les journées des 27 et 28 février les partisans des Beaujeu pressèrent très vivement les députés de céder à leurs réclamations budgétaires sous peine de s'attirer des inimitiés. Ils furent violents et même grossiers, leur rappelant sans ménagement leur condition de sujets. Le 27 février les députés durent entendre les paroles suivantes : Nous le voyons bien c'est à diminuer excessivement le pouvoir du roi et à lui couper les ongles jusqu'à la chair que vous employez vos efforts. Vous voulez jeter des scrupules de conscience et des difficultés dans l'application d'un principe que pourtant tous les royaumes et toutes les principautés n'ont cessé de mettre en pratique. Vous défendez aux sujets de payer aux princes autant que les besoins de l'Etat l'exigent et de participer aux charges publiques, ce qui est contraire au droit des nations quelles qu'elles soient. Etes-vous des maîtres et non plus des sujets ? Nous croyons que vous avez la prétention d'écrire le code d'une monarchie imaginaire et de supprimer nos anciennes lois (Masselin, p. 418).

C'en était fait désormais, et pour plus de trois siècles, de la possibilité d'établir en France une monarchie constitutionnelle. L'alerte avait été chaude pour les tenants et aboutissants de l'absolutisme monarchique. Les Etats avaient *supplié* à genoux qu'*au bout de deux ans ils fussent rassemblés* (I/447). On s'en garda bien. Les Etats généraux ne seront plus réunis jusqu'au temps des guerres de religion à l'exception toutefois de la réunion des Etats généraux à Tours en 1506. « La crise de 1484, écrit Henri Pirenne (*Les grands courants de l'histoire universelle,* tome II, p. 210) est un des moments les plus dramatiques de l'histoire de la France. Au moment même où la monarchie vient de donner au peuple un organe vraiment représentatif, elle recule, effrayée, devant sa propre œuvre et renonce à la collaboration de la nation ». Le peuple français allait continuer de courber l'échine, d'être oppressé d'impôts de plus en plus lourds. Commynes, de son regard d'aigle, avait bien vu où conduirait le système inauguré par Charles VII sous l'empire de la nécessité et de l'occupation étrangère. *A ce qui est advenu depuis et adviendra il chargea fort son âme et celle de ses successeurs et mit une cruelle plaie sur son royaume qui longtemps saignera...* (II/49).

Cette pénétration du devenir, ces vues, malheureusement prophétiques, ne pouvaient être le fait que d'un esprit supérieur qui voyait l'Histoire de très haut. Et Commynes avait su prendre, quant à lui et pour son honneur, toutes ses responsabilités dans ce grand tournant de l'histoire de son pays.

III

L'INEVITABLE AFFRONTEMENT

1485-1489

J'étais de ce conseil qui avait été alors créé tant par les proches parents du roi que par les Trois Etats du royaume (I/101). Effectivement Philippe de Commynes qui avait fait partie du gouvernement provisoire dès octobre 1483 figure sur la liste du Conseil royal présentée aux Etats généraux de Tours le 6 février 1484. Mais l'assemblée ne procéda pas à une véritable nomination. Elle jugea préférable de s'en remettre au bon plaisir du roi et des princes du sang pour en disposer « en leur conscience ». La même équivoque apparaît dans l'attribution de la présidence du Conseil. Les Etats en chargèrent les ducs d'Orléans et de Bourbon mais s'apercevant après coup qu'ils avaient omis d'y associer Pierre de Beaujeu ils ajoutèrent le jour suivant une clause en sa faveur. Quant à savoir s'il y avait lieu d'instituer une véritable régence, l'Assemblée, tiraillée entre les Beaujeu et le duc d'Orléans, éluda simplement la question. Les Etats se bornèrent à prendre acte de la déclaration de Philippe Pot selon laquelle Pierre de Beaujeu et sa femme se contenteraient de « rester auprès de la personne du roi comme ils y ont été jusqu'à présent » et sans que le mot de régence ne soit prononcé ni même celui de tutelle.

Les deux factions rivales n'allaient pas manquer de se prévaloir de cette ambiguïté pour poursuivre leur lutte en vue de s'assurer le contrôle du pouvoir réel. L'affrontement était inévitable. Si les chefs nominaux des deux clans étaient bien Pierre de Beaujeu et Louis d'Orléans tout indiquait que le véritable duel mettrait aux prises Anne de Beaujeu et Philippe de Commynes, les deux têtes pensantes des factions en opposition. Anne de France était bien résolue à garder le pouvoir en main au-delà du sacre du roi fixé au 30 mai 1484 à Reims et en fait elle régnera jusqu'au moment où son frère atteindra l'âge de vingt ans, c'est-à-dire jusqu'en 1490. Quant à Commynes il s'était trop ouvertement déclaré partisan de Louis d'Orléans et surtout de la restauration du pouvoir des Etats généraux pour changer de camp et se rallier maintenant au gouvernement des Beaujeu. L'une allait utiliser toutes les ressources d'une intelligence aiguë héritée de son père et l'autre toute la subtilité d'un esprit supérieur formé à la même école (celle de Louis XI).

La Dame de Beaujeu se garda bien de heurter de front et d'entrée de jeu le duc d'Orléans et son inspirateur. Poussant la finesse jusqu'à la perfidie, comme l'écrira le meilleur historien de son règne (Pélicier, *op. cit.*, p. 36), adroite à corrompre, humble en paroles mais d'un caractère hautain et ferme, elle divisera pour régner, séparera ses ennemis pour les accabler plus aisément, se servira des plus pervers pourvu qu'ils fussent habiles, reprendra d'une main ce qu'elle aura donné de l'autre. Elle commença par abandonner au duc les terres confisquées sur Olivier le Dain et elle confiera au sire d'Argenton des missions délicates. C'est ainsi qu'au début de mai elle l'envoya en Bretagne avec l'évêque de Périgueux et le seigneur de Torcy pour apporter à François II la réponse négative de Charles VIII à sa requête de lui restituer les droits des Penthièvre sur la couronne ducale de Bretagne — en cas d'extinction de la lignée mâle — achetés en son temps par Louis XI.

Commynes fut également chargé, avec le comte de Comminges et le seigneur du Lau de réfuter les prétentions du duc de Lorraine sur le comté de Provence. Dans ces deux directions, Bretagne et Provence, Commynes était ainsi promu avocat de la volonté royale. C'était sans aucune arrière-pensée qu'il pouvait accepter de telles missions. Comme nous l'avons exposé plus haut il était partisan d'une unification progressive du royaume et de son expansion pacifique en dehors de ses limites traditionnelles. Mais en faisant de Commynes le défenseur des droits de Charles VIII sur les deux provinces en question Anne de Beaujeu poursuivait simultanément un autre but. Ces deux missions contribueraient éventuellement à détacher Commynes du parti des princes. Elles rendraient en tout cas plus difficile toute collusion du sire d'Argenton avec deux des plus coriaces d'entre eux, les ducs François II de Bretagne et René II de Lorraine. Calcul habile et qui s'avérera payant au moins dans une première manche.

Louis d'Orléans et Philippe de Commynes donnèrent en effet des gages de leur apparent ralliement. Le 17 août 1484 ils signèrent avec d'autres membres du Conseil une ordonnance aux termes de laquelle l'impôt fixé par les Etats généraux à 1 200 000 livres pour 1485 serait porté à 1 500 000 livres. Ce faisant les deux compères reniaient leur volonté de respecter les décisions des Etats. Peut-être espéraient-ils dissuader Anne de Beaujeu d'en appeler directement aux Etats provinciaux beaucoup plus dociles et toujours prêts à répondre aux appels financiers de la Couronne. Si tel a été leur calcul — et c'est bien la seule justification que l'on peut trouver à leur attitude — Louis d'Orléans et Commynes durent bien constater qu'ils s'étaient fait des illusions. Anne ne se contenta pas seulement d'enfreindre délibérément la volonté des Etats généraux touchant le montant de la taille pour 1485. Elle était bien décidée à ne plus les convoquer du tout contrairement à leur désir d'être assemblés tous les deux ans. Elle recourut dès lors aux seuls Etats provinciaux et en obtint ce qu'elle voulut. Il apparaissait aussi de plus en plus clairement que Madame entendait gouverner en souveraine absolue avec le concours d'une équipe restreinte, composée de conseillers entièrement acquis à sa cause comme Louis Malet, seigneur de Graville, Louis de La Trémoille et Imbert de Batarnay, seigneur du Bouchage. Bien qu'il dût en coûter à Commynes d'être relégué au second plan il continua d'apparaître au Conseil. Il y conserva assez de crédit pour obtenir le 29 décembre 1484 que Charles VIII invitât le duc Maximilien d'Autriche à lui restituer ses terres flamandes d'Ugies et de Siply confisquées en 1472 par Charles le Téméraire. Mais là encore on peut se demander si le soutien implicite d'Anne de Beaujeu n'était pas à deux fins. Elle n'ignorait sans doute pas que Commynes avait passé contrat avec Alain d'Albret le 7 avril 1484 pour l'achat au prix de vingt-cinq mille écus d'or des terres d'Avesnes et de Landrecies que ce duc possédait en Hainaut. Commynes se proposait d'y faire bâtir un château. Il fût devenu ainsi de plein droit l'un des pairs de cette province impériale. Etait-ce l'indice qu'il songeait à regagner son pays natal ? Si telle était bien son intention Anne de Beaujeu ne pouvait que s'en réjouir. D'où peut-être son appui à sa demande de restitution des terres autrefois confisquées. Du même coup elle atténuait l'impression qu'elle ne laissait pas de donner de favoriser les La Trémoille dans le procès qui les opposait à Commynes au sujet de la principauté de Talmont.

Quant au duc d'Orléans on ne l'a plus revu au Conseil à partir du 3 octobre. Il avait envisagé en septembre d'enlever le roi pour le soustraire à l'empire de sa sœur, mais, prévenue, elle y para en emmenant soudainement Charles VIII à Montargis, petite ville forte dont il était plus facile de surveiller les alentours. De plus elle parvint à se réconcilier avec le duc de Lorraine. Le 23 septembre elle signa avec lui un traité d'alliance et de confédération qu'elle étendit en octobre au duc de Bourbon, au duc de Nemours, au sire d'Albret, au sire de Comminges et à un certain nombre d'autres grands personnages. Le duc d'Orléans mit alors sur pied une ligue comprenant Dunois, le duc de Bretagne, le duc d'Alençon et le comte d'Angoulême. Des contacts sont pris avec l'Angleterre et le duc d'Autriche. Une nouvelle guerre du Bien Public est désormais inévitable. Au début de l'année nouvelle le duc d'Orléans jette bas le masque. Les 14, 17 et 18 janvier par lettres publiques adressées successivement au roi, au Parlement puis aux principales villes du royaume il dénonce l'état de sujétion où était tenu le roi et la volonté délibérée d'Anne de Beaujeu d'enfreindre les décisions des Etats généraux. Il va jusqu'à insinuer que la sœur du roi dispose de sa signature « par le moyen d'un signe fait en moule », et qu'elle le tient ainsi dans l'ignorance des actes officiels.

Anne réagira avec une célérité et une adresse surprenantes. Louis d'Orléans est obligé de fuir pour échapper aux émissaires royaux chargés de se saisir de sa personne. Le camp de l'armée royale est établi à Evreux pour empêcher la jonction des forces bretonnes avec celles du duc d'Orléans et du duc d'Alençon qui a mobilisé le ban et l'arrière-ban de ses vassaux. Le Parlement, les villes et l'Université ne répondent pas à l'appel du duc d'Orléans qui se dirige sur Verneuil où il attend vainement ses alliés. Il ne lui reste qu'à se rendre. Sa réconciliation avec Anne se fait à Evreux. Dès le 23 mars il reprend sa place au Conseil. Mais Commynes n'y était plus.

Que s'était-il donc passé ? Au début du mois Commynes avait été purement et simplement chassé de la cour. Le duc de Lorraine y avait *aidé avec de rudes et fortes paroles* au dire même de Commynes. Il est probable que Madame avait souçonné le sire d'Argenton d'être de connivence avec les révoltés. Les lettres-manifestes du duc semblent bien porter en effet la marque d'une inspiration commynienne. Quoi qu'il en soit la rupture était maintenant consommée. Commynes ne réapparaîtra plus au Conseil tant que Madame règnera.

Commynes se retira à Montargis dans l'un des domaines de sa femme. De là il pouvait suivre de plus près les préparatifs d'une nouvelle tentative de révolte des princes car la paix d'Evreux n'avait été signée par Louis d'Orléans que pour gagner du temps. Mais cette seconde entreprise échoua tout aussi lamentablement que la première. L'armée bretonne dirigée vers l'Anjou refusa de se battre par haine des barons envers Landais, trésorier du duc, qui fut arraché des mains de son maître puis jugé et pendu. Les troupes du duc d'Orléans, après un semblant de résistance sur les bords de la Loire capitulèrent devant l'armée royale à Beaugency au milieu de septembre. Les forces du duc de Bourbon, du duc d'Alençon, du comte d'Angoulême et du sire d'Albret qui s'étaient mises en route pour rejoindre celles du duc d'Orléans furent devancées par l'armée royale dirigée sur Bourges. Un accord intervint avant que les armées ennemies aient pu s'affronter. La deuxième révolte des princes mérite bien le nom de Guerre folle — *insania militia* — que lui donna quelque temps plus tard l'historien Paul-Emile dans son livre intitulé *De rebus gestis Francorum* (p. 503). Et, comme pour la première entreprise du duc d'Orléans, ce fut Commynes qui en pâtit le plus. Le 16 septembre Charles VIII écrivit au Parlement qu'il était désormais résolu de procéder contre le duc et ses complices par ajournement et prise de corps. Le 28 septembre une ordonnance du roi enleva à Commynes ses fonctions de sénéchal du Poitou et de capitaine de Poitiers considérant « qu'il avait et a, dès longtemps, conseillé, favorisé, porté conseil, à l'encontre de nous, les princes et seigneurs à nous rebelles et désobéissants et leur donne toute aide et faveur qu'il peut » (Kervyn II/36).

Commynes feignit une soumission complète. Le 6 novembre il écrivit au roi une lettre très humble aux termes de laquelle il déclarait vouloir obtempérer *à toute diligence* à l'ordre qui lui avait été donné de changer le capitaine placé par lui au château de Talmont. Il assurait le roi que *la place lui sera toujours bien gardée et qu'il lui en sera rendu bon compte* (Kervyn II/37). Mais les choses ne tardèrent pas à prendre une tournure plus défavorable pour Commynes. Le 22 mars 1486 le Parlement lui ordonna en effet de restituer Talmont et Château-Gontier aux La Trémoille. Atteint très sensiblement dans ses intérêts, Commynes avait désormais des raisons plus personnelles d'en vouloir au gouvernement de la Dame de Beaujeu. Ne se sentant plus en sécurité au Poitou ni en Touraine, il se rendit à Moulins chez le vieux duc de Bourbon où se tramait une troisième ligue des princes. Il se mua en conspirateur très actif. C'est ainsi que du village de Saint-Maurice situé entre Poitiers et Usson il écrivit un jour au seigneur René de Brosse la lettre énigmatique suivante, non signée mais entièrement de sa main :

Tout est prêt ici mais un des Etats est en pratique. Tout est bien, excepté moi à qui on tient bonnes paroles. Nous avons bien eu affaire à démêler le fait de céans. L'évêque (Louis d'Orléans ?) *est allé à Bourges et n'y a eu remède ; il a demandé mes serviteurs. Il ne s'y arrêtera guère et est bien ici de cette compagnie. Le Chapelain* (?) *et le chantre* (?) *sont vers eux. Le compagnon* (?) *ne partira encore d'ici que je ne voie plus clair. De notre bénéfice n'ai su que tout bien. Bertrand* (?) *est allé au Dauphiné pour dix jours et il sait bien là où vous êtes. Le principal chapelain* (?) *du doyen* (?) *se recommande à vous et le compagnon et ses gens et nous voudrions que ne fussiez bougé. Je voudrais le chapelain mieux qu'il n'est et pour toujours. Et à Dieu, à demain.*

En post-scriptum il ajoutait : *En notre appointement nul n'y a charge ni honte mais il n'est pas tel que nous l'eussions bien fait si ce ne fussent aucuns de ceux que vous vîtes.*

Utilisant le vaste réseau de ses relations, Commynes va jusqu'à se faire prêter 1 000 écus par un des fidèles de la Dame de Beaujeu l'habile du Bouchage qui se porte en outre caution pour lui auprès des banques de Médicis et Sassetti à Lyon pour un montant de 4 000 écus d'or. Il trouve même moyen de renouer avec celui qui l'a chassé de la cour. Le duc de Lorraine, de passage à Moulins, lui *fit la meilleure chère du monde.* René II, déçu des Beaujeu, *se plaignit de ceux qui demeuraient au gouvernement* (II/106). Il envisageait alors de se lancer dans la reconquête du royaume de Naples où les barons favorables à la cause des Angevins lui demandaient de prendre la tête de leur révolte contre Ferrand d'Aragon. Commynes était séduit par la perspective d'accompagner le duc de Lorraine en Italie. Ne valait-il pas mieux pour lui d'être le premier à Naples que d'en être réduit à comploter en France ? Anne de Beaujeu qui encourageait vivement le duc à se lancer dans cette entreprise fit savoir à Commynes que Talmont et son office de sénéchal du Poitou lui seraient rendus s'il consentait à partir avec

René II. Telle est du moins l'information que Laurent Spinelli transmet à Laurent de Médicis le 13 mai 1486. La manœuvre est bien dans le style de l'habile et digne fille de Louis XI. Elle serait ainsi débarrassée de deux personnages très remuants. Commynes était on ne peut plus perplexe. René II était-il de taille à mener à chef une telle entreprise ? Il lui *semblait homme hardi et plus qu'homme de cour* (II/104). Mais les barons napolitains favorables à sa cause avaient-ils quelque chance de renverser Ferrand d'Aragon ? Commynes s'adresse alors à l'homme qui pouvait lui donner le meilleur avis. Le 9 mai il écrit à Laurent de Médicis :

Seigneur Laurent, je me recommande à vous tant comme je puis. J'écris aucune chose d'importance à Cosme Sassetti lesquelles il vous fera savoir. Je vous prie qu'à diligence m'en fassiez réponse et que vous m'en mandiez votre avis car en l'état que sont mes affaires j'ai besoin de tel conseil que le vôtre. Toutefois je ne suis point dépourvu d'amis et si vous me voulez employer en rien vous me trouverez toujours votre serviteur (Kervyn II/49).

Le duc de Lorraine ne se montra pas à la hauteur des circonstances. Il tarda à entrer en action. *Longtemps,* écrit Commynes, *l'attendirent des gallées* (navires) *à Gênes ainsi que le cardinal de Saint Pierre ad vincula* (Julien de la Rovère appelé à devenir pape en 1503 sous le nom de Jules II). *Ses amis étaient si las et si foulés pour l'avoir tant attendu,* poursuit Commynes, *que le pape* s'était finalement *appointé* le 11 août avec Ferrand d'Aragon. Les barons napolitains, sur la foi de cet arrangement, se rendirent à Naples où ils furent pris. *Le duc de Lorraine s'en alla bien honteux en son pays. Il n'eut plus jamais d'autorité en France, perdit ses gens d'armes ainsi que la pension de 36 000 livres* qui lui avait été promise en compensation de la Provence. Le 6 octobre Charles VIII fit brusquement prononcer la réunion définitive de la Provence au domaine de la Couronne.

Déçu dans les espérances qu'il avait un moment placées en la personne du duc de Lorraine, Commynes devait bientôt éprouver une nouvelle déconvenue de taille avec un autre duc chez qui il avait trouvé refuge. A-t-il estimé que les choses étaient suffisamment avancées pour en découdre définitivement avec les Beaujeu ? Il engagea en effet Jean II de Bourbon à se rendre auprès du roi à la tête d'une petite troupe. Le duc d'Autriche était passé à l'offensive et avait franchi la frontière du nord. La situation était si sérieuse que les Beaujeu eux-mêmes laissaient entendre au duc de Bourbon qu'ils avaient besoin de ses conseils. Commynes l'accompagna mais non sans avoir préalablement sollicité et obtenu du Parlement un sauf-conduit tant il craignait d'être arrêté. Après des simulacres de mauvaise volonté, le duc de Bourbon se laissa circonvenir par Anne de Beaujeu. Au début de septembre il se réconcilia avec elle à Compiègne. Il lui promit de servir fidèlement le roi et le royaume et il renvoya Commynes comme un simple laquais. Il ne restait plus à celui-ci qu'à rejoindre les forces orléanistes. Le 13 décembre une nouvelle ligue était dressée contre les Beaujeu. Elle regroupait autour du duc d'Orléans les ducs de Bretagne et de Lorraine, le roi et la reine de Navarre, les comtes de Nevers, de Comminges et d'Angoulême, le prince d'Orange, Alain d'Albret et Maximilien d'Autriche.

Anne de Beaujeu fit front avec promptitude. Le 11 janvier le duc d'Orléans s'enfuit de Blois avec 80 ou 100 chevaux pour se réfugier à Nantes d'où il adressa au roi le 10 février 1487 une lettre-manifeste dans le style de celles qu'il avait écrites l'année précédente. Pour les Beaujeu cette troisième révolte des princes, par le nombre et la force des conjurés, était beaucoup plus dangereuse que les deux premières. Aussi sa répression prit-elle sensiblement plus de temps. Si l'armée royale dirigée sur la Guyenne parvint en un mois à reconquérir toute cette province il en alla tout autrement avec la Bretagne, attaquée cependant par trois armées. C'est le 27 juillet 1488 seulement que Louis de la Trémoille parvint à vaincre les Bretons à Saint-Aubin du Gornier où le duc d'Orléans et le prince d'Orange furent faits prisonniers. Dinan et Saint-Malo s'étaient déjà rendues les 7 et 14 avril. Le duc de Bretagne fut contraint de demander la paix.

De ces deux campagnes de Guyenne et de Bretagne

Commynes n'eut des échos qu'au fond d'une prison. A la fin de janvier 1487 en effet, sur la trahison d'un messager, il fut arrêté à Amboise en compagnie des évêques de Périgueux et de Montauban. Conduit tout d'abord au château de Loches où il resta enfermé durant six mois dans une de ces célèbres cages de fer qu'y avait aménagées Louis XI il fut transféré, peut-être sur les instances de sa femme, à Paris en la haute chambre de la Tour carrée de la Conciergerie le 17 juillet 1487. Il ne devait en sortir que le 24 mars 1489.

Le 24 mars 1489 le Parlement rendit son arrêt. Commynes était condamné « à être relégué pendant dix ans en une des maisons, terres et seigneuries de lui ou de sa femme telle qu'il plaira au roi lui ordonner et dont il ne partira durant ledit temps ». Le quart de tous ses biens serait confisqué et il devait bailler une caution « bonne et suffisante jusqu'à la somme de dix mille écus d'or » (Dupont III/147).

Sur les conditions de son emprisonnement, à Loches comme à Paris, Commynes a été des plus discret. Des fameuses cages de fer de Loches il se borne à nous dire qu'il en a « tâté » et il nous en donne les dimensions exactes (voir plus haut p. 224). A-t-il connu les « fillettes » du roi, ces lourdes chaînes terminées par une sonnette de cuivre pour alerter le geôlier au moindre mouvement du prisonnier ? De son séjour à la Conciergerie de Paris il nous indique seulement que de sa fenêtre il pouvait voir *arriver ce qui montait contremont la rivière de Seine, du côté de Normandie. Du dessus en vient,* précise-t-il, sans *comparaison plus que je n'eusse jamais pensé ni cru ce que j'en ai vu* (I/65). En réalité durant les 26 mois que dura sa captivité il dut connaître des moments très pénibles et peut-être encore plus à Paris qu'à Loches. Cette fenêtre d'où il contemplait la Seine fut même tout d'abord murée. Les portes des galeries qui conduisaient à sa chambre forte furent munies de crochets de fer. Deux geôliers furent chargés de « garder bien et sûrement ledit d'Argenton, spécifie un ordre de la Grande Chambre du 21 juillet 1487, et tellement qu'aucun inconvénient n'en advienne ». Et ceci sur leur vie. Si Commynes obtint d'ouïr messes tous les jours à ses dépens « si bon lui semble » il fut bien précisé aux huissiers Nicolas le Mercier et Jean Bochelier « qu'ils prennent pour cela de jour en jour chapelain pour dire ladite messe et qu'ils ne laissent parler ledit d'Argenton audit chapelain ni autre en quelque manière que ce soit » (Dupont II/142). Vers la fin de son séjour cette rigueur semble toutefois s'être adoucie puisque la fenêtre murée fut dégagée. Commynes changea même de local et put occuper, dans l'enceinte du Palais, une maison appartenant à Martial d'Auvergne.

Mais ses souffrances morales durent être très pénibles. Lui qui avait été le ministre tout-puissant de Louis XI et l'éminence grise du royaume durant une dizaine d'années, qui avait été l'ambassadeur magnifique du roi en Italie, qui avait parcouru la majeure partie de l'Europe occidentale voilà qu'il en était réduit à regarder du fond d'une geôle cette ville de Paris qu'il admirait tant et dont il avait été le député aux Etats généraux de Tours. Et qu'adviendrait-il de lui le jour du jugement ? Il pouvait nourrir à ce sujet les pires appréhensions. Lescun, comte de Comminges, et plusieurs serviteurs du duc d'Orléans furent condamnés à mort le 28 mai 1488. Dunois fut déclaré criminel de lèse-majesté et tous ses biens confisqués. Si aucun arrêt ne fut prononcé contre le duc d'Orléans, il fut pour sa part tenu en résidence surveillée plus de trois ans à Bourges.

Par bonheur pour Commynes, si Anne de Beaujeu était implacable dans la poursuite de son entreprise elle n'était pas cruelle. Peut-être fut-elle sensible aux interventions de la femme de Commynes ainsi que le veut la tradition familiale rapportée par Sleidan, le premier biographe du chroniqueur. Il est également possible que la clémence relative dont bénéficia Commynes soit due à la volonté de Charles VIII qui commençait à s'émanciper de la tutelle exercée par sa sœur. L'autorité d'Anne de Beaujeu a en effet cessé d'être absolue dès 1488. Les deux évêques incarcérés en même temps que Commynes obtinrent sur l'intervention du pape d'être jugés par l'Eglise et échappèrent ainsi à la justice royale ce qui permettait à Laurent Spinelli d'écrire le 28 mars 1488 à Laurent de Médicis que « dans ces conditions Monseigneur d'Argenton pouvait avoir bon espoir pour lui » (Kervyn II/63).

L'instruction de son procès se prolongea cependant encore une année tout au long de laquelle il fit preuve de fermeté dans sa défense, persévérant dans ses déclarations de la première heure « sans y vouloir ajouter ni diminuer » récusant des témoignages douteux comme celui d'un certain seigneur de La Forêt arrêté comme lui et qui pouvait avoir été ainsi induit à le charger ainsi que devait le reconnaître la cour (Dupont III/144). Quand on en arriva aux plaidoiries Commynes s'en chargea lui-même, soit que personne d'autre ne voulût s'y risquer, soit qu'il estimât que sa propre éloquence le servirait encore mieux. Deux heures durant il rappela tous les services qu'il avait rendus à la couronne, sous Louis XI comme sous le présent règne.

Si lourde que fût cette sentence, Commynes pouvait s'estimer heureux de s'en tirer ainsi. Car il avait bel et bien pactisé avec des féodaux qui n'avaient pas hésité à faire appel aux ennemis du dehors, anglais et allemands. Mais pratiquement il était absous du crime de haute trahison et de lèse majesté qu'il avait encouru en se fourvoyant parmi les factieux du régime. Il avait ainsi remporté un incontestable succès de plaidoirie.

IV

TROIS PROCES

Sorti de prison à fin mars 1489, Commynes n'était pas pour autant libéré de tout tracas judiciaire. En mai déjà des sergents se présentèrent à Argenton pour procéder à la saisie du château et du domaine afin de payer diverses amendes et indemnités auxquelles Commynes avait été condamné au cours des années précédentes à propos de Talmont. Avec l'aide de sept de ses serviteurs Commynes repousse par la force ces agents de la justice. Il est aussitôt ajourné par le Parlement à comparaître en personne avec ses complices « sous peine de bannissement du royaume ». Le 4 juin le Parlement confirme son jugement de 1486 concernant Talmont et Château-Gontier et l'oblige à restituer définitivement ces terres aux La Trémoille. Il s'établit alors au château de Dreux, au nord de la Loire, qui lui avait été cédé par Alain d'Albret mais avec un droit de rachat d'une durée de 15 ans. Cette cession avait été faite en compensation des prêts que Commynes lui avait consentis et des terres qu'il lui avait achetées en 1484 dans le Hainaut mais dont il n'avait pu entrer en possession « obstant aucunes coutumes du pays de Hainaut ». Les droits concédés à Commynes sur le comte de Dreux étaient du reste contestés eux aussi par un certain Jean d'Orval qui s'opposait au contrat passé avec Alain d'Albret. Simultanément et comme si toutes ces contestations ne suffisaient pas à occuper ses loisirs forcés Commynes rencontrait des difficultés avec la banque lyonnaise des Médicis pour la récupération de l'argent qu'il y avait déposé et dont il avait le plus grand besoin.

Harcelé ainsi de tous côtés il a fait front avec une rare énergie. Sa longue détention ne semble en tout cas pas avoir réfréné son dynamisme procédurier. Avec le concours d'hommes de loi habiles et dévoués parmi lesquels un certain Piédefer, au nom prédestiné, il lutte pied à pied, dresse de nouvelles oppositions, contre-attaque. Il ne craint même pas de revenir sur certaines circonstances de son arrestation. C'est ainsi qu'il intente un procès à Charles du Mesnil-Simon qui l'avait arrêté à Amboise à fin janvier 1487. Il lui reproche de s'être saisi de sa personne sans commission ou autorité de justice et, ce qui était tout aussi scandaleux, d'en avoir profité pour lui voler, dans ses coffres du château d'Argenton, de la vaisselle d'argent, des chaînes d'or, des bagues et diverses autres choses que Commynes évaluait à 3 000 écus. Il va même plus loin. Il conteste l'accession d'André de Vivonne, seigneur de la Châtaigneraie, aux fonctions de sénéchal du Poitou dont Commynes avait été destitué par ordre de Charles VIII en septembre 1486.

Il serait fastidieux d'entrer dans le détail de tous les démêlés que Commynes eut avec la justice et nombre de particuliers. Pour que le lecteur puisse tout de même se faire une idée de ses tribulations et de l'extrême difficulté qu'il y a, cinq cents ans après les événements, de se prononcer sur le fond, il suffira de trois exemples. Comme nous allons le voir ils jettent une lumière crue sur l'aspect souvent sordide des relations humaines ainsi que sur l'imbrication ténébreuse des intérêts privés et publics, ce qui était par ailleurs fatal dès lors qu'il s'agissait de personnages importants du régime.

1. *L'affaire de la ferme du sel aux Ponts-de-Cé*

On se souvient que l'une des premières libéralités de Louis XI à Philippe de Commynes fut l'octroi d'une pension de 6 000 livres dont 4 000 étaient à prendre sur « toute la revenue de la crue de 60 sous pour chaque muy de sel passant aux Ponts-de-Cé » ceci à partir du 1er mars 1473. La localisation précise de ce droit devait rappeler à son bénéficiaire que c'était à cet endroit qu'il avait rencontré son nouveau maître quelques semaines après avoir quitté Charles le Téméraire. Cette source de revenus présentait toute garantie étant donné le caractère de véritable service public que revêtait alors le trafic du sel. Cette denrée jouait un rôle considérable pour la conservation des aliments et les détenteurs des greniers à sel avaient l'obligation de tenir en réserve une quantité suffisante pour couvrir les besoins durant deux ans.

Commynes aurait pu faire prélever ses revenus par ses propres serviteurs. Il aurait eu ainsi la possibilité de bénéficier intégralement de la plus-value éventuelle de son droit car la lettre patente du roi du 28 octobre 1472 précisait que si « ladite crue était de plus grande valeur par an (que les 4 000 livres mentionnées) le surplus en demeurera à icelui notre conseiller et chambellan ». Mais Commynes avait assez d'autres besognes pour ne pas préférer se décharger de celle-ci en recourant à des tiers liés à lui par bail renouvelable de trois ans en trois ans. C'est ainsi qu'il adjugea une première fois le bail de la ferme du sel aux Ponts-de-Cé à un groupe de marchands de Tours puis à un groupe d'Angers, puis de nouveau à un marchand de Tours nommé Jean Brizeau et finalement à un certain Jean Moreau, de Tours également, l'un de ses amis personnels. S'il avait pu prévoir les tracas que ces adjudications successives devaient lui réserver il se serait sans doute rangé à l'avis de ceux qui lui conseillèrent à un moment donné de se charger lui-même de la perception de son droit. Il n'aurait pas été ainsi exposé à subir les effets des connivences à la baisse ou à la surenchère du montant du bail, des manœuvres pour le détournement de la route d'approvisionnement des greniers à sel ceci afin de déprécier la ferme des Ponts-de-Cé, des difficultés de recouvrement du loyer. Il n'aurait pas été en particulier dans l'obligation de répondre devant les tribunaux des accusations extrêmement violentes d'une certaine Jacquette Hamelin, veuve de Jean Brizeau dont le décès était survenu subitement en mars 1480.

La veuve Brizeau n'y est pas allée par quatre chemins au cours du procès qu'elle intenta à Philippe de Commynes dès février 1485 en vue de l'obliger à restituer un supplément de 1 000 écus qu'il aurait, selon elle, indûment touché à l'occasion de la reconduction du bail dont son défunt mari avait été l'adjudicataire. Selon la veuve Brizeau il était de notoriété publique que Commynes était un homme cupide, ne connaissant que le sien propre, déprisant tout un chacun. Sa complexion n'aurait jamais été autre que de faire son profit. En avril 1480 il aurait abusé de la faiblesse de la plaignante, nouvellement veuve, ignorante et dépourvue de conseil, pour lui extorquer ces 1 000 écus en recourant lui ou ses gens, à des exhortations, séditions, menaces, grosses paroles comminatrices et d'autres mauvaises pratiques pour l'effrayer et la persécuter. Il aurait commis un véritable abus de pouvoir en exigeant d'elle cette somme supplémentaire si elle tenait à pouvoir continuer de jouir du bail adjugé précédemment à son mari. Seul le roi avait, selon elle, la faculté de modifier le montant du bail. Commynes se serait déjà livré à de telles hausses lors de précédents renouvellements de bail faisant progressivement passer son montant de 4 000 à 6 000 livres. De plus Commynes se serait entendu secrètement avec Jean Moreau une année et demie avant l'échéance du bail de la veuve Brizeau pour que les mariniers qui amenaient le sel jusqu'aux détroits des Ponts-de-Cé différassent de passer par là, afin de ruiner la plaignante et l'amener à renoncer à une nouvelle demande de reconduction de son bail. Ce n'était pas merveille, selon elle, que Commynes ait pu ainsi se comporter « vu le règne qui courait alors ainsi qu'il est notoire ». Commynes pouvait impunément user de prérogatives royales car il était « près de la personne du roi plus que homme du royaume », étant lui-même « pour lors roi ». Sa conduite à l'égard d'une pauvre veuve était non seulement injuste mais « chose inhumaine ». Ces 1 000 écus, s'il avait été « bon chevalier », et même en admettant que la plaignante les eût offerts spontanément, il n'aurait jamais dû les prendre, etc.

Commynes aurait pu se contenter de répondre à la veuve Brizeau, ce qu'il n'a du reste pas manqué de faire, qu'il ne l'avait jamais rencontrée ni avant, ni pendant, ni après la négociation relative à la reconduction du bail. Dans un long mémoire, rédigé peut-être par lui-même, il tint cependant à réfuter les arguments de son accusatrice et à contre-attaquer. Selon lui, elle ne cherchait qu'à profiter du fait qu'il n'était plus si près du roi (Charles VIII) comme il avait été du précédent et qu'« il était bruit qu'on le voulait mal récompenser des grands biens et services qu'il avait faits au feu roi Louis et au royaume... » et tout ceci afin de provoquer « un esclandre ou pour exiger de lui quelques sommes d'argent ». En ce qui concerne l'étroitesse de ses relations avec Louis XI la plaignante comme d'autres s'en sont fait « une imagination autre qu'à la raison ». Quant au reproche d'avoir exploité une pauvre veuve, Commynes faisait valoir que si la veuve Brizeau s'était empressée de payer le reliquat du loyer dû par son défunt mari et d'y ajouter un supplément il était à présumer qu'elle avait quelque intérêt à le faire afin de garder la jouissance de la ferme des Ponts-de-Cé. Cet empressement n'avait pour but que d'empêcher qu'on ne connût la vraie valeur de la ferme et de ne pas laisser entamer le crédit des facteurs et serviteurs de son mari. Ce à quoi les défenseurs de la plaignante répliquaient que toute ferme c'est la fille au vilain : qui plus en baille plus il l'a, quitte à ne pouvoir rentrer par la suite dans ses débours, le seul gagnant de l'opération étant le bailleur de la ferme.

On ne sait si la veuve Brizeau obtint satisfaction, si

elle fut déboutée ou si un arrangement intervint. Commynes en tout cas n'était pas au bout de ses peines. Le successeur de la veuve Brizeau, Jean Moreau, de Tours, s'avéra bientôt insolvable bien qu'il fût un grand homme d'affaires et détenteur à un moment donné du monopole de l'approvisionnement de tous les greniers à sel du royaume. Commynes prétend que c'est Louis XI qui lui imposa le choix de ce nouvel adjudicataire. Quoi qu'il en soit Commynes dut se contenter d'une hypothèque sur une grosse galéasse appartenant à Jean Moreau et qui faisait le trafic entre Marseille, la Sicile et le royaume de Naples. Après avoir racheté une autre hypothèque grevant cette galéasse, Commynes attendit jusqu'en 1491 pour entrer définitivement en possession de ce navire mais non sans avoir été exposé derechef à de nouvelles contestations et à de nouveaux procès, en dépit de lettres royales établissant ses droits (avril 1489) et d'une transaction passée avec Moreau « en contemplation de l'amitié » liant les deux compères (février 1490).

En conclusion il n'est pas téméraire de penser que l'issue de cette longue et pénible affaire aurait été tout autre si Commynes avait réellement commis un abus quelconque dans les adjudications successives du bail de la ferme du sel aux Ponts-de-Cé.

2. - *L'affaire de la principauté de Talmont*

C'est en octobre 1472 que Commynes reçut de Louis XI la principauté de Talmont comprenant quelque 1 700 fiefs et arrière-fiefs. On se souvient que ce geste vraiment royal s'inscrivait dans la perspective d'une politique systématique tendant à assurer le contrôle du souverain sur toute la région s'étendant entre la Guyenne et la Bretagne, deux provinces qui ont effectivement donné passablement de fil à retordre aux rois de France au cours des siècles. Dans le cas particulier de Talmont Louis XI a simplement profité d'une vieille rivalité opposant les familles d'Amboise et de la Trémoille.

Georges de la Trémoille, un favori de Charles VII, avait été très déçu de voir que Louis d'Amboise, son voisin, avait promis au duc de Bretagne de donner en mariage sa fille aînée, Anne, à l'héritier de la couronne ducale de préférence à Louis I de la Trémoille, son fils. Il a trouvé moyen de convaincre Charles VII qu'il y avait là un crime de lèse-majesté, cette promesse de mariage s'étant faite sans l'autorisation du suzerain. Louis d'Amboise fut arrêté et condamné à mort le 8 mai 1431. Grâcié il est rentré en possession de la totalité de la principauté de Talmont en 1438. Ayant finalement bel et bien marié sa fille aînée à l'héritier du duc de Bretagne, Louis d'Amboise consentit le 22 août 1446 à donner en mariage sa fille cadette Marguerite, à Louis I de La Trémoille, avec une dot comprenant Talmont et ses dépendances, mais dont il se réservait cependant l'usufruit jusqu'à sa mort. Comme il dilapidait sa fortune, Louis d'Amboise fut mis sous tutelle le 16 janvier 1459 sur requête de ses trois filles.

S'immisçant alors dans cet imbroglio, Louis XI fit casser l'arrêt de mise sous tutelle et s'entendit avec Louis d'Amboise pour lui racheter la principauté de Talmont au prix de 100 000 écus le 25 septembre 1462. Cet achat était du reste en partie fictif car Louis XI n'a versé en réalité que 10 000 écus à Louis d'Amboise qui continuait à jouir de l'usufruit de ses biens et qui bénéficiait en outre de la part du roi d'une pension de 4 000 livres. Le 28 février 1470, à la mort de Louis d'Amboise, Louis XI s'empressa de mettre la main sur la principauté de Talmont par droit de confiscation en alléguant que c'était sans l'autorisation de Charles VII que l'aînée du défunt avait été mariée à l'héritier de Bretagne. Le roi donna aussitôt à sa propre fille, Anne de France et future dame de Beaujeu, le titre de vicomtesse de Thouars, l'une des terres comprises dans le domaine de Louis d'Amboise et deux ans plus tard il conférait à Commynes le titre de prince de Talmont.

Cependant les actes de Louis XI firent dès le début l'objet d'une opposition vigoureuse des héritiers de Louis d'Amboise parmi lesquels figurait Louis II de la Trémoille, né du mariage de Marguerite d'Amboise et de Louis I de la Trémoille et bénéficiaire de surcroît des droits de la fille aînée du défunt entrée en religion à la suite de son propre veuvage.

Le Parlement et la Cour des comptes, parfaitement conscients des habiletés auxquelles avait recouru Louis XI, se firent quelque peu tirer l'oreille pour entériner les dons royaux. Ils ne les confirmèrent respectivement que le 13 décembre 1473 et le 2 mai 1474. Mais les héritiers de Louis d'Amboise maintinrent leur opposition. Le Parlement prononça alors, le 20 juillet 1479, un nouvel arrêt aux termes duquel l'héritage de Louis d'Amboise était partagé entre Louis II de la Trémoille et Commynes et ceci de telle manière que Talmont et Thouars étaient attribués au premier. Louis XI fit casser cet arrêté qui défavorisait par trop son protégé. En mai 1480 le roi constatait que Louis II de la Trémoille occupait toujours les lieux nonobstant l'appel formulé par Commynes qui restait ainsi « évincé » desdites terres. Louis XI, ne pouvant admettre que ses lettres de don de 1472 « demeurassent illusoires », ordonna à Louis II de la Trémoille de « rendre et bailler » Talmont et Thouars à Commynes. Toutefois, sur son lit de mort, il aurait reconnu avoir agi arbitrairement dans toute cette affaire et il aurait fait transmettre oralement au dauphin son désir que Talmont et Thouars soient restitués aux La Trémoille, Commynes recevant en compensation une rente de 2 000 livres. Fort de cette déclaration, Louis II de la Trémoille relança sa demande de restitution le 9 septembre 1483. Il adressa une supplication à Charles VIII pour que le désir de Louis XI soit respecté. Le 29 septembre le jeune roi demanda au Parlement d'autoriser Louis II de la Trémoille à jouir de Thouars par manière de provision dès l'ouverture du procès en restitution de biens et jusqu'à ce que le Parlement se soit prononcé définitivement.

Pour avoir plus de chance d'obtenir gain de cause le clan des La Trémoille devait tout d'abord désintéresser Anne de Beaujeu, titulaire du vicomté de Thouars. Elle s'y montra disposée moyennant le versement de 17 000 écus d'or. La convention fut signée le 17 décembre 1483 et exécutée le 10 mai 1484. Cela n'empêcha pas Commynes de faire opposition aux revendications des La Trémoille. Son avocat Piédefer défendit Commynes avec une ardeur au moins égale à celle des La Trémoille. Le Parlement ne trancha la question qu'en avril 1486 et il le fit en faveur des demandeurs. Piédefer souleva aussitôt de nouvelles difficultés arguant, entre autres, de l'impossibilité où se trouvait Commynes de se défendre étant donné son arrestation en janvier 1487. Le procès déjà vieux de plus de vingt ans rebondit jusqu'au 4 juin 1489 date à laquelle le Parlement ordonna à Commynes de restituer définitivement Thouars et Talmont aux La Trémoille et de leur verser en plus une indemnité de 11 000 et quelques livres pour les revenus soi-disant indûment perçus pendant le court temps où Commynes fut réellement en possession de ce domaine. Force lui fut bien cette fois-ci de s'incliner. Mais Charles VIII, enfin libéré de la tutelle de sa sœur Anne de Beaujeu, octroya à Commynes le 25 juillet 1491 un don de 30 000 livres payables en quatre ans « en récompense de certaines actions et garanties qu'il prétendait avoir et recouvrer sur le roi à cause des terres et seigneuries de Talmont, Olonne et autres que le feu roi son père lui avait données et dont après son trépas il avait été troublé et mis en procès ». Sur ces 30 000 livres Commynes en remit 10 000 aux La Trémoille. Ceux-ci avaient du reste abandonné leurs poursuites.

Au cours de ce long procès Commynes fut accusé non seulement d'avoir accepté de Louis XI un don entaché d'irrégularité mais on est allé jusqu'à l'accuser d'avoir, un jour, jeté au feu ou demandé à Louis XI de jeter au feu ou tout au moins de ne pas s'être opposé à ce geste, deux lettres de Charles VII autorisant bel et bien Louis I d'Amboise de marier sa fille aînée à l'héritier de Bretagne. Cette accusation réduisait à néant le droit de confiscation invoqué en son temps par Louis XI pour se saisir de la principauté en question. Commynes contesta énergiquement les reproches qui lui étaient faits, disant notamment qu'il n'y avait pas de feu dans la cheminée du local où se serait déroulé toute la scène. Quant à l'allégation selon laquelle il était parfaitement au courant du caractère abusif de la main-mise de Louis XI sur Talmont il la contesta également en faisant remarquer que de toute manière Louis XI se serait bien gardé de lui en parler, craignant, s'il l'avait appris, *qu'il s'en fût retourné là d'où il venait*, c'est-à-dire auprès de Charles le Téméraire. Ces arguments de Commynes peuvent paraître aujourd'hui bien faibles. Mais l'historien impartial doutera que les droits des La Trémoille fussent aussi assurés qu'ils le prétendaient. Comment sans cela expliquer qu'ils aient jugé bon d'indemniser Anne de Beaujeu pour la faire renoncer à son titre de vicomtesse de Thouars si son père avait acquis frauduleusement le domaine de Louis d'Amboise ? Comment expliquer aussi que Charles VIII, dès sa majorité atteinte, se soit empressé d'indemniser à son tour et si généreusement Commynes pour le préjudice qu'il a subi du fait de Talmont ? La collusion intéressée d'Anne de Beaujeu avec Louis de la Trémoille, leur commune rapacité, sont au moins aussi patentes que l'opiniâtreté de Commynes à défendre ses droits et ses intérêts. Et que penser du comportement du clan des La Trémoille comme de celui des filles de ce pauvre Louis d'Amboise ? Le mariage de sa fille cadette avec le fils de celui qui l'avait fait condamner à mort, sa mise sous tutelle à la demande de ses propres enfants sont bien antérieurs à l'entrée en scène de Louis XI et de Commynes. Pourquoi avoir aussi attendu huit ans après la soi-disant destruction par le feu de documents inquiétants pour oser en accuser Commynes ? Si Talmont a été pour ce dernier un cadeau empoisonné, saurait-on lui faire un grief de l'avoir accepté puis d'avoir si âprement lutté pour le garder ? Il a fini par céder mais non sans obtenir une ample compensation. Depuis la condamnation à mort de Louis d'Amboise par Charles VII jusqu'au versement d'une forte indemnité à Commynes par Charles VIII toute l'affaire de Talmont fait ressortir combien la justice, à cette époque, dépendait du pouvoir. Il n'est pas téméraire de penser que Commynes n'aurait pas été pareillement malmené par le Parlement s'il avait entretenu avec Anne de Beaujeu d'aussi bons rapports qu'avec Louis XI, s'il ne s'était pas opposé ouvertement à son absolutisme, s'il n'avait pas eu le courage ou l'imprudence de s'aventurer dans cette tentative désespérée d'instaurer en France un régime constitutionnel.

Mais l'Histoire réserve de curieuses surprises. Il s'est trouvé en effet que l'arrière petite-fille de Commynes, Madeleine de Luxembourg, a épousé un La Trémoille si bien que les fameux titres seigneuriaux de Thouars et de Talmont furent à nouveau portés par la descendance directe de l'illustre chroniqueur.

3. - L'affaire d'Argenton

Philippe de Commynes n'a guère été plus heureux avec son titre de seigneur d'Argenton qu'avec celui de prince de Talmont. On se rappelle que c'est grâce à un don de Louis XI qu'il put racheter à son beau-père, Jean de Chambes, en 1473 ses droits sur le château d'Argenton et le domaine attenant.

Il s'agissait en réalité de simples droits de recréance n'assurant à son détenteur qu'une possession provisoire dans un procès en cours. Même si un tel droit est accordé par le tribunal à celle des deux parties qui lui semble détenir le droit le plus apparent rien n'exclut que les juges, dans leur arrêt définitif, reviennent sur leur attribution provisoire.

Le procès concernant Argenton remontait à 1459. Il devait se prolonger pendant plus de cent ans. Les tribulations qu'il occasionna à Commynes et ses après-venants ont donc leur source dans des données bien antérieures à son mariage avec Hélène de Chambes. Guillaume d'Argenton, mort en 1450 ou 1451, avait laissé quatre enfants dont les deux plus âgés, Antoine et sa sœur Brunissant se sont aussitôt livrés à une guerre sans merci pour la possession du château et du domaine. Antoine, atteint de la lèpre, meurt le 12 décembre 1462 sans postérité mais non sans qu'un des trois enfants de Brunissant, Louis

Chabot, lui ait soutiré abusivement le don d'Argenton qu'une convention antérieure réservait cependant à Brunissant. Cela ne faisait pas l'affaire du gendre de celle-ci, Jean de Chambes, qui s'intéressait aussi à cet héritage. A la haine qui existait entre la veuve d'Antoine et Brunissant s'est superposée dès lors une âpre rivalité entre Louis Chabot et Jean de Chambes. Louis Chabot s'en est pris également à sa propre mère. Il s'est introduit de force une nuit dans le château, a refusé d'obtempérer à l'ordre du Parlement de céder la place à Jean de Chambes à qui Brunissant avait remis tous ses droits, lassée qu'elle était des violences auxquelles s'était livré Louis Chabot. Ce dernier n'était-il pas allé jusqu'à essayer de la tuer en faisant jeter sur elle de grosses pierres un jour qu'elle s'était présentée à la porte du château ? Il continue de la terroriser et lui extorque des lettres antidatées faisant de lui son seul héritier. Le Parlement n'en est pas dupe et oblige Louis Chabot à se retirer du château. Le 10 avril 1465, la cour fait bénéficier Jean de Chambes d'un arrêt de recréance, celui-là même qu'il vendra huit ans plus tard à Commynes. Mais, entre temps, Jean de Chambes a été à son tour accusé d'usage de faux et il s'est vu obligé par ce même Parlement, en 1469, d'abandonner à son beau-frère Louis Chabot la possession du château et la moitié du domaine. Nouveau procès et Jean de Chambes est condamné le 29 avril 1472 à payer une forte indemnité à son rival. Il ne se tient cependant pas pour battu et c'est sans doute en pensant que le nouveau favori du roi, Philippe de Commynes, l'aidera à faire triompher sa cause qu'il lui donne sa fille en mariage le 24 janvier 1473. Effectivement Commynes obtient du Parlement, le 10 juillet, un nouvel arrêt aux termes duquel Louis Chabot est déclaré faussaire et condamné à une amende de 15 000 livres. Il est emprisonné jusqu'au paiement de cette amende. Les droits de recréance, rachetés par Commynes, ayant été reconnus valables pour la totalité du domaine, le nouveau sire d'Argenton s'entend alors avec Louis Chabot pour l'abandon de l'amende à laquelle celui-ci avait été condamné. Et voilà que survient la mort de Louis Chabot. Son neveu Jean de Châtillon se lance alors dans une nouvelle phase de ce pénible procès en contestation des droits de Commynes. Cela n'empêche pas le ministre tout-puissant du roi de s'installer dans son riche domaine et de procéder, avec l'appui financier de son maître, à une restauration somptueuse du château ainsi qu'à une remarquable mise en valeur de ses terres. De contestation en opposition, le procès cependant continue. Au début du règne de Charles VIII il s'aggrave de l'incidence du procès de Talmont. Commynes fait arracher par l'un de ses serviteurs l'exploit de saisie qui a été cloué à la porte du château d'Argenton aux fins de payer l'indemnité qu'il se refuse à verser aux La Trémoille pour les revenus perçus dans la principauté que le Parlement lui a fait rendre en avril 1486. Le château et le domaine d'Argenton sont mis en criée publique mais personne n'ose se présenter. Cette menace sur Argenton ne cesse qu'en 1491 avec le versement par Commynes aux La Trémoille de 10 000 livres pour solde de tout compte. Cependant le procès intenté naguère par Louis Chabot au sujet d'Argenton et relancé par son neveu se prolonge si bien que Commynes doit attendre, de contestation en opposition, jusqu'au 8 avril 1506 pour que le Parlement confirme ses droits de recréance sur l'ensemble du domaine. Jean de Châtillon est même condamné à lui payer une indemnité de 15 000 livres. Pour recouvrer cette somme, Commynes fait mettre en criée publique les terres de ce seigneur. Nouvelle opposition et le procès rebondit bien au-delà de la mort de Commynes. Il ne prendra fin que le 13 mai 1560 au désavantage des descendants du sire d'Argenton et au profit de Claude de Châtillon, fils de Jean et arrière-neveu de Louis Chabot.

Sur un autre plan que celui du droit de propriété, le seigneur d'Argenton fut simultanément l'objet d'une contestation encore plus désagréable pour lui. Il s'agissait cette fois-ci d'une question purement féodale. En sa qualité de seigneur d'Argenton, Commynes devait en effet prêter hommage à son suzerain, le baron de Mortagne.

Par suite d'irrégularités commises dans l'offre ou dans la reddition des aveux de vassalité un procès s'engagea à ce sujet dès 1507 devant le sénéchal du Poitou qui donna raison à Pierre, bâtard d'Armagnac et seigneur de Mortagne. Ce différend remontait du reste jusqu'à Guillaume d'Argenton au milieu du siècle précédent et, comme pour les droits de propriété sur Argenton, il ne procédait donc pas du seul fait de Commynes. Quoi qu'il en soit le Parlement, saisi du problème, trancha en faveur de Pierre d'Armagnac. Aux termes de son arrêt du 21 août 1508 le gouvernement des villes, terres et seigneuries d'Argenton, l'exercice de la justice et la perception des revenus jusqu'à satisfaction des exigences féodales, seraient confiés à des commissaires royaux. Commynes et sa femme étaient autorisés à demeurer entre-temps au château d'Argenton mais il était bien spécifié qu'ils y étaient établis comme personnes « étrangères » en payant chaque année aux commissaires royaux « ce que ladite demeure serait trouvée valoir raisonnablement ». Cette situation prit fin le 9 août 1511. Commynes, fatigué de toutes ces tribulations, s'était en effet résigné à rendre en bonne et due forme l'hommage féodal auquel il était tenu c'est-à-dire avec le baiser et le serment de fidélité traditionnel. Pour ce faire il se présenta un jour au château de Mortagne. Le seigneur du lieu n'y était pas et sa femme fit dire à Commynes qu'elle était elle-même malade au fond de son lit. C'est devant son représentant accompagné d'un homme de loi et du portier que l'ancien premier ministre tout-puissant de Louis XI rendit de vive voix son hommage et cela devant la porte du prieuré. Il lui en fut donné simplement acte, personne d'autre n'ayant en ce moment puissance de recevoir son hommage. En conséquence le procès n'était pas encore terminé quand Commynes mourut le 18 octobre 1511.

L'historien Fierville à qui nous empruntons tous les détails ci-dessus rapportés conclut son étude très consciencieuse du dossier d'Argenton que Commynes a été seulement « inquiété » dans la possession d'Argenton. (Fierville, *op. cit.* p. 117). On veut bien le croire car personne d'autre ne s'est penché avec autant de patience, de compétence et d'impartialité sur ce volumineux dossier. N'empêche que Commynes a dû souffrir de l'ambiguïté qui affectait ses droits sur Argenton comme elle affectait également la propriété de la principauté de Talmont. On ne saurait lui reprocher d'avoir usurpé ses titres nobiliaires puisqu'aussi bien ils lui avaient été formellement attribués par Louis XI. Mais quelle équivoque dans sa situation ! Il n'a jamais été propriétaire d'Argenton. Lui-même a dit au cours d'un de ses procès que c'était sa femme qui l'était. Mais c'était bien lui qui avait racheté les droits de son beau-père, des droits qui n'étaient du reste que de recréance et non de franche propriété. Et si Commynes les a payés, il était spécifié, dans le contrat de mariage, que le château d'Argenton et son domaine constituaient bien la dot d'Hélène de Chambes. Dans de telles conditions il n'est pas étonnant qu'il dût aller dans cette affaire comme en tant d'autres au-devant des plus pénibles contestations.

Commynes a-t-il péché par excès de subtilité ? S'est-il complu dans ces situations confuses ? A-t-il été égaré par son appétit des biens de ce monde ? Ou bien a-t-il été simplement la victime des habiletés de Louis XI ? Sous un prince si rusé, a dit Bossuet, dans son panégyrique de Saint François de Paule, « tout le monde raffinait sans doute ; c'était la manie du siècle, c'était la fantaisie de la cour ». La folie procédurière était peut-être une maladie congénitale. De tout temps les Français semblent y avoir été particulièrement exposés et leur littérature, de *la Farce de Maître Pathelin* à Courteline en passant par *les Plaideurs* de Racine, en donne bien l'impression. Dans sa propre famille Commynes a compté aussi de singuliers amateurs de procès. Rien n'est plus significatif à cet égard de voir que les frais de funérailles de son père, mort en 1453, ont donné lieu à une âpre contestation de même que les dépenses pour sa nourriture et entretien du temps que le jeune Philippe était sous la tutelle de son cousin Jean de Commynes. Les procès y relatifs se sont prolongés jusqu'en 1519 soit huit ans après la mort de Commynes. Du berceau à la tombe et même au-delà... des procès, encore des procès, toujours des procès.

Il y avait, dans tout cela, ample matière à méditation. Aussi est-il compréhensible que, durant les vingt-six mois de son emprisonnement tout particulièrement, mais déjà bien avant comme après, Commynes se soit livré à de profondes réflexions sur les aléas de la justice, sur celle des hommes comme sur celle de Dieu.

V

JUSTICE HUMAINE ET JUSTICE DIVINE

Et en ce cas et en semblables le premier refuge est de se retourner vers Dieu et penser si en rien on l'a offensé et s'humilier devant lui et reconnaître ses méfaits car c'est lui qui détermine de tels procès (= destin) *sans qu'on lui puisse proposer* (= l'accuser de) *nulle erreur. Après cela fait grand bien de parler à quelques amis privés et hardiment plaindre ses douleurs et n'avoir point de honte de montrer sa douleur devant l'espécial ami car cela allège le cœur et le réconforte et les esprits reviennent et la vertu pour parler en un conseil ou pour prendre autre labeur car il est force puisque nous sommes hommes que telles douleurs se passent avec grandes passions ou en public ou en particulier* (I/370).

Tout bien regardé notre seule espérance doit être en Dieu car en celui-là gît toute fermeté et toute bonté qui en nulle chose de ce monde ne se pourrait trouver. Mais chacun de nous le connaît tard et après que nous en avons eu besoin. Toutefois mieux vaut tard que jamais (I/98).

Ces deux professions de foi se lisent dans la première partie des Mémoires de Commynes. Elles ont été écrites peu de temps après sa sortie de prison. Elles nous semblent attester que l'épreuve qu'il venait de subir l'a amené à opérer un complet retour sur lui-même. Il n'est pas téméraire de penser que ces phrases sont l'indice de l'irruption en lui d'une foi authentique. Non pas qu'il n'ait pas connu jusque-là une vie religieuse sincère. On sait qu'il était pieux et qu'à peine installé à Argenton il y a fait construire une chapelle réservée à ses dévotions personnelles. A Chinon il fait reconstruire l'église Saint-Etienne. Il a obtenu du pape l'autorisation d'avoir un autel portatif et de faire célébrer la messe en tout lieu même avant le lever du jour par le chapelain de son choix sans que nul n'y pût apporter quelque empêchement que ce soit (Jean Dufournet, *Vie de Philippe de Commynes*, p. 58). On se souvient aussi qu'il a été autorisé à entendre la messe en prison à ses propres frais. Mais il n'aurait probablement pas écrit que chacun de nous ne connaît Dieu que sur le tard et dans la nécessité si tel n'avait pas été son cas personnel.

La dévotion est une chose, la foi véritable en est une autre et la première n'implique pas nécessairement la seconde. De toute manière il semble bien que les tribulations particulièrement graves dans lesquelles Commynes a été précipité, de la mort de Louis XI à 1490, ont eu un profond retentissement sur sa vie religieuse. Il n'est pas abusif de penser que c'est quelque jour de profond désarroi à Loches ou à la Conciergerie de Paris qu'il lui a été donné d'accéder à la connaissance existentielle de Dieu. Pour autant il n'a pas versé dans un mysticisme angélique. Pour lui Dieu est un *refuge* où le chrétien abattu procède à un examen de conscience, où il *confesse* ses fautes, où il *s'humilie* mais où il n'est pas question de se perdre outre mesure. Le croyant repenti reprendra le plus vite possible *ses esprits* dans la compagnie d'un ami très intime devant qui il ne craindra pas d'exhaler *ses plaintes.* Il se gardera dans de telles circonstances de *se cacher ou se tenir solitaire* (I/370) comme le fit par exemple Charles le Téméraire après la défaite de Morat.

A-t-il eu lui-même, dans les heures troubles de son emprisonnement et de sa relégation, ce privilège de pouvoir compter sur un *espécial ami ?* Il est permis d'en douter à lire cette curieuse incidente que l'on trouve ailleurs. *Je conseillerais à un mien ami,* dit-il, pour ajouter aussitôt... *si je l'avais...* (I/257). Aussi précise-t-il qu'à défaut de pouvoir répandre ses plaintes en *public* c'est-à-dire en présence de quelqu'un, il faut le faire *en particulier.* De toute manière la meilleure des thérapies, une fois le cœur *allégé* par l'expression de sa souffrance et *réconforté* par la confession de ses fautes, il faut sans plus tarder se remettre au travail. Et c'est ce qu'il s'est empressé de faire en se lançant dès sa sortie de prison, avec une ardeur combative des plus remarquables, dans la défense de ses intérêts attaqués de toute part. Comme il était tenu à l'écart de la cour et du conseil, du moins pour un certain temps, il lui restait aussi assez de loisirs pour songer à satisfaire la requête d'Angelo Cato qui lui demandait d'écrire ses Mémoires aux fins d'apporter à cet archevêque, médecin et astrologue napolitain, des renseignements susceptibles d'être utilisés dans l'histoire qu'il se proposait d'écrire en latin sur le règne de Louis XI. Effectivement c'est à Dreux que Commynes écrivit ou dicta en 1489 et au début de 1490 les cinq premiers livres de son œuvre littéraire. Mais, bientôt repris par la vie politique, ce n'est qu'en 1492 et 1493 qu'il rédigea le sixième et dernier livre de la première partie de ses Mémoires qui constitue ainsi un tout en soi. Ces six livres couvrent la période de sa vie active qui s'étend de 1464 à 1484. Ils concernent donc principalement le règne de Louis XI mais ils contiennent aussi ses considérations sur les Etats généraux de Tours de 1484 et leur répercussion sur son propre destin.

Les vues politiques que l'on découvre dans la première partie des Mémoires de Commynes et que nous avons mis en lumière dans les chapitres précédents paraissent s'être éclaircies progressivement au feu de l'action. Elles se sont élargies, étendues, approfondies au fur et à mesure que Commynes accédait à de nouvelles et toujours plus hautes responsabilités. Tout d'abord simple écuyer et compagnon d'armes du futur duc de Bourgogne il est devenu rapidement agent diplomatique puis ambassadeur, enfin ministre et véritable alter ego d'un grand roi. Passant du service de la Bourgogne sous Charles le Téméraire à celui de la France sous Louis XI et Charles VIII il s'est ouvert à des horizons toujours plus vastes. Il s'est fait toute une conception de l'équilibre européen. Mais il a réfléchi également sur la nature du pouvoir et il a engagé ses responsabilités personnelles d'une manière toujours plus volontaire en cherchant à infléchir le cours de l'histoire de la France dans un sens particulier. Il est allé finalement jusqu'à participer activement à une tentative de réforme de l'Etat. Il en a même été le principal inspirateur.

C'est une évolution semblable qui se manifeste dans sa pensée religieuse. Toutefois elle a mûri plus tardivement et ses progrès sont plus difficiles à discerner. Dans ce domaine sa discrétion est encore plus grande qu'en politique. Il ne nous a rien dit du retour qu'il a effectué sur lui-même durant son incarcération. S'il s'est probablement repenti, s'il s'est interrogé sur la nature des offenses qu'il a commises envers Dieu pour être puni aussi sévèrement, s'il s'est humilié dans le secret de sa geôle et du confessionnal, il est bien difficile de dire jusqu'à quel point il a reconnu avoir réellement fait des fautes. S'est-il reproché une ambition excessive, un appétit exagéré des biens de ce monde, des erreurs de jugement sur certaines personnes avec qui il a collaboré ? A-t-il admis qu'il s'était trompé dans le choix des buts politiques qu'il a poursuivis ? Il n'exprime en tout cas pas de regret à ce sujet dans ses Mémoires. Au contraire il tente de s'y justifier. De sa collusion avec Louis d'Orléans il dira seulement : que c'était *pour lui* qu'il avait été en *tous* (*ses*) *troubles et pertes* (II/387). Nous savons aussi, grâce à Sleidan qui le tenait du précepteur choisi par Commynes pour l'éducation de sa fille, qu'il lui arrivait volontiers de citer la parole du psalmiste : *veni altitudinem maris et tempestas demersit me,* ce qui peut à la rigueur être considéré comme l'aveu d'une imprudence mais nullement d'un repentir. L'ascèse religieuse de Commynes, même si elle lui a permis d'accéder à une foi véritable, n'a pas pris le caractère d'une conversion. Une fois la crise surmontée, Commynes n'a pas changé radicalement de conduite. Son comportement politique, comme nous aurons l'occasion de le voir par la suite, est resté le même. Peut-être Commynes aura-t-il été rendu simplement encore un peu plus prudent. Les longues méditations qu'il a dû faire au fond de sa prison ne semblent en tout cas pas avoir pris le caractère d'une mortification mais bien d'une réflexion en profondeur sur le sens de l'histoire. Ce qui l'intéresse beaucoup plus que les fautes qu'il a pu commettre personnellement ce sont les rapports de Dieu et du monde.

La lecture attentive des Mémoires nous permet en effet de nous faire une idée de l'approfondissement progressif de sa pensée religieuse, de ses doutes aussi et de ses hésitations. Il est naturel que le Dieu de Commynes soit avant toute chose un Dieu justicier qui intervient dans les affaires de ce monde essentiellement au sujet des injustices dont il est le théâtre. Que la foi de Commynes ait été la découverte soudaine d'un nouvel ordre de réalité ou qu'on soit simplement en présence d'une intériorisation plus poussée d'une pensée depuis longtemps orientée dans cette direction, sa conception de Dieu et du Monde ne pouvait manquer d'être marquée profondément par les tribulations judiciaires qu'il venait de traverser au moment où il s'est mis à la rédaction de ses Mémoires, tribulations qui n'ont du reste pas cessé de le tourmenter jusqu'à la fin de sa vie.

Hommes ou femmes, qu'il s'agisse de *rois ou de princes, de leurs grands gouverneurs et pour les peuples de ceux qui ont les prééminences sur eux comme ces conseillers des grosses villes désordonnées,* partout les plus forts *grèvent et foulent les plus faibles.* A tous les étages de la société, chez les grands comme chez les moyens et les petits c'est le règne de la violence, du vol, de l'emprisonnement abusif et du meurtre. Ce sont cependant les grands surtout qui commettent ces abus *car ôter aux uns pour enrichir les autres est le plus commun métier qu'ils fassent* (I/449). Recherchant la seule satisfaction de leurs intérêts ou de leurs plaisirs *comme pour femmes ou cas semblables* ce sont eux tout particulièrement qui recourent à des *actions déshonnêtes* même contre leurs propres *parents et serviteurs.* La perversité de la plupart des grands de ce monde tient à leur statut social. S'ils se croient tout permis c'est qu'ils y ont été portés dès leur naissance. Ils sont entourés de flatteurs qui les encouragent dans leur suffisance. Toute leur éducation même les y pousse. *Les princes* en particulier *sont plus enclins en toutes choses volontaires que les autres hommes tant pour la nourriture et petit chastoi* (= châtiment) *qu'ils ont eu en leur jeunesse que parce que venant à l'âge d'homme la plupart des gens tâchent à leur complaire, dans leur complexion et condition* (I/2). Plus tard *et assez de fois il advient que ceux qui les conseillent le font pour leur complaire ou pour ne pas oser leur contredire* (I/378). Aussi est-il naturel que *la puissance de Dieu se montre plus contre les grands que contre les petits* (I/448).

Sans doute existe-t-il ici-bas des tribunaux et des juges pour punir ceux qui commettent des injustices. Et il ne manque pas non plus d'avocats pour la défense de tous ceux qui sont en butte à la *mauvaitié* des hommes. Mais qu'il s'agisse de l'appareil judiciaire en lui-même ou de tous ceux qui gravitent dans son orbite, de graves insuffisances ne laissent pas d'apparaître dans le respect du droit. La France en souffre tout spécialement. Les hommes de lois, juges aussi bien qu'avocats, constituent un véritable Etat dans l'Etat. *La cautelle et pillerie des avocats est plus grande en ce royaume ; en nul autre elle n'est semblable* (II/37). Les avocats *ont toujours une loi au bec et la meilleure qui se puisse trouver se tourne bien à mauvais sens* (I/133). La défense de la meilleure des causes est aussi rendue plus difficile en France par la diversité des lois et du droit coutumier qui varient d'une province à l'autre. Aussi Commynes regrette-t-il que Louis XI n'ait pas eu le temps d'instituer cette *grande police* à laquelle il songeait, encouragé qu'il devait y être par Commynes, pour *remédier à la longueur des procès* (II/37). Certes, *celui qui aura bonne cause et qui la pourchassera bien et défendra, et dépensera largement, à longueur de temps aura sa raison* (I/440) pour peu que *la cour c'est à entendre le prince sous l'autorité de qui il vit n'est contre lui* (id). Les juges sont trop près du pouvoir. Les grands de ce monde trouveront toujours *gens de métier prêts à leur complaire qui d'un véniel font un péché mortel et s'il n'y a matière trouveront toujours façon de dissimuler à ouïr les parties et les témoins pour détenir la personne et la détruire en dépenses. Et si cette voie ne leur est assez sûre et brève pour venir à leur intention ils en ont d'autres et plus soudaines* (I/442-443). Certes les juges ne sont pas tous *mal conditionnés* (I/57) mais d'une manière générale ils ont été amenés à étendre excessivement leur pouvoir. Pour autant il ne s'agit pas pour notre chroniqueur de diminuer *ni le nombre ni l'autorité* (II/37) des membres du Parlement, car *il faut bien que justice se fasse* (I/448). Il lui paraît néanmoins, et il parle en connaissance de cause, qu'il *est nécessaire de bien brider cette cour de Parlement* (II/37). Hélas pour Commynes, Charles VIII ne parviendra pas mieux que son père à mettre *la justice en bon ordre* (II/379).

Le monde étant ainsi ce qu'il est, force est bien à Dieu d'intervenir. Quand il est *tant offensé qu'il ne le veut plus endurer il veut montrer sa force et sa divine justice* (I/452). *Dieu demeure toujours le juge... quand il lui plaît* (I/361). *A voir ces choses que Dieu a faites de notre temps et qu'il fait chaque jour il semble qu'il veuille rien laisser impuni* (I/338). *Il est vraisemblable qu'il est presque efforcé... de nous battre de plusieurs verges.* On observera ici la prudence de Commynes : il semble, il est vraisemblable, il est « presque » contraint d'agir mais seulement *quand il lui plaît.* Sans doute n'est-il pas question de mettre en doute son infaillibilité. On ne peut lui reprocher *nulle erreur* (I/370). Mais on se gardera de lui attribuer toutes les *males aventures* ou les *males fortunes* qui adviennent au commun des mortels. *Tomber de cheval, se rompre une jambe et puis s'en guérir, avoir une fièvre bien âpre et puis se guérir* (I/452) ne lui sont pas imputables. Du reste *les petits et les pauvres trouvent assez qui les punissent quand ils font le pourquoi. Aucunes fois ils l'ont bien desservi.* La justice de Dieu ne saurait faire double emploi avec celle des hommes. Aussi bien est-ce contre les grands que Dieu sévit. Ceux qui *usent de violence et de cruauté* ne peuvent être communément de *petits personnages.* Et ce sont les *très grands,* c'est-à-dire ceux qui le sont *de seigneurie ou d'autorité de prince* (I/338) qui échappent trop souvent aux tribunaux terrestres. A leurs sévices, demande Commynes *qui y pourra mettre remède si Dieu ne l'y met ?* (I/441). C'est à *la grandeur* des répercussions du châtiment que l'on reconnaît l'intervention de la divine justice, au caractère *étrange* de ses ouvrages qui sont *hors des œuvres de nature,* à leur soudaineté aussi (I/338). Il arrive toutefois que l'intervention de Dieu passe tout d'abord inaperçue. Il procède souvent par *petites occasions* et avertissement et on ne les reconnaît pas *en trait de temps.* Malheureusement les grands ne sont pas seuls à souffrir des punitions qui leur sont ainsi infligées. Les collectivités qui dépendent d'eux en pâtiront aussi. *Des punitions de Dieu nulle n'en advient à un prince ou à ceux qui ont gouvernement sur leurs affaires ou sur ceux qui gouvernent une grande communauté que l'issue n'en soit bien grande et dangereuse pour les sujets. Aucunes fois ceux-ci l'auront bien mérité.* Ces malheurs qui se sont abattus sur la France et la Bourgogne l'ont été par la faute de Charles le Téméraire comme de Louis XI lui-même, mais si, en 1477 notamment, en dépit de la mort du duc de Bourgogne, la guerre ne s'est pas arrêtée c'est que *tant d'un côté que de l'autre les peuples n'étaient pas dignes de recevoir cette longue paix qui leur était appareillée.* Les Bourguignons en particulier n'ont pas moins péché que leur duc. Ne se sont-ils pas *adonnés,* par excès de richesse, à *tous ces plaisirs auxquels l'homme est enclin ?* (I/436). Qu'il s'agisse, dans le cas des malheurs, de responsabilités personnelles des princes ou des responsabilités collectives de leurs peuples faut-il y voir la main de Dieu ? *Je serais assez de l'opinion de quelque autre que j'ai vu,* s'aventure à écrire Commynes et il laisse bien entendre qu'il a ses références théologiques, *que Dieu donne le prince selon qu'il veut punir ou châtier les sujets et aux princes les sujets ou leurs courages disposés envers lui selon qu'ils les veut élever ou abaisser* (I/391).

Poursuivant et approfondissant ses réflexions sur la justice humaine ou divine il était fatal que Commynes débouchât sur des interrogations très graves. *Ces divisions desquelles se sont sources les guerres de laquelle viennent la mortalité et famine* (I/460) posent en effet le problème du mal, cette pierre d'achoppement de toutes les théologies. C'est la *mauvaitié des hommes et par espécial des grands qui ne connaissent ni ne croient qui est Dieu* (I/460) qui rend nécessaire l'existence de ces *aiguillons* universels que sont les nations rivales et les factions rivales. Il est *nécessaire que chacun, seigneur ou prince ait son contraire pour le tenir en crainte et humilité car autrement nul ne pourrait vivre sous eux ni auprès d'eux* (id.). Mais pourquoi donc Dieu a-t-il créé l'homme si mauvais ? Nous ne sommes du reste pas seuls à nous comporter si mal. *Au fort,* dit Commynes, *il me semble que Dieu n'a créé nulle chose en ce monde ni homme ni bête à qui il n'ait fait quelque chose son contraire pour le tenir en humilité et en crainte* (I/430). La peur de l'autre, la menace de la guerre et des révolutions, serait donc la grande loi du monde, sa *divine ordonnance ?* Commynes se place ainsi dans une perspective résolument jéhoviste. C'est celle de l'Ancien Testament. Le spectacle des divisions de l'Europe, des guerres nationales ou sociales incessantes c'est l'histoire de la Tour de Babel. Aussi n'est-ce pas par hasard que Commynes soit amené dans ses réflexions sur la justice de Dieu à invoquer le *temps des enfants d'Israël* (I/195). Mais Commynes est trop intelligent pour ne pas s'apercevoir que cette conception jéhoviste pose au moins autant de questions qu'elle ne permet d'en résoudre. Car le déroulement de l'histoire avec son cortège de souffrances, le silence de Dieu et les inquiétants délais de sa justice ne laissent pas de troubler la conscience. Commynes se fait sur ce point l'écho des doutes qui se répandaient chez ses contemporains. *Et puis l'on dit,* écrit-il, *que Dieu ne punit plus comme il soulait* (= comme il le faisait autrefois) (I/195). *Il n'est plus de prophète qui parle par sa bouche* (I/441). Force lui est bien d'en convenir. *Je crois bien,* dit-il, *qu'il ne parle plus aux gens comme il soulait* et il s'en tire par une échappatoire : *Dieu a laissé assez d'exemples en ce monde pour être cru* (I/195). Commynes moque les gens qui croient voir partout la main de Dieu. Le lendemain de la signature du traité de Picquigny par exemple, *nous fut conté par d'aucuns que le Saint Esprit avait fait cette paix. Car tous* (les Anglais) *se fondent en prophéties. Et ce qui leur faisait dire c'était qu'un pigeon blanc s'était trouvé sur la tente du roi d'Angleterre le jour de la vue et pour quelque bruit qu'il y eût en l'ost* (= armée) *il ne s'était voulu bouger ; mais à l'opinion d'aucuns* (et Commynes se range certainement parmi eux) *il avait un peu plu et puis vint un grand soleil et ce pigeon se vint mettre sur cette tente qui était la plus haute, pous s'essuyer* (I/320-321). N'empêche qu'il se heurte lui-même à d'insolubles problèmes. *Je ne puis penser,* dit-il à propos de Gand, *comme Dieu a tant préservé cette ville dont tant est advenu de maux* (I/436).

N'y aurait-il pas un moyen de surmonter ces doutes ? Au lieu de recourir à Dieu pour expliquer la grande prospérité des princes ou leur grande adversité (I/391) ne peut-on pas songer qu'elles obéissent à une sorte de justice immanente qui ne requiert pas nécessairement son intervention personnelle ? Car Dieu ne saurait agir sous l'empire de la nécessité. Certes il y est *presque efforcé* mais pas entièrement. L'enchaînement des causes et des effets peut parfaitement se dérouler sans qu'il y soit obligatoirement mêlé. Dans le cas du duc de Bourgogne la série causale est sans faille. *Le prince tombé en telle indignation vers Notre Seigneur,* écrit Commynes, *fuit les conseils et compagnie des sages* (I/452). Il ne s'entoure que de flatteurs. Ceux qu'il chasse vont apporter leur concours à son adversaire ou entretiennent la division à l'intérieur. Alors il soupçonne chacun mais celui qui se dressera contre lui sera peut-être son confident le plus proche. Et la ruine ne tardera pas. Voilà bien une succession causale où l'intervention directe de Dieu n'est nullement nécessaire. Certes elle peut s'exercer à l'origine. *Premier il leur diminue le sens,* écrit Commynes au début de cette page célèbre que nous venons de résumer. Mais si Dieu est intervenu dans le cas du duc de Bourgogne en lui diminuant le sens n'est-ce pas l'orgueil qui en est la véritable cause ? *Je n'ai vu nulle occasion,* dit Commynes, *pourquoi* (ce prince) *dût avoir encouru l'ire de Dieu que de ce que toutes les grâces et honneurs qu'il avait reçues en ce monde il les estimait toutes procédées de son sens et vertu*

(I/380). Or l'orgueil, *ce fol vice et péché d'orgueil qui procure haine envers toutes personnes* (I/72) n'est autre, dans la psychologie, la morale et la politique commyniennes qu'un manque d'intelligence. Il conduit à se surestimer et à mépriser les autres. L'orgueilleux n'a pas conscience de ses propres limites, il ne se contrôle pas. Il devient excessivement ambitieux. En un mot comme en cent l'orgueil est synonyme de manque de mesure.

Nous sommes ici au centre même du cercle où s'enferme la philosophie religieuse de Commynes. L'orgueil provoque l'intervention de Dieu aussi bien que Dieu lui-même provoque l'orgueil. Une pensée qui tourne ainsi sur elle-même paraît morte à première vue. On ferait le même reproche à Descartes, par exemple, qui prouve la vérité des idées claires par l'existence de Dieu et l'existence de Dieu par les idées claires. Pour que le cercle cesse de paraître vicieux il faut le faire coïncider avec le mouvement qui le décrit (voir à ce sujet : A. Thidaudet, *Le bergsonisme* I/174). Pour surmonter l'apparent désordre du déroulement de l'Histoire, pour que les faits plus ou moins contradictoires qui la constituent prennent figure, le philosophe recourt à certaines normes reconnues par lui comme seules valables. Il éclaire le passé à la lumière de l'idéal qu'il a cherché lui-même à atteindre ici-bas. Chez Commynes toutes ces normes, autrement dit ses catégories, ses concepts, ses valeurs, ses jugements gravitent autour d'une affirmation centrale qui apparaît dans sa psychologie, sa sociologie, sa politique et sa morale, à savoir l'idée de mesure qui subsume toutes les vertus commyniennes comme la modération, la raison, l'humilité, la crainte, la recherche du *moyen chemin en toute chose.*

Or *en nul n'a mesure parfaite en ce monde* (I/446) et réciproquement *à Dieu seul appartient la perfection* (I/2). Au cours de l'ascèse spirituelle accomplie durant son emprisonnement Commynes a éprouvé religieusement les valeurs sur lesquelles il avait cherché à régler tout son comportement. Il a identifié Dieu avec ces valeurs. Ayant atteint ainsi à un absolu intérieur il peut dès lors évoquer la puissance divine toutes les fois que son récit l'amène à un exemple susceptible d'illustrer la valeur de ses normes. Il surmontait du même coup les impasses où conduit la théologie traditionnelle, celle de l'Ancien Testament. A une conception jéhoviste, c'est-à-dire transcendantale, de Dieu, il incline à substituer celle de l'immanence.

Il a bien conscience de s'aventurer ainsi sur un terrain dangereux où il risque de s'exposer aux foudres de l'Eglise. Il s'entoure de toutes les précautions verbales possibles. *Il pourrait donc sembler,* écrit-il dans les conclusions de la première partie de ses Mémoires, *que ces divisions* (et donc ces guerres, ces souffrances et toutes ces injustices du monde) *fussent nécessaires par le monde et que ces aiguillons et choses opposites que Dieu a données à chaque Etat et presque à chaque personne dont j'ai parlé ci-dessus, qu'il soit nécessaire que ceci soit. Et,* poursuit-il, *de prime face et parlant comme homme non lettré* (*et je veux tenir opinion que celle que nous devons tenir*) *il me semble ainsi* (I/439).

Toute l'Histoire fait ressortir le caractère néfaste du manque de mesure des hommes. C'est en eux et non en Dieu que se trouve la source de tous leurs maux. Les hommes se comporteraient tout autrement s'ils étaient animés d'une vraie foi, autrement dit s'ils étaient convaincus, comme l'est Commynes lui-même, du caractère divin de l'idéal de la mesure. Pour autant qu'ils s'en inspirent dans la conduite de leur vie personnelle comme dans celle des affaires publiques ils tendent vers l'établissement du royaume de Dieu ici-bas. Aussi Commynes n'hésite-t-il pas à qualifier de *très sainte* une institution politique telle que le Parlement anglais pour la seule raison qu'elle fait office de frein, donc de modération. Dans la mesure où les hommes ne respectent pas cet idéal ils s'éloignent de Dieu et précipitent sur eux tous les malheurs.

Cet approfondissement de sa pensée religieuse, Commynes ne l'a pas poussé jusqu'à l'abandon complet de la théologie jéhoviste. Il oscille constamment d'un pôle à l'autre de sa conception des rapports entre le monde et Dieu. Il est tour à tour carrément transcendantaliste ou prudemment immanentiste. Tantôt Dieu intervient directement dans les affaires terrestres tantôt le destin des individus et des collectivités lui semble commandé par les effets naturels de leur comportement sans que cela requière le moins du monde l'intervention d'un facteur surnaturel. Profondément marqué par la lecture de la Bible et soucieux de se conformer à l'enseignement de l'Eglise, Commynes reconnaît le caractère infaillible de la justice de Dieu qui trouble le sens de ceux qu'il veut punir. Il leur suscite des ennemis. Des « commissaires » sont choisis par lui pour châtier les coupables comme ce sinistre Campo-Basso auprès de Charles le Téméraire par exemple. Suivant cette pente Commynes va jusqu'à découvrir la manifestation de la volonté divine dans le déclenchement d'une tempête, *Dieu voulut ainsi disposer des choses,* dit-il quelque part, *que cette nuit sourdit une grave tourmente et telle qu'il fallut que l'armée du duc de Bourgogne fuît... et en peu d'heures après se trouva le vent bon pour le comte de Warwick* (I/204). Ailleurs par contre c'est la conception immanentiste qui prévaut. Elle a l'avantage de permettre de surmonter le doute que font naître chez le croyant le silence de Dieu et les délais surprenants de ses châtiments. La justice immanente tolère plus facilement des retards dans ses effets. On n'attend pas d'elle des manifestations immédiates de sa réalité. L'identification de Dieu à l'idéal suprême de la mesure parfaite rend ainsi mieux compte de l'apparente incohérence des affaires de ce monde.

Commynes peut dès lors recourir suivant les cas à l'une ou l'autre des interprétations. *Volontiers,* écrit-il, *ceux qui font les choses en crainte y donnent les bonnes provisions et plus souvent gagnent que ceux qui procèdent avec grand orgueil.* Mais il ajoute de suite *combien que quand Dieu y veut mettre la main rien n'y vaut.* Ne voyons pas là une contradiction ou un manque de rigueur philosophique. C'est une approximation de la distinction que les théologiens formuleront plus tard en parlant de la volonté régulière et de la volonté singulière de Dieu (I/124). Cette dernière se rattache à la tradition hébraïque tandis que la première se situe dans une perspective rationaliste selon laquelle Dieu n'est autre que la raison des choses. C'est à elle que vont secrètement les préférences de Commynes. Lorsqu'il se penche sur le destin tragique du comte de Saint-Pol c'est pour chercher *ce qui raisonnablement en a été la cause.*

Il n'en reste pas moins que le recours alternatif auquel Commynes procède entre ces deux conceptions pour l'interprétation des événements terrestres paraît quelquefois un peu facile. C'est grâce à cette double perspective qu'il lui est loisible d'invoquer Dieu à chaque page de ses Mémoires. Il le fait intervenir pour tout et pour rien, une maladie, une guérison, une naissance ou une mort, une bonne ou une mauvaise intuition politique. Le comportement individuel ou collectif des hommes, la prospérité ou la ruine d'une nation, la guerre ou la paix tout lui est prétexte à parler de Dieu. Son zèle apologétique s'y complaît. La tentation était grande aussi pour lui de faire de Dieu, consciemment ou inconsciemment, son vengeur personnel qui châtie ceux qui lui ont porté personnellement préjudice ou qui se sont détournés de la voie que Commynes leur conseillait de suivre.

L'oscillation de sa pensée entre ces deux conceptions de Dieu l'exposait aussi à de plus grands périls spirituels. Si Dieu peut être conçu comme la raison des choses, s'il ne parle plus aux hommes, si le châtiment des coupables ne requiert pas nécessairement son intervention, si l'Histoire montre l'existence d'une certaine justice immanente, ne serait-ce pas l'indice que le monde est abandonné à lui-même ou qu'il peut se passer de Dieu ? Et si Dieu n'intervient que de cas en cas et s'il laisse impunis des forfaits abominables ne serait-ce pas la preuve de son absurdité ? Nous verrons par la suite que Commynes, vieillissant et de plus en plus désabusé, n'échappera pas à cette double interrogation.

VI

RETOUR EN GRACE

1489-1491

La plus humaine et douce parole d'homme que jamais fût était la sienne (celle de Charles VIII) *car je crois que jamais à homme ne dit chose qui lui dût déplaire. Et je crois que j'ai été l'homme du monde à qui il a fait le plus de rudesse. Mais, connaissant que ce fut en sa jeunesse et que cela ne venait pas de lui, je ne lui en sus jamais mauvais gré* (II/387).

Commynes se donne ici le beau rôle. Son jugement témoigne d'un détachement exemplaire mais qui n'était probablement pas feint. Ecrivant ces lignes quelque dix ans après son emprisonnement, Commynes avait eu le temps de guérir ses blessures d'autant plus que sa disgrâce aura été somme toute assez courte. Il ne se trompe pas en tout cas en disant que les rudesses dont il a été victime durant la minorité du roi ne procédaient pas de lui.

Et à qui donc seraient-elles imputables sinon aux Beaujeu et plus particulièrement à Anne de Beaujeu ? Or à son égard il a fait preuve également d'une remarquable discrétion car il a eu le mérite de ne porter sur elle, dans ses Mémoires, aucun jugement. Elle a été sans doute son plus redoutable adversaire mais il est fort possible qu'entre elle et lui, en dépit de la sévérité dont elle fit preuve, il y ait eu une réciproque estime. Lorsque Commynes sortit de prison, Madame était encore toute-puissante. Elle continuait de diriger avec vigilance toutes les affaires du royaume. Son règne cependant touchait à sa fin. Charles VIII, approchant de sa vingtième année, manifestait clairement son intention d'assumer pleinement ses responsabilités royales. L'autorité de sa sœur n'est plus aussi absolue. Au Conseil il est arrivé plusieurs fois qu'elle se heurte à des oppositions courageuses sur des questions aussi importantes que la conduite à tenir à l'égard de la Bretagne, de l'Espagne ou de la Hongrie par exemple. Par ailleurs elle n'a plus le même intérêt matériel à se maintenir au pouvoir. A la suite de la mort de Jean II de Bourbon, le 1er avril 1488, Pierre de Beaujeu a hérité du Bourbonnais et de l'Auvergne. Anne est devenue duchesse et elle est désormais maîtresse avec son mari d'un des plus riches domaines du royaume. Même si elle doit céder la direction des affaires à son frère elle est désormais assez puissante pour continuer à lui tenir tête si besoin est et à l'obliger de composer avec elle. Anne avait du reste assuré ses arrières. Alors qu'elle n'avait pas encore d'enfant et craignant qu'à la mort éventuelle de son mari ses terres retournent à la couronne, elle avait obtenu du roi, dès 1487, d'être au bénéfice d'une dérogation à la règle jusqu'ici absolue des apanages. Ainsi serait maintenu au cœur du royaume et quoi qu'il arrive un bastion féodal susceptible d'inquiéter le souverain. Plus tard, lorsque sa fille Suzanne sera mariée, Anne ira jusqu'à commander formellement à son gendre de ne pas hésiter à prendre alliance avec le principal ennemi du royaume, l'empereur Maximilien.

Précisément, au moment où Commynes est rendu à la liberté, la conjoncture internationale s'était aggravée. Au début de septembre 1488 le duc de Bretagne était mort, peut-être du chagrin d'avoir dû céder devant l'invasion du duché par les troupes royales. Anne, sa fille aînée, n'avait que douze ans et sept mois. Charles VIII réclame aussitôt la « tutelle de garde » des deux filles du duc et le « bail » de leur terre et seigneurie. Mais les Etats de Bretagne s'empressent de reconnaître les droits d'Anne. Elle est couronnée duchesse le 10 février 1489 à Rennes. Les prétendants à un mariage avec une princesse de si haut rang ne manquent pas : le fils aîné du vicomte de Rohan, Alain d'Albret, Jean de Châlon, prince d'Orange. « Si jeune qu'elle fût, Anne avait la maturité des enfants élevés dans la tristesse, qui savent qu'ils ne vivent pas pour eux mais pour l'accomplissement de quelques grands devoirs » (Auguste Bailly : *Anne de Bretagne,* p. 54). Anne écarta toutes les propositions de mariage qui lui étaient faites. Il n'en fallut pas davantage pour rallumer la guerre de Bretagne. Le duché fut envahi à nouveau par les troupes françaises. Il ne restait plus aux Bretons qu'à faire appel à l'étranger. Le jour même du couronnement de la duchesse une alliance anglo-bretonne est signée à Rennes. Quatre jours plus tard, le 14 février 1489, des pactes austro-anglais et austro-espagnols sont signés à Dordrecht. Le 27 mars un traité anglo-espagnol est scellé à Medina del Campo. Une redoutable coalition européene est ainsi formée contre la France dont on redoute la mainmise sur la Bretagne.

Même si l'Angleterre, l'Espagne et l'Autriche connaissaient au même moment de graves problèmes intérieurs, la France pouvait ainsi craindre une attaque sur trois fronts. Dans de telles conditions, on comprend que Charles VIII se soit montré soucieux de préserver la paix intérieure et de lâcher du lest à l'extérieur. Il lui importe de prévenir toute mésentente avec Anne de Beaujeu. « Ma bonne sœur, m'amie, lui écrit-il le 21 juin 1489, je me recommande bien fort à vous. Louis de Perrechin m'a dit que vous avez su qu'aucunes choses m'ont été rapportées contre vous qui touchent votre honneur... En quelque façon que ce soit je n'y voudrais ajouter foi. »

A l'égard de Commynes qui vient de sortir de prison, il multiplie les témoignages de bienveillance. Certes le Sire d'Argenton est tenu de se cantonner dans ses terres mais le roi se garde de faire exécuter à la lettre le jugement du Parlement. Charles VIII ne confisquera pas le quart de ses biens. Il n'exigera pas le versement d'une caution de dix mille écus. Mieux encore, en avril déjà, par lettre royale, il tranche en faveur de Commynes le procès relatif à la galéasse de Jean Moreau. Il rétablit les contacts avec lui. Le 5 août 1489 Commynes peut écrire de Dreux à Laurent de Médicis que *le roi et Madame* (de Beaujeu) *me donnent espérance de mes affaires ainsi qu'aux prélats pris en même temps que moi à qui ils ont donné liberté partout et restitué les pensions de leurs frères. De ces choses,* ajoute-t-il, *je n'ai fait jusqu'ici nulle poursuite mais en attendrai leur plaisir ; mais je les presse des biens qu'ils m'ont ôtés et fait perdre* (Kervyn II 69). Il ajoute que d'*autres états et offices* il n'a pour le moment *nulle envie.* Mais il ne perdra pas de temps pour rétablir sa situation. Le 12 septembre il peut écrire à celle qui avait été sa plus redoutable adversaire, l'étonnante lettre suivante :

Madame, tant et si très humblement que je puis, je me recommande à votre bonne grâce. Monseigneur de la Heuse m'a dit ce qu'il a plu au roi me mander par lui. Madame, je répute ce bien et honneur venir de Monseigneur et de vous et vous supplie le vouloir mettre à fin. J'ai fait réponse par écrit. Je vous supplie Madame que vous plaise la voir car j'ai espérance que le roi et vous me serez bons procureurs pour honneur et révérence du roi votre père. Plaise vous, Madame, me commander toujours votre bon plaisir pour l'accomplir à mon pouvoir en priant Dieu qu'il vous donne bonne vie et longue et l'accomplissement de votre désir.

... Votre très humble et très obéissant serviteur.

Commynes.

Cette lettre peut apparaître comme un témoignage de plate servilité venant de la part d'un homme qui avait subi un emprisonnement de vingt-six mois sur ordre de la personne même à qui cette lettre était adressée. Toutefois on peut y voir tout aussi bien la preuve d'une tacite connivence entre les partenaires en présence. Commynes ne pouvait pas espérer un rétablissement de sa situation sans l'accord de la duchesse. Mais Anne de Beaujeu aussi bien que Charles VIII évaluaient sans doute de leur côté les services que pouvait leur rendre Commynes dans une conjoncture extérieure et intérieure très délicate.

Quoi qu'il en soit l'ancien prisonnier de Loches et de la Conciergerie, relégué pour dix ans dans ses terres par jugement du 24 mars 1489, recouvre la liberté d'aller partout dès juillet 1490. Un enfant lui est né, fruit des retrouvailles à la sortie de prison. La petite Jeanne, enfant qui devait rester unique, ne semble pas avoir été très vaillante. Elle mourra à vingt-quatre ans mais non sans avoir assuré à son père une postérité prestigieuse, transmettant son sang à celui de plusieurs dynasties royales. (Voir à ce sujet l'arbre généalogique donné en annexe.) Tenait-elle de Commynes son caractère très religieux ? Le fait est qu'il faudra lui donner un jour des directeurs de conscience pour refréner un excessif zèle votif.

Pour l'heure, la naissance de Jeanne coïncide avec le début d'une nouvelle phase de la vie de Commynes. Il est désormais pratiquement amnistié, bien qu'il ne reparaisse pas encore à la cour pour le moment car « sa monnaie n'y aurait point cours » ainsi que l'écrit à Laurent de Médicis son correspondant de la banque de Lyon (K. II/77). Encore quelques mois de patience et le voilà entièrement réintégré. Le 4 janvier 1491 il est avec Charles VIII à Moulins. Et c'est de cette ville qu'il peut écrire au duc de Bourbon, Pierre de Beaujeu, qu'*il a plu au roi commander la pension que j'avais quand il me désappointa l'office* (de sénéchal). *Il me semble,* ajoute-t-il, *que ceux qui ont loi de lui parler* (au roi) *aisément lui font entendre raison.* En clair cela signifie que le roi est maniable par personne interposée. Cette lettre ainsi que celle adressée une année plus tôt à Anne de Beaujeu sont peut-être l'indice qu'une concertation s'élabore pour circonvenir le roi qui, s'il est foncièrement *bon* de nature, est *peu entendu,* selon le jugement de Commynes. Même si Charles VIII est *plein de son vouloir* (II/99) il est influençable. Tout dépend ainsi de son entourage. Le roi est très *jeune* et *faible personne.* Il recherche la compagnie des gens de son âge et il se montre particulièrement généreux à leur égard (id.). Ses proches, *comme chambellans, et dix ou douze jeunes gentils hommes qui étaient dans sa chambre, étaient mieux traités et avaient plus grands états et dons que jamais ne donna et trop* (II/387). Il manque de jugement. Aussi est-il *peu accompagné de sages gens ni de bons chefs* (II/99). Mais il a des affections sincères que l'on peut exploiter. C'est ainsi qu'il semble être resté attaché au duc Louis d'Orléans. L'ancien chef de la Guerre folle avait été moins heureux que Commynes. Fait prisonnier à la bataille de Saint-Aubin (août 1488), enfermé tout d'abord au château de Lusignan puis dans la grosse tour de Bourges, il était toujours étroitement surveillé. Plusieurs tentatives avaient été faites pour le délivrer. Aussi songea-t-on à le transférer à Carlat mais il s'y refusa formellement, menaçant de tuer celui qui s'aviserait de mettre la main sur lui. Commynes a-t-il essayé de convaincre Charles VIII de mettre enfin un terme à l'emprisonnement du prince dont il avait été plus proche que quiconque ? Le fait est que le roi, profitant des couches de sa sœur qui mit au monde sa fille Suzanne le 10 mai 1491, ordonna le 28 juin au matin, à l'insu d'Anne de Beaujeu, de libérer le duc d'Orléans. Un véritable coup d'éclat sinon un coup d'Etat. Le prince tombe en pleurs dans les bras du jeune souverain. La réconciliation est complète et Louis d'Orléans obtient des lettres de grâce qui effacent tous les effets de sa trahison.

La volonté de Charles VIII de reconstituer autour de lui une équipe de son choix se manifeste ostensiblement. Le 25 juillet il prend la décision de verser à Commynes, en quatre annuités, une indemnité de trente mille livres pour liquider l'affaire de Talmont. Le 6 septembre Dunois, Alain d'Albret, Miolans, les évêques d'Albi et de Montauban, en un mot tout le parti des anciens factieux, signent à La Flèche un traité d'alliance « pour servir le roi Charles, défendre et garder sa personne, redresser le fait de ce royaume et soulager son peuple » (K. II/81). Les auteurs de cette ligue s'engagent à s'aimer l'un l'autre, à se porter, favoriser, soutenir et tâcher de se mettre l'un l'autre en la bonne grâce du roi. L'habile Du Bouchage est de la partie. Il ne reste aux Bourbon-Beaujeu qu'à s'incliner et ils se rallient également au mouvement. Dans ce tournant capital du nouveau règne Commynes ne s'affiche pas. Son nom n'apparaît pas parmi les signataires de la nouvelle ligue. Selon la formule de Cosme Sassetti, le banquier médicéen de Lyon, « il est continuellement ici nageant entre deux eaux. C'est un homme sage et subtil, souligne-t-il, et je ne sais pas encore de quel côté il abordera » (K. II/77-78).

Les événements se précipitent en effet de manière spectaculaire. Anglais, Autrichiens et Espagnols ont été dans l'impossibilité matérielle de venir au secours de la Bretagne. Nantes est tombée en avril déjà. Les troupes royales envahissent le duché de Bretagne. Tous ses ports ou peu s'en faut sont tenus par le roi. La jeune duchesse est assiégée dans Rennes. Devant le risque de perdre sa couronne elle s'était résignée le 19 décembre 1490 à épouser par procuration Maximilien d'Autriche mais cela ne lui avait valu aucun secours militaire. Des tractations de paix avec la France s'ébauchent dès le 5 octobre 1491. Elles sont menées si rapidement que le 27 octobre déjà les Etats de Bretagne réunis à Vannes par Charles VIII, se montrent favorables à un mariage de la duchesse avec le roi de France. Rennes tombe. Anne est laissée libre.

Mais le roi de France est lui-même marié fictivement depuis 1483 avec Marguerite d'Autriche, fille de Maximilien. Charles et Marguerite éprouvent beaucoup de sympathie l'un pour l'autre, peut-être même de l'amour et Charles VIII n'a personnellement aucune envie d'épouser la duchesse de Bretagne même si la raison d'Etat lui impose de le faire. Il lui répugne de répudier sa « petite reine ». Aussi offre-t-il diplomatiquement à Anne de Bretagne, peut-être pour sauver les apparences, une escorte pour traverser la France et rejoindre Maximilien. Il y joint une promesse de cent vingt mille livres pour son entretien. Mais la duchesse ne peut s'y résoudre. Le 15 novembre elle rencontre le roi. Leurs fiançailles sont célébrées le 17 novembre et leur mariage fixé au 6 décembre. Il ne reste plus qu'à obtenir du pape les dispenses nécessaires pour annuler les mariages qui liaient Anne de Bretagne à Maximilien par procuration et la fille de celui-ci à Charles VIII.

Commynes a-t-il participé d'une manière ou d'une autre à toutes ces tractations ? On peut en douter alors même que divers historiens l'ont prétendu. Une situation aussi singulière posait de graves problèmes moraux. Même si les mariages austro-breton et austro-français étaient restés jusque-là fictifs, vu l'âge de la duchesse Anne et de Marguerite d'Autriche, leur rupture présentait un aspect scandaleux tant sur le plan théologique que politique et humain. Maximilien ne pouvait que *s'en sentir fort injurié* (II/123). Le roi de France lui renvoyait sa fille pour épouser sa femme ! *Si lesdits mariages furent ainsi changés selon les ordonnances de l'Eglise ou non,* conclut Commynes, *je m'en rapporte à ce qu'il en est mais plusieurs docteurs en théologie m'ont dit que non et plusieurs m'ont dit que oui* (II/124). Ce qu'il constatera plus tard pour sa part c'est que *toutes ces dames ont eu quelque malheur en leurs enfants.* Punition divine ? *La nôtre* (Anne de Bretagne) *a eu trois fils de rang et en quatre années : l'un a vécu près de trois ans et demi et puis mourut et les deux autres aussi sont morts* (II/125). Quant à Madame Marguerite elle a été mariée au prince de Castille *lequel prince mourut au premier an qu'il fut marié. Ladite dame demeura grosse, laquelle accoucha d'un fils tout mort incontinent après la mort du mari* (id.). Du mariage de Charles VIII avec Anne de Bretagne il avait écrit un jour à Laurent de Médicis que *plusieurs désireraient que le roi épousât cette fille de Bretagne pour avoir paix à ce bout, à l'acquit de sa conscience et serait une grande adjonction pour cette couronne ; autrement la guerre pourrait bien durer encore.* Mais l'aspect humain ne lui échappe pas car Anne, constatait-il, *est affectionnée à ce roi des Romains.* Il était cependant trop conscient de l'intérêt qu'il y avait pour la France d'intégrer la Bretagne dans le royaume pour s'opposer à l'opération. Il était aussi partisan, nous l'avons vu à propos de la succession de Charles le Téméraire, d'une annexion pacifique par mariage ou par bonne amitié. S'il avait une réticence à l'égard de ces changements de mariage ce n'était donc pas pour des raisons politiques mais uniquement morales. Du reste il n'était pas suffisamment rétabli en selle pour participer activement à toutes les négociations auxquelles donna lieu l'intégration de la Bretagne à la France.

Cela ne l'empêcha pas de trouver fort habile la manière dont elle s'opéra. Il loue la sagesse dont fit preuve à cette occasion le prince d'Orange qui était l'oncle de la duchesse. Bien que ce fût lui qui avait « fait » le mariage d'Anne avec le roi des Romains il s'*employa sous main à sceller celui de la duchesse avec le roi de France et au péril de sa vie car si les Allemands eussent entendu le dit mariage,* écrit Commynes à Laurent de Médicis le 13 janvier 1492, *il eût été en grand danger de sa personne et tous ceux qui s'en mêlèrent* (K. II/84). Le 3 décembre, quelques jours avant le mariage officiel, Commynes avait du reste adressé à son ami florentin un rapport tout à fait positif sur l'ensemble de l'opération. *Les voisins de la Bretagne en éprouvent une grande allégresse,* lui écrit-il, *ceux de la Picardie et de la Champagne ne se réjouissent pas autant.* (Maximilien les avait menacés par représailles de les soustraire à la domination française). *Le roi restituera honorablement la fille du roi des Romains et tâchera de nous procurer la paix. Je crois bien que jusque-là nous aurons des allées et venues. Monseigneur d'Orléans et Monseigneur de Bourbon nous ont beaucoup servis car, par la force, on n'en serait pas venu à bout cette année. Le roi donne une très grande autorité à ces deux ducs qui sont grands amis et il les a pris pour chambellans pour faire tout passer. Je pense que les choses resteront sur ce pied un peu de temps. Le même prince a fait le duc d'Orléans gouverneur de Normandie, il y a trois jours, ce qui est une marque de ce que je vous dis plus haut. Tout le monde loue fort la nouvelle reine et elle se montre très obligée envers ceux qui ont mené cette affaire. Je serai homme de cour pendant deux mois* (K. II/82).

Ainsi donc, dès la fin de 1491 Commynes était entièrement réhabilité. Il lui faudra cependant encore quelque temps pour participer directement à la conduite des affaires du royaume. Si l'on ne peut pas mettre à son compte l'heureuse solution intervenue pour le rattachement de la Bretagne à la France il aura malgré tout l'occasion d'œuvrer à la liquidation des séquelles de toute l'affaire lors de la négociation du traité de Senlis avec Maximilien en mai 1493. Charles VIII avait bien besoin de son concours car il songeait de plus en plus sérieusement, maintenant que le royaume était unifié et augmenté, à se lancer dans la grande entreprise de son règne, la conquête du royaume de Naples.

VII

FUMEES ET GLOIRES D'ITALIE

En 1492, lorsque Commynes s'apprête à reprendre dans le collège gouvernemental de la France sa place d'expert en politique étrangère, l'Europe amorce le grand virage de son destin. Le 2 janvier Grenade tombe. L'Espagne, désormais entièrement reconquise, peut se consacrer à son expansion maritime. Elle voit s'ouvrir devant elle les portes d'un nouveau monde. Mais l'éclat de la victoire remportée sur l'Islam à l'ouest du continent est terni par les progrès du Turc en Méditerranée orientale, dans les Balkans et jusqu'aux confins de l'Europe centrale. La mort mystérieuse de Mathias Corvin en 1490 porte un coup sensible à la résistance chrétienne. La Hongrie va se livrer au roi de Bohême puis aux Habsbourg avant de passer sous le joug turc.

Face à ce danger la chrétienté s'avère incapable de s'élever au-dessus de ses divisions et de ses rivalités nationales. L'unification territoriale de la France avec l'intégration successive, sous des formes diverses, de la Savoie (1480), de la Provence (1486) et de la Bretagne (1491) dresse contre elle l'Angleterre, l'Autriche et l'Espagne. Henri VII roi d'Angleterre, attire, dès janvier 1491, l'attention de Ludovic Sforza sur l'intérêt qu'il y a « pour les princes chrétiens en général de réprimer une telle soif de domination car les Français, dit-il, sont bien en voie d'accroître leur puissance partout qu'ils peuvent reléguer au second rang tous les pays du voisinage et à moins que leur convoitise ne soit vigoureusement combattue il est fort à craindre qu'un grand mal n'en résulte pour toute la chrétienté » (cité par Pélicier, *op. cit.*, pp. 184-185).

Telle est la perspective générale dans laquelle se place Commynes lorsqu'il cherche à pénétrer le devenir de la France et de l'Europe en ce tournant de leur Histoire. Dans ses Mémoires comme dans sa correspondance il se livre volontiers à des vues prophétiques sur l'évolution générale du continent comme sur celle des affaires intérieures de la France. Les lettres qu'il adresse régulièrement à son ami Laurent de Médicis témoignent de son esprit synthétique. Il ne se contente pas de passer en revue les événements importants qui viennent de se produire. Il prend plaisir à les devancer. Il les prévoit des jours, des semaines, voire des mois et des années à l'avance. C'est ainsi qu'il annonce à fin avril 1491 *la délivrance prochaine* du duc d'Orléans qui se fera à fin juin, la prise de Redon en Bretagne ne manquera pas de survenir, dit-il, *dans les six jours,* celle de Rennes *six mois après celle-ci.* De la paix de Hongrie avec le roi de Bohême *nous la tenons pour faite,* écrit-il, *en dépit des soupçons de guerre qui subsistent,* car il ne pense pas que Maximilien parvienne à la fois à dominer la Bretagne et la Hongrie. La chute de Grenade dont il ne sait pas encore au moment où il écrit, le 9 janvier 1492, qu'elle vient de se produire, *ne saurait tarder* à son avis et il s'en réjouit quoique par ailleurs le dynamisme espagnol l'inquiète. *Pour l'amour d'eux* (Ferdinand et Isabelle) *je voudrais que jamais ils n'eussent entendu à autre chose* (II/372). Nous le voyons s'informer des découvertes maritimes et il offre à Laurent de Médicis *le double d'une carte* qu'il vient d'acquérir où est *comprise la Guinée* (K. II/79). Quant au sort de l'Italie, Commynes peut rassurer son illustre ami. *L'Italie demeurera encore en paix quelques années,* lui écrit-il le 21 avril 1491, et il s'en refère à ce sujet à une *prophétie* de Louis XI.

Avec le recul dont nous disposons aujourd'hui toutes ces prévisions peuvent paraître inscrites dans l'ordre fatal du déroulement des choses. Mais ce qui est advenu pouvait fort bien ne pas se produire. De toute manière, à celui qui vivait les événements, il fallait une singulière sûreté de coup d'œil pour se tromper si rarement. Certes Commynes disposait d'une information de première main. Mais encore convenait-il que s'y ajoutât le jugement sur les hommes qui conduisaient les affaires. Car c'était d'eux principalement que dépendait l'infléchissement du cours de l'Histoire dans telle ou telle direction et tous les dirigeants n'étaient pas de valeur égale.

Mathias Corvin par exemple lui semble sortir du lot. C'est selon lui l'un des trois plus grands hommes du siècle avec Louis XI et Mahomet II. L'apparition de nouveaux astres dans les constellations politiques et leur disparition souvent tout aussi imprévisible peuvent modifier du tout au tout les données d'un problème. En Italie même qui aurait été à même de prévoir la mort prématurée de Laurent de Médicis le 9 avril 1492 à quarante-quatre ans, l'accession d'un Borgia sur le trône pontifical le 11 août de la même année et la mort de Ferrand d'Aragon, roi de Naples, en janvier 1494 ? Trois événements qui ont pourtant bouleversé l'échiquier italien.

C'est seulement en se pénétrant du caractère souvent imprévisible des événements et de l'extrême difficulté qu'il y avait pour un acteur contemporain de deviner dans quel sens allait s'orienter le flux sans cesse changeant de la conjoncture politique qu'il est possible de comprendre les apparentes contradictions du comportement de Commynes dans la grande entreprise de Charles VIII. Rétrospectivement il peut sembler que l'appel du sud sur l'esprit des Français présentait un caractère irrésistible dès la fin de 1491. Toutes sortes de facteurs concouraient effectivement à précipiter une descente française dans la péninsule. La diminution de la pression militaire en Bretagne, au nord et à l'est, grâce au mariage entre Charles VIII et la duchesse Anne d'une part et à la signature des traités de paix avec Maximilien en 1482 et 1489 rendait d'autant plus forte l'attraction exercée par l'anarchie italienne. Chacune des principales puissances de l'Italie poussait l'inconscience nationale jusqu'à faire ouvertement appel à l'intervention étrangère, française, allemande ou espagnole, pour chercher à réaliser ses ambitions particulières ou à contrecarrer celles des autres quitte à changer d'allié ou à se retourner contre lui aussitôt que l'évolution de la situation lui semblait l'exiger. Ludovic Sforza commandait à son ambassadeur Erasme Brasca, le 23 décembre 1491, d'intervenir auprès de Charles VIII pour l'encourager à faire valoir ses droits sur Naples tandis que Florence s'entendait avec Ferrand d'Aragon pour faciliter ses entreprises contre Gênes, de souveraineté française. Et simultanément Venise composait avec le Turc comme le Pape lui-même.

Mais aux yeux de Commynes l'ensemble de la conjoncture internationale, loin d'être favorable à une intervention française au-delà des Alpes, commandait la plus grande circonspection, du moins à ce moment-là. Les Anglais, furieux de ne plus recevoir le tribut convenu à Picquigny, menaçaient d'opérer une nouvelle descente sur le continent. De fait ils débarquèrent à Calais au début de septembre 1492 avec une armée aussi forte que celle de 1475. Maximilien, gravement offensé par le mariage du roi avec celle qui avait été sa propre femme ainsi que par la répudiation de celle qui n'était rien moins que sa propre fille, réclamait justement la restitution de la dot de celle-ci soit l'Artois, la Picardie et la Franche-Comté. Il reprend Arras dès novembre 1492. L'Espagne de son côté, maintenant qu'elle a reconquis Grenade, ne va pas tarder à demander de rentrer en possession du Roussillon et de la Cerdagne.

Quant à l'intérêt qu'il y avait pour les Français d'intervenir dans les affaires italiennes nul n'était plus réticent que Commynes. Il connaissait bien la péninsule. Elle lui paraissait telle qu'un *autre prince que le roi de France toujours se mettra à l'hôpital de vouloir entendre au service des Italiens et à leurs entreprises et secours car toujours y mettra ce qu'il aura et n'achèvera point* (II/353). Sur la question des droits que pouvaient invoquer Charles VIII sur Naples et Louis d'Orléans sur Milan il est très réservé. Pour ce dernier il se borne à dire que le prince français *prétend droit à ladite duchié* (II/144). Quant à ceux du roi de France sur le royaume de Naples il se garde bien d'en trancher. Les Français disent que leurs droits doivent *aller devant ceux des Aragon* (II/368). *Le royaume de Naples,* conclut-il, *de la nature dont il est et les gens qui l'habitent il me semble qu'il est à celui qui le peut posséder car ils ne veulent que mutation* (II/368) ce en quoi du reste les Napolitains sont semblables à tous les habitants de la péninsule *la nature de ce peuple d'Italie* (étant) *toujours ainsi complaire aux plus forts* (II/159). Il n'y a guère que sur les droits du roi de France sur Gênes et Savone que Commynes n'émette aucune réserve, aussi bien a-t-il lui-même procédé au nom de Louis XI en 1478 à l'investiture de ces villes au duc de Milan.

De toute manière une aussi grande entreprise que la conquête du royaume de Naples requérait une longue et très sérieuse préparation tant sur le plan militaire que financier et politique. A ces divers points de vue la France n'était pas dépourvue de toute ressource. Telle au moins la voyait Commynes. Elle était *forte en hommes.* Le *blé* du Languedoc et de la Provence couvrirait aisément le ravitaillement de l'armée. Son *artillerie* était la meilleure d'Europe. *Sa marine* cependant laissait quelque peu à désirer. L'armée était mal équipée pour une campagne d'hiver. *Une chose avaient-ils bonne,* reconnaît Commynes, *c'était une gaillarde compagnie, pleine de jeunes gentils hommes. Mais les bons chefs et les saiges gens* faisaient défaut. Le roi lui-même *sortait à peine du nid,* il était *faible de sa personne,* manquait *de sens* et ne s'entourait que de *jeunes gens sans expérience.* Le financement de l'expédition exigerait de nouvelles tailles et le peuple était las de l'effort que le continuel état de guerre exigeait depuis le début du nouveau règne. Rien que pour payer la location de la flotte prêtée par les Génois — trois cent mille francs — tout l'*argent clair que le roi pouvait finer de ses finances* y serait englouti.

Sur le plan politique enfin les traités passés avec les Anglais à Etaples en novembre 1492, avec les Espagnols à Barcelone en décembre et janvier 1493, avec les Allemands à Senlis en mai 1493 étaient sujets à caution. Certes Commynes ne pouvait qu'approuver les accords financiers signés à Etaples. Si onéreux qu'ils fussent — cinquante mille livres par année — ils reconduisaient en fait les engagements contractés à Picquigny en 1475 et qui étaient en bonne partie son œuvre. La restitution du Roussillon et de la Cerdagne liquidait le contentieux franco-espagnol. Même si la France abandonnait ainsi des provinces à la possession desquelles elle avait consacré des sommes considérables et sacrifié beaucoup d'hommes les souverains espagnols disposaient manifestement *du cœur des habitants* et c'était là aux yeux de Commynes une raison suffisante pour se résigner à cet abandon. Quant au traité de Senlis il n'était que juste. La répudiation de Marguerite de Bourgogne exigeait la restitution de sa dot. La perte de la Franche-Comté était certes regrettable, mais c'était une terre d'Empire alors que l'Artois et la Picardie, rendues également à Maximilien, restaient de mouvance française. Commynes avait d'ailleurs participé à la négociation de ce traité. Dans ces trois directions — Angleterre, Espagne et Allemagne — la France aurait été de toute manière amenée tôt ou tard à composer, qu'elle se lance ou non dans son entreprise italienne. Il n'en restait pas moins que la neutralité des trois grandes puissances restait incertaine en dépit des concessions consenties par Charles VIII. Maximilien n'avait pris aucun engagement formel de ne pas intervenir dans l'éventualité de l'expédition française au-delà des Alpes et la bonne foi de Ferdinand d'Aragon était des plus douteuses.

Mais ces incertitudes n'étaient rien en regard de l'ambiguïté des puissances italiennes. Ludovic Sforza était un pêcheur en eau trouble. Cet homme *très sage* (au sens d'habile) *était fort craintif et souple quand il avait peur et il était sans foi s'il voyait son profit, pour la rompre* (II/117) et Commynes en parle, écrit-il, *comme celui que j'ai connu et beaucoup de choses traitées avec lui.* C'était pourtant cet homme-là qui *commença à faire sentir à ce roi* (Charles VIII) *jeune de vingt-deux ans des fumées et gloires d'Italie* (II/117). Pierre de Médicis ne valait guère mieux. *Homme jeune et peu sage,* dit-il de lui. *Il faisait des violences de nuit et des batteries et il s'aidait lourdement de leurs deniers communs* (II/143). Il se conduisait en véritable tyran, se faisant *craindre moyennant cette garde et croyait que tout lui fût dû par raison.* Il louvoyait sans cesse entre le royaume de Naples et la France au grand mécontentement de Commynes qui menace de cesser de défendre sa cause auprès du roi de France s'il s'obstine dans ce jeu. Les Vénitiens, quant à eux, se dérobent. Requis de par le roi qu'*ils lui voulussent donner aide et conseil en ladite entreprise ils firent réponse qu'il fût le très bien venu mais que aide ne lui pourraient-ils faire pour la suspection qu'ils avaient du Turc combien qu'ils fussent en paix avec lui* (II/126). Ce à quoi ils ajoutaient avec une perfide ironie que *conseiller un si sage roi et qui avait si bon conseil ce serait trop grande présomption à eux.* Voilà qui s'appelait *sagement parler,* reconnaît Commynes. Si Ludovic Sforza a peut-être été le premier à faire sentir au roi des fumées d'Italie c'est le pape Alexandre VI Borgia, selon une déclaration de Commynes à l'ambassadeur florentin Soderini, qui a été *la principale cause que Sa Majesté* (Charles VIII) *s'est engagée dans cette entreprise et après l'y avoir poussée par ses brefs et par divers moyens et l'avoir pressée de se prononcer et de divulguer partout qu'elle voulait s'y engager, Sa Sainteté a changé de parti et a traité avec le roi Alphonse* (de Naples) (II/134). Décidément *plus grande sûreté ne saurait-on demander en Italie que la partialité.*

Tous ces doutes, ces incertitudes, ces craintes, ces réserves quant aux chances de succès d'une descente en Italie aux fins de conquérir le royaume de Naples, Commynes n'était pas seul à les avoir. A la cour de Charles VIII on était très partagé. Les seigneurs de la guerre « s'y opposaient aux seigneurs de la paix », selon les termes de l'ambassadeur Pierre Capponi. Parmi les colombes on trouvait, entre autres, l'amiral de France, sire de Graville, le cardinal d'Espinay, Pierre de Bourbon et sa femme. L'opinion publique non plus n'était favorable au projet. On en voulait aux Florentins et aux Lombards et d'une manière générale à tous ces banquiers étrangers. Dans une lettre adressée au roi le 22 janvier 1494, Pierre d'Urfé l'avertit qu'on leur fera rendre gorge des usures et larcins qu'ils ont fait sur le pauvre peuple de votre royaume. » Le peuple accueille mal les nouvelles tailles même si on l'assure que c'est pour « le bien et augmentation de la chrétienté ». La noblesse terrienne ne se montre guère pressée de s'enrôler à cause des fortes dépenses d'équipement que cela entraîne. Le clergé renâcle à la perspective du prélèvement d'une nouvelle décime. Le Parlement, la Chambre des comptes et tous les grands officiers de finance redoutent pour eux comme pour les finances publiques les lourdes charges que l'entreprise ne manquera pas de provoquer. Et ce n'est pas sans crainte pour la personne même du roi que l'on envisage son voyage en dehors des limites du royaume. La jeune reine n'est pas la moins inquiète à ce sujet. La minorité des faucons est elle-même divisée car les Orléanistes voudraient que l'expédition se borne de préférence à la conquête du duché de Milan. L'ambassadeur Francisco della Casa écrit à Pierre de Médicis le 13 juin 1493 que « le gouvernement est ici tel aujourd'hui que personne ne peut faire fond sur rien et qu'on n'y voit que confusion » (K. II/88). Ici, écrit-il encore, tout dépend de gens qui n'ont qu'une idée : faire leur profit. L'honneur du roi ou de tout autre personne ne leur est de rien (cité par Buser, *Beziehungen*, p. 325). Il était de notoriété publique que Vesc et d'Aubigné étaient payés par Milan, Clérieu par Naples, d'autres par telle ou telle ville ou tel souverain. Cette vénalité était admise et Commynes lui-même acceptait d'être rémunéré par Florence pour les services qu'il lui rendait. Mais ce qu'il ne pouvait admettre et ce qu'il s'est toujours refusé à faire lui-même c'est de placer l'intérêt particulier au-dessus du bien public. Or il y avait dans l'entourage le plus proche du roi deux personnages qui contribuèrent plus que tout autre à décider Charles VIII, Etienne de Vesc et Guillaume Briçonnet. *Eux deux,* dit Commynes, *furent cause de ladite entreprise* (II/99). Le premier qui était sénéchal de Beaucaire et président de la Cour des comptes à Paris *avait acquis beaucoup d'héritages,* en Provence notamment. Homme cupide entre tous et déjà *enrichi il ne l'était cependant point encore à son gré* (II/117). C'est lui qui *attira* Briçonne. Ancien directeur général des finances du Languedoc, celui-ci avait pris l'habit ecclésiastique au milieu de 1493 mais il n'en conserva pas moins la direction supérieure des finances du royaume à laquelle il réunit par la faveur du roi celle des affaires politiques. Nommé évêque de Saint-Malo le 10 octobre 1493 il n'a pas tardé, *à cause dudit voyage à avoir de grands biens en l'église comme Cardinal et beaucoup de bénéfices* (II/98).

Commynes affiche le plus grand mépris pour ces deux hommes *de petit état et qui de nulle chose n'avaient expérience* (II/131). Et passe encore que Briçonne et de Vesc n'aient cherché qu'à s'enrichir à la faveur de l'exercice du pouvoir mais qu'ils le fassent au moins avec quelque discernement et sans porter préjudice aux intérêts supérieurs de l'Etat. N'ont-ils pas consenti pour 8 000 ducats à donner l'investiture de Gênes à Ludovic Sforza qui s'en était emparé alors qu'ils auraient pu *par avant avoir Gênes pour le roi* s'ils eussent voulu. *Et si argent ils en devaient prendre pour ladite investiture on en devait demander plus.* Commynes parlait en connaissance de cause car il avait exigé lui-même sous Louis XI pour la même investiture le versement de 50 000 ducats desquels il en reçut comptant trente mille en don du roi. Il l'avoue lui-même sans l'ombre d'une gêne si l'on veut bien me pardonner ce mot (II/120). Toute la différence entre son comportement et celui de Vesc c'est qu'il avait *charge expresse* (de Louis XI) *à ce faire* tandis que ce dernier et ses acolytes même *s'ils avaient pris lesdits huit mille ducats du consentement du roi avaient fait grand tort à leur maître* en agissant avec si peu de discernement et une telle insouciance des intérêts de la France.

Mais Commynes ne prêtait-il pas le flanc aux mêmes critiques ? Les ambassadeurs florentins suivaient de très près sa remontée en grâce. En juillet 1490 l'un d'eux observe que sa monnaie n'a pas encore cours en haut lieu, qu'il nage entre deux eaux, qu'on ne sait pas encore où il va aborder (K. II/77). En 1493 bien qu'il n'ait pas une « aussi grande autorité » que les autres conseillers on commence à le craindre pour son activité et son habileté. C'est un homme « convoiteux et qui ne sert pas tant par l'amour naturel qu'il vous porte (à Pierre de Médicis) que pour se faire aussi honneur de nos affaires et se prévaloir de nous (K. II/91) et pour tirer de vous quelque chose ». « Il faut marcher adroitement avec ces gens car tous ceux qui ont ces secrets entre les mains, écrit Francesco della Casa, sont des hommes gagnés par le seigneur Ludovic et Monseigneur d'Argenton lui-même oriente habilement sa voile de ce côté pour voguer avec le vent qui souffle » (K. II/90).

Commynes a cependant montré que ce n'était pas inconditionnellement qu'il était au service de Florence qui le comblait de cadeaux et qui très probablement le rémunérait régulièrement. Et certes il a multiplié à l'égard des Médicis ses déclarations d'obligeance. *Je suis toujours prêt à vous servir partout où je pourrai,* écrit-il à Laurent de Médicis le 3 décembre 1491. *Si en rien vous plaît m'employer sachez que je suis toujours à votre commandement,* mande-t-il à Pierre de Médicis le 9 août 1492. Je m'em*ploierai volontiers à vous faire quelque service,* écrit-il au même le 16 août 1494, *m'offrant toujours vous servir en ce qu'il sera possible* (K. II/99). Mais s'il laisse entrevoir à Francesco della Casa, le 23 juin 1493, que si l'affaire de Naples allait plus avant, Pierre de Médicis pourrait songer à recevoir quelque seigneurie en récompense des services qu'il voudrait bien rendre à la France, ce n'était pas dans son propre intérêt que Commynes agissait mais bien pour ceux de l'Etat. Et lorsqu'il menace de cesser de défendre la cause de Florence si Pierre de Médicis ne *se déclare pas franchement* pour le roi, s'il persévère *dans sa dissimulation et dans sa partialité* pour le roi de Naples, c'est encore dans l'intérêt supérieur de la France que Commynes travaille et c'est d'autant plus méritoire de sa part qu'à ce moment-là il est opposé personnellement à l'expédition.

Francesco della Casa avait sans doute raison lorsqu'il révélait la cupidité des Français. La cour du roi était un panier de crabes assoiffés d'or. Mais l'ambassadeur florentin avait tort de conclure que « tout » dépendait de gens qui ne cherchaient que leur profit. Il y avait auprès du roi des gens moins sordidement intéressés. Les réfugiés napolitains qui avaient réussi à fuir après l'échec de leur révolte en 1486 étaient des patriotes. Lorsqu'ils se présentèrent au roi le 12 juin 1489 puis au début de février 1490 pour exposer leurs propres malheurs et ceux de leur patrie ils n'étaient pas mus que par l'intérêt matériel. Il y avait aussi auprès du roi un *saint homme* comme l'appelle Commynes, cet ermite napolitain nommé François de Paule qui suppliait également Charles VIII d'entreprendre la conquête du royaume de Naples pour le délivrer du joug des Aragon. Et le roi lui-même, qui aurait pu le soupçonner de ne rechercher dans cette entreprise que son enrichissement personnel ?

Tout comme on aurait grand tort de penser que le comportement de Commynes dans cette affaire ait été dicté par la seule considération de ses intérêts privés on se méprendrait également en s'imaginant que la perspective dans laquelle il se plaçait se limitait à l'aspect purement politique, financier ou militaire du problème. L'expédition française au-delà des Alpes impliquait à ses yeux encore bien autre chose que la simple reconquête d'une terre détenue longtemps par des Angevins. La descente des Français dans la péninsule italienne, si toutes les conditions pour assurer son succès étaient réunies, ne pouvait-elle pas, ne devait-elle même pas, dans son esprit, être conçue comme la première étape d'une entreprise beaucoup plus importante ? Le début d'une véritable croisade, par exemple ?

VIII

AH, LA BELLE AVENTURE !

L'entreprise semblait à toutes gens sages et expérimentés très déraisonnable (II/97). *Tout homme sage et raisonnable blâmait l'allée du roi par delà, pour mainte raison* (II/132).

Et cependant...

Quelle belle (II/356), *bonne et glorieuse aventure* (II/201) *dont tant fussent advenus de biens et d'honneurs à toute la chrétienté !* (id.).

Comment un homme aussi conséquent avec lui-même a-t-il pu commettre, à quelques pages de distance, dans ses Mémoires, une pareille contradiction ? Et il s'agit bien dans ces deux citations, de la même perspective d'une expédition française au-delà des Alpes. Mais prenons-y garde : la première citation se rapporte à la descente de 1494-95 et la seconde à une nouvelle entreprise, malheureusement avortée, qui aurait pu, selon Commynes, être envisagée avec succès en 1496. Malgré tout, de la part d'un esprit aussi cohérent on peut s'étonner d'un tel changement d'avis et en si peu de temps. On ne peut manquer non plus d'être surpris de le voir s'enthousiasmer à tel point : *belle ! bonne ! glorieuse !* De telles épithètes surprennent sous la plume d'un homme réputé pour son impassibilité. Et il s'agit bien d'une *aventure.*

Mais il n'y a pas contradiction. Au contraire même. Si Commynes juge aussi sévèrement l'entreprise de 1494 et s'il salue en des termes aussi enthousiastes le projet de 1496 cela confirme la parfaite cohérence de la pensée. La vivacité de son regret au sujet de la renonciation de Charles VIII de se lancer dans une nouvelle entreprise en 1496 procède de la même motivation que la sévérité de sa réprobation au sujet de la première expédition qui lui était apparue très mal préparée. Pour Commynes une expédition au-delà des Alpes ne pouvait en effet avoir de sens, dans l'un comme dans l'autre cas que dans la perspective d'une véritable croisade.

C'est depuis son enfance que Commynes a été obsédé par la chute de Constantinople en 1453. Il gardait au fond de sa mémoire le souvenir des manifestations éclatantes de Lille en 1454 où des centaines de chevaliers ont juré de partir en croisade pour reconquérir la capitale de l'empire chrétien d'Orient. Son cousin et tuteur y avait prononcé le vœu solennel du Faisan. Sa cousine Jeanne y avait incarné l'une des douze vertus qui devaient animer les nouveaux croisés. Aux yeux de Commynes c'était une *honte* pour toute la chrétienté d'avoir *laissé prendre* Constantinople. La conquête des Balkans par le Turc était une scandaleuse *usurpation.*

Commynes était pieux de nature. Sa foi, loin d'être atteinte par toutes les turpitudes dont il avait été le témoin et souvent la victime au cours de sa carrière, s'était affermie par les tribulations mêmes auxquelles il avait été exposé. Il était pénétré de l'excellence de la forme chrétienne de vivre même si l'Europe, dans son ensemble, la France et sa Flandre natale plus particulièrement, offraient le spectacle d'un matérialisme grandissant, d'une propension de plus en plus forte à *s'adonner à tous ces plaisirs à quoi l'homme est enclin.* Aussi bien, lorsque l'éventualité d'une reconquête des Balkans s'est profilée à l'horizon de l'Europe, dans les dernières décennies du siècle, il s'est intéressé vivement aux préparatifs de l'expédition.

L'idée était dans l'air. Il n'était pas de souverain important qui n'ait juré de reprendre Constantinople. Charles VIII en tout cas semblait acquis à la cause. Ses lectures avaient orienté son esprit dans ce sens dès son enfance. Il n'ignorait pas sans doute que son propre père, Louis XI, avait émis en 1479 le vœu qu'il parte un jour pour l'Orient. « Je supplie humblement la glorieuse Vierge Marie, a-t-il dit aux représentants de la ligue italienne, d'accorder un grand honneur à mon très cher fils : ce serait de lui donner l'occasion, le pouvoir et les moyens d'aller de sa personne, avec sa noblesse et la chevalerie de France, combattre le détestable Turc et les autres infidèles ainsi qu'avec l'aide de Dieu j'avais l'intention de le faire » (d'après le ms fr de la bn 3863 fol. 15, cité par Labande, *op. cit.* p. 189). Plus près de Charles VIII encore, car Louis XI avait tenu son fils à distance, François de Paule l'entretenait dans cette perspective. Charles VIII avait pris l'habitude de visiter très souvent ce saint, dit le rédacteur des *Acta Sanctorum* (Aprilis, tome I, p. 115) et il prenait son conseil dans les affaires très difficiles, assertion confirmée par Jérôme Munster après son passage à Amboise en 1495 où il a pu s'entretenir avec François de Paule et l'entourage royal.

Il est très difficile, sinon impossible, de dire au sujet de tous ceux qui faisaient le serment de se croiser jusqu'où allait leur sincérité. On a vu comment le projet de Philippe le Bon a lamentablement tourné court. L'intention de Louis XI est également sujette à caution. Quant à Charles VIII, les témoignages sont contradictoires. Sans doute a-t-il multiplié les déclarations les plus catégoriques de sa volonté de partir pour l'Orient. Même un observateur aussi réaliste que Francesco della Casa peut écrire à Pierre de Médicis, le 13 mars 1494, que le roi « se réjouit fort du titre de Jérusalem en raison de l'ardeur qu'il montre pour aller récupérer la Terre sainte ». Commynes est seul à émettre des réserves à ce sujet. Dans un passage, d'ailleurs controversé, de ses Mémoires, il met en doute la volonté de Charles VIII d'aller plus loin que l'Italie. Rapportant certains propos du Doge suivant lesquels le roi aurait *fort parlé quand il entra en Italie* de son intention de combattre le Turc, Commynes n'hésite pas à déclarer que c'était là, de la part de Charles VIII, *une très méchante mention car c'était mensonge et à Dieu ne peut-on céler les pensées* (II/334). Tout indique que le roi n'avait pas en effet le désir de s'aventurer au-delà de la péninsule italique. Sa femme n'en doutait pas et quand il prit la décision de partir elle savait que c'était « pour revenir vite » (Canestrini et Desjardins, *Négociations diplomatiques de la France avec la Toscane,* t. I p. 404, cité par Labande, *op. cit.* p. 222). Au reste Charles VIII lui-même l'a avoué. Dans une lettre adressée à son beau-frère Pierre de Bourbon n'écrit-il pas textuellement : « Je n'ai jamais rien eu autre chose en vouloir ne intention fors de remettre en mon obéissance ce que justement m'appartient (le royaume de Naples) et m'en retourner » (Lettres de Charles VIII, t. IV No. 873). Commynes voit dans la mort prématurée du fils de Charles VIII la punition divine de son mensonge. Il met en parallèle ce malheur avec la mort des enfants de Ferdinand d'Aragon qui a fait, comme le roi de France, preuve d'*hypocrisie* et qui a commis un véritable *parjure* en prenant l'initiative de fomenter une ligue anti-française alors qu'il avait juré de ne rien faire contre l'expédition de Charles VIII.

Or pour Commynes la seule justification de la conquête du royaume de Naples c'était d'assurer à une croisade une solide tête de pont pour passer dans les Balkans. Si l'expédition de Charles VIII se bornait au royaume de Naples le jeu n'en valait pas la chandelle. Bien pis cette conquête présentait bien des risques de ne laisser derrière elle que de nouveaux cimetières français. *Naples, la Sicile et les autres provinces que les Français ont possédées par longues années,* n'en gardent-elles pas *pour toutes enseignes et mémoire* que leurs *sépultures* ? Commynes, on l'a vu, est du reste opposé en principe à toute conquête manu militari. La mainmise sur une province étrangère est toujours très délicate. Les Français comme les autres nations *souffrent* à grand-peine, *la main de prince de nation étrange et d'étrangers et à la longue il n'en n'est nulle des grandes dont le pays à la fin ne demeure aux païssans* (autochtones). Le royaume de Naples n'en fournit-il pas la preuve ? Encore que l'on *endurât bien de prince de pays étrange qui serait en petite compagnie bien réglée et lui sage, si ne le peut-on point aisément faire de grand nombre de gens... tant pour l'adversité des mœurs et conditions que pour les violences et qu'ils n'ont l'amour du pays qu'ont ceux qui en sont nés* (II/15-16). Il y a dans ces déclarations la formulation d'un principe fondamental du droit des gens qui fut appelé à jouer un grand rôle par la suite, comme on sait. Le *pays aux païssans* est, pour l'époque, une anticipation et une approximation extrêmement remarquable du droit des peuples à disposer d'eux-mêmes.

Cependant malgré ces réserves au sujet de l'installation des Français dans le royaume de Naples et même si pour Commynes cette conquête devait servir essentiellement à faciliter le passage dans les Balkans, il était sensible à l'extrême misère du peuple napolitain et à l'odieuse tyrannie des Aragonais. Il n'a pas visité lui-même le pays mais il était très bien informé. *Je me suis fort enquis* (II/178), dit-il, de la manière dont le roi de Naples *faisait mourir ses ennemis. Cela m'a été dit*, précise-t-il, *par un homme de leurs principaux serviteurs* (id.). Peut-être avait-il lu le récit de Philippe de Voisins qui, dans son Voyage de Jérusalem, stigmatise la rapacité des agents du roi Ferrand « pire que les Maures et mécréants (Labande *op. cit.* p. 191). Commynes est si sévère à l'égard des souverains aragonais qu'il s'en excuse. *Or pourrait sembler aux lisants que je disse toutes ces choses pour quelque haine particulière que j'aurais eue à eux. Mais par ma foi, non.*

En parfaite conformité avec ces principes Commynes n'envisage lui-même la croisade incluse dans le projet de descente en Italie que dans une direction et des limites très déterminées. Il n'est jamais question chez lui de conquérir la Palestine. Le nom de Jérusalem n'apparaît jamais sous sa plume. La croisade à laquelle il songe ne saurait consister que dans la seule récupération des Balkans. C'est une entreprise très réaliste de recouvrement de terres traditionnellement chrétiennes. Ce serait le pendant de la prise de Grenade. Ce parallélisme a du reste déjà été formulé par Robert Gaguin dans sa présentation du projet de croisade au cours d'une grande ambassade à Londres en 1489. La récupération des Balkans ne serait pas une conquête à proprement parler. Elle consisterait à libérer des terres usurpées par le Turc, terres non seulement chrétiennes mais européennes car elles l'étaient déjà au temps d'Alexandre. Commynes rappelle à ce propos que *la Thessalie* par exemple était le *patrimoine* du grand empereur macédonien (II/204). En chassant le Turc la France n'aurait fait que de rendre à l'Europe son intégrité territoriale, ethnique et religieuse.

Mais la récupération des Balkans, outre qu'elle libérerait des chrétiens et des terres authentiquement européennes permettrait aussi le rétablissement du commerce occidental sérieusement compromis par l'avance du Turc. Nous découvrons ici un autre élément très important de la pensée de Commynes. Son intérêt pour l'économie et plus particulièrement pour le commerce maritime était très vif. Ne dit-il pas avec admiration, parlant de Bruges, que cette ville est *grand recueil de marchandises et grandes assemblées de nations étranges. Par aventure il s'y dépêche plus de marchandises qu'en nulle autre ville d'Europe* (I/436). Il n'est pas abusif de prêter à Commynes des vues très précises sur cet aspect particulier d'une victoire sur le Turc. A peine en possession des Sables-d'Olonne il a songé à en faire un grand port de relais entre la Méditerranée et la mer du Nord. Il obtint de Louis XI des privilèges particuliers pour le développer et le fortifier. Malheureusement ce grand roi n'entendait pas *le fait de la mer* aussi bien qu'il entendait *le fait de la terre* (I/288) *et ceux à qui il donnait autorité... y entendaient encore moins.* Sous Charles VIII Commynes fut malheureusement obligé de restituer Olonne aux La Trémoille. Mais voici qu'en 1486 l'intégration de la Provence au royaume ouvrait de nouvelles portes à l'expansion méditerranéenne de la France. Ce n'est pas par hasard que Commynes s'est intéressé à l'acquisition de la grosse galéasse de Jean Moreau. Il la possède définitivement dès 1492 et ceci grâce à l'appui de Charles VIII. Or il s'agit d'un bateau qui fait le commerce entre Marseille, la Sicile et Naples. Commynes n'en était pas peu fier *et il rappelle dans ses* Mémoires *que sa galéasse a servi de bateau amiral à la flotte française en route pour Naples. Les Italiens, dit-il, jamais n'en avaient vu de semblable et était chose nouvelle en Italie* (II/137-138).

Quoi qu'il en soit des visées économiques de Commynes et de ses arrière-pensées au sujet du développement du commerce en Méditerranée à la faveur d'une victoire sur le Turc il est symptomatique de lire sous sa plume que cette *belle, bonne et glorieuse aventure* d'une croisade dans les Balkans apporterait aux chrétiens, outre la libération de leurs frères, *biens et honneurs.* Un pluriel en vérité singulier et bien révélateur d'une certaine optique. On se gardera toutefois d'en conclure qu'il n'avait cure pour autant de toute préoccupation spirituelle. L'Eglise lui paraissait profondément corrompue. Il était notoire qu'Alexandre VI avait *acheté cette sainte dignité* (II/187). Le cardinal Ascagne Sforza en avait été *le principal marchand.* Il y gagna lui-même *grand argent. Ce serait une grande œuvre que de réformer l'église. Je crois,* dit-il, *que toutes gens de connaissance et de raison l'eusse tenu à une bonne et très sainte besogne, mais il y faudrait grand mystère* (au sens de travail particulièrement difficile). La destitution d'Alexandre VI et l'élection d'un nouveau pape, si possible français, aurait été *une bonne chose.* Mais le roi était *trop jeune* et *mal accompagné,* si bien que Commynes croit que Charles VIII *fit mieux d'appointer,* c'est-à-dire de ne pas céder aux sollicitations pressantes qui lui étaient faites de procéder à cette nécessaire réforme de l'Eglise.

Commynes rejoint ici les préoccupations d'un illustre réformateur de l'époque, le dominicain Jérôme Savonarole. Tout Florence se pressait aux sermons du nouveau prophète. Commynes a eu l'occasion de rencontrer Savonarole lors de son passage à Florence en juin 1495. Les propos qu'il lui prête, il tient bien à préciser que *à moi le me dit de bouche quand je parlais à lui* (II/283). Sans doute a-t-il lu, lui aussi, ses sermons, les *premiers* qui étaient antérieurs à l'intervention française et *ceux de présent* (1497-98) qui *ont été mis en moulle* (c'est-à-dire imprimés) *et qui se vendent* (II/281). Commynes a aussi eu l'occasion de lire des lettres personnelles que l'illustre dominicain a écrites à Charles VIII. Or que disait Savonarole ? « Dans l'une de ses plus ardentes prophéties, la *terrifica praedicatio* du 27 avril 1491, il annonce le châtiment inexorable et imminent de Florence et de l'Italie que leur réserve un nouveau Cyrus, venu d'au-delà des Alpes comme instrument terrifiant et nécessaire de la colère divine, purificateur armé du glaive et qui va fondre sur une ville et un pays corrompus. Il ne dédaigne pas de descendre de ces hauteurs apocalyptiques pour dénoncer les injustices politiques et fiscales qui accablent les citoyens » (Pierre Antonetti, *Histoire de Florence,* p. 124).

Les vues de Commynes et de Savonarole, tout en se situant dans une même perspective spécifiquement chrétienne, ne se recouvrent pas entièrement et il est intéressant d'en noter les divergences aussi bien que les convergences. Les deux hommes différaient de tempérament. Savonarole était passionné, Commynes très mesuré. L'un était un mystique qui s'est aventuré pour son malheur dans la politique, l'autre était avant tout un politique qui ne dédaignait cependant pas d'élever volontiers ses préoccupations temporelles jusque sur le plan de la métaphysique. Ils se rejoignaient sur le terrain de la morale et Commynes reconnaît que Savonarole a conduit de nombreuses personnes à mieux se comporter. Ils dénoncent tous deux l'exploitation fiscale du peuple. Tous deux s'accordent aussi sur la nécessité de réformer l'Eglise mais Commynes voit dans cette œuvre d'assainissement un travail beaucoup plus difficile que ne l'imaginait Savonarole. Pour le dominicain comme pour le diplomate français l'entreprise française manifeste de manière évidente la volonté de Dieu, mais pour Savonarole cette présence fait éclater la logique profonde de l'intervention divine tandis que pour Commynes le caractère quasi miraculeux de l'avance triomphale des Français et l'issue heureuse de leur très pénible retraite fait ressortir l'irrationalité foncière de toute l'entreprise de 1494. Le premier limitait la portée de l'intervention française à l'Italie et à l'Eglise alors que le second pensait avant tout à la reconquête des Balkans. Savonarole était-il un saint ? Commynes se garde de l'affirmer. Il était trop conscient de la malignité humaine pour se risquer à qualifier de tel un être humain, menât-il la plus édifiante vie du monde. En visitant la chartreuse de Pavie et comme son cicérone appelait saint le prince milanais dont il lui faisait admirer le tombeau Commynes n'a pu se retenir de lui faire remarquer qu'il s'agissait d'un homme de fort mauvaise réputation. A quoi le brave religieux lui avait répondu qu'en Italie on qualifiait ainsi tous ceux qui faisaient du bien à l'Eglise quelle qu'ait pu être leur forme de vie. Et puis Savonarole n'a-t-il pas été finalement excommunié et brûlé ? Commynes était trop prudent pour mettre en doute le jugement de l'Eglise. *Je ne sais s'ils ont fait bien ou mal de l'avoir fait mourir* (II/385). Il reconnaît volontiers le caractère prophétique de certaines de ses déclarations, car *il a dit maintes choses vraies que ceux de la ville de Florence n'eussent su lui avoir dites* (id.). Aussi Commynes se borne-t-il à dire, en guise de conclusion, qu'il le *répute* simplement *bon homme.* De cette manière il n'encourait pas lui-même le risque de s'attirer les foudres de l'Eglise. Pourtant il a dû être conforté dans sa propre conception de l'entreprise française par ses entretiens personnels avec Savonarole, comme par la lecture de ses sermons, avant pendant ou après l'expédition de 1494. Le nombre de pages qu'il consacre à l'illustre dominicain l'atteste. Pour lui comme pour le réformateur florentin l'aventure des Français au-delà des Alpes ne pouvait avoir de sens que dans une perspective religieuse.

Tout bien considéré, qu'il s'agisse de la réforme de l'Eglise, de l'expulsion des Aragonais de Naples, de la libération des Balkans c'est en toute conviction que Commynes a pu approuver le principe de l'expédition. Il s'y est rallié sincèrement et il a participé activement à sa préparation. Sur le plan diplomatique il ne s'est pas contenté d'accueillir favorablement l'idée de la nécessaire neutralisation préalable de l'Angleterre, de l'Espagne et de l'Allemagne par la signature des traités d'Etaples en novembre 1491, de Barcelone en décembre 1492 et de

Senlis en mai 1493. Il y a collaboré personnellement en participant aux négociations laborieuses et délicates du dernier de ces trois traités. De plus et aussitôt après son retour de Senlis il est entré en mai 1493 dans la commission de cinq membres, la première du genre dans l'histoire de France, et qui avait été instituée spécialement pour s'occuper des affaires italiennes. Même s'il n'y jouissait pas d'une entière confiance et qu'on ne l'y tenait pas au courant de tout, comme le prétend un ambassadeur florentin, cette nomination montrait que le roi avait pleine conscience de l'utilité de la présence de Commynes dans ce collège d'experts. Trois ans après le dur emprisonnement que l'on sait, c'était là une preuve éclatante de la compétence et de l'efficacité qu'on lui reconnaissait. Nous l'avons vu aussi intervenir directement auprès de Florence pour l'engager à se ranger franchement aux côtés de la France, utilisant le crédit de confiance que ses étroites relations avec les Médicis lui assuraient.

Malheureusement les choses ont été précipitées au point de compromettre sérieusement toute chance de réussite de l'entreprise. Circonvenu par de Vesc, le roi, subitement et contre l'avis de la plupart de ses conseillers, décida de partir dès le mois d'août 1494. C'était, aux yeux de Commynes, une gageure, un non-sens absolu. S'il avait été seul de cet avis, on pourrait conclure à un parti pris passionnel. *Il n'y eut que lui seul* (Charles VIII), ne craint-il pas d'écrire, *et un appelé Etienne de Vesc qui la trouvât bonne* (cette décision de partir à ce moment-là). L'ambassadeur florentin della Casa confirme entièrement l'allégation de Commynes. « L'entreprise, écrivait-il pendant l'été de 1494, est ici l'objet des conversations et des jugements les plus divers. Les premiers princes du sang et la plupart des autres seigneurs, les conseillers, les prélats, les grands officiers de finance et tout le peuple la condamnent et la blâment comme impossible et dangereuse. S'ils le pouvaient sans encourir la disgrâce du roi ils l'arrêteraient volontiers. La plupart des gentils hommes et des gendarmes qui sont désignés pour passer en Italie pensent aller à leur perte et destruction certaine (cité par Canestrini et Desjardins, *op. cit.* p. 292). En effet, comme le dit Commynes, *toutes choses nécessaires à une si grande entreprise faillaient. Etre là au mois d'août sans argent ni tentes ni autre chose nécessaire* (II/132) c'était pure folie. *Le roi n'était pourvu,* souligne-t-il encore, *ni de sens, ni d'argent, ni d'autre chose nécessaire à telle entreprise* (II/130).

Jusqu'au dernier moment personne ne crut que le roi allât se décider à passer les monts alors même qu'à la fin de janvier 1494 il avait déclaré y être résolu lorsqu'il apprit la mort du roi de Naples survenue le 24 de ce mois. Dès le début d'août, Charles VIII s'était établi à Vienne en Dauphiné. Mais il était encore hésitant, exposé qu'il était aux pressions très fortes des opposants irréductibles. *Monseigneur de Bourbon et Madame* (Anne de Beaujeu) *étaient là, cherchant à rompre ledit voyage à leur pouvoir. Et l'un des jours était l'allée rompue, l'autre renouée* (II/132). A la fin le roi se délibéra de partir. C'était le 23 août 1494. Il ne restait plus à Commynes qu'à faire en sorte, dans la mesure de ses moyens, que l'entreprise ne tournât pas à la catastrophe.

Bien qu'il fût très pessimiste quant au sort de toute l'affaire il ne pouvait cependant pas imaginer qu'il en reviendrait, quatorze mois plus tard, la mort dans l'âme.

IX

MORT A VENISE

Je montai à cheval dès premiers, espérant passer les monts en moindre compagnie (II/132). Sa mission au départ n'est pas définie. Comme membre de la commission des cinq qui s'était occupée de la préparation de l'expédition il ferait sans doute partie de l'état-major. Mais avec quelle responsabilité exacte ? Il n'en savait rien lui-même car tout dépendait du Sénéchal (De Vesc) et du Général (Briçonnet). De toute manière il n'était pas question pour lui de se dérober en dépit de son opposition à un départ aussi précipité et de ses vives appréhensions.

Comme il fallait s'y attendre les contretemps les plus imprévisibles n'ont pas manqué. Commynes était à peine en route qu'un ordre lui parvint de revenir en arrière parce que *tout était rompu* (II/132). Simple alerte dont la raison était que le roi avait besoin de sa garantie pour 4 000 écus sur un emprunt de 30 000 écus contracté auprès de marchands milanais. Il reprend sa route pour traverser les Alpes au Mont-Cenis. L'armée de terre suit. Elle comprend entre 20 000 et 30 000 hommes, Français, Suisses, puis contingents italiens divers, des Milanais principalement. Cette armée est divisée en deux groupes, le corps de Romagne et celui du roi. De Turin cette armée se dirigea vers Parme en passant par Asti, Vivedagano, (dans la direction de Milan) puis par Pavie et Plaisance. A Parme elle se scinderait, une partie longeant le flanc est des Apennins par Bologne, Imola, Faenza et Forli pour rejoindre, à Sienne, l'autre corps qui traverserait les Apennins de Parme à Pontremoli, Sarzana, Pietra Sancta, Lucques, Pise et Florence. Pendant ce temps la flotte de 90 navires rassemblée à Savone et Gênes se diviserait en plusieurs escadres dont l'une toucherait La Spezia et deux autres se dirigeraient sur Piombino, San Stefano et Ostie. Commynes a été appelé à prêter sa galéasse marseillaise, la Notre-Dame-Sainte-Marie. Charles VIII la fit préparer et armer à Gênes par ordre du 4 mai 1494 pour servir de vaisseau amiral. *Le 4 septembre*, écrit-il, *ou le lendemain arriva le duc Louis d'Orléans à Gênes avec quelques naves et un bon nombre de galées, et une grosse galéasse qui était mienne que patronisait un appelé messire Albert Melay sur laquelle était ledit duc et les principaux. En ladite galéasse il y avait grande artillerie et de grosses pierres car elle était puissante et s'approcha si près des terres que l'artillerie déconfit presque les ennemis qui jamais n'en avaient vu de semblable et était chose nouvelle en Italie* (II/137-138).

Sur la route de terre une alerte survint à Asti. Charles VIII y tomba malade le 13 septembre. Commynes l'avait rejoint. Il pensait que le roi était atteint de la vérole alors qu'il ne s'agissait que d'une fièvre éruptive. Il le croit cependant en péril de mort et il pense *fermement* que, dans ces circonstances, le roi renoncera à franchir l'Apennin. Mais Charles VIII se rétablit. Pour quelles raisons Commynes fut-il alors envoyé à Venise en qualité d'ambassadeur ? La question reste controversée. Il a laissé entendre, quelque temps plus tard, à Pierre Soderini, ambassadeur de Florence auprès de la Cité des Doges, qu'il avait décliné l'offre qu'on lui avait faite de se rendre à Florence. Il aurait dit à Briçonnet qui était avec de Vesc le principal conducteur de toute l'expédition que « si l'on avait l'intention de faire la paix, on pouvait l'envoyer à Florence... mais que s'il fallait user encore de rigueur et de dureté, comme on a fait précédemment, il ne se sentait pas propre à ce métier et ne voulait pas le faire » (K. II/133). Briçonnet aurait hésité un jour jusqu'à minuit et il s'était décidé finalement à envoyer Commynes de préférence à Venise. N'était-ce là, dans les propos de Commynes à Soderini, que vantardise ? Ne l'avait-on pas au contraire simplement écarté de l'état-major parce qu'on savait qu'il était très réticent au sujet de toute l'affaire et qu'il trouverait moyen, s'il restait dans l'équipe dirigeante, de faire avorter l'entreprise ? Il est impossible de le savoir. Pour les historiens ou les lecteurs des Mémoires qui doutent systématiquement de la bonne foi du chroniqueur il est certes loisible de penser qu'il s'agit ici d'un limogeage déguisé. Pour ceux qui reconnaissent en Commynes un homme d'une rare élévation de pensée et d'une habileté reconnue par ses adversaires eux-mêmes, il est aussi possible d'imaginer qu'on l'envoyait en réalité au centre névralgique de l'imbroglio italien et européen pour y agir au mieux des intérêts de la France. Et l'histoire a bien confirmé que c'est à Venise que le sort de toute l'entreprise a fini par être tranché implacablement ainsi que le sort de toute croisade présente ou à venir. Aussi bien Venise était-elle la puissance européenne la plus directement touchée par une guerre contre le Turc.

Le 25 septembre voici donc Commynes en route pour la Sérénissime république. *J'allai en six jours à Venise, avec muletes et train, car le chemin était le plus beau du monde* (II/146). Il gagna Padoue par terre en passant par Brescia, Vérone, Vicence, puis il descendit la Brenta jusqu'à Fusina. *Partout me fut fait grand honneur,* raconte-t-il, *pour l'honneur de celui qui m'envoyait et il venait grand nombre de gens au-devant de moi avec leur podesta ou capitaine* (premier magistrat de la cité) *car ils ne saillent* (ne sortent pas) *tous deux mais le second venait jusqu'à la porte par le dedans. Ils me conduisaient jusqu'à l'hôtellerie et commandaient à l'hôte qu'abondamment fusse traité et me faisaient défrayer avec toute honorable parole* (II/206). Comme il est assez près de ses sous il note cependant que, *pour qui compterait bien ce qu'il faut donner aux trompettes et tambourins, il n'y a guère de gain à ce défrai.* Il observe aussi que l'ambassadeur de Milan dispose, outre une allocation de 100 ducats par mois de la part de la seigneurie, d'un *logis bien accoutré et de trois barques qui ne lui coûtent rien.* Mais il est vrai que c'est à charge de réciprocité car l'ambassadeur de Venise à Milan en a autant *sauf les barques car on y va à cheval et à Venise par eau* (II/206). De Padoue il descendit en bateau jusqu'à la Chafousine qui est à cinq mille de Venise. Là on laisse le bateau et l'on se met en petites barquettes (II/206). Et le voici à Venise. Ah ! ces gondoles, bien *nettes* et *couvertes de tapisseries et de beaux tapis velus pour s'y asseoir dessus,* quelle merveille ! (II/206-207). C'est l'enchantement. Il admire *l'assiette de cette cité,* la mer, les canaux, les beaux et riches édifices, leurs parements, les jardins. Avec son sens de la précision il fait le décompte : soixante-douze paroisses, soixante-dix monastères, trente mille gondoles, etc. Bref c'est *la plus triomphante cité qu'il a jamais vue.*

Mais en homme d'Etat soucieux de comprendre et de comparer les différents systèmes de gouvernement afin de s'inspirer des meilleurs pour tenter d'amender celui de son propre pays il étudie attentivement la nature et le fonctionnement du pouvoir. On en trouve certains éléments dans les idées de réforme des institutions françaises qu'il esquisse à divers endroits de ses Mémoires. Ne pensait-il pas à Venise lorsqu'il proposa de remédier au défaut majeur du gouvernement de la France qui tend fatalement à instituer la prééminence de fait d'un favori accaparant ainsi la direction des affaires et devenant véritable *roi et seigneur quant à l'effet* ? (II/338). Il en avait fait l'expérience lui-même sous le règne de Louis XI. S'il propose que le Conseil soit composé *de six pour le moins et quelques fois en appeler d'autres, selon la matière et les tenir presque égaux* (II/338) ne pensait-il pas au Collège de Venise qui comprenait six sages grands pour la politique générale et six sages de terre ferme pour la politique continentale ? L'excellence du système vénitien tient dans sa stabilité assurée par l'élection d'un doge, nommé à vie, qui *préside en tous leurs conseils, à qui s'adressent toutes les lettres mais qui ne peut guère de lui seul* (II/209). Le doge comme les conseillers sont issus de l'élite marchande. Mais on veille à ce que leur passage au pouvoir ne soit pas une occasion d'enrichissement. *Pour doute de division c'est peine capitale parmi eux de dire qu'il faille faire trésor* (II/212). *Aussi ne se fait, parmi eux, nul homme de tel cœur ni de telle vertu* (force ou puissance) *pour savoir seigneurier.* La flotte de guerre, certes, est dirigée par des « gentils hommes » mais ceux-ci ne s'aventurent pas sur terre ferme sauf *les providateurs et payeurs qui accompagnent seulement leur capitaine et le conseillent et pourvoient l'armée* (II/211). Ce système repose toutefois sur une structure sociale très particulière qui n'existe nulle part ailleurs. Le peuple est composé pour *la plupart d'étrangers* (II/213) *il n'a nul crédit ni n'est appelé en rien à participer* à la conduite des affaires. Il ne dispose pas de *tribuns* comme ont eu *les Romains ce qui fut partie,* dit Commynes qui a des lectures, *cause de leurs dissentiments* (II/212). Donc *nulle question civile,* à Venise, et c'est là pour Commynes *la plus grande richesse* qu'il leur voit. Un régime à la fois monarchique par la désignation d'un doge à vie, aristocratique par le recrutement des conseillers, égalitaire et élitaire à la fois, un gouvernement stable dont le chef est un simple *primus inter pares* ce qui ne l'empêche pas, comme ce fut le cas avec le doge Barbarigo que Commynes a particulièrement bien connu, de jouir d'une grande autorité personnelle.

Durant les huit mois que Commynes a séjourné à Venise son activité semble avoir été intense, à son habitude. Il s'agit tout d'abord pour lui de nouer le plus de contacts possibles avec les Vénitiens comme avec ses collègues diplomates. Il organise un savant système de renseignements jusqu'au sein des diverses ambassades mais aussi et surtout il entretient le doge et le Conseil de l'évolution des intentions de Charles VIII au fur et à mesure de sa progression dans la péninsule.

A cet égard il est plutôt désavantagé car il ne semble pas recevoir beaucoup de nouvelles de l'Etat major français. Au début de son séjour on lui fait bien parvenir des rapports qui sont autant de bulletins de marche de l'armée conquérante. Mais soit qu'on néglige intentionnellement de le tenir au courant soit que les difficultés des communications gênent la transmission des nouvelles, il se plaint du manque de directives. Certes il a une mission bien précise donnée *de bouche* par Briçonnet lui-même et qui consiste à négocier une paix avantageuse avec les Florentins par l'intermédiaire de leur ambassade à Venise. Il lui faut surtout rassurer les Vénitiens toujours vigilants et méfiants et s'efforcer de les maintenir dans leur neutralité. Mais au fur et à mesure de l'avance des Français, les Vénitiens qui, tout d'abord, ne croyaient pas à la possibilité d'un succès de l'entreprise et qui ne prenaient pas au sérieux les informations en sens contraire que leur prodiguait Commynes, se mirent à craindre les répercussions que pourrait avoir sur leurs propres affaires la conquête du royaume de Naples. Commynes quant à lui et en dépit de l'optimisme qu'il affichait et des apaisements qu'il s'efforçait de répandre était encore plus anxieux qu'eux. Il l'avait été dès le départ. Les contretemps, en apparence mineurs, que l'expédition rencontra avant même que l'armée eût franchi les Alpes ou les Apennins (manque d'argent, maladie du roi, etc.) lui paraissaient de mauvais augure. Il se méfiait de Ludovic Sforza. Sur le chemin de Venise Commynes avait appris la mort du neveu de l'usurpateur milanais. Crime ou mort naturelle ? Ludovic quitte aussitôt le roi pour se rendre à Milan. En reviendra-t-il ?

Et puis voilà que des nouvelles de Florence lui parviennent qui semblent annoncer un renversement prochain de la situation au sein de la capitale toscane. Savonarole, après une période de retrait consacrée à la réforme de son couvent de Saint-Marc et des autres couvents dominicains de Toscane (Fiesole, Pise, Prato) revient au premier plan de la scène publique. Le 21 septembre, deux jours donc avant le départ de Commynes (de Parme pour Venise), frère Jérôme, du haut de la chaire de Santa Maria del Fiore, présente la marche triomphale des Français comme une confirmation de ses prophéties antérieures. Devant un auditoire de 10 000 personnes, au premier rang desquelles se pressent quelques-uns des hommes les plus éminents de Florence, Michel-Ange, Pic de la Mirandole, Marcile Ficin, Botticelli, Savonarole annonce le cataclysme qui va s'abattre sur la cité et sur toute l'Italie. Il y voit la main de Dieu qui veut mettre un terme à la dégénérescence morale et politique de la péninsule. Presque chaque jour il prêchera avec une éloquence inspirée jusqu'à ce que, épuisé, il doive renoncer à monter en chaire. Mais ses concitoyens ont été ébranlés. La faction anti-médicéenne, les Capponi, les Soderini, les Nerli, ces *gens de bien* mais *envieux,* comme les qualifie Commynes, et les plus proches parents mêmes de Pierre de Médicis qui ne supportaient pas ses allures de *seigneur,* reprenaient du poil de la bête. *Par laquelle cause ledit seigneur partit et tira aux terres des Florentins pour les faire déclarer pour lui ou pour prendre de leurs villes qui étaient faibles pour s'y pouvoir loger pour l'hiver qui jà était commencé* (II/151). Pierre rencontre Charles VIII le 26 octobre à San Stéfano. Là, au mépris du serment qu'il avait prêté de ne rien accorder qui fût contre le bien et l'honneur de ses concitoyens sans y être expressément autorisé, Pierre abandonne au roi, pour toute la durée de la guerre, la possession de Sarzano, Sarzanello, Librefello, Pietra Sancta, Pise et Livourne avec en plus un prêt de trente mille ducats. C'était ouvrir aux Français la porte de Rome et Pierre signait du même coup sa perte. Rentré à Florence, ses concitoyens *sans avoir mémoire des bienfaits de Cosme et de Laurent de Médicis, ses prédécesseurs, délibérèrent le chasser de la ville.* Le 9 novembre 1494 il s'enfuit alors de Florence sous un déguisement pour se rendre à Venise où il arrive dans la nuit du 17 au 18 novembre. Commynes se précipite au-devant de lui et, dit-il, *à mon pouvoir le réconfortai* (II/163).

En réalité la révolution survenue à Florence représentait pour Commynes la fin de tout espoir d'un arrangement quelconque permettant d'éviter que l'expédition de Charles VIII ne tourne à la catastrophe. Il ne faisait en effet pas l'ombre d'un doute dans son esprit que la progression désormais fatale de Charles VIII vers Rome et Naples allait dresser contre lui toutes les puissances italiennes ainsi que l'Allemagne et l'Espagne, sans oublier le Turc. Les Français, descendus au fond de la botte, y seraient enfermés comme dans une souricière. Le pire était dès lors hautement probable.

Dans une telle situation que pouvait faire Commynes ? Ce qu'il avait redouté dès le départ se confirmait chaque jour davantage. Les allées et venues des ambassadeurs établis à Venise, l'arrivée solennelle de nouvelles missions, milanaise, autrichienne, espagnole, ne lui échappaient pas. Ses espions le renseignaient sur les conversations secrètes tenues tant dans les conseils de la ville qu'à l'intérieur des palais mis à la disposition des agents diplomatiques de toute provenance. Cela n'empêche pas les ennemis de Commynes de lui reprocher d'avoir été inactif et de n'avoir pas vu venir le vent. A peine installé il avait été appelé en audience. Dans un discours magistral, prononcé devant le Conseil, il avait éloquemment présenté toute l'entreprise française sous les couleurs les plus rassurantes pour Venise. Elle n'avait rien à craindre. Elle recevrait même des villes dans les Pouilles et des terres dans les Balkans lorsque la croisade aura permis de libérer cette péninsule. (Le lecteur trouvera en annexe le résumé de cette harangue tel que les secrétaires vénitiens l'ont rédigé.) Jour après jour Commynes s'est efforcé de rassurer la seigneurie en dépit des nouvelles qui confirmaient l'avance des Français.

Mais il ne s'est pas seulement efforcé de retenir le plus longtemps possible les Vénitiens et de retarder leur adhésion à la ligue anti-française que le roi d'Espagne et le pape s'employaient activement à mettre sur pied. Il a pris de gros risques personnels. Dans ses efforts pour empêcher son roi de courir délibérément à sa perte en s'aventurant jusqu'à l'extrémité de la péninsule il n'a pas hésité à engager Florence à fortifier ses citadelles pour lui barrer le chemin de Rome ou en tout cas retarder sa marche. Un dimanche matin, le 19 octobre, Commynes, avant son lever, fit prier l'ambassadeur florentin Soderini de lui envoyer son secrétaire. Celui-ci ne fut pas peu étonné d'entendre Commynes lui demander de lui donner force détails sur le système défensif de Florence. « Il a beaucoup questionné mon secrétaire, écrit

Soderini dans la dépêche chiffrée qu'il s'est empressé de rédiger dès le retour de son émissaire, sur les fortifications de Livourne, sur les ressources de cette ville en hommes et en artillerie et sur les autres places que nous possédons sur le littoral ou à proximité de la mer. Le secrétaire lui ayant répondu que nos places étaient assez bien pourvues de tout pour n'avoir rien à craindre il laissa entendre qu'on lui avait assuré le contraire et il insista beaucoup pour que je vous engageasse à les approvisionner de manière qu'on ne puisse en occuper aucune, car si l'on réussit à temporiser jusqu'à ce que la saison ne leur permette plus de tenir la campagne, il y a tout lieu d'espérer un bon arrangement » (K. II/140). Commynes trahissait-il ? Il avait certes le pouvoir de négocier avec les Florentins. Mais de là à les encourager à la résistance... Il avait bien conscience du risque qu'il courait et il a pris soin de ne pas s'adresser directement à l'ambassadeur lui-même. Il pourrait toujours démentir si besoin était. Habileté, secret, tromperie ou trahison ? Comme pour Wenlok à Calais tout dépend du point de vue où l'on se place pour juger. Pour Commynes il s'agissait, à n'en pas douter, de sauver à tout prix le roi dont la vie était désormais en danger et de tenter l'impossible pour épargner à la nation de France un désastre irréparable. Peine perdue : Pierre de Médicis ne tint aucun compte du message confidentiel transmis par Soderini.

Commynes est allé plus loin encore dans l'engagement de sa responsabilité. Lorsque Charles VIII, contre toute raison, occupa le royaume de Naples, Commynes jugea qu'il était dès lors temps de jouer le tout pour le tout. Du moment que les Français étaient installés si près des Balkans et même si l'intention secrète du roi était de s'en tenir là, une chiquenaude savamment calculée permettrait peut-être de précipiter les choses et d'obliger les Français à franchir le canal d'Otrante pour entreprendre la délivrance des Balkans, seule justification de cette descente en Italie. Commynes n'hésita pas à recourir alors à l'une de ces habiletés dont il avait le secret pour tenter d'infléchir le cours de l'Histoire d'une manière irréversible.

Parmi les nombreux personnages de haut rang qui avaient afflué vers Venise, figurait un descendant de la Maison impériale des Comnène de Constantinople, Constantin Araniti. Commynes prit sur lui de le cacher dans ses appartements. Constantin Araniti, au moment opportun, devait être débarqué sur la côte dalmate pour se mettre à la tête des chrétiens révoltés. Commynes avait aussi pris contact avec l'archevêque du Durrazzo, également réfugié à Venise. Il était convenu que ce personnage devait conduire un bateau chargé d'armes en un lieu précis de la côte dalmate où Constantin Araniti devait le rejoindre. Cela suffirait à déclencher la révolte attendue des chrétiens balkaniques. Toute une élite, *enfants et neveux de plusieurs seigneurs et gens de bien de ces marches* (II/303) était *prête à tourner.* Plus de *cinq mille janissaires* également, sans compter *tant de milliers de chrétiens en Albanie, Esclavonie et Grèce qui n'attendaient qu'un message du roi de France pour se rebeller.* Surcroît de chance pour le succès de toute l'affaire, le sultan Bajazet II était un *homme de nulle valeur au monde.* Ce débarquement de l'évêque de Durrazzo et la présence à ses côtés du Comnène impérial eût peut-être effectivement suffi pour obliger les Français établis dans le royaume de Naples à sortir de leur réserve et à franchir le pas. *Ainsi se fut exécutée l'entreprise* (II/204), dit Commynes. Mais c'était compter sans l'accident de parcours toujours possible. Il se produisit au sortir du port de Venise. Le bateau chargé d'armes de l'archevêque de Durrazzo fut intercepté par les Vénitiens. Non pas qu'ils se soient méfiés. Ce qui les avait amenés à arraisonner ce navire c'était uniquement, selon Commynes, leur souci de ne laisser à personne d'autre qu'à eux-mêmes le privilège de transmettre au sultan la nouvelle de la mort du fameux Zizim, le frère du sultan. Ce personnage avait été fait prisonnier par les chevaliers de Rhodes puis transféré à Nice et finalement à Rome. Bajazet le craignait tant qu'il payait aux chrétiens cinquante mille ducats par an (aux chanceliers de Rhodes tout d'abord puis au pape) pour qu'ils l'empêchassent de rentrer dans l'Empire ottoman. Zizim a-t-il été empoisonné ? Nul ne sait. De toute manière sa mort ne pouvait que réjouir le sultan et ceux qui seraient les premiers à lui annoncer la nouvelle recevraient de lui une forte prime. C'est pour se réserver cet avantage financier que les Vénitiens avaient décidé d'arrêter tout bateau sortant du port. C'en était fait désormais pour Commynes de toute possibilité de mettre le feu aux poudres et de déclencher la croisade si chère à son cœur. Dès lors les choses se précipitèrent. Un jour les Vénitiens l'envoyèrent quérir car ils venaient d'apprendre la prise, par Charles VIII, le 7 mars à vingt heures, du Castel Nuovo de Naples. La scène est digne du pinceau d'un grand peintre. *Je les trouvai en grand nombre, comme cinquante ou soixante, en la chambre du prince* (le doge) *qui était malade de la colique. Et il me conta ces nouvelles, de visage joyeux, mais nul en la compagnie ne savait feindre aussi bien que lui. Les uns étaient assis sur les marchepieds des bancs et avaient la tête appuyée entre leurs mains, les autres d'une autre sorte, tous démontrant avoir grande tristesse au cœur. Et je crois que quand les nouvelles vinrent à Rome de la bataille perdue à Cannes contre Hannibal, que les sénateurs qui étaient demeurés n'étaient pas plus ébaïs ni plus épouvantés, car pas un seul ne fit semblant de me regarder ni ne me dit un mot que lui : et je les regardais à grande merveille. Le duc me demanda si le roi leur tiendrait ce que toujours leur avait mandé et que je leur avais dit. Je les assurai fort que oui et j'ouvris les voies pour demeurer en bonne paix et je m'offrais fort à y servir, espérant les ôter de suspection. Et puis je me départis* (II/222). Trois semaines plus tard, dans la nuit du 31 mars au 1er avril 1495, la ligue antifrançaise était définitivement conclue. *Le matin la seigneurie me manda plus tôt qu'ils n'avaient l'habitude. Comme je fus arrivé et assis le doge me dit qu'en l'honneur de la Sainte Trinité ils avaient conclu une ligue avec notre Saint Père le Pape, les rois des Romains et de Castille et eux et le duc de Milan ; à trois fins : la première pour défendre la chrétienté contre le Turc ; la seconde à la défense de l'Italie ; la tierce à la préservation de leurs Etats ; et que je le fisse savoir au roi. Et ils étaient assemblés en grand nombre, comme de cent ou plus et ils avaient les têtes hautes et faisaient bonne chère, et ils n'avaient une contenance semblable à celle qu'ils avaient le jour qu'ils me dirent la prise du château de Naples* (II/224-225).

Si préparé que fût Commynes à l'annonce de cette nouvelle, il en supporta difficilement le choc. Il en eut *le cœur serré,* avoue-t-il lui-même. Il en perdit tout contrôle sur lui-même, dit le chroniqueur vénitien Sanudo, présent à la scène. Il faillit en perdre connaissance, dit un autre observateur. Comme frappé de stupeur Commynes serait parti sans saluer personne. Il demanda au secrétaire vénitien qui le reconduisait de lui répéter les paroles du doge car elles lui étaient sorties de mémoire.

Etonnement, surprise, stupéfaction, comédie ? Bien autre chose que tout cela ! Tout indique en effet que Commynes était parfaitement au courant de ce qui s'était tramé. Pourquoi mettre en doute son témoignage ? *Durant que tout ceci se démenait,* dit-il, *j'avais sans cesse averti le roi du tout, le pressant de conclure ou de demeurer au royaume et se pourvoir de plus de gens de pied et d'argent ou de bonne heure se mettre en chemin pour se retirer et laisser les principales places bien gardées et avant qu'ils fussent tous assemblés. J'avertissais aussi Monseigneur d'Orléans qui était à Asti avec les gens de sa maison seulement, car sa compagnie était avec le roi, et d'y mettre des gens, l'assurant qu'incontinent ils lui iraient courir dessus. Et j'écrivais à Monseigneur de Bourbon qui était demeuré lieutenant pour le roi* (en France) *d'envoyer des gens en hâte à Asti pour le garder, car si cette place était perdue nul secours ne pourrait venir au roi de France* (II/223-224).

De toute façon, choc il y a eu pour Commynes. Son état maladif en avait peut-être accentué les effets. Il était tombé malade le jour précédent. Mais malaise feint ou réel, Commynes était bouleversé. C'était en profondeur qu'il ressentait l'événement. Il était anxieux pour la vie même de son maître. Il redoutait une défaite militaire de grande portée pour l'avenir de la France. Mais bien plus profondément encore c'était le destin de l'Europe et de toute la chrétienté qui lui paraissait dangereusement compromis. Tout projet de croisade, présent ou futur, se révélait irréalisable et l'occupation des Balkans par les Turcs prenait ainsi un caractère sans doute définitif, en tout cas de longue durée. C'était la preuve aussi que les Européens cessaient de croire en la précellence du christianisme, que leur foi elle-même était sérieusement atteinte. Face au Turc triomphant et donc à l'Islam, l'Europe chrétienne prenait la décision de se tenir simplement sur la défensive. Elle se détournait de l'Orient, proche et lointain, source de toute lumière. Il ne restait plus pour elle que la fuite en avant, vers l'inconnu, vers la découverte et la conquête de nouvelles terres. C'en était fait en tout cas pour Commynes de son espoir de voir l'Europe rétablie intégralement dans son unité territoriale, ethnique et religieuse, de tout espoir aussi de voir s'établir entre les principales puissances européennes une paix durable grâce à un équilibre fondé non pas sur la force, la terreur et la crainte du voisin mais sur le principe fondamental du christianisme, l'amour du prochain.

Rentré chez lui Commynes décida de garder la chambre quelques jours. Il refusa de participer aux manifestations auxquelles il était convié. Ses collègues français en firent du reste autant à Milan et ailleurs. Cela ne l'empêcha pas toutefois, un soir, de se faire conduire en *barque couverte, au long des rues* marines de la cité déjà promue à son éminente dignité de mélancolie poétique. Solitaire, il observait *la merveilleuse fête* organisée par les signataires de la ligue, *les feux sur les clochers, les fallots allumés.* Il passa *par espécial* devant les palais des ambassades ennemies où *se faisaient banquets et grande chère.* A quelles sombres méditations ne dut-il pas se livrer tout au long de cette promenade nocturne ! Les feux et les réjouissances qui marquaient l'événement et qu'il observait de sa gondole saluaient la naissance de l'Europe moderne. Ces manifestations indiquaient aussi que le temps d'une certaine Europe, celui de la Respublica Christiana des chancelleries, était révolu. L'Europe chrétienne est bien morte à Venise.

A n'en pas douter c'était de tout cela que Commynes a pris dramatiquement conscience. Deux des plus grands historiens de notre époque ont entièrement confirmé son jugement. « La Très Sainte alliance, écrit Joseph Calmette, scellée à Venise le 31 mars 1495 à minuit, a jeté les bases fondamentales d'un nouveau droit public et formulé les termes essentiels de la politique européenne d'équilibre » (J. Calmette. *L'Elaboration du monde moderne.* Clio. p. 529). « En acceptant la rupture avec l'Orient et en changeant résolument de cap, le monde occidental, écrit Jacques Pirenne, allait s'acheminer vers le matérialisme de fer qui le livrerait un jour à la plus affreuse des crises que l'humanité ait jamais connues et au cours de laquelle le monde occidental se jetterait dans une œuvre impitoyable de destruction de lui-même pour avoir perdu le sens des véritables valeurs » (J. Pirenne, *Les Grands Courants de l'Histoire universelle,* tome II, pp. 313-314).

X

PERILLEUX RETOUR

1495

Je demeurai en la ville environ un mois depuis (la conclusion de la Ligue) *aussi bien traité que devant et puis m'en partis, mandé du roi et de leur congé, conduit en bonne sûreté, à leurs dépens* (frais) *jusqu'à Ferrare* (II/229-230). Commynes avait demandé lui-même son rappel à Charles VIII, le suppliant de le faire *avant que le temps empire et aussi* (parce que) *à grand peine les Vénitiens me souffriraient* (K. II/186-187). A Briçonnet il écrivait simultanément qu'il ne serait *plus bon à rien à traiter avec eux vu la façon comme nous sommes départis* (K. II/189).

Commynes n'était pas seul à nourrir les pires craintes. Le 14 avril déjà, le duc d'Orléans demandait d'Asti au duc de Bourbon de pourvoir « en toute extrême diligence » et principalement de lui envoyer des troupes pour qu'il puisse garder les passages des Alpes pour avoir secours de France afin d'éviter aux inconvénients et sauver la personne et mes biens sans y rien épargner (K. II/189-190). Telle était également la résolution du sire d'Argenton.

En attendant l'heure du départ Commynes s'est livré à une activité plus intense que jamais, multipliant les contacts, cherchant à exploiter les divergences qui subsistaient entre les membres de la Sainte Ligue, recueillant tous les renseignements possibles sur les préparatifs des ennemis, interrogeant les voyageurs venus d'au-delà des Alpes, s'entretenant longuement avec l'envoyé du Sultan. Il parvint même à obtenir les plans de l'Arsenal de Venise. Simultanément il prodiguait à son maître toutes sortes de conseils, lui suggérant le meilleur chemin à suivre pour sa retraite et les précautions à prendre pour barrer la route à ses ennemis d'*une mer à l'autre,* c'est-à-dire de l'Adriatique à la mer Tyrrhénienne.

Les allées et venues de Commynes étaient très surveillées et elles ne s'effectuaient pas toujours sans incidents parfois pénibles. De derrière leurs barreaux les prisonniers le houspillaient au passage. Un fou vint même le narguer, revêtu d'une tunique noire sur laquelle on avait dessiné des lys jaunes. Sur la plainte de l'ambassadeur français les prisonniers furent châtiés et la tunique du fou arrachée. Il était décidément grand temps de partir. Le 30 mai il demanda congé au Collège de Venise puis il s'en alla en compagnie d'un émissaire spécial envoyé entretemps par Charles VIII. Il avait l'ordre de rejoindre le roi à Sienne. Avant de quitter les provéditeurs vénitiens venus lui rendre un dernier salut au moment où il franchissait la frontière *nous prîmes enseignes,* nous confie-t-il, *de pouvoir envoyer l'un vers l'autre s'il en était besoin pour traiter quelque bon appointement et je ne voulus rien rompre car je ne savais ce qui pourrait survenir à mon maître* (II/239).

A Ferrare le duc Hercule d'Este se rendit au-devant de lui et lui fit bonne chère. Le duc, sur requête de Charles VIII, lui avait fait parvenir un sauf-conduit. On lui fit grand honneur. Tous criaient : Vive la France, et ce lui dut être un baume pour les injures subies à Venise, la preuve aussi que les désordres de la soldatesque française n'avaient pas réduit à néant toute sympathie populaire en dépit des pilleries commises et des abus de femmes *dont j'ai eu grand deuil,* écrit-il, *pour l'honneur et bonne renommée que pouvait acquérir en ce voyage la nation de France, car le peuple les adorait comme saints au début, estimant en nous toute foi et bonté* (II/150). A Bologne le chef de la seigneurie le reçut également avec tous les honneurs. De là les Florentins *m'envoyèrent quérir et j'allai à Florence pour attendre le roi* (II/230). D'importantes mutations étaient survenues dans la capitale toscane pendant que Commynes séjournait à Venise. Savonarole s'était mué en réformateur politique. Sous son inspiration Florence s'était donné une nouvelle constitution marquant un retour à la tradition républicaine. Commynes ne pouvait manquer de lui rendre visite ainsi qu'aux membres les plus importants de la seigneurie. Son admiration spontanée pour l'illustre cité, ses liens personnels avec la famille des Médicis, les intérêts financiers qu'il avait placés dans leurs établissements bancaires tout engageait les dirigeants florentins à entretenir les meilleures relations avec l'ambassadeur du roi de France. Peut-être parviendrait-il à éviter le pire à leur cité, à leur épargner une nouvelle occupation, à dissuader même les Français de libérer au passage leurs villes sujettes, Pise en particulier.

Savonarole qui avait échappé à un attentat le 24 mai, ne cacha pas à Commynes la vive sympathie qu'il éprouvait pour les Français et Charles VIII en qui il voyait un envoyé de Dieu. Commynes était, de son côté, très impressionné par les prophéties du dominicain. N'avait-il pas annoncé longtemps à l'avance la descente des Français, la mort de Laurent, l'exil de Pierre ? Aussi n'hésita-t il pas à lui demander *si le roi pourrait passer sans péril de sa personne vu la grande assemblée que faisaient les Vénitiens de laquelle il savait mieux à parler que moi qui en venais. Il me répondit qu'il aurait à faire en chemin mais que l'honneur lui en demeurerait* (II/243).

Commynes eut également de longues conférences avec les magistrats de Florence. Il leur promit de s'employer de son mieux en leur faveur et plus spécialement au sujet de Pise à la sujétion de laquelle les magistrats tenaient. Le 13 juin Commynes quitta Florence pour se rendre auprès du roi à Sienne. En chemin son train de bagages fut attaqué par des voleurs. Grand émoi à Florence qui mit tout en œuvre pour qu'il les retrouve rapidement tant ils craignaient que le sire d'Argenton n'en conçoive un ressentiment contre eux. Charles VIII semble avoir réservé un bon accueil à son ambassadeur qui reprit aussitôt sa place dans l'état-major. Mais son autorité n'y était pas grande. Le roi l'écoutait mais, avoue Commynes *il me semblait qu'il ne me croyait point du tout* (II/249). Il se tenait d'ailleurs sur ses gardes, parfaitement conscient de la diminution de son crédit depuis le début du règne de Charles VIII et cela malgré la réhabilitation dont le roi l'avait fait bénéficier peu après sa sortie de prison. *Je n'osais fort m'entremettre,* écrit-il encore, *pour ne me faire point ennemi de ceux à qui il donnait autorité qui était si grande quand il s'y mettait que beaucoup trop* (II/266). C'est pourquoi tous ses efforts pour convaincre son roi de rendre Pise à Florence et de ne pas occuper Sienne furent vains. Du reste, même lorsque le Conseil était unanime le roi n'en faisait qu'à sa tête. Il ne le réunit que trois fois pendant la traversée des Apennins. Le roi perdait un temps précieux à Pise comme à Lucques pour ses ébats amoureux avec les belles filles de l'endroit.

Cependant et avant même le départ de Sienne la nouvelle parvint au quartier général que le duc d'Orléans n'avait pu résister à la tentation de s'emparer de Novare, ville comprise dans le duché de Milan. C'était se mettre inévitablement à dos le duc et provoquer l'entrée en guerre des Vénitiens tenus par la Sainte Ligue de lui porter secours. Les dés étaient jetés. Les Français n'échapperaient pas à un affrontement militaire. Le roi et ses favoris mirent quelque temps à en prendre conscience. Ce n'est qu'à Seresano, le 26 juin, que Commynes *ouït parler en Conseil pour la première fois que l'on crût qu'il y dut avoir bataille.* Quant à lui il en avait tiré cette conclusion dès qu'il avait appris l'imprudente initiative du duc d'Orléans. Avant même de traverser l'Arno, près d'Emboli, dans un endroit où s'élève le célèbre oratoire de Notre-Dame-de Ripa, Commynes entra dans un oratoire voisin et y fit un vœu à Notre-Dame de Ripa afin que grâce à sa protection le roi ne fût pas victime de tant d'imprudences accumulées et qu'il pût rentrer sain et sauf en France. Telle est du moins l'induction très plausible que l'historien belge Kervyn de Lettenhove tire du fait que le tombeau de Commynes a été, conformément à ses volontés expresses, placé dans une chapelle consacrée à cette patronne. La traversée de l'Apennin, au col de Cisa, à plus de mille mètres d'altitude, a été une véritable épopée et Commynes en a gardé un souvenir horrifié. Et voilà qu'au débouché sur la Lombardie, après Terenzo, le dimanche 5 juillet, apparaissent dans la plaine, non loin de Fornoue, les tentes des Vénitiens et des Mantouans. Quelque vingt-six mille hommes s'apprêtaient à barrer la route aux sept mille combattants que comptait en tout l'armée française.

On ne saurait condenser en quelques lignes la magistrale description que Commynes a laissée de cette grande bataille ou de cette simple charge de Fornoue comme on l'a aussi appelée. Elle s'étend sur une quarantaine de pages et constitue le parfait pendant littéraire du récit de la bataille indécise de Montlhéry qui se place au début des Mémoires. Lorsqu'il observe le déroulement des opérations militaires au débouché des Apennins, Commynes ne peut manquer d'évoquer le premier affrontement guerrier auquel il a assisté dans sa jeunesse. Comme à Montlhéry la bataille est une succession de mouvements désordonnés où le hasard a joué un rôle considérable. Etrange bataille en vérité, écrit Labande-Mailfert (*op. cit.*, p. 409) où sept mille combattants ont mis en fuite près de trente mille ennemis, en ont tué plusieurs milliers alors que leurs propres pertes montaient à peine et au maximum à deux cents hommes en comptant les blessés. Des fautes énormes ont été commises de part et d'autres. Que d'occasions perdues pour les uns comme pour les autres ! Ah ! Si les Français avaient suivi les conseils de Francesco Secco, cet alerte condottière florentin, lorsque l'armée vénitienne semblait prendre la fuite, Fornoue eût été, dit Commynes, *la plus grande victoire qui ait été depuis deux cents ans et la plus profitable.* Mais les Italiens ne se sont pas tenus pour battus et quand les Français, satisfaits d'avoir forcé le passage, prirent le chemin de la retraite vers le Piémont il s'en est fallu de peu qu'ils ne fussent surpris par les forces ennemies qui s'étaient regroupées et les suivaient de près.

Ce qui nous importe dans cette mêlée historique c'est de suivre le comportement de Commynes. Il ne s'est pas contenté d'observer et d'enregistrer le déroulement de toute l'affaire. Il y a participé activement et même au péril de sa vie. Car il s'est battu courageusement. Il a aussi partagé les dangers et les fatigues de la troupe. Il a passé la nuit à même le sol détrempé, *en une vigne, bien empressé sur la terre sans autre avantage* car il avait prêté son manteau à Charles VIII. Il a été surtout au premier plan de l'action diplomatique avant comme pendant et après l'affrontement. Car c'est à lui que le roi demande de prendre contact avec l'ennemi avant de laisser la parole aux armes. Ce n'est pas sans crainte qu'il obtempère à l'ordre reçu. S'il entreprend trop, les Français le lui reprocheront et les Italiens y verront l'aveu de la faiblesse des Français. Le dimanche 5 juillet il écrit donc aux providateurs vénitiens en se prévalant des liens qu'il avait noués avec eux sur le chemin de Ferrare. Il obtient leur accord pour une rencontre à mi-distance des deux armées. Mais il laisse prudemment passer la nuit avant d'y donner suite tant il redoute de tomber aux mains des terribles Estradiots, ces Albanais formés à la turque et qui ne font pas de quartiers car ils reçoivent un ducat pour chaque tête qu'ils ramènent pendue à la banderole de leur lance. Le lundi 6 juillet, tôt le matin, le roi ordonne à Commynes de se rendre au lieu de rencontre convenu. Mais un coup de bombarde inopinément tiré par un canonnier français empêche le contact de s'établir. Commynes s'empresse de rejoindre l'armée. Briçonnet qui l'accompagne est agrippé au passage. Il est libéré par ses laquais mais le page et la suite de Commynes sont massacrés. Ayant rejoint l'avant-garde *le côté gauche, là où j'étais,* précise t-il, *leur donne* (aux ennemis) *sur le côté.* Il se porte lui-même au secours de Charles VIII qui faillit être pris. *Et tirâmes droit au roi,* dit-il, *et en chemin trouvâmes un nombre de gens de pieds des leurs* (ennemis). *Plusieurs furent tués. d'autres échappèrent et traversèrent la rivière, et,* conclut-il par un euphémisme éloquent, *on ne s'y amusa point fort* (II/280). La nuit s'approche. Après cette mêlée les Français prennent le chemin de la retraite. Ils s'arrêtent *à un quart de lieue de là où avait été la bataille.* Commynes pénètre dans la maison où le roi prend quelque repos *et se tenait chacun à bon marchand et n'étions point tant en gloire comme peu avant la bataille et nous voyions les ennemis près de nous. Le lendemain matin,* poursuit Commynes, *je me délibérai de continuer encore notre pratique d'appointement toujours désirant le passage du roi en sûreté. Mais à peine puis-je trouver un trompette qui voulut aller en l'armée des ennemis à cause qu'il avait été tué en la bataille neuf des leurs. Toutefois un y alla et porta un sauf-conduit du roi et ils m'en rapportèrent un pour parlementer à mi-chemin des deux armées ce qui me semblait mal aisé à faire. Mais je ne voulais rien rompre ni faire difficile.* Il s'y rend avec Briçonnet, le Maréchal de France, le seigneur de Piennes et son chambellan. Ils envoient un héraut. La délégation ennemie se refuse à faire un pas de plus. *Les nôtres firent doute de leur côté qui aussi estimaient leur personne et me dirent que j'y allasse* (seul) *sans me dire ce que j'avais à faire ni à dire.* Il s'y rend tout de même avec un secrétaire du roi, un serviteur et un héraut et *me semblait que si je ne faisais rien au moins je m'acquittais vers eux qui étaient assemblés par mon moyen.* Le bruit de la rivière empêche le dialogue. *Ils me dirent que je fisse quelque ouverture. Je n'avais nulle commission et je leur dis que seul je ne leur dirais autre chose mais que s'ils voulaient rien ouvrir j'en ferais rapport au roi. Et étant en ce propos vint un héraut qui me dit que ces seigneurs dessusdits* (de la délégation française) *s'en allaient et que j'ouvrisse ce que je voudrais. Ce que je ne voulus point faire car ils savaient du vouloir du roi plus que moi tant pour être plus proche que pour avoir parlé à lui en l'oreille à notre départ ; mais de son affaire présente j'en savais autant qu'eux pour lors* (II/288-289). Il retourne auprès du roi. Il est prié de reprendre contact avec l'ordre de ne rien conclure. Comme la nuit tombe la rencontre est reportée au lendemain. Le matin les chambellans du roi lui demandent de *demeurer en arrière pour tenir le parlement tandis que le roi et son armée prennent le chemin de sauveté ce qui est chose épouvantable pour une armée.* Commynes se refuse à exécuter l'ordre reçu. *Je m'excusai disant que je ne voulais pas me faire tuer à mon escient et que je ne serais point des derniers à cheval.*

La situation de Commynes est donc extrêmement inconfortable. Elle l'était déjà à Venise comme elle le fut tout au long de la retraite de l'armée française de Sienne à Asti, en passant par les Apennins. Il était seul. On se méfiait de lui. On l'exposait au danger sans considération. Mais plaçant l'intérêt du roi et de la France au-dessus de son amour-propre il tenta néanmoins l'impossible pour assurer un retour en France le moins catastrophique. Car les nouvelles sont mauvaises qui parviennent des troupes restées à Naples ou envoyées à Gênes. Le corps de troupe dirigé sur cette ville essuie un échec complet. Naples est tombée le 11 juin déjà. Les Vénitiens attaquent dans les Pouilles et à Novare, le duc d'Orléans est assiégé. Commynes ne cesse cependant de « pratiquer ». Les Vénitiens se montrent méfiants à son égard. Les instructions qu'ils donnent à leur porte-parole sont éloquents à cet égard. Selon eux « le sire d'Argenton est un homme aussi sagace et aussi habile que possible. Il l'a bien montré à Venise comme à Fornoue. On peut tout redouter de lui ». Aussi sont-ils opposés à ce qu'il pénètre dans le camp. Mais comme un sauf-conduit lui a été accordé entre-temps la Seigneurie de Venise recommande à son état-major de « redoubler de vigilance, de ne pas permettre à Commynes de s'attarder dans sa visite, de le congédier immédiatement lui et son escorte, de le surveiller de telle sorte que les Français ne puissent s'entretenir avec personne ni entrer en rapport avec les assiégés de Novare ». Commynes n'utilisa pas son sauf-conduit car au sein de l'équipe dirigeante française on se montrait toujours plus réticent à son égard. *Comme les envieux sont entre les gens de cour,* remarque-t-il, *Briçonnet rompit que je ne m'empêchasse* (que je m'en occupe) alors même que *les chefs italiens qui assiégeaient Novare désiraient que je m'en mêlasse* (II/301).

Il s'en est cependant bel et bien mêlé et comme presque toujours au cours de sa vie, en médiateur désireux d'arriver à établir la paix. Il lui a fallu tout d'abord se charger, sur ordre de Charles VIII, d'une mission très délicate à la suite de la mort de la marquise de Montferrat emportée soudainement le 21 août à l'âge de vingt-neuf ans. Or la France était tutrice de ce marquisat. Deux candidats se disputaient la tutelle des enfants de la princesse, le marquis de Saluces d'une part et Constantin Araniti de l'autre. Ce dernier, on s'en souvient, avait trouvé refuge chez Commynes à Venise lorsqu'il avait été question d'un débarquement sur la côte dalmate. Aussi bien le sire d'Argenton opta-t-il en faveur du descendant des Comnène. Il parvint à ses fins au cours de ses rencontres de Casal et à la grande satisfaction de Charles VIII car le roi redoutait qu'au cas où le marquis de Saluces l'eût emporté l'ardeur belliqueuse du duc d'Orléans s'en fût trouvée renforcée. Le prince français en effet ne perdait pas l'espoir de conquérir le duché de Milan même si pour l'heure il était réduit aux dernières extrémités dans la ville de Novare.

L'affaire de Montferrat réglée, Commynes pouvait s'attaquer à la pièce maîtresse qui restait à jouer à savoir d'établir la paix avec le duc de Milan, de le dissocier des Vénitiens et si possible d'arriver encore à un arrangement avec ces derniers. Les contacts qu'il avait pris avec les Italiens au cours de ses négociations de Casal lui permirent de reprendre les pourparlers de paix avec le duc de Milan. Il en était grand temps. Non seulement les Français encerclés dans Novare étaient aux abois mais l'armée royale elle-même était décimée par la désertion et par la maladie. L'approche de l'hiver ne manquerait pas aussi de gêner considérablement la retraite des Français à travers les Alpes. Commynes avait affaire à forte partie et plus encore parmi les Français que chez les Milanais. Car *ceux qui maniaient l'affaire du roi désiraient la bataille* (II/309). Il s'agissait principalement de Georges d'Amboise et de Guillaume Briçonnet, deux prélats qui de toute manière, Commynes ne pouvait manquer de le faire remarquer, n'exposeraient pas leur personne aux dangers d'un combat. Heureusement pour Commynes tous les grands chefs étaient par contre partisans d'une *honnête isue par appointement*. Dans cette négociation le génie diplomatique de Commynes fit merveille. Il y joua incontestablement un rôle prépondérant. C'est lui qui prenait la parole au nom du roi. Il parlait italien quoique assez mal, de son propre aveu, mais il connaissait personnellement la plupart des négociateurs italiens.

Notre façon de procéder, écrit-il dans ses Mémoires, *était que dès que nous étions arrivés au logis du duc, il venait au-devant de nous et la duchesse, jusqu'au bout d'une galerie. Il nous mettait tous devant lui, à l'entrée de sa chambre où nous trouvions deux grandes rangées de tables l'une devant l'autre. Ils s'asseyaient à l'un des côtés et nous de l'autre. De leur côté étaient assis en premier l'ambassadeur d'Espagne, le marquis de Mantoue, les deux providateurs vénitiens, un ambassadeur vénitien et puis le duc de Milan, sa femme et en dernier l'ambassadeur de Ferrare. Et de leur côté ne parlait que le dit duc et du nôtre un. Mais notre condition n'est pas de parler si calmement qu'ils font et parlions quelques fois deux ou trois ensemble et le dit duc disait : Ho, un à un ! Venant à coucher les articles, tout ce qui s'accordait s'écrivait incontinent par un secrétaire des nôtres et aussi par un de leur côté, l'un en italien et l'autre en français et quand on se rassemblait aussi afin de voir si on n'y avait rien changé et aussi pour mieux abréger. Et c'est une bonne forme pour expédier une grande affaire* (II/322-323).

Bien qu'il ne le dise pas dans ses Mémoires il n'ignorait pas que les Condéférés de la péninsule étaient aussi désireux que le roi de France d'en finir. Mais l'affaire était éminemment complexe. L'arrivée, dans le camp français, d'un puissant renfort suisse qui aurait pu être un élément décisif pour engager les Italiens à se montrer compréhensifs pouvait au contraire du côté français redoubler le zèle belliqueux des partisans de la conquête du duché de Milan. Bref il convenait pour Commynes d'aller vite en besogne afin que la paix soit signée avant que ne se produise un de ces soudains retournements dont il avait été si souvent témoin au cours de sa carrière. Il fut assez heureux pour emporter l'accord de Ludovic Sforza. Le 20 septembre une trêve est signée. Les négociations vont dès lors bon train. Le 23 Louis d'Orléans peut sortir de Novare, amaigri et pâli. Le 25 le roi décide de prolonger la trêve qui vient à expiration, mais non sans une vive opposition du rescapé de Novare et d'une dizaine de ses soutiens inconditionnels. Le 26 l'accord est conclu. Les assiégés de Novare quittent la ville infectée et démantelée où deux mille de ceux qui y étaient entrés le 10 juin sont morts de faim ou de maladie. Encore une alerte sérieuse à la suite de la saisie par la soldatesque italienne de deux canons français. Mais le lendemain les ambassadeurs milanais viennent apporter l'accord définitif du duc. Le 9 octobre tous les articles sont signés. Mieux qu'un traité de paix, l'accord de Verceil établit en fait une nouvelle alliance entre la France et Milan. Dans le traité secret qui était joint, Ludovic acceptait de se détacher de la Ligue. Il participerait au secours de Naples, il se retournerait contre les Vénitiens s'ils n'acceptaient pas la paix et tant d'autres promesses destinées à ne pas être tenues. Mais l'essentiel n'était-il pas que l'armée française puisse rentrer au pays ?

Pour autant les travaux de Commynes n'étaient pas achevés. Charles VIII l'envoie incontinent à Venise pour tenter d'obtenir sinon l'accord de la Seigneurie pour le traité de Verceil du moins sa neutralité. Commynes arrive le 4 novembre dans la Cité des Doges. Il est reçu le lendemain par le doge Barbarigo qui le trouve amaigri et lui en fait part, ce à quoi Commynes répond avec esprit qu'ainsi le veulent les aléas de la guerre et que s'il avait meilleure figure lors de son premier séjour, c'était à cause du bon traitement qu'on lui avait réservé. En fait Commynes ne parviendra pas à obtenir ce qu'il était venu chercher, soit la restitution de Monopoli (dans les Pouilles), le rappel du marquis de Mantoue parti au secours de Ferrand d'Aragon à Naples et le refus d'admettre ce dernier dans la Sainte Ligue. C'était trop présumer de la bonne volonté des Vénitiens. Mais, sur le point de quitter Venise, Commynes recueillit dans le creux de l'oreille des promesses du doge Barbarigo en dehors de la présence de tout témoin, promesses que Commynes, pour cause, est seul à mentionner. Mensonges que tout cela, il s'en doutait bien. Aussi Commynes partit-il *bien mélancolique* le 24 novembre, les mains vides compte non tenu toutefois de vingt-quatre brasses de velours cramoisi dont on lui avait fait présent.

De passage à Milan le duc lui fit encore *une plus belle mensonge* au sujet des secours qu'il s'était engagé à envoyer aux Français de Naples. Le duc lui avait promis de lui écrire de sa propre main dès le départ de ses soldats. *Et je me mis à passer les monts. Je n'entendais pas venir un courrier derrière moi,* écrit-il, *sans que je crusse que ce fût celui qui me devait apporter les lettres dessusdites* (celles de Ludovic) *combien que j'en faisais quelque doute connaissant l'homme* (II/337). Il s'arrêta à Chambéry où Philippe de Bresse lui fit bonne chère. Et le voici enfin à Lyon où il fait rapport au roi.

Pour toute récompense de son épuisant labeur de plus d'une année on se moqua de lui. Les favoris du roi furent *fort joyeux de la tromperie du duc de Milan, et me lavèrent bien la tête. Ainsi en advient-il des cours des princes en cas semblables,* remarque-t-il philosophiquement, ce qui n'empêche pas, et il l'avoue, qu'il en fut *assez marri.* Le moins que l'on puisse dire c'est qu'il y avait de quoi l'être.

Commynes avait-il en son âme quoi que ce soit à se reprocher ? Certes ses deux dernières missions à Venise puis à Milan n'avaient pas été précisément des succès. Mais tout au long de cette pénible année avait-il manqué de vigilance ? N'avait-il pas au contraire fait preuve d'une rare activité et aussi de perspicacité ? Il n'était pas dans son pouvoir de parvenir à empêcher la formation de la Sainte Ligue mais peut-être en a-t-il retardé au maximum sa conclusion. Il s'est efforcé de pacifier, de temporiser, de limiter les dégâts. Il a pris des initiatives sans doute audacieuses en essayant d'engager les Florentins à résister aux Français et en tentant de provoquer la révolte des chrétiens balkaniques. Saurait-on lui en vouloir ? Dans le premier cas, s'il avait réussi, il aurait épargné des milliers de vies humaines et, dans le second cas, il n'aurait fait que son devoir de chrétien sincère. D'ailleurs Charles VIII n'avait-il pas proclamé urbi et orbi son intention de combattre les Infidèles ? Si Commynes s'était opposé à l'expédition ce n'était pas pour des raisons de principe mais parce qu'il avait jugé qu'elle était insuffisamment préparée tant sur le plan militaire que diplomatique et financier. Et n'est-il pas admirable dans ces conditions qu'il se soit pareillement dépensé pour parer aux conséquences désastreuses des imprudences commises tant par le roi que par ses favoris ? Il a payé non seulement de son argent en donnant sa caution pour un emprunt contracté au départ, de ses biens en prêtant sa galéasse, de son talent de diplomate mais aussi de sa personne à Fornoue. Qu'aurait-il pu faire de plus ?

Tout bien considéré c'est peut-être l'auteur de son éloge funèbre qui a serré la vérité du plus près en s'écriant :

Il connaissait mieux l'Italie
Que nul qui y soit demeuré
Et tant avait en Italie crédit
Qu'une personne qui de loin fut venue
Là en son nom n'eût été éconduite.
Par tempérance vers les Vénitiens
Au roi Charles huitième fit moult bien
Les amusant par son très doux parler
Devant Fornoue, oubliant les accoller
Quand Milanais ils firent tous saillir
Mais leur vouloir leur fit tôt ravaller
Tant que son maître n'osèrent assaillir.

(Kervyn I/Eloge).

XI

UN MONDE ABSURDE

Ce serait bien mal connaître Philippe de Commynes que de l'imaginer complètement abattu par le pénible accueil qui lui fut réservé à son retour d'Italie. Sans désemparer il s'est remis aussitôt au travail. L'une de ses premières tâches fut de rédiger un récit de l'expédition à laquelle il avait pris une part si active. On peut s'interroger sur les raisons qui l'ont engagé à reprendre sa plume de chroniqueur après une interruption de plus de deux ans. La première partie de son œuvre s'était arrêtée à 1484. « *Pour continuer les Mémoires encommencés, je veux vous dire,* annonce-t-il dès sa première phrase, *comme il advint que le roi Charles VIII de présent régnant entreprit son voyage d'Italie auquel je fus* (II/97). Il laisse ainsi et délibérément un trou d'une dizaine d'années entre les six premiers livres de ses chroniques et les deux derniers. Cela correspond à ce que l'on pourrait appeler sa traversée du désert. Quel dommage ! Car il aurait été extrêmement intéressant de connaître sa version de la Guerre folle. Cela nous permettrait de résoudre les énigmes qui subsistent au sujet de sa participation à la révolte des princes contre le gouvernement des Beaujeu.

Comme pour la première partie de ses Mémoires il s'adresse à son ami Angelo Cato mais ce n'est là qu'une formule de convention. L'archevêque de Vienne mourra du reste déjà en mars 1496 sans avoir eu le temps d'utiliser les matériaux mis à sa disposition pour le livre qu'il avait songé à écrire sur le règne de Louis XI. Commynes n'en poursuivra pas moins son récit, mais dans une perspective sensiblement différente. Elle avait déjà changé au cours de la rédaction des six premiers livres car il avait pris conscience que son œuvre, même si elle ne devait pas nécessairement être incorporé dans une histoire plus complète, pourrait tout de même intéresser, telle quelle, d'éventuels lecteurs. Il avait le sentiment d'avoir été le témoin d'une foule d'événements d'importance historique et de détenir nombre de secrets qui resteraient à jamais ignorés des futurs historiens s'il ne les révélait pas lui-même. Il tenait aussi à faire toute clarté en lui, à se justifier à ses propres yeux comme aux yeux de ses proches et de ses après-venants. De toute manière cette seconde partie de son œuvre écrite se présente très différemment de la première et à tel point qu'il s'est trouvé des historiens pour en contester l'authenticité. Mais sa patte y est si évidente que cette thèse n'a jamais été retenue sérieusement.

Le lecteur est cette fois-ci en présence d'un récit bien ordonné qui constitue un tout en soi-même. Commynes se mue en véritable historien. Fidèle à sa méthode il se réfère à ce qu'il a vu de ses propres yeux. Lorsqu'il parle d'événements auxquels il n'a pas assisté personnellement il prend soin de le dire ou de citer ses sources. Mais de toute évidence il s'agit néanmoins d'une présentation subjective de l'expédition de Charles VIII. C'est un essai d'explication et une justification de son propre comportement tout au long de l'affaire. C'est aussi un règlement de compte avec ceux qui l'avaient tenu à distance, au propre comme au figuré, de Vesc et Briçonnet notamment. Certains silences témoignent aussi de ses partis pris contre tel ou tel acteur important de l'entreprise comme Louis de la Trémoille par exemple à qui il en voulait à cause de l'affaire de Talmont. On lira donc avec circonspection cette version des choses. Tout bien considéré elle reste cependant une des meilleures sources de renseignement pour la compréhension des événements.

Voici donc Commynes occupé à rédiger ou à dicter son récit. Il l'abandonnera et le reprendra à plusieurs reprises, interrompu sans doute dans son travail d'historien par ses obligations de courtisan, de conseiller ou de grand propriétaire. Le livre VII a été écrit de décembre 1495 au printemps de 1496. Les chapitres 1 à 22 du livre VIII furent composés un peu plus tard, soit dans les derniers mois de 1497, le chapitre 23 et le début du 24 au printemps de 1498, enfin la majeure partie du chapitre 24 et les trois suivants à la fin de 1498, autrement dit au commencement du règne de Louis XII.

On imagine facilement Commynes dans son travail d'historien, retiré dans la pièce « en la voûte » du château d'Argenton où étaient classées ses archives. On se le représente écrivant ou dictant dans sa bibliothèque qui devait être fort bien pourvue à en juger par les quelques éléments qui en subsistent ou qu'il évoque : les *Chroniques* de Froissart, une traduction de la *Cité de Dieu* de saint Augustin, une traduction française des *Faits et dits mémorables* de Valère Maxime, un Tite-Live, un Boccacio. Il faisait marquer ses livres de ses signes héraldiques. Mais quel regret pour lui comme pour nous qu'il ne soit pas parvenu à réaliser l'opération fantastique suggérée en 1497 par la Seigneurie de Florence aux syndics des Médicis, Lorenzo Tornabuoni et Galeas Sassetti. Il s'agissait rien moins « vu la difficulté des temps et la gêne de ceux qui doivent fournir l'argent » de proposer au sire d'Argenton d'acquérir, en compensation de ses créances médicéennes, le tiers des manuscrits du couvent de Saint-Marc, ceux qui constituent aujourd'hui le fonds principal de la Laurentienne. Les Dix de la Ballie ont proposé eux-mêmes directement à Commynes d'envoyer à Florence « quelqu'un ou de charger qui bon lui semblera pour retirer en son nom les meubles ou les immeubles qui lui sont accordés en paiement et en souvenir de la bienveillance que Votre Seigneurie nous a toujours témoignée » (K. II/249). Tout accaparé qu'il ait été par son travail littéraire, Commynes n'a pas pour autant cessé de suivre de près la marche des affaires publiques et plus particulièrement l'évolution de la politique étrangère. Il a repris sa place au Conseil. Même s'il ne faisait pas partie de l'équipe restreinte des favoris il jouait un rôle important. Les diplomates ne s'y trompaient pas, ceux de Florence en particulier qui s'appliquaient à entretenir ses bons sentiments pour leur cité.

Cependant la situation se détériorait rapidement pour les troupes françaises restées dans la péninsule. Le 8 décembre 1495 les défenseurs du Château neuf de Naples se rendaient. En dépit d'un redressement opéré en janvier 1496 la mainmise de la France sur le royaume de Naples était sérieusement compromise. Le 8 février le château de l'Œuf capitulait à son tour. Les Vénitiens quant à eux s'étaient emparés de Treni, Brindisi, Otrante, Galli et Monopoli. Le 21 janvier ils avaient signé avec Ferdinand d'Aragon un traité aux termes duquel sa souveraineté sur le royaume de Naples était reconnue. C'est en Toscane que la situation était la plus pénible pour la France. Certains capitaines français placés sous les ordres de Louis de Luxembourg, comte de Ligny, enfreignaient délibérément les ordres de Charles VIII leur enjoignant, conformément à ses promesses formelles, de restituer à Florence les citadelles qu'elle détenait avant l'occupation française. Le premier janvier Robert de Balsac, seigneur d'Entragues, livrait aux Pisans pour 24 000 ducats la forteresse qui commandait leur ville. Peu après il vendait à Lucques pour 27 000 ducats la ville de Pietra Santa. Il encaissa ensuite d'un agent vénitien 20 000 ducats pour la cession de Mutrone et Librefatta. Un autre lieutenant de Ligny, le bâtard de Saint-Pol, livra à Gênes, le 28 février, Sarzana et Sarzanella pour 24 000 ducats avec en plus l'artillerie appartenant aux Florentins. De toutes ses anciennes possessions Florence n'avait pu reprendre que Livourne et encore moyennant un paiement approprié. On comprend dans ces conditions qu'elle ait refusé de consentir un nouvel emprunt à Charles VIII et qu'elle ait exigé le remboursement des

30 000 ducats qu'elle lui avait prêtés conformément à la convention de Turin du 26 août 1495, faute de quoi elle menaçait de vendre les bijoux déposés en garantie.

Commynes fut indigné du comportement, à vrai dire scandaleux, des capitaines français. Dans une lettre restée jusqu'ici inédite [1] et qu'il adressait de Lyon le 20 février aux Dix de la Ballie, il les priait d'exprimer à la Seigneurie sa sympathie pour la *perte* très sensible que Florence subissait. Il déclarait que c'était une grande « *honte* » non seulement pour le roi mais *pour tous ses sujets*. Dans ses Mémoires il reprendra les mêmes termes en ajoutant que c'était là pour la France elle-même un *dommage* s'ajoutant *à la consommation de la perte du royaume de Naples* (II/344).

Commynes ne disait rien là que Charles VIII n'aurait pu approuver. Le roi n'avait-il pas déclaré un jour aux ambassadeurs de Florence que s'il pouvait mettre la main sur Robert de Balsac il n'attendrait pas qu'on amène le bourreau mais qu'il lui couperait lui-même la tête ? Il donnait aussi à ces ambassadeurs l'assurance de descendre bientôt en Italie pour recouvrer le royaume de Naples et restituer à Florence ce qui lui appartenait. Mais il était trop velléitaire et trop inconséquent dans son comportement pour que ses auditeurs se fassent beaucoup d'illusions. Commynes, tout au contraire, allait montrer la fermeté de ses convictions.

En dépit de tous ses déboires il n'a pas hésité à peser de tout son poids pour que soit repris, mais cette fois-ci sérieusement, le projet d'une véritable croisade. Il estime en effet que les choses ont évolué de telle manière tant en France qu'en Italie et dans l'ensemble du monde occidental que les chances de succès sont maintenant très réelles. Dans la lettre inédite, citée tout à l'heure, ne le voit-on pas recommander à la Seigneurie de Florence (où règne désormais Savonarole) de fortifier Livourne ? La place revêtait aux yeux de Commynes une importance stratégique considérable pour des opérations

1. Voir ci-dessous page 418.

militaires tant maritimes que terrestres. Dans cette même lettre Commynes informe les dirigeants florentins que la France a pris de son côté les mesures nécessaires pour parer à toute menace sur sa frontière espagnole. La défense de Narbonne est renforcée. De plus une action diplomatique est en cours pour tenter d'obtenir la neutralité de l'Espagne. Au sein même de l'équipe dirigeante de la France un mouvement spectaculaire se dessine en faveur d'une nouvelle descente en Italie. Le comportement de Ligny et de Balsac soulève l'indignation. L'honneur de la France est en jeu. Dans le royaume de Naples un redressement de la situation reste possible. Un regain de sympathie populaire pour la France se manifeste par réaction contre Milan et Venise dont les conquêtes territoriales et la prétention à exercer une certaine hégémonie sur toute la péninsule suscitent la crainte et la jalousie. Le duc de Ferrare, le marquis de Mantoue, Bologne, Florence, Rome même envisagent avec faveur une nouvelle descente des Français et requièrent leur concours. La cohésion de la Sainte Ligue signée à Venise le 31 mars 1495 se lézarde. L'empereur Maximilien d'Autriche est lui aussi irrité du comportement équivoque de Ludovic Sforza. Au point de vue financier les choses se présentaient également de tout autre manière qu'en 1494. Certes, les mercenaires que les puissances italiennes hostiles à Milan et Venise se déclaraient prêtes à engager, il fallait bien songer à les payer mais les gains de terre qui seraient réalisés compenseraient la dépense. Florence s'armerait entièrement à ses propres frais. Tout bien calculé et pris en considération Commynes arrive ainsi à la conclusion « *qu'avec moins de quatre-vingt mille écus on eût tenu tous ces Italiens aux champs un grand temps et, défait le duc de Milan, le royaume de Naples se recouvrait de lui-même* » (II/356).

Commynes était loin d'être le seul à nourrir de tels espoirs et à formuler une telle estimation des chances de réussite. Lorsque le nouveau projet de descente en Italie fut mis en délibération au sein du Conseil en avril et mai « *par deux fois,* nous révèle Commynes dans ses Mémoires, *et m'y trouvai présent à toutes les deux fois,* souligne-t-il, *fut conclu sans une voix contraire* (*et il y avait toujours dix ou douze personnes pour le moins*) *qu'il* (le roi) *y devait aller vu qu'on avait assuré tous les amis en Italie lesquels avaient déjà fait dépenses et se trouvaient prêts* » (II/356).

Certes tous les partisans français et italiens d'une nouvelle intervention de la France dans la péninsule ne partageaient pas les vues plus lointaines de Commynes. Car ce à quoi il songeait c'était bien la libération des Balkans. Le long séjour qu'il avait fait à Venise l'avait confirmé dans l'idée que la reconquête des Balkans était parfaitement réalisable. Tous les renseignements qu'il avait recueillis dans la Cité des Doges l'avaient convaincu qu'il n'était pas chimérique du tout de caresser l'espoir d'une marche triomphante. *D'Otrante jusqu'à Valonne,* a-t-il noté, *il n'y a que soixante mille et de Valonne à Constantinople il y a environ dix-huit jours de marche, par terre comme me comptaient ceux qui souvent font le chemin. Et il n'y a nulle place forte entre eux ou moins de deux ou trois, le reste est abattu* (II/202). Sur le plan spirituel enfin il avait été aussi conforté par ses entretiens avec Savonarole.

Il sera évidemment toujours loisible de contester le bien-fondé des évaluations de Commynes, de penser qu'il se faisait des illusions sur les sentiments des Italiens. On pourra toujours suspecter sa bonne foi et même sa foi, lui prêter de sordides arrière-pensées et le soupçonner de n'avoir eu d'autres mobiles, en militant en faveur d'une nouvelle descente en Italie, que l'intérêt matériel et l'ambition. A la faveur de l'expédition il aurait des chances de récupérer les fonds qu'il avait placés dans la banque des Médicis et il reprendrait un rôle de premier plan dans l'équipe dirigeante de la France. On lui a aussi reproché de s'être toujours opposé à la libération de Pise alors qu'il parle lui-même de la « *tyrannie* » de Florence sur cette ville, exemple criant des *pitiés d'Italie* et du *traitement que les princes et communautés font à leurs sujets* (II/159). C'était *les larmes aux yeux* que les Pisans avaient supplié Charles VIII de leur donner la liberté. Si *le roi n'entendait pas bien ce que ce mot valait,* note ironiquement Commynes, il était *quant à lui* parfaitement conscient du sens que ce mot avait dans l'esprit des Pisans. Il reconnaît toutefois que Charles VIII ne pouvait légitimement pas les soustraire à la domination de Florence car *la cité n'était point sienne* (II/158). De plus entre la libération de Pise et la fidélité à Florence la France ne pouvait hésiter. La cité des Médicis représentait pour elle l'élément le moins inconstant de la péninsule et sa pièce maîtresse sur l'échiquier italien. Pise au contraire était versatile et elle s'est jetée plus tard dans les bras de Maximilien avec la même ardeur qu'elle avait manifestée à Charles VIII en 1494. *Et est la nature de ce peuple d'Italie,* conclut philosophiquement Commynes, *de ainsi complaire aux plus forts* (id). L'attachement de Commynes à Florence ne procédait donc pas seulement du souci de ses intérêts personnels ou d'une sympathie sentimentale pour cette ville et certains de ses dirigeants. Il était dans la ligne d'une politique séculaire dont Commynes se faisait au sein du Conseil le gardien vigilant et le ferme défenseur.

Le même esprit apparaît dans sa volonté de libérer les Balkans. On ne le calomnie assurément pas en disant que tout espoir d'enrichissement personnel et que toute ambition n'étaient pas absent de ses spéculations lorsqu'il militait pour cette croisade puisque aussi bien il parle lui-même *des biens et des honneurs* qui résulteraient de cette *belle aventure.* Mais il obéissait aussi sans aucun doute à des impératifs de conscience. Il se comportait en chrétien convaincu, conséquent avec lui-même et soucieux de cohérence dans l'action comme dans la pensée. Son attitude n'avait pour autant rien de passionnel. Elle était conforme à une certaine manière d'être, éminemment solidaire dans toutes ses parties. C'est ainsi qu'il ne nourrissait aucune haine particulière envers l'Islam ni contre les Turcs. Certes il considérait pour « vidé » c'est-à-dire hors de toute contestation que les Musulmans étaient destinés à être logés en enfer. Mais à certains égards les chrétiens ne lui semblaient pas meilleurs. Preuve en était le fait que nombre d'entre eux, au Portugal et en Grèce notamment, se livraient comme les Infidèles au commerce des esclaves. *Et par ce moyen,* conclut-il, *je doute que nous ne le devons point trop reprocher aux Sarrasins* (I/439). A Venise il avait entretenu les meilleures relations avec l'ambassadeur de Bajazet. Une nuit, alors que les signataires de la Sainte Ligue célébraient bruyamment leur accord, son collègue turc était venu le trouver chez lui. Quatre heures durant ils avaient aimablement conversé grâce au concours d'un interprète grec et Commynes avait précieusement enregistré la déclaration de l'émissaire de Constantinople qui l'assurait que le Sultan avait *grande envie d'être notre ami* (II/229). La reconquête des Balkans serait une entreprise fructueuse et politiquement profitable à la France. Mais elle procédait aussi d'aspirations spirituelles, et du sentiment de lutter pour la réparation d'une grave atteinte à l'intégrité territoriale ethnique et religieuse du continent. La conquête des Balkans par le Turc était une *usurpation.* Pour les chrétiens il s'agissait aussi d'effacer leur *honte* d'avoir *laissé prendre* Constantinople.

Malheureusement pour Commynes comme pour la France et l'Europe il devait s'avérer que les chrétiens n'étaient plus animés de la foi nécessaire non seulement pour réussir dans leur entreprise mais déjà pour décider simplement de l'entreprendre. Tout semblait pourtant concourir au succès de l'affaire. Le Conseil était quasi unanime. Le roi multipliait les déclarations de sa volonté de partir. Des préparatifs importants étaient faits sur terre et sur mer. Le duc d'Orléans, intéressé au premier chef par la perspective de s'emparer du duché de Milan paraissait, lui aussi, bien décidé. « *On entendait qu'il dût partir du soir au matin,* écrit Commynes, *parce qu'il avait envoyé devant toutes choses qui servaient à sa personne et ne restait que lui à partir et l'armée prête et payée car à Asti avait huit cents hommes français et bien six mille hommes de pied dont y en avait quatre mille Suisses* (II/356). Mais par un de ces retournements dont l'histoire fourmille d'exemples, soudain *ledit duc mua de propos.* Peut-être s'était-il avisé tout à coup, voyant le roi assez mal disposé de sa santé, que les temps étaient proches où il serait appelé à lui succéder. Le dauphin Charles-Orland était mort à Amboise le 16 décembre 1495. Le roi en avait appris la nouvelle à Lyon le jour même où il prenait connaissance de la chute du Château neuf de Naples. Toutefois dès février une nouvelle grossesse de la reine rendait espoir à Charles VIII d'avoir un héritier. Le duc d'Orléans ne pouvait évidemment pas prévoir que l'enfant attendu pour l'automne ne vivrait pas un mois (né le 8 septembre il devait mourir le 2 octobre). Deux autres enfants que la reine Anne eut encore de Charles VIII moururent également en bas âge. C'est peut-être en supputant ses chances d'être appelé à accéder sur le trône dans un avenir plus ou moins proche que Louis d'Orléans déclara tout à coup qu'*il ne partirait point pour y aller pour sa querelle* (II/359) c'est-à-dire pour recouvrer le duché de Milan dont il prétendait pourtant être le seul héritier légitime. Il ne se refusait pas à participer à l'expédition mais *comme lieutenant du roi et par son commandement.* Charles VIII fut profondément troublé par ce changement d'attitude. Pressé par les Italiens, notamment par les Florentins, de donner l'ordre du départ il leur répondit qu'*il n'envoya jamais à la guerre par force.* Tout était remis en cause. Le roi quitta Lyon pour un séjour d'un mois en Touraine et n'en reparla plus. On est en droit de se demander s'il avait jamais résolu réellement de se lancer dans une nouvelle entreprise au-delà des Alpes. Peut-être avait-il simplement cherché à faire répandre en Italie l'annonce de sa prochaine arrivée pour effrayer seulement ses ennemis et pour rassurer ses partisans et les tenir en haleine. *Bref,* conclut laconiquement Commynes, *ce voyage fut ainsi rompu* (II/356).

Le coup était extrêmement dur pour Commynes. A Venise, le 31 mars 1495 les principales puissances européennes avaient montré qu'elles n'étaient pas disposées à se lancer dans une véritable croisade. Maintenant c'était la France elle-même qui y renonçait. Certes Commynes ne s'était pas fait d'illusions sur les engagements moraux de Charles VIII et du duc d'Orléans. Il était évident que celui-ci ne s'était jamais intéressé à une expédition au-delà des Alpes que dans la perspective de s'emparer du duché de Milan. Quant au roi Commynes n'a pas craint d'affirmer que son intention d'entreprendre une croisade n'était pas sincère. La soudaine défection de l'un et de l'autre attestait la faiblesse de leur foi. Tout cela confirmait et renforçait les conclusions pessimistes de la première partie de ses Mémoires. Le progrès de l'incrédulité était flagrant dans l'Europe occidentale et *par espécial* (chez les) *grands qui ne connaissent ni ne croient que Dieu est* (I/460). *Car le prince qui aurait vraie foi et l'homme quel qu'il soit et qui croirait fermement les peines d'enfer être telles que véritablement elles sont... si avaient donc ferme foi et qu'ils crussent ce que Dieu et l'Eglise nous commande sur peine de damnation* (I/449-450) *feraient-ils ce qu'ils font ? Il faut conclure que non et que tous les maux viennent de faute de foi* (id).

Quant à l'Eglise, elle était elle-même profondément corrompue. Certes le christianisme, même dans de telles conditions, pouvait inspirer une certaine sagesse dans la conduite des affaires politiques. A preuve l'habileté des Papes et des Vénitiens. *Toujours les Papes,* reconnaît Commynes, *sont sages et bien conseillés* (II/170) et Venise, *à la vérité me semble la plus révérente cité que j'ai jamais vue aux choses ecclésiastiques et qui ont leurs églises mieux parées et accoutrées... et crois que la grandeur de leur seigneurie vient de là* (II/353). Cela n'avait pas empêché Alexandre VI et le doge Barbarigo d'être les opposants les plus déclarés au déclenchement d'une croisade. En vérité le christianisme en tant que tel montrait bien son incapacité à définir des objectifs politiques précis susceptibles de rallier tous les chrétiens sans distinction de nations, ou de classe sociale alors que lui seul cependant aurait pu jouer le rôle de rassembleur, de polarisateur et de catalyseur permettant de surmonter les égoïsmes individuels et collectifs.

Il s'avérait ainsi que ni l'Eglise, ni la religion, ni la foi elle-même ne pouvaient rien contre la mauvaitié des hommes. « *Ni la crainte de Dieu ni l'amour de notre pro-*

chain ne nous garde point d'être violent les uns contre les autres (I/440). L'amitié non plus. *Est-il nulle plaie ni persécution si grande que guerre entre les amis et ceux qui se connaissent, ni nulle haine si mortelle* (I/452) demandait déjà Commynes au sortir de sa prison. Et à défaut de foi, d'amour ou d'amitié la *raison naturelle* (I/448) ni le *sens* c'est-à-dire l'intelligence ni la *connaissance* acquise par l'*expérience* (id.) rien n'empêche les hommes d'être mauvais. Tous ne le sont pas au même degré, certes, mais *des bons,* conclut Commynes, *il en est peu* (I/449).

La défection de Charles VIII et du duc d'Orléans corroborait ce pénible constat. Non seulement le monde était mauvais, il apparaissait de plus en plus qu'il était absurde. En 1494 c'est contre l'avis des gens raisonnables et expérimentés que le roi avait décidé de partir. Au printemps de 1496, c'est également contre l'avis unanime de son Conseil que cette fois-ci il renonce à partir.

Cela étant il était dès lors inévitable que se pose la question du rôle de Dieu dans toute cette confusion. La foi de Commynes était si solide qu'il n'avait aucune peine à découvrir son intervention jusque dans les événements les plus déconcertants. L'avance triomphale des Français en 1494 ne pouvait s'expliquer que par sa volonté expresse tant il apparaissait à vues humaines que c'est le contraire qui aurait dû se produire. De même pour le retour de Charles VIII. Au matin de Fornoue Commynes avait été frappé par la sorte de transfiguration qui lui avait paru s'opérer en la personne du roi. *Et semblait que cet homme jeune fût tout autre que sa nature ne portait, ni sa taille, ni sa complexion... Son cheval,* un magnifique étalon noir, le *montrait grand et le roi avait le visage bon et bonne couleur et la parole audacieuse et sage. Et semblait bien, et il m'en souvint, que frère Jéronyme* (Savonarole) *m'avait dit vrai que Dieu le conduisait par la main* (II/267). Dans une telle perspective pouvaient également être interprétés comme autant d'interventions divines les malheurs qui se sont abattus sur Charles VIII dès son retour en France, avec la mort successive de ses enfants suivie bientôt de la sienne. Il devait en aller de même pour la Maison d'Espagne. Dans ces deux cas il ne pouvait s'agir que de punitions de Dieu car le roi de France et le roi d'Espagne avaient trahi leur foi, le premier en ne tenant pas sa promesse de libérer les Balkans le second en fomentant la Sainte Ligue alors qu'il avait juré par le traité de Barcelone de ne pas s'opposer à la conquête du royaume de Naples par la France. Mais Commynes ne pouvait pas ne pas se poser d'angoissantes questions au sujet de l'impunité dont bénéficiaient les Borgia ou un Ludovic Sforza tout comme le supplice de Savonarole devait lui paraître déconcertant. Des uns il devait se dire, comme à propos de Gand : « *Je ne puis penser comme Dieu les a tant préservé...* » et de l'autre : « *Je ne sais si Dieu l'avait ainsi permis...* »

De toute manière toutes ces circonstances étaient bien troublantes. Qu'on ne reparle en tout cas plus à Commynes d'une descente en Italie. Car *faillie cette entreprise* (celle de mai 1496) *en survint tôt après une autre voire deux ou trois à un coup* (II/358). Il ne s'agissait plus de toute évidence d'une croisade, la seule chose qui comptât aux yeux du sire d'Argenton. Et quant à se mêler des rivalités italiennes, autant se mettre tout de suite à l'hôpital, pour reprendre une de ses formules. Les derniers appels émanaient des *Génois qui sont gens*, dit-il à ce propos, *enclins à toutes mutations.* Et voilà que les Vénitiens eux-mêmes étaient prêts à s'entendre avec les Français mais c'était pour attaquer le duc de Milan. Ce qui était encore plus inquiétant était le comportement du roi. Dès son retour d'Italie Charles VIII *n'expédiait plus rien de lui-même ni n'écoutait les gens qui en venaient* (d'Italie) (II/339). Il passait son temps « *à faire tournois et joutes... et nulle peine ne voulait-il prendre pour entendre à son affaire* (II/353). *Ses serviteurs qui s'en mêlaient étaient peu expérimentés et paresseux.* (II/339) Ceux qui *avaient plus de crédit à l'entour de lui étaient tant divisés que plus ne pouvaient.* (II/361) Non, décidément, dans de telles conditions Commynes n'était plus disposé à collaborer. Il continua encore un certain temps à suivre la cour. En 1497 il était toujours présent à la plupart des choses. Il participa aux pourparlers de paix avec l'Espagne et il semble que l'on ait songé à lui pour y servir d'ambassadeur. Mais le cœur n'y était plus.

Il avait atteint la cinquantaine. Il pouvait sembler qu'il était encore un peu tôt pour prendre sa retraite. Mais il ne se sentait probablement plus l'ardeur nécessaire pour poursuivre le combat qu'il avait mené sans désemparer depuis plus de trente ans sur les champs de bataille, dans les conseils, à la tête de missions diplomatiques ou dans l'opposition lorsqu'il lui avait paru que cela était dans l'intérêt de la France. Et puis l'administration de ses biens requérait sa présence sur ses terres. Il en était bien temps après une si longue absence.

Commynes vit encore son roi huit jours avant l'accident qui mit un terme à sa brève existence le 7 avril 1498 mais il n'assista pas à ses derniers moments. Revenu en hâte à Amboise il pria auprès du corps de son maître cinq ou six heures. Malgré les fautes que Charles VIII avait commises, les sévérités dont il avait usé à l'égard de Commynes, celui-ci ne lui en gardait pas rancune. Il rend hommage à sa bonté. Il le loue de s'être amendé dans les derniers temps de son règne car Charles VIII avait *mis de nouveau en son imagination de vouloir bien vivre et selon les commandements de l'Eglise et de mettre la justice en bon ordre et l'Eglise et aussi de ranger ses finances en sorte qu'il ne levât sur son peuple que 1 200 000 livres et par forme de taille outre son domaine et qui était la somme que les Trois Etats lui avaient accordé à Tours.* Et tant d'autres réformes salutaires. Las ! c'en était fait de lui.

Quel sort réserverait à Commynes le nouveau roi ? Le sire d'Argenton ne nourrissait guère d'illusion à ce sujet. Louis d'Orléans avait montré jusqu'à quel degré de médiocrité morale il pouvait descendre. Lorsque la reine de France eut l'immense chagrin de perdre son fils Charles-Orland, le 16 décembre 1495, le beau duc avait dansé devant elle. Certes ne faisait-il que se conformer au désir de Charles VIII de chercher à réconforter la reine en essayant de la détourner de son chagrin. Mais elle ne s'y était pas trompée. *Ladite Dame*, écrit Commynes, *fut merveilleusement dolente car il lui semblait bien qu'il* (le futur Louis XII) *avait joie de ladite mort étant le plus prochain à la couronne après le roi. Et furent longtemps après sans parler ensemble pour cette cause* (II/340). Que pouvait attendre Commynes d'un tel personnage ?

QUATRIEME PARTIE

AU SERVICE DE LA FRANCE

SOUS LOUIS XII

I

ULTIMES DISPOSITIONS

Quand j'eus couché à Amboise (le soir de la mort de Charles VIII) *j'allai devers le roi nouveau de qui j'avais été aussi privé que nulle autre personne et pour lui j'avais été en tous mes troubles et pertes : toutefois pour l'heure ne lui en survint point fort* (II/387).

Il n'est pas surprenant que Louis XII ait réservé à son ancien confident du temps de la Guerre folle un accueil réticent. Plutôt que d'ingratitude ne s'agissait-il pas de rancune ? Commynes avait été en effet l'agent principal de la paix signée à Verceil avec Ludovic Sforza. C'est lui qui avait empêché le duc d'Orléans, maintenant roi de France, de s'emparer du duché de Milan en 1495. Et puis Louis d'Orléans voyait maintenant toutes choses dans une autre optique. Il était naturel que le souverain se comportât différemment du féodal.

Louis XII eut cependant la sagesse de ne pas bouleverser l'appareil de l'Etat. Commynes ne fut pas disgracié. Il assista au sacre du roi et il figura probablement dans le cortège royal lors de son entrée solennelle à Paris le 2 juillet 1498. Il conserva son titre de conseiller. Le 26 juillet il prit part à une séance du Conseil. Il resta auprès du roi tout l'hiver et les observateurs italiens en rendent compte. Mais Louis XII opéra tout de même un choix parmi les serviteurs de son prédécesseur. Le maréchal de Gié et le cardinal Georges d'Amboise prirent le pas sur de Vesc et Briçonnet, tandis que Commynes et l'amiral de Graville virent leur crédit diminuer. Aussi le sire d'Argenton jugea-t-il préférable de prendre lui-même les distances.

Il avait dépassé la cinquantaine. Peut-être était-il temps qu'il songeât à se consacrer davantage à ses affaires privées qu'aux affaires publiques. Il se retira dans ses terres où l'attendaient de nombreuses tâches, de nombreux soucis aussi et des satisfactions plus intimes. S'il a dû abandonner Talmont, Thouars et Olonne, si le comté de Dreux à son tour lui échappe il lui reste d'assez vastes domaines pour s'occuper, ne serait-ce que celui d'Argenton, tout contestés qu'y soient encore ses droits. Il est aussi propriétaire de plusieurs immeubles à Paris. En Flandres même il est rentré non seulement en possession de son patrimoine, grâce au traité de Senlis, mais il semble y avoir acquis de nombreux biens dont le rôle, en vélin, était d'une extrême longueur au témoignage d'un archiviste qui le vit à Lille. Ce document a malheureusement disparu. Il était écrit en flamand mais il mentionnait en français dans son titre que tous les « briefs » énumérés appartenaient à messire Philippe de Commynes, seigneur d'Argenton (K. II/281).

Pour l'administration de ses biens Commynes s'était reposé jusque-là sur la vigilance de sa femme qui s'est montrée une compagne active et avisée. Désormais il allait prendre lui-même les choses en main. Les documents des archives locales permettent d'imaginer d'une manière très précise le cadre de sa vie et l'activité débordante qu'il y a menée. Nous suivons ici l'étude de Ch. Fierville. (Documents inédits sur Philippe de Commynes, Paris, H. Champion 1881). La reconstruction du corps de logis du château d'Argenton ne lui a pas coûté moins de 60 000 francs, somme énorme pour l'époque. Ce qui restait de l'ancien hôtel fut approprié en grenier. Il fit aussi aménager deux cuisines avec une salle voûtée, une « boutillerie » avec un garde-manger et une belle citerne encore visible aujourd'hui. Il fit construire un second corps de logis avec deux chambres hautes et au-dessous un moulin à bras et un pressoir, une grange couverte d'ardoises, une maison pour le portier ainsi qu'une belle étable double. Il ne négligea pas non plus de mettre le château en état de défense peut-être avec les pièces d'artillerie qui avaient servi sur sa galéasse au cours de l'expédition de 1494. Il reconstruisit la grosse tour qui commandait la porte, la tour de l'horloge et celle de la fauconnerie avec des mâchicoulis tout neufs.

Comme il était sensible au beau — ses remarques sur les palais vénitiens et florentins le prouvent — il fit aménager une chambre verte, une autre ornée de tapisseries. Au rez-de-chaussée se trouvait une grande salle agrémentée d'une galerie à l'extrémité de laquelle se trouvaient des fenêtres garnies de grands panneaux de « vitre blanche ». Les meubles étaient de « grande valeur et estimation » : des chalits, des coffres où étaient gardés les nombreux bijoux acquis dans ses voyages ou reçus en cadeaux, de grands bancs à dossier fixés aux murs.

Les moindres détails d'économie étaient soignés. On faisait du linge de toile. Les vêtements n'étaient pas négligés car Hélène se faisait envoyer d'une résidence à l'autre des manteaux fourrés qu'on enveloppait dans de la bure. La table semble avoir été garnie de produits locaux et aussi venus d'ailleurs, pain blanc et bis, beurre, œufs, poissons, moules, viandes de bœuf et de mouton, poules, chapons, gibier des grandes garennes du propriétaire. Quant au domaine proprement dit, il était parfaitement entretenu. Les futaies furent trouvées en excellent état à la mort de Commynes. Les vignes et les vendanges étaient pour lui l'objet de soins tout particuliers et il les évoque dans sa correspondance privée avec la reine. Il faisait commerce de son vin. On en a emporté une fois 49 pipes dont 34 de vin blanc, 12 de vin claret et 3 de vin rouge.

La maison était organisée sur un grand pied. Outre les gens de lois, avocats, procureurs conseillers, il y avait tout un personnel de gentilshommes et de serviteurs qui semblent avoir apprécié le statut qui leur était accordé car la plupart restèrent très longtemps fidèles à leur maître. Malheureusement Commynes était affligé de voisins souvent peu commodes. Tel le sieur René de Sanzay par exemple qui était *de jour et de nuit sur les lieux, lui et ses serviteurs et officiers à regarder et « oreiller » si on fait rien de quoi il puisse prendre aucun avantage. Et s'il eût sentu* (sic) *en y avoir, ne l'eût laissé en arrière,* dit une note de Commynes, *car il est assez processif et aime procès pour n'en laisser pas passer un ongle.* Ce plaideur émérite, *il semble à le voir,* dit encore Commynes, *qu'il n'ait autre félicité que de chercher et quérir de nouvelles choses pour continuer à plaider et essayer par enquêtes à faire de son hébergement de Sanzay qui n'a d'étendue un rien et en faire une grande barronnie à l'étendre sur ses voisins.* Bagatelles que tout cela en regard des grands procès que Commynes poursuivait par ailleurs et que nous avons évoqués dans un chapitre antérieur. Il montrait cependant dans les petites affaires le même acharnement que dans les grandes. Il conteste un droit d'inhumer dans l'une des églises de son domaine, il fait briser un jour, dans l'église de Voultegond, des vitraux que son adversaire et vassal, Jean de Mastin, écuyer de la Roche-Jaquelin, y avait fait peindre sans son autorisation...

Pour autant il était loin de se disperser dans les détails de son administration. Il ne perdait pas de vue de plus grands objectifs et en particulier celui d'assurer au mieux sa postérité. Commynes avait à un haut degré le sens de la famille. Les manuscrits subsistant de sa bibliothèque en portent témoignage. On y voit souvent les armes de sa mère (d'argent, surmontée d'une bande de gueules et chargée de trois aigles d'or) jointes à celles qu'il tenait de son père (de gueules, au chevron d'or accompagné de trois coquilles d'argent, deux en chef, une en pointe). A l'occasion de son mariage il commanda, chose inhabituelle à l'époque, une « paire d'heures » à Jean Fouquet, c'est-à-dire un livre d'heures pour lui-même et un second pour son épouse comportant une série de miniatures très remarquables évoquant diverses scènes de la journée de leur mariage (voir à ce sujet *The Burlington Magazine,* avril 1914). Sur d'autres manuscrits il fait figurer en monogramme gothique les initiales de leurs prénoms. Mais c'est le soin qu'il mit à bien marier sa fille qui illustre encore le mieux la volonté de Commynes de fonder une famille solide et de l'enraciner profondément dans son nouveau patrimoine.

Jeanne de Commynes, née en 1490, arrivait en effet en âge d'être mariée. Le 13 août 1504 elle convola en justes noces avec messire René de Brosse, comte de Penthièvre, vicomte de Bridier, seigneur de Boussac, de Laigle, Chantonceaux et des Essarts. « En faveur dudit mariage, stipule le contrat, et afin qu'il puisse être consommé et accompli, le seigneur et la dame d'Argenton ont promis et promettent faire à leur propre coût et dépens toutes noces desdits monseigneur le Comte et sa dite épouse leur fille, icelle vêtue et accoutrée de toutes choses, honnêtement et honorablement, selon l'état qu'il appartient audit Monseigneur et elle (Dupont III/162).

Un grand mariage que celui-là car même si René de Brosse était désargenté il se pouvait que le duché de Bretagne, rien moins, lui revînt un jour. Il descendait en effet de Charles de Bretagne, petit-fils de Charles de Blois, le fondateur de la dynastie *par décision* de la cour des pairs à Conflans en 1341. Si Anne de Bretagne, veuve de Charles VIII et maintenant épouse de Louis XII, venait à décéder sans laisser d'héritier, le duché pouvait fort bien revenir à René de Brosse ou à l'un ou l'autre de ses descendants. Le duché de Bretagne restait en effet le domaine d'Anne. Il n'avait pas été intégré au domaine royal en dépit des mariages successifs de la duchesse avec deux rois de France. Cette perspective n'avait pas échappé à Commynes et l'on se souvient qu'il s'était fait autrefois l'avocat des droits de la couronne sur le duché. Tout ce qui concernait cette province lui était familier. Il portait depuis 1471 le collier de l'ordre de l'Hermine que François II, le père d'Anne, lui avait fait remettre à la suite de la première mission que Commynes avait accomplie auprès de lui par ordre de Charles le Téméraire. Depuis lors il avait cultivé avec soin ses relations bretonnes. C'est pourquoi il n'avait pas hésité à prêter à René de Brosse des sommes considérables ainsi qu'il l'avait fait à d'autres seigneurs en mal d'argent, comptant bien que cela lui vaudrait quelque jour de substantiels avantages. C'est ainsi qu'il avait avancé à René de Brosse 3 500 écus pour lui permettre de se libérer d'une dette de 2 000 écus contractée auprès d'une certaine dame de Raye et 1 500 écus pour l'achat de la tierce partie de la seigneurie de Mortaigne, propriété de Commynes. Le contrat de mariage de Jeanne de Commynes témoigne en tout cas de la richesse amassée par son père. Outre l'abandon des créances citées, le sire d'Argenton remettait à son gendre 13 500 écus et des bijoux, d'une valeur de 4 442 écus, dont l'énumération est fort intéressante : « premièrement, un parement d'or de mille quarante-sept écus, une « bouette » d'argent doré, pesant dix marcs, deux onces, deux gros, estimée valoir quatre-vingt-dix écus, un « balai » de haute couleur, carré et en table, du poids de trente-cinq carats ou environ, estimé valoir mille écus ; une ceinture d'or pesant un marc ou plus, en laquelle il y a onze perles de huit carats ou environ et dix rubis dont il y en a deux d'iceux plus grands que les autres, estimée à onze cents écus ; une croix de diamants à la façon de Gênes où pendent trois perles, estimées ladite croix et perles trois cents écus ; une fleur de lys de diamants, grande, estimée six cent vingts écus ; une bague d'or ronde, faite en manière de rose en laquelle il y a un rubis et un diamant et six perles, le tout de bonne grandeur et grande perfection, estimée six cents écus ; un rubis en pointe et une table de diamants qui tiennent à une petite image d'or, le tout estimé à quatre-vingts écus ; de menues choses d'argent, en sa chambre, pesant seize marcs et une demi-once, deux gros, valant cent cinq écus ; du tout desquelles choses dessus dites ne sont pas présentement estimées les façons d'icelles, fors ladite bouette ; lesquelles choses et bagues ont été estimées en la présence de mondit seigneur le comte et de leur consentement ».

Il était également convenu par le contrat de mariage qu'à la mort des parents de Jeanne, René de Brosse hériterait de la seigneurie d'Argenton ou de 50 000 livres si Commynes laissait un ou plusieurs héritiers mâles.

Le sire d'Argenton voyait loin. En mariant sa fille

unique à René de Brosse il renforçait non seulement son implantation dans le pays mais il ouvrait à sa descendance des perspectives princières. Jeanne, quoique de santé délicate — elle devait mourir deux ans et demi après son père — lui donna quatre petits-enfants dont l'un, Jean de Brosse, deviendrait gouverneur de la Bretagne et l'une de ses sœurs, Charlotte de Brosse, transmettrait le sang de Commynes dans plusieurs dynasties royales, celles de Portugal, d'Espagne, de Sardaigne et même de France puisque Louis XV figure parmi ses lointains descendants. (Voir dans les annexes le tableau généalogique de Commynes).

Par ce brillant mariage de sa fille Commynes a également resserré ses liens avec la reine, Anne de Bretagne. Deux lettres qu'il lui a adressées et que nous reproduisons en annexe témoignent de l'étroitesse de ces liens. Elles datent de juillet 1505. Le moment est important. Louis XII se trouve en effet à un grave tournant de son règne. Il est tombé malade et d'une manière assez inquiétante pour qu'il rédige son testament. Il a pris conscience de l'énorme faute qu'il a faite en promettant l'année précédente, par contrat, à Blois, la main de sa fille unique, Claude de France, à celui qui deviendra un jour l'empereur Charles Quint. Obsédé par son désir d'achever la conquête du duché de Milan il est allé en effet, pour assurer la neutralité de l'Espagne, jusqu'à convenir d'abandonner le royaume de Naples aux deux jeunes promis en plus du duché de Bretagne apporté en dot. A la possession de l'Autriche, des Pays-Bas et de l'Espagne, l'arrière petit-fils de Charles le Téméraire ajouterait ainsi un royaume italien et un duché français. Ce mariage compromettrait non seulement l'unité française mais il en préparerait même la ruine. Comment se tirer d'un tel faux pas ?

C'est dans ces circonstances dramatiques que s'opère le retour en grâce de Commynes. Les plus proches conseillers du roi et quelques-uns des plus importants seigneurs conjuguent leurs efforts dans ce sens. Geoffroy de Pompadour, évêque du Puy, et Georges d'Amboise, légat du pape, interviennent activement ainsi que madame d'Angoulême qui songe à l'avenir de son fils, le futur François Ier. La fraternité d'armes des anciens conjurés de la Guerre folle va montrer combien elle était restée profonde. En effet, Geoffroy de Pompadour et Georges d'Amboise avaient été, on s'en souvient, incarcérés en même temps que Commynes et comme devait l'être à son tour Louis XII lui-même, alors duc d'Orléans, pour leurs menées contre le gouvernement absolutiste des Beaujeu. Outre le rétablissement de Commynes, s'opérerait la rentrée de la reine, qui a entrepris, non sans arrière-pensée, un pèlerinage dans sa chère Bretagne. Commynes l'engage à abréger son voyage ainsi qu'en témoignent les deux lettres citées.

En cet été de 1505 la situation générale n'est pas sans présenter quelque analogie avec celle de 1483. Le fait est qu'un vaste mouvement se formait dans l'opinion publique contre les menaces incluses dans l'alliance franco-espagnole. L'idée de recourir aux Etats généraux qui n'avaient plus été réunis depuis 1484 se répandit dans la noblesse et dans la bourgeoisie. Des assemblées se tinrent dans de nombreuses villes. Jusqu'à quel point ce mouvement fut spontané ou subtilement téléguidé il est difficile de le dire. Il n'est pas possible non plus d'affirmer que Commynes en fût l'inspirateur comme il l'avait été quelque vingt ans plus tôt. De toute façon il était un partisan déclaré de l'institution et il ne pouvait qu'applaudir à l'idée d'une consultation nationale. Le roi s'y rallia et il n'eut pas à s'en repentir. Réunis à Tours du 10 au 21 mai 1506, les Etats généraux supplièrent Louis XII de renoncer à son projet de mariage franco-espagnol et de donner sa fille à monsieur François, le futur François Ier, qui était « tout français ». Ainsi serait assurée la succession du roi et préservée l'unité de la France. Voilà qui s'inscrivait dans la droite ligne de la pensée politique exprimée dans les Mémoires.

Commynes assistait à cette importante assemblée. Le 30 décembre 1505 il avait été nommé chambellan avec une pension de 3 000 livres « ayant égard, précise Louis XII, aux grands, vertueux, louables et très recommandables services qu'il a faits à mes prédécesseurs, des plus grandes charges et états qu'il a eus auprès d'eux et à l'entour de leurs personnes ainsi qu'à nous consécutivement depuis notre avènement à la couronne où il s'est toujours vertueusement et loyalement acquitté qu'il en est digne de singulières louanges et recommandations » (K. II/269). S'il y avait eu au début du règne mésentente entre le roi et lui c'était essentiellement parce que Commynes ne partageait pas du tout ses vues en politique étrangère. Il avait sévèrement condamné son aventure de Novare. Par le traité de Verceil il avait réduit à néant ses ambitions milanaises. Au printemps de 1496 il avait déploré ses tergiversations et sa renonciation à prendre la tête d'une deuxième expédition en Italie qui cette fois-ci aurait eu bien des chances de réussir. Aussi Commynes ne pouvait-il que se féliciter de voir les Etats généraux désapprouver la politique étrangère du roi.

Sur le plan intérieur, par contre, Louis XII s'était montré fidèle à l'esprit de réforme qui avait animé les Etats généraux de 1484 et inspiré les conjurés de la guerre folle. Il avait réduit d'un quart le montant des tailles, étendu le contrôle de la Chambre des comptes sur toute l'administration, réformé la justice et la discipline des troupes, unifié les coutumes, toutes choses que Commynes avait préconisées et explicitement formulées dans ses Mémoires. En faisant cause commune avec le duc d'Orléans, en misant tout sur lui, Commynes ne s'était donc pas trompé autrefois, même si le prix de sa collaboration avait été très lourd car c'était bien « *pour lui* » qu'il avait été dans tous ses *troubles et pertes,* du temps de la minorité de Charles VIII. Les Etats généraux de 1506, sur cet aspect particulier de la politique de Louis XII, apportaient à Commynes la meilleure justification possible de son comportement et de la confiance qu'il avait placée en ce prince car c'est aux applaudissements de toute l'Assemblée que le chanoine Thomas Bricot décerna au roi le titre de Père du peuple, titre que Louis XII a été le seul à avoir porté dans toute la lignée des rois de France.

Cependant la réintégration de Commynes dans l'équipe dirigeante fut de courte durée. En mai 1506 on envisagea de l'envoyer en Allemagne en qualité d'ambassadeur. L'année suivante il accompagna le roi en Italie lors d'une nouvelle descente. Sa présence servait-elle simplement de caution auprès des Florentins ? Il profita de son séjour à Milan pour leur rappeler une fois de plus ses créances restées en souffrance. Mais Louis XII, comme son prédécesseur, se laissait de nouveau troubler par les fumées et gloires d'Italie et il se perdait dans les tortueuses rivalités de la péninsule. Sous le fallacieux prétexte d'une croisade, il adhère en 1508 à la Ligue de Cambrai fomentée par le pape Jules II et dirigée contre Venise. Quelque temps plus tard, une nouvelle Sainte Ligue organisée par le même pape, ne tardera pas à se former mais cette fois-ci contre la France. Commynes ne pouvait décidément plus apporter son concours aux nouvelles entreprises de son maître. Il était cependant pleinement conscient des services qu'il serait à même de rendre à la chose publique pour peu qu'on l'écoutât car Louis XII lui paraissait manquer de conseillers capables. Mais il est aussi philosophiquement résigné à demeurer désormais en dehors des arcanes du pouvoir. A l'instar de Cincinnatus il envisage sans regret de se retirer sur ses terres à *faire ses vignes* ainsi qu'il l'avait familièrement écrit à la reine. Ayant pourvu à sa postérité par le mariage de sa fille et à sa survie spirituelle par la rédaction de ses Mémoires il pouvait dès lors s'apprêter tranquillement à franchir le passage ultime de toute vie humaine.

Il fit aménager au couvent des Grands Augustins à Paris une chapelle funéraire pour y abriter son tombeau ainsi que celui de sa femme et de sa fille. A en juger par les fragments exposés aujourd'hui au Musée du Louvre et dans la cour de l'Ecole des Beaux-arts, il s'agissait d'une œuvre tout à fait remarquable. La chapelle était placée sous le patronage de Notre-Dame-de-Ripa et dotée d'une messe. Pour sa décoration et l'exécution du tombeau, Commynes s'est adressé à Giodo Mazzoni de Modène venu s'installer à Paris, au Petit Nesles, en 1496. Les statues polychromes de Commynes et de sa femme sont en pierre. Elles ont un caractère très réaliste et tout indique que l'artiste s'est appliqué à reproduire fidèlement les traits des deux personnages. Les pilastres soutenant une frise, les frontons couronnant les deux portes et les soubassements de la clôture séparant la chapelle de l'église des Grands-Augustins, étaient ornés de sujets théologiques et astrologiques d'une grande fantaisie où voisinent entre autres, Noé, Samson, Jonas, Virgile, Aristote, le soleil et les planètes. L'ensemble est d'inspiration nettement italienne et atteste le vif intérêt de Commynes pour les monuments qu'il avait eu l'occasion de voir à Florence et à Venise notamment.

Sa marque personnelle apparaît aussi dans le choix de sa devise préférée inscrite sur le sarcophage (*qui non laborat non manducet*) et dans la présence de deux symboles curieux : un globe et un choux cabus. Il sacrifiait ainsi à une mode du temps. Un des médecins de Louis XI, Jacques Coitier (ou Cottier), avait fait peindre par exemple sur la façade de son palais à Paris un abricotier (abricottier). Par ce rébus du globe et du choux cabus, Commynes allait bien au-delà d'un aussi naïf jeu de mots. Pour qu'on ne s'y trompe pas il avait pris soin de le faire transcrire en toutes lettres : Le Monde n'est qu'abus (= cabus). Ce qu'il n'avait pas osé écrire explicitement dans ses Mémoires était ainsi proposé à la réflexion des visiteurs de son tombeau. Oui, c'était bien là la conclusion à laquelle il était arrivé. Il avait *vu et su tant de tromperies et mauvaitiés et sous telles couleurs* et en particulier *sous ombre de bonne foi* qu'il lui avait répugné de les révéler toutes dans son œuvre écrite. Il en avait assez pâti lui-même tout au long de sa vie. Oui, le monde n'était qu'abus. Mais pas seulement le monde des hommes. C'est la création elle-même qui lui était apparue toujours plus absurde à mesure qu'il avançait en âge. Car le pénible spectacle des rivalités perpétuelles, s'étendait à l'ensemble du règne animal. Une telle absurdité méritait bien que le dernier mot de Commynes fût un jeu de mots désabusé. Cet humour noir masquait en réalité un secret désespoir.

Philippe de Commynes mourut le 18 octobre 1511 à Argenton, assez subitement semble-t-il, et peut-être même accidentellement. Il fut enterré là où il l'avait prescrit.

Ses restes furent dispersés lors de la Révolution de 1789, mais la partie principale de son tombeau a pu être sauvée. La place qui lui est réservée au Musée du Louvre pourrait être moins discrète et l'on serait sans doute bien inspiré de proposer aux visiteurs de ce beau monument quelques-uns des vers de l'épitaphe composée par Ronsard :

O toi, qui que tu sois, qui t'enquêtes ainsi,
Retourne en ta maison et conte à tes fils comme
Tu as vu le tombeau du premier gentilhomme
Qui d'un cœur vertueux fit à la France voir
Que c'est honneur de joindre aux armes le savoir.

II

LE RAYONNEMENT

Je fais mon compte que bêtes ni simples gens ne s'amuseront point à lire ces Mémoires *mais princes ou gens de cour y trouveront de bons avertissements, à mon avis.* (I/225).

Commynes ne s'est pas trompé lorsqu'il prévoyait que son œuvre écrite retiendrait l'attention des grands de ce monde. Le fait est que les Mémoires n'ont pas tardé à devenir le livre de chevet des plus grands princes. L'empereur Charles Quint par exemple, bien qu'arrière-petit-fils du duc que Commynes avait trahi, ne se séparait jamais, paraît-il, de son exemplaire des Mémoires. Mais ce que Commynes n'aurait pu imaginer c'est le succès foudroyant de son œuvre dès le moment où elle serait imprimée, c'est-à-dire dès la sortie de presse, le 26 avril 1524, de l'édition de Galliot du Pré. Cinq mois plus tard une seconde édition était mise en vente. Depuis lors plus de cent vingt-cinq autres se sont succédé jusqu'à nos jours. Une traduction en italien parut en 1544 à Venise, une autre en latin en 1545. Une adaptation en langue allemande en fut faite en 1551. Puis ce fut le tour des Hollandais, des Suédois, des Espagnols, des Portugais et des Anglais, si bien que vers le milieu du XVIIe siècle, Commynes était déjà traduit en une dizaine de langues.

L'avertissement au lecteur, placé en tête de l'édition de Godefroy en 1649, pouvait affirmer, sans que cela prêtât le moins du monde à sourire, qu'« après les Saintes Ecritures les Mémoires de Philippe de Commynes ont été l'un des ouvrages les plus souvent réimprimés ». Et cela continue. Une édition a vu le jour aux Etats-Unis en 1969, une autre en Angleterre en 1972, une encore en France en 1978.

Comment expliquer un tel phénomène ? A quoi attribuer un tel impact des Mémoires de Commynes sur l'ensemble du monde occidental depuis bientôt un demi-millénaire et auprès de générations si différentes les unes des autres.

Bien sûr il y a toujours eu et partout les amoureux de l'Histoire. Ceux-là trouvent dans l'œuvre de l'illustre mémorialiste une foule de renseignements sur une époque et des personnages qui n'ont jamais cessé d'intéresser le grand public. Nombreux sont aussi les lecteurs sensibles au charme d'une langue non apprêtée et qui apprécient « ce langage doux et agréable, d'une naïve simplicité, la narration pure et en laquelle la bonne foi de l'auteur reluit évidemment, exempte de vanité en parlant de soi et d'affection et d'envie en parlant d'autrui, ses discours et exhortements accompagnés plus de bon zèle et de vérité que d'aucune exquise suffisance et partout de l'autorité et gravité, représentant son homme de bon lieu et élevé aux grandes affaires » (Montaigne, *Essais* livre II, chapitre X). Cette « franchise et liberté d'écrire » que Montaigne goûte tant chez Commynes sont des facteurs certains de son succès. Ils n'en rendent pas compte entièrement.

Sans doute les hommes de gouvernement continuent-ils aussi de trouver chez Philippe de Commynes de bons avertissements. Ses remarques sur la nature du pouvoir, sur les institutions publiques, sur les conditions de leur bon fonctionnement, sur les qualités et les défauts des différents régimes politiques, sur les rapports internationaux, l'équilibre européen et le rôle de la diplomatie, sur la guerre et la paix, tout cela reste étonnemment valable, encore aujourd'hui. Il y a aussi en lui un moraliste de la meilleure veine. Le commun des mortels et non seulement les princes et gens de cour y puisent d'excellents conseils pour la conduite de la vie privée. On apprécie également en Commynes le croyant sincère et le philosophe. D'autres lecteurs voient encore en lui un professeur d'énergie, doué d'une force vitale peu commune qui se manifeste par sa capacité de travail, par son dynamisme personnel qui lui a permis d'opérer une ascension sociale très rapide, par sa contribution déterminante à l'agrandissement et à l'unification de la France, par ses efforts pour la restauration de l'intégrité territoriale de l'Europe. Dans les principaux domaines de son action il a témoigné incontestablement d'une vitalité et d'une efficacité exemplaires.

Ces diverses qualités se rencontrent chez beaucoup d'autres hommes politiques et de premier plan mais qui n'ont cependant pas connu par leur œuvre écrite un succès aussi durable et aussi étendu que celui des Mémoires de Commynes. Il faut donc chercher ailleurs et plus profond. Ce qui nous est apparu essentiel chez lui et qui nous semble être la raison de son rayonnement c'est son exceptionnelle cohérence. Chacun ne lui a pas reconnu cette vertu. Un de ses commentateurs les mieux disposés à son égard lui reproche de ne s'être « jamais soucié de mettre en rapport, de lier ensemble, de coordonner ses idées et ses remarques. Son esprit clair, vif, pénétrant, ajoute-t-il, manque d'envergure » (Bourilly : *les Idées politiques de Philippe de Commynes,* Revue d'histoire moderne et contemporaine, t. I. 1899-1900, p. 113). Il nous semble au contraire que Commynes présente cette qualité rare d'être éminemment solidaire dans toutes ses parties.

Le genre littéraire des Mémoires ne se prêtait guère à un exposé rigoureusement structuré. Mais l'absence de toute logique formelle n'implique pas nécessairement un défaut de cohérence. Qu'il s'agisse du psychologue, du moraliste, du politique ou du philosophe qu'il y a en lui, Commynes se montre en effet, dans son action comme dans sa réflexion, remarquablement conséquent avec lui-même.

Bergson aimait à dire que l'essentiel d'une philosophie, son origine même, c'est non pas telle source dérivée d'une philosophie antérieure mais une attitude vitale du philosophe, dans son privé comme face au monde. Chez Commynes il apparaît que la manière d'être qui le distingue et qui fait de lui un des grands témoins de la sagesse humaine c'est un sens inné de la mesure. L'expérience et la méditation lui ont permis de l'approfondir, d'en prendre conscience toujours plus clairement jusqu'à en faire, au cours d'une véritable ascèse philosophique, religieuse et mystique un absolu métaphysique : Dieu est mesure parfaite. C'est autour de ce centre d'aspiration existentiel que s'ordonnent tous ses concepts, toutes ses valeurs, tous les jugements qu'il porte sur ses contemporains, sur les institutions politiques, sur le déroulement de l'histoire.

Pénétré du caractère divin de cet idéal de la mesure il s'est efforcé de s'y conformer dans son action comme dans sa pensée. C'est en fonction de cet idéal qu'il a opéré les grands choix de sa vie, son intervention à Peronne, sa décision de quitter Charles le Téméraire dont la démesure ne pouvait que le conduire à sa perte, son option courageuse pour la restauration des Etats généraux, son opposition à la descente prématurée des Français en Italie en 1494. Etant précisément mesure, cet idéal le conduisait tout naturellement à soupeser les chances et les risques, le pour et le contre, à nuancer ses jugements, à évaluer en chaque homme la part du bien et du mal, à user de modération, en un mot comme un cent à *élire le moyen chemin en ces choses* (II/96).

D'où la finesse de ses jugements psychologiques, son dégoût de la guerre, de l'orgueil, de la cruauté, de l'arbitraire, de la tyrannie, ses préférences pour le débat en conseil, pour le recours prioritaire à la diplomatie, pour une fiscalité modérée, pour une sage répartition du temps entre les travaux et les plaisirs. Il n'est pas de vertu ou de vice qui échappe à l'universalité d'application du principe de la mesure. La bonté, la miséricorde, la libéralité ne sont pas bonnes en toute occasion pas plus que ne sont essentiellement mauvais tous les plaisirs du monde.

Commynes les ramène tous à ce commun dénominateur qu'est la mesure et qui permet d'en déterminer l'opportunité. L'orgueil et la cruauté semblent faire exception et sont condamnés sans réserve. Mais c'est que précisément ces deux vices majeurs, dénoncés par le code moral du christianisme, sont caractérisés par l'absence de toute mesure.

Sur tous les plans de l'activité humaine c'est à l'économie des alternatives dramatiques de la passion que Commynes convie ses lecteurs. L'excès est à déconseiller en toute chose, le trop comme le trop peu. Cette sorte d'arithmétique morale fait penser à la philosophie d'un financier désireux d'éviter à la société qu'il a charge d'administrer les faux frais et les risques. Il faut toujours calculer, soupeser, prévoir. Même dans la guerre il convient de *mettre Dieu de sa part* (I/108) ainsi que le lui a appris Humbercourt, son initiateur aux mystères de la politique.

Mais la mesure ne saurait être, dans la conception de Commynes, un idéal statique. Elle n'implique aucune faiblesse. Elle ne s'oppose pas à la détermination résolue dans la poursuite des buts que l'on se propose d'atteindre. Le « moyen chemin » résulte d'un choix volontaire, celui de la meilleure voie possible pour parvenir à ses fins. La méthode que Commynes recommande à Louis XI de suivre à la mort du duc de Bourgogne et qui lui a valu d'être éloigné brutalement du théâtre des opérations n'est en aucune manière une renonciation à l'extension de la puissance française. Entre le recours à la force et la pénétration pacifique la *conscience* ne saurait hésiter. Louis XI s'est laissé emporter par sa passion, il n'a pas pris la chose par le *bout* qui convenait le mieux à son affaire. « En présence du détail complexe de la vie, dans la conduite des affaires publiques comme dans celle des affaires privées, la technique de la conscience repose sur la finesse du jugement qui vise des situations toujours singulières par delà les formules trop simples de la loi. » (L. Brunschwig, *De la Connaissance de soi-même,* p. 171).

Sur le plan politique comme sur le plan privé la mesure est bien une question de technique. La pondération des pouvoirs à l'intérieur et la préservation de l'équilibre international trouvent leur justification dans le maintien de la paix et celle-ci n'a de sens que dans le développement de la prospérité individuelle et collective. Mais la richesse comporte des dangers. Elle entraîne facilement la dilution des énergies comme l'histoire de la Bourgogne le prouve. Dans la recherche et la jouissance du profit l'homme ne doit jamais cesser de rester maître de lui-même. *Si les gens étaient toujours bien sages, ils seraient si modérés en leurs paroles, en temps de prospérité, qu'ils ne devraient point avoir cause de changer leur langage en temps d'adversité* (I/399). On peut faillir pour *avoir trop d'amour en ses biens* (I/324). Jusque dans ses sentiments à l'égard de *sa femme et de ses enfants* (id) il faut garder son contrôle.

Cette soumission de tout son être au sens de la mesure a conduit Commynes à cette sorte d'impassibilité qui a frappé ses contemporains.

Où est celui qui jamais pourrait dire
Ni soutenir l'avoir trop vu ému
En grande joie ni aussi par grande ire ?

demande l'auteur de son éloge funèbre. D'où aussi ce détachement et cette élévation de pensée qui lui ont permis de considérer de très haut le déroulement du flux de l'Histoire. Il y a chez lui un aspect prophétique extrêmement frappant qui l'apparente à un Tocqueville par exemple. Il a prévu, à son grand désespoir, les conséquences désastreuses du mariage austro-bourguignon comme celles du progrès de l'absolutisme en France. Il a ressenti douloureusement pour le devenir de l'Europe la renonciation des chrétiens à entreprendre la conquête des Balkans.

Dans de nombreux domaines Commynes est ainsi en avance sur son siècle. En historiographie c'est lui principalement qui a déchiré cette sorte de voile que les conventions de pensée autant que les conventions littéraires conspirèrent à tisser devant la cynique réalité des motifs humains. (Bloch, *la Société féodale*, p. 130). Il est le premier à avoir fait ressortir l'importance du rôle de l'argent. Il dénonce la corruption de l'Eglise et proclame, vingt ans avant Luther, la nécessité d'une réforme. Il est aussi le seul dans son siècle à parler du trafic des esclaves par les chrétiens et du problème moral que cela pose. En politique il anticipe sur les encyclopédistes avec son éloge des institutions politiques de l'Angleterre. Il découvre le principe des nationalités et se fait le défenseur des droits des peuples à décider souverainement de la fiscalité et de la guerre. Ce n'est pas un mince mérite non plus de faire pressentir, à la fin du XVe siècle, Vauban et d'Argenson par ses remarques sur l'organisation militaire et la nécessaire réforme de la justice ainsi que de l'administration. (G. Paris et A. Jeanroy *Extraits des chroniqueurs français*, p. 346). En sociologie on a noté que c'est chez lui qu'apparaît pour la première fois la présence du peuple comme acteur essentiel de l'Histoire. (Camille Picqué. *Commynes comme écrivain et homme d'Etat*. Mémoires couronnés par l'Académie royale des sciences, des lettres et des beaux-arts de Belgique, t. XVI 1864, pp. 4 et 12). Deux siècles avant Fontenelle, Fénelon, Montesquieu et Vico, il aperçoit une relation étroite entre les climats et le caractère des peuples. En psychologie il recourt de préférence à la notion de complexion qui permet de surmonter les difficultés artificielles de la dichotomie traditionnelle du corps et de l'esprit. En philosophie il met en évidence le rôle du hasard dans le déroulement de l'Histoire. Il s'interroge sur l'universalité et l'absurdité des guerres. Le monde lui apparaît ainsi soumis à la fois au règne du hasard et de la nécessité. Les surprenants délais de la justice divine posent enfin à sa conscience le redoutable problème théologique de la transcendance et de l'immanence.

Etant donné les insuffisances de sa formation intellectuelle on peut s'étonner de le voir s'aventurer ainsi dans les domaines les plus divers. Son ignorance du latin constituait certainement un handicap pour l'enrichissement de ses connaissances et même sur le plan strictement professionnel. Il en était tout à fait conscient. Mais il avait l'avantage de connaître le français, l'allemand, l'anglais, l'italien et l'espagnol. Ses responsabilités lui ont aussi donné l'occasion de rencontrer quelques-uns des plus éminents représentants de l'intelligentsia européenne de son temps. Il était particulièrement attiré par les humanistes italiens. Il était lié d'amitié avec Laurent de Médicis. Il a été en correspondance avec Francesco Gaddi, un des diplomates les plus cultivés de son temps. C'est à la requête d'Angelo Cato, professeur de philosophie et médecin, qu'il rédige ses Mémoires. Il s'est entretenu avec Savonarole. Il admire la culture de François de Paule, si *lettré,* remarque-t-il, alors même qu'il n'a *jamais rien appris,* ajoutant toutefois que sa langue maternelle l'*y aidait.* Ce qui l'intéressait chez le réformateur florentin, comme chez le médecin napolitain et l'ermite calabrais, c'était leur faculté divinatoire. L'astrologie l'attirait et ce n'est pas par hasard que sa chapelle funéraire a été ornée de symboles astrologiques. La politique et l'astrologie ne relèvent-elles pas du même groupe de sciences empiriques, et les prophètes ne se doublent-ils pas volontiers, comme les hommes d'Etat, les médecins et les astrologues de psychologues souvent très avertis ?

Le manque de culture de Commynes n'était du reste pas aussi grand qu'on s'est plu parfois à le dire. Ce qui subsiste de sa bibliothèque en fait foi. Dans l'exercice même de ses fonctions ne le voit-on pas, par exemple, apposer sa signature au pied de l'ordonnance royale du 1er mars 1474 par laquelle Louis XI avait tenté de mettre fin à la stérile querelle des réalistes et des nominalistes qui divisait violemment le monde universitaire et l'on est en droit de penser que Commynes n'a pas signé à l'aveuglette. On le voit aussi se tenir au courant de la découverte des terres nouvelles et se procurer des cartes du monde extra-européen. Bref, il n'est pas abusif de découvrir dans sa pensée une approche des grands problèmes philosophiques et moraux de son temps. A ces divers points de vue, Commynes peut être rangé au nombre des penseurs qui sont à l'origine du pragmatisme occidental le plus moderne.

Dans ce groupe de pointe, Nicolas Machiavel et Thomas More présentent avec lui des ressemblances et des différences éclairantes, dans leur vie comme dans leur œuvre écrite bien qu'ils ne se soient pas connus. Tous trois ont participé activement aux responsabilités du pouvoir, pour leur bonheur et leur malheur. L'ancien premier ministre de Louis XI a été emprisonné de longs mois sous son successeur, l'illustre secrétaire de la Seigneurie de Florence a été exilé pendant près de quinze ans et le tout-puissant chancelier d'Angleterre a fini par être décapité. Malgré leur forme littéraire très différente, les Mémoires, composés avant 1500 mais imprimés en 1524, *Le Prince* publié en 1513 et *l'Utopie* parue en 1516, ont connu un égal retentissement mais aux fortunes très diverses. L'expression souvent brutale que l'Italien a donnée à sa pensée l'a exposé à être magnifié un jour par le fascisme et Kautsky a vu dans l'Anglais un authentique communiste. Commynes n'a pas échappé non plus à toute erreur d'interprétation mais il n'a pas été l'objet d'une appropriation partisane aussi abusive. C'est qu'il est tout en demi-teinte. Il est réaliste comme Machiavel mais d'une manière modérée ainsi que l'a si bien vu Sainte-Beuve. Il est aussi libéral comme More mais sans verser dans l'idéalisme ou le puritanisme. Comme tel il appartient bien à cette région tempérée de l'Europe qui tient, selon ses propres termes, à la fois « de la chaude et de la froide ». A mi-chemin de la péninsule et de la grande île, il est typiquement français, nordique par ses origines flamandes et méditerranéen par ses affinités électives. Le hasard a bien fait les choses qui l'a amené à se fixer aux confins du Poitou, de l'Anjou et de la Touraine, dans ce château d'Argenton, au cœur même de son pays d'adoption.

Bien sûr Commynes porte la marque de son siècle et il serait étonnant qu'il en aille autrement. On retrouve chez lui des éléments communs à nombre d'écrivains contemporains, français, bourguignons, anglais et italiens comme Chastelain, Fortescue, Erasme, Pic de la Mirandole. Il doit aussi beaucoup et plus qu'on ne l'a généralement reconnu, à quelques-unes de ses lectures favorites comme celle de la *Fleur des histoires* de Jean Mansel, des *Chroniques* de Froissart, de la *Legenda aurea* de Voragine traduite par Jean de Vignay, de la *Cité de Dieu* de saint Augustin, *Des Faits et dits mémorables* de Valère

Maxime, tous livres dont il possédait de magnifiques manuscrits frappés à ses armes. Par-delà les siècles et les millénaires Commynes présente enfin de curieuses similitudes de pensée avec certains prophètes d'Israël, avec le sage Aménémopé de la fin du Nouvel empire égyptien, avec Confucius et Socrate tant il est vrai qu'on reconnaît en chacun d'eux des éléments d'une même philosophie, diffuse dans toutes les grandes civilisations, celle-là même qui s'exprime dans les proverbes et que l'on n'appelle pas pour rien la sagesse des nations.

L'étude attentive des convergences et des divergences entre la philosophie de Commynes et celle de quelques-uns des grands sages de tous les temps permettrait de mieux le saisir dans l'unicité de son être. Un Plutarque ne répugnait pas à établir de tels parallèles entre ses hommes illustres, grecs et romains. On aura garde cependant de ne pas perdre de vue la source principale de la pensée de Commynes. Il était en effet imprégné des leçons de la Bible et plus encore par celles de l'Ancien que du Nouveau Testament. Lorsqu'il invoque « Notre Seigneur » il pense davantage au Père qu'au Fils. L'enseignement qu'il a retiré de la lecture assidue des Saintes Ecritures est foncièrement pessimiste. L'homme est une créature imparfaite. Il est voué à la souffrance et à la mort. *Nulle créature n'est exempte de passion,* écrit-il dans les conclusions de la deuxième partie de ses Mémoires, *et tous mangent leur pain en peine et sueur comme Notre Seigneur leur promit dès ce qu'il fit l'homme* (II/341). Partout la mauvaise foi, le vol, la violence, le crime, les divisions et la guerre. *La raison naturelle, ni notre sens, ni la crainte de Dieu, ni l'amour de notre prochain ne nous garde d'être violents les uns contre les autres* (I/440). Certes tous les hommes ne sont pas également mauvais mais des bons, souligne-t-il, *il en est peu.* Quant à l'intelligence il dirait volontiers que c'est la chose du monde la plus inégalement partagée. Les plus sages se trompent. *Il est bon de penser,* dit-il, *qu'il n'est nul prince si sage qu'il ne faille aucunes fois.*

A cette double infirmité de l'homme, morale et intellectuelle, il n'y a guère de remède. La meilleure des éducations n'y changera pas grand-chose. La savoir amende les bons mais il empire les mauvais, *bien qu'il soit à croire qu'il amende plutôt un homme que de l'empirer... et n'y eut-il que la honte de connaître son mal, si est-ce assez pour le garder de mal faire, au moins d'en faire moins et, s'il n'est bon, si voudra-t-il feindre ne vouloir faire tort à personne* (I/439). Une longue expérience peut aussi suppléer dans une certaine mesure au manque d'intelligence. Mais la vieillesse entraîne avec elle des faiblesses comme la jeunesse. Et loin de s'améliorer avec le temps l'humanité semble régresser. *La vie des hommes,* constate-t-il, *n'est plus aussi longue qu'autrefois ni les corps si puissants. Et semblablement nous sommes affaiblis de toute foi et loyauté les uns envers les autres* (I/177). Ce décevant constat, Commynes l'a exprimé en 1490 après *un espace de dix-huit ans,* comme il dit, pendant lequel il a eu *claire connaissance des plus grandes et secrètes matières qui se soient traitées en ce royaume de France et seigneuries voisines* (id). A cet égard la fin de sa carrière n'aura fait que renforcer son pessimisme biblique.

Et cependant, sans nourrir la moindre illusion sur les chances d'une amélioration sensible dans la conduite générale de la vie privée et publique il a recommandé diverses mesures pratiques pour parer sinon remédier aux effets de *la mauvaitié* (= malignité) et de *la bestialité* (= bêtise) humaines. L'institution d'un conseil exécutif où toute chose puisse être débattue librement en est une. La convocation régulière des Etats généraux en est une autre. Ainsi pourront être quelque peu tempérés l'arbitraire des princes, leur orgueil ou leurs ambitions. Même si *les plus grands sénats et conseils qui aient jamais été ni qui sont, ont bien erré et errent comme il s'est vu et se voit chaque jour* (I/405) l'avis des uns peut contribuer *à redresser celui des autres* (I/107). L'administration publique est susceptible d'être améliorée grâce à l'uniformisation des lois et règlements. Une meilleure organisation des tribunaux peut remédier aux abus criants de la justice humaine. Il est également possible de diminuer les risques de guerre par l'institution d'une armée forte et bien rangée pour dissuader l'ennemi potentiel de se lancer dans une agression. Mais là encore il convient de garder la mesure. Dans le domaine militaire comme dans celui de la fiscalité qui lui est étroitement lié il faut *faire le tout modérément.* La meilleure garantie de paix gît au reste dans l'existence d'un service diplomatique bien stylé et composé d'hommes d'âge moyen.

Commynes ne s'est donc pas laissé gagner par le pessimisme. Il ne s'est pas contenté de dispenser de judicieux conseils et de préconiser ou d'appeler de ses vœux la nécessaire réforme de l'Etat et de l'Eglise. Si sceptique qu'il fût, voire si désabusé, il n'a pas cessé, jusqu'à la fin, d'œuvrer dans le sens de la pacification, de recommander l'allégement des charges et l'adoucissement des peines dont souffrent la plupart des peuples. C'est un pessimiste mais un pessimiste actif.

Même s'il ne gardait que peu d'espoirs d'améliorer la société humaine, Commynes n'a jamais renoncé à toute espérance. Il est resté profondément et sincèrement religieux en dépit du fait que, plus il avançait en âge, plus le monde lui paraissait marqué par l'instabilité, l'irrationalité et l'absurdité. L'image qu'il a voulu laisser de lui par son tombeau est celle d'un priant et non d'un gisant. Aussi bien était-il d'avis qu'*au commencement... d'entreprendre... toute grande chose...* on doit, non seulement *bien consulter et débattre afin de pouvoir choisir le meilleur parti... mais par espécial s'en recommander à Dieu et lui prier qu'il lui plaise adresser le meilleur chemin, car de là vient tout et se voit par écrit et par expérience* (I/404).

Toutefois et malgré toutes les coordonnées qu'il est possible de tirer pour essayer de cerner la singularité de Commynes on ne parviendra jamais à éclairer la part d'ombre qui subsiste en lui comme en chaque être d'ailleurs. Il y a chez Commynes une face cachée qui se dérobera toujours à toute approche. Quelle était donc cette force secrète, ce « daïmon » plus puissant que lui-même qui l'a poussé à quitter son premier maître après avoir risqué de compromettre sa propre carrière en cherchant à l'empêcher de commettre un acte irréparable, à se faire plus tard le défenseur des droits du peuple aux Etats généraux de Tours, à participer à la Guerre folle, à tenter enfin de déclencher une croisade ? L'ambition ? Le goût du pouvoir ? L'appât du gain ? Il a sans doute ses faiblesses dont l'appétit de l'argent n'a pas été la moindre. Il n'est pas exempt de tout préjugé de classe. Il a nourri des préventions et de tenaces rancunes personnelles. S'il a remporté de remarquables succès politiques et diplomatiques il a essuyé aussi pas mal de revers. Il lui est même arrivé sur le plan privé comme sur le plan public de recourir à la violence.

Mais il serait un peu sommaire de ne le mesurer qu'à ces aunes et de ne l'apprécier qu'en termes de réussites ou d'échecs. Comme il est aussi vain de se demander dans quelle mesure sa forme de vivre particulière était bien chrétienne et conforme à l'idéal dont il recommandait de s'inspirer en toute chose. Bien qu'il eût la réputation d'être sans vice et sans passion il n'avait assurément rien d'un saint. Mais étant donné l'humaine imperfection, comment le lui reprocher ? Même un François de Paule qu'il a cependant beaucoup admiré restait à ses yeux un homme et, comme tel, lui paraissait, au moment où il en parle, encore susceptible de *changer ou en mieux ou en pis* (II/56). *Il n'appartient à nul homme de le juger,* a-t-il aussi écrit au sujet du connétable de Saint-Pol, *et à moi tout spécialement* (I/334), souligne-t-il. Quel lecteur de ses Mémoires pourrait refuser d'observer à son égard la même retenue ? *Nous sommes tous hommes,* nous rappelle-t-il encore *et qui les voudrait chercher tels que jamais ne faillissent à parler sagement ni qui jamais ne s'émissent plus une fois que autre il les faudrait chercher au ciel car on ne les trouverait pas entre les hommes* (I/107).

Ce dont tout exégète de Commynes doit se pénétrer c'est que nous ne possédons pour le comprendre que de données très fragmentaires. La plupart de ses lettres ont disparu. Ses Mémoires n'éclairent qu'une partie de son existence. Même s'il s'est efforcé d'y serrer *la vérité au plus près qu'il a pu et su avoir souvenance* (I/1) il a prévenu ses lecteurs qu'il ne révèle que *partie de ce qu'il sait* (I/236). Aussi bien y était-il tenu par les obligations du secret professionnel. Quant à son action elle consistait principalement dans des interventions et des démarches orales à jamais volatilisées. De ce qui a été fait ou dit, constate Goethe, une infime partie fut écrite et de ce qui fut écrit une infime partie a été retenue. Ainsi en est-il assurément de Philippe de Commynes.

Dans toute vie, derrière toute œuvre littéraire il y a des secrets et un mystère. Chez Commynes et en dépit du travail de plusieurs générations d'historiens subsistent de nombreuses énigmes. D'étranges silences aussi. Mais si toutes les lacunes de notre information étaient comblées l'essentiel de son message n'en serait probablement pas affecté ni sa pérennité. Car il va bien au-delà des mots par le truchement desquels il s'exprime et des réalités humaines sur lesquelles il se fonde. Tant il est vrai qu'il s'agit avant toute chose d'une manière d'être éminemment solidaire dans toutes ses parties. C'est elle qui inspire ses jugements sur les hommes et qui commande son comportement. À la limite elle implique une véritable philosophie.

Près de cinq siècles se sont écoulés depuis la rédaction des Mémoires et le cercle de leurs lecteurs ne cesse de s'élargir. Commynes provoque continuellement de nouvelles recherches. Il suscite des vocations. Son enseignement n'a peut-être jamais été aussi actuel. Puisse ce livre témoigner de cet étonnant rayonnement et de cette singulière présence.

Jean Liniger

Duillier. Vaud. Suisse
Janvier-novembre 1977.

ANNEXES

I

CHRONOLOGIE SOMMAIRE DE LA VIE DE COMMYNES

1447 Naissance au château de Renescure (ou de Comines ?).
1464 Entrée au service du comte de Charolais comme écuyer.
1465 Participation à la Guerre du Bien Public.
1468 Entrevue de Peronne — Chevalier et chambellan.
1470 Missions à Calais et en Angleterre.
1471 Missions en Bretagne, en Espagne et en Allemagne.
1472 Entrée au service de Louis XI. Chambellan du roi. Prince de Talmont, seigneur d'Olonnes.
1473 Mariage avec Hélène de Chambes. Sire d'Argenton.
1475-76 Apogée de sa carrière auprès de Louis XI. Entrevue de Picquigny.
1477 Ecarté de la campagne des Flandres, relégué au Poitou dont il est Sénéchal.
1478 Membre de l'Ordre de Saint-Michel. Missions en Bourgogne puis en Italie.
1479-81 Missions en Savoie.
1483 Membre du Conseil provisoire pendant la minorité de Charles VIII.
1484 Membre du Conseil royal agréé par les Etats généraux de Tours.
1485-87 Participation à la Guerre folle.
1487-89 Emprisonné à Loches puis à Paris.
1490-92 Retour progressif en grâce. Rédaction de la première partie des Mémoires.
1493 Négociateur au traité de Senlis. Membre de la commission royale chargée des affaires d'Italie.
1494-95 Ambassadeur à Venise. Bataille de Fornoue. Traité de Verceil.
1496-98 Rédaction de la deuxième partie des Mémoires.
1498 Membre du Conseil royal sous Louis XII.
1504 Mariage de sa fille Jeanne avec René de Brosse (de la Maison de Bretagne).
1511 Mort au château d'Argenton.

GÉNÉALOGIE DE PHILIPPE DE COMMYNES

Collart I de la Clite
† 1404
épouse Jeanne de Waezières, dame de Comines

|

Collart II de la Clite
seigneur de Renescure † 1453
épouse en 2e mariage Marguerite d'Armuyden † 1447?

|

Philippe de Commynes
† 1511
épouse en 1473 Jeanne de Chambes † 1532

|

Jeanne de Commynes
† 1514
épouse en 1504 René de Brosse (de la Maison de Bretagne)

|

Charlotte de Brosse
épouse François de Luxembourg

|

Sébastien de Luxembourg
épouse Marie de Beaucaire

|

Marie de Luxembourg
épouse Philippe Emmanuel de Lorraine

|

Françoise de Lorraine
épouse César, duc de Vendôme

|

Isabelle de Vendôme
épouse Charles de Savoie

Marie Jeanne Baptiste de Savoie épouse Charles Emmanuel II duc de Savoie	Marie Françoise Elisabeth de Savoie épouse Pierre, **roi de Portugal**
Victor Amédée II de Savoie, **roi de Sardaigne** épouse Anne Marie d'Orléans	Jean, **roi de Portugal**

Marie Adélaïde de Savoie épouse Louis de Bourgogne	Marie Louise Gabrielle de Savoie épouse Philippe V, **roi d'Espagne**

Louis XV **roi de France**	Louis **roi d'Espagne**	Ferdinand **roi d'Espagne**	Carlos **roi des Deux-Siciles**

D'après Lenglet du Fresnoy, édition des Mémoires de Commynes, t. IV, pp. 154-155. Nous n'avons retenu que les alliances et les descendants aboutissant à des dynasties royales.

III

MONNAIE EN CIRCULATION A L'EPOQUE DE PHILIPPE DE COMMYNES

On frappe l'or, l'argent, le billon ou monnaie noire. On compte en monnaie de compte.

Les principales monnaies d'or sont l'écu à la couronne (poids env. 3,40 g, titre : 0,963), l'écu au Soleil ou écu sol (poids env. 3,50 g, titre 0,963). Cet écu vaut 33 sols monnaie de compte, peu après son émission et ne cessera de monter. Le franc * est une pièce d'or émise par les prédécesseurs de Louis XI. Elle vaut environ 3 sols de plus que l'écu.

La principale pièce d'argent est le Blanc (poids env. 3 g, titre : 0,359). Il vaut 12 deniers. Sous Charles VIII on émet le douzain (poids 2,8 g, titre : 0,358). Il y a aussi des gros d'argent.

Les petites monnaies, monnaies noires, ainsi nommées parce que leur alliage ne contient qu'un faible pourcentage d'argent et qu'elles s'oxydent facilement, sont le liard, le hardi (3 deniers) et la plus petite pièce, la maille.

La monnaie de compte ne varie pas. Depuis Charlemagne une livre égale 20 sols, un sol égale 12 deniers. On l'utilise jusqu'à l'adoption du système décimal. A l'origine et lors de certaines réformes monétaires il arrive qu'une pièce de monnaie s'aligne sur la livre de compte (le franc d'argent créé vers 1550 vaut 20 sols). Mais la monnaie échappe aux règlements et très vite perd cette valeur idéale. Une somme exprimée en livres, sols, deniers est en monnaie de compte.

A côté des espèces françaises circulent de nombreuses pièces

* Le franc-or créé en 1360 vaut alors 1 livre tournoi de compte.

étrangères dont le taux officiel est donné par le roi. Les changeurs les pèsent sur leur « trébuchet » pour vérifier le poids (d'où le terme « espèces trébuchantes »). Parmi les monnaies étrangères, la plus courante est le florin (du Rhin, des Pays-Bas, etc.). C'est une monnaie d'or qui en 1470 vaut 32 sols 1 denier. (Le florin est parfois aussi une monnaie de compte.) Lorsque le duc de Gueldre paye un florin d'or pour passer un bac il se trahit : la somme est trop importante. (Livre 4, chapitre I.)

Quant à établir une relation précise entre cette monnaie et la nôtre, c'est pratiquement impossible. Même si l'on connaît le prix de l'or à l'époque, il ne suffit pas de savoir combien de grammes d'or pèse la monnaie pour connaître son pouvoir d'achat. Le prix de l'or comme celui des denréees ont subi des variations indépendantes les unes des autres. Les chercheurs dépouillent en ce moment des comptes de marchands et des mercuriales pour dresser des tableaux par année et par pays, voire par région ou par foire, du prix des métaux et des marchandises. Ces prix varient fortement d'une région à une autre, parfois même du début à la fin de l'année.

Il y a moins d'or sur le marché mondial que de nos jours. Un poids d'or représente un pouvoir d'achat bien supérieur au même poids d'or aujourd'hui. Pour les contemporains de Philippe de Commynes, un écu d'or est une grosse somme et les bourses du menu peuple contiennent surtout des liards, deniers et mailles.

Denise DE ROUGEMONT.
Musée d'Histoire
de Neuchâtel — Suisse

IV

LETTRES ET DISCOURS

Le lecteur désireux de se reporter aux textes mêmes de Commynes trouvera facilement en librairie ou dans une bibliothèque publique une édition de ses Mémoires. Il n'en va malheureusement pas de même de ses lettres. La plupart de celles qui ont subsisté — une soixantaine seulement — figurent dans les trois volumes publiés à Bruxelles par Kervyn de Lettenhove il y a plus d'un siècle et non réédités depuis lors. Une quinzaine d'autres lettres sont reproduites dans le tome IV des Mélanges offerts à Tamarro de Marinis, parus à Vérone en 1964. Aussi avons-nous jugé utile de mettre sous les yeux de nos lecteurs quelques-uns de ces textes plus difficiles à se procurer.

Notre choix a été opéré en fonction de l'intérêt psychologique de ces documents. Bien que Commynes y apparaisse tel qu'on peut l'imaginer à la seule lecture de ses Mémoires, ses lettres permettent de se le représenter dans l'accomplissement de ses tâches professionnelles et dans la défense de ses intérêts personnels.

L'écriture de Commynes et son orthographe retiendront déjà l'attention du lecteur. Elles sont bien d'un homme qui s'est formé davantage dans l'action que dans les livres. Son français est une langue orale. Comme ses Mémoires ses lettres ont été le plus souvent dictées. Mais même lorsqu'il écrit de sa propre main il s'en tient au français parlé. Cependant, loin de constituer un handicap, cette circonstance a avantagé Commynes. Sa langue est plus vive et naturelle que celle de la plupart de ses contemporains. Il a échappé à la grande rhétorique et à l'invasion des latinismes. Il est resté ainsi plus près de nous que maint auteur de son temps.

Commynes ne manque toutefois pas de style. Une lettre comme celle qu'il adressa de Venise à Ludovic Sforza aux heures sombres de mars 1495 est un modèle du genre. Il y apparaît aussi maître de son expression que de sa pensée. On remarquera également la variété du ton de ses lettres. Il est certes bien naturel qu'il n'écrive pas de la même manière à un souverain qu'à l'un de ses ambassadeurs ou à un banquier mais il sait aussi recourir à de très nettes nuances suivant qu'il agit en qualité de ministre, de diplomate, de courtisan ou d'homme d'affaires. Son ton trahit aussi le degré d'estime où il tient personnellement ses correspondants, à preuve la différence sensible entre les lettres qu'il envoie à Laurent de Médicis et à son fils Pierre.

Les lettres de Commynes apportent par ailleurs de très intéressants recoupements à ses Mémoires. Elles font ressortir l'ambiguïté inhérente aux fonctions qu'il assumait auprès de ses maîtres. Les formules obséquieuses qu'il prodigue à certains personnages voire les déclarations de respect qu'il leur adresse contrastent parfois avec les jugements qu'il porte sur eux dans ses Mémoires. Tel est notamment le cas pour Ludovic Sforza et Bonne de Savoie duchesse de Milan. Mais on fera ici la part des contraintes de l'action diplomatique. On ne s'étonnera pas non plus outre mesure de voir Commynes traiter volontiers dans la même lettre des affaires publiques et de ses intérêts privés. Leur imbrication était effectivement étroite et il n'a pas toujours dépendu de lui qu'elle ne le soit pas. Le fait est, pour ne citer qu'un exemple, qu'il a été contraint d'apporter sa caution à l'emprunt contracté par Charles VIII sur la place de Milan au début de la campagne d'Italie alors qu'il était opposé à l'entreprise.

Nous avons tenu à reproduire le seul compte rendu qui nous soit parvenu de son action oratoire. On admirera sans doute la parfaite ordonnance de ce discours et la force de l'argumentation. On aura garde à ce propos de ne pas oublier que la majeure partie de l'activité politique de Commynes n'a pas laissé de trace écrite. S'il a rédigé probablement davantage de lettres que ses Mémoires ne comptent de pages, il a agi surtout par des interventions orales, hélas à jamais volatilisées. Sauf indication contraire les textes que nous reproduisons sont repris des lettres et négociations publiées par Kervyn de Lettenhove.

A. RAPPORTS AVEC MILAN

I. — A ma très-redoubtée dame madame la duchesse de Millan.

Madame, je me recommande très-humblement à votre bonne grâce. Au départir que je fis de vous de Millan, j'escripvis au roy l'onneur et la bonne chière que vous m'avez fait, et aussi les bonnes paroles que je trouvay en vous et en vos serviteurs ; et lui escripvis aussi comme je vous avoie dit que j'estoie bien seur qu'il voulloit vostre bien et celui de messieurs vos enfants.

Sour quoy, madame, il m'a fait responce, laquelle je receus hier, par laquelle il me mande qu'il m'avoue de tout ce que je vous en ay dit touchant luy et qu'il est délibéré d'icy en avant de vous tenir pour sa bonne seur et de vous aymer et favoriser en tout ce qu'il sera possible.

Il m'escript davantage qu'il est très-content de vos serviteurs, c'est assavoir de ceux qui ont l'autorité de vos affaires, et lui samble qu'il les ont bien sagement guidées jusques icy et qu'ils y continueront ; et vous asseure, madame, que d'icy en avant, vous, ne monseigneur votre fils, ne trouverez pas ung meilleur amy en ce monde. Mais aussi, il fault que toutes pratiques cessent de votre part, tant avec l'Empereur qu'avec le prince d'Orenge. J'en ay asseuré le roy et luy ay mandé tous les biens de vous et de vos gens dont je me ay peu adviser, pour vous mettre d'accord, et desjà le roy a dit aux ambassadeurs du roi Ferrand, comme l'accord de vous et de luy estoit fait, et leur monstra la lettre que je lui escripvois.

Madame, je prie à Dieu qu'il vous doint bonne vye et longue et l'acomplissement de tout ce que vous désirez.

Escript de Florence, le XXVIIIIe *jour de juillet.* (1478)

Votre très-humble et obéissant serviteur,

PHILIPPE DE COMMYNES.

Le duc de Milan Galéas-Marie Sforza ayant été assassiné le 26 décembre 1476 c'est sa veuve, Bonne de Savoie, sœur de la reine de France qui assume la tutelle de son fils. De passage à Milan sur le chemin de sa mission à Florence, Commynes a pris note du désir de la duchesse que soit renouvelée par la France l'investiture de Milan sur Gênes et Savone qui sont d'obédience française depuis la fin du siècle précédent. Commynes s'est empressé d'en informer Louis XI qui, de suite, lui a donné pleins pouvoirs pour recevoir en son nom l'hommage lige de la duchesse au nom de son fils. Commynes en profite pour lui donner des conseils auxquels il donne le ton de véritables ordres car il sait combien elle est influençable. Dans ses Mémoires il la qualifie de sotte.

II. — A Antoine de Médicis, ambassadeur de Florence à Milan.

Anthoine, ce soir, qui est le XIIe *de ce mois, ay trouvé ung clerc du segneur Robert* [1] *qui est françois, qui a prins congé dudit segneur. Toutesfoy, il apporte lettres de luy au roy, en s'excusant de ce qu'il a fait. Ledit clerc m'a monstré le double de deux lettres, l'une du pappe, l'autre du roy Ferrand* [2]*, qu'ils escrivent à ceuls de Jennes en les confortant de toujours demeurer bien d'accord et en leur promettant grant chose.*

Ledit clerc m'a dit en secret que le segneur Robert a appointement avec le pappe et le roy Ferrand, et s'appelle lieutenant-général. Il fait faire gens à deux fils qu'il a, et ne sont pas ceuls qu'il a avec les secrements, et doit faire jusques ou nombre de III (*cents*) *hommes d'armes, et m'a dit ledit clerc qu'il a quelque intelligence en Lombardie et qu'il doit partir bref de Jennes pour y aller.*

Monstrez ces lettres à messer Chicque et puis les getés au feu.

Je seray demain au lever du roy.

Escript en haste au Pont de Saudre, ce XIIe *d'octobre* (1478).

Le vôtre,
COMMYNES.

1. Roberto de San Severino.
2. Ferrand, roi de Naples.

Il s'agit ici d'une intervention très caractéristique de la prudence de Commynes. Il recourt à Antoine de Médicis, ambassadeur de Florence à Milan, pour transmettre de toute urgence à Francisco Simonetta, Premier ministre de la duchesse, des renseignements qu'il vient de recueillir sur le chemin de son retour d'Italie. Mais Commynes n'ignore pas la haine que Louis XI voue à Simonetta qui a banni les frères de Galéas-Marie Sforza. Aussi Commynes prie-t-il Antoine de Médicis de brûler cette lettre après l'avoir mise sous les yeux de Simonetta (Messer Chicque comme il l'appelle). Une année plus tard, le 11 septembre 1479, Simonetta devait effectivement être renversé par Roberto de San Severino, désigné ici sous le nom de Segneur Robert, avec le soutien de Louis XI. Emprisonné à Pavie, Simonetta y était décapité le 30 octobre 1480. Commynes avait donc quelque raison d'alerter son ami Chicque.

III. — Lettre adressée à Pierre Palmeri, émissaire de Louis XI en Italie.

Pierre, je me recommande à vous. Depuis votre départ, est advenu à Milan ce que vous avez appris. Il est nécessaire que vous vous rendiez en toute diligence vers le roi Ferrand, parce que tout dépend de lui, et que vous lui appreniez quelle est l'intention du roi en ce qui touche ce que le prince son fils lui a fait savoir. L'un des points était de mettre messire Cico hors du gouvernement qu'il avait entre les mains, et d'y rétablir ceux qui y sont aujourd'hui. Ce point est accompli. Mais pour rien au monde le roi ne voudrait souffrir la destruction des Florentins, ni celle de la personne de Laurent de Médicis ; et si à Milan, on s'avise de leur faire la guerre, le roi est résolu à aider par tous les moyens les Florentins et Laurent, car il a en ce moment en France bien huit cents hommes d'armes de plus qu'il n'en a besoin pour la garde de ses Etats, et il m'envoie moi-même en Dauphiné et en Savoie pour faire mettre tout en ordre s'il en est besoin. Toutefois, le roi désire la paix si elle est possible, et il est résolu, comme je l'ai déjà écrit, à faire tout ce que le prince lui a dit sans y manquer en quoi que ce soit, et en donnant suite à ce qui est dit ci-dessus. Vous exposerez tout ceci au roi Ferrand qui peut bien penser et connaître que si le contraire de ce qui a eu lieu était arrivé, le roi n'aurait pas moins recherché la paix qu'il ne le fait aujourd'hui.

Ecrit au Plessis du Parc près de Tours, ce 3 octobre 1479 [1].

PHILIPPE DE COMMYNES.

---

1. Retraduit d'une traduction italienne.

C'est en qualité de principal responsable des affaires italiennes que Commynes écrit cette lettre à un émissaire de Louis XI envoyé à la cour de Naples. Le ton est bien celui d'un ministre transmettant les ordres de son maître après le renversement de situation survenu à Milan le 11 septembre avec l'emprisonnement de Simonetta consécutif au rappel de Ludovic Sforza ainsi que de Roberto de San Severino.

IV. — A Ludovic Sforza, duc de Milan.

Monseigneur, si très-humblement comme je puis, me recommande à vostre bonne grâce. J'ay receu deux lettres de vous, dont humblement vous mercie et répute à grant honneur de quoy il vous plaist m'escripre les choses qu'il vous semble où le roy fault recongnoistre envers vous l'amour que vous luy aves portée et que lui portez, et suis très-joyeulx, monseigneur, de quoy vous le prenez à cueur ; car ce me semble vray signe d'amour, et vous dy bien, monseigneur, que si mon povoir estoit grant envers le dit seigneur, que je mettroye peine de amender la faulte si elle y estoit, et m'en suis acquicté d'en escripre ; mais comme autreffois vous ay dit et vous l'avez congneu, ceste erreur ne procédoit point de luy, et la lettre que maintenant vous a escripte, est du jour ou du lendemain qu'il entra à Naples, et en ay de ceste date, mais les chevaucheurs ne sont point fort diligens, comme vous saura bien dire monseigneur de la Vaulte.

Le roy a eu deux de ses prédecesseurs roys de France qui n'ont point esté ingras vers leurs amys de qui ils avoient receu plaisir. Le roy Charles son grant père estant en très-grant nécessité des Anglois et en doupte du roy Alphons le Premier, allyé des dis Anglois, comme sa maison a esté de tout temps, luy requist ne luy vouloir faire aucun dommaige en Languedoc, et qu'il povoit bien faire, car il estoit lors en Cathelongne, mais le dit roys Alphons luy fit gracieuse response, disant que, veu l'affaire en quoy il estoit, qu'il n'entreprendroit riens contre luy. Ceste response garda le dit roy Charles, qui jamais depuis pour prospérité qu'il eust, ne voulut en son nom prester l'oreille à faire riens contre le dit roy Alphons.

Le feu roy Loys, à qui Dieu pardoint, voyant l'amour que luy monstra le feu duc de Millan Francisque, vostre père, tant de luy envoyer gens d'armes à son affaire et d'un bon conseil qu'il luy donna, l'a aymé toute sa vie et tenu en aussi grant révérence comme s'il eust esté son père, et encores le recongneut envers le feu duc Gualéace vostre frère en quelque temps que est passé, pour quoy conclus, monseigneur, que tous les plaisirs dessus dis ensemble ne sont point à comparer à ceulx que vous avez fais au roy de présent, et ay espérance qu'il ne vouldra point estre mains recongnoissant envers vous que ses prédécesseurs ont esté devers les dessus dis seigneurs, et si aura plus affaire de vous pour luy aider à garder le royaume de Napples, quant il en sera party, qu'il n'a eu à le conquérir.

Plaise vous, monseigneur, tousjours me commander vostre bon plaisir pour l'acomplir à mon povoir, en priant à Dieu, monseigneur, qu'il vous doint bonne vie et longue et tout ce que vous désirez.

Escript à Venise le IXe jour de mars 1495.

Vostre très humble et très-obéissant serviteur,
PHILIPPE DE COMMYNES.

Je ne vous escrips riens des nouvelles d'icy pour ce que messeigneurs les ambassadeurs que vous y avez, vous advertissent de tout.

Cette lettre est incontestablement l'une des plus belles de Commynes. Elle a été écrite aux jours les plus sombres de sa mission à Venise, lorsqu'il voyait se tramer contre la France la ligue qui devait être conclue le 31 mars à minuit. Commynes tente une dernière fois de convaincre Ludovic Sforza qu'il a tout intérêt à rester fidèle à Charles VIII. Commynes cependant se méfie du More qu'il juge très sévèrement dans ses Mémoires. Pour donner plus de poids à sa démarche il l'a empreinte d'un caractère quasi confidentiel en faisant allusion à sa propre situation. Si cette intervention n'est pas parvenue à dissuader Ludovic Sforza d'adhérer à la Sainte Ligue peut-être aura-t-elle néanmoins contribué à tisser entre Commynes et le duc de Milan des liens personnels qui faciliteront les négociations de Verceil quelques mois plus tard.

B. RAPPORTS AVEC FLORENCE

V. — A monseigneur Laurens de Médicis.

Seigneur Laurens, je me recommande à vous, tant comme je puis. Vous savez que dernièrement, moy estant à Florence, aryva ung homme, lequel apporta lettres du roy et de monseigneur de Bourbon et de plusieurs aultres grans seigneurs et dames de France, en vous recommendant tant et si affectueusement que leur estoit possible, ung nommé messire Grégoire Vanizon, chevalier, seigneur de Courtisolles ; sy vous le recommanday ainsy que le roy et les aultres seigneurs et dames escrivoient, et de présent est venu ung des gens dudit seigneur devers le roy, et ad ce que j'entens, c'est pour plusieurs grans affaires du roy, dont le roy m'a chargé par trois ou quatre fois vous escrire de sa part, qui vous requiert et prie que vous vous veulliez tellement emploier envers la Seigneurie, que ledit chevalier ayt quelque bon et honnourable parti, selon l'estat d'un tel seigneur, et ausy de son cousin nommé Vallevant, lequel le roy a nourry, et les ayme fort tous deux ; et luy ferez ung très-singulier et aggréable plaisir, ainsy que scet votre homme Janet Bellerin, qui est de par desà. Seigneur Lorens, de ma part, comme votre bon fils et espécial amy, je vous conseille et conforte, et prie que les veulliez faire recepvoir à vos souldes, car je sçay bien que ferez grant plaisir au roy et encore biaucop plus grant que je ne vous en escrips, car le roy veult et lui commanda que se tirast devers vous, et ausy vous asure que avez ung très-notable chevalier en votre service, et aux parties de Ingleterre et de par desà est merveilleusement renommé. Si ne vous escrips aultre chose, sinon que se y vous plaist riens que je puisse de par desà, je l'acompliray de très-bon cœur.

Au plaisir de Dieu, seigneur Laurens, auquel je prie que vous doint ce que désirez.

Escript à Chinon, le XIe *jour de mars.* (1479)

Le plus que tout vôtre,
COMMYNES.

Cette simple lettre de recommandation témoigne des sentiments de respect et d'amitié que Commynes nourrissait à l'égard de Laurent de Médicis dont il se déclare le « bon fils » et l' « espécial » ami. Il n'y avait pas encore entre eux les pénibles contestations d'argent qui devaient troubler plus tard leurs relations. Le ton de cette lettre contraste avec celui de la lettre suivante adressée au fils de Laurent.

VI. — Au seigneur Pierre de Médicis.

Seigneur Pierre, je me recommande à vous tant comme je puis, pour ce que à l'eure que vos gens partirent de Lyon ils me escripvirent, me priant que si je venoye yçy en court, que je voulusse aider à adolsir les choses qui étoient mal entendues céans, et l'on vous trouveroit toujours bon serviteur et amy du roi.

Je fais responce à Laurens Spinelli au contenu de leurs dites lettres, pour ce que l'on ma dit à Lyon en passant qu'il est retourné à Chambéry, et luy escrips qu'il me face briefve responce pour ce que je ne sçay quel chemin je prendray au party que le roy fera d'icy, et pour le temps que je y serai, m'emploieray voulentiers à vous faire quelque service. Et ne conviendray à dire ce que m'escriprez, à personne du monde, espérant que vos envois et vos parolles seront semblables. Toutesfois il est force que chacun congnoisse ses amis par effect et en bref. Et si je estoie party à l'eure tirant en France, si renvoyeray-je les lettres en telles mains que le roy les pourra veoir et entendre, et messeigneurs d'auprès de luy ; toutefois j'espère estre encoures là où sera le roy, m'ouffrant tousjours vous servir en ce que il sera possible. En priant Dieu, seigneur Pierre, que vous doint ce que désirez.

Escript à Vienne, ce VIe *jour d'aoust* (1494).

Le plus que tout vostre,

PH. DE COMMYNES.

Ecrite à la veille du départ de Charles VIII pour l'Italie, cette lettre exprime le mécontentement de Commynes devant l'attitude équivoque de Pierre de Médicis à l'égard de la France. Elle témoigne aussi de l'inconfort de la situation de Commynes au sein de l'équipe dirigeante française. D'où la recommandation d'user de la plus grande discrétion dans la correspondance.

VII. — A Laurens Spinelly, gouverneur de la banque des Médicis.

Laurens, je me recommande à vous tant comme je puis. Vous savez que à l'heure de vostre partement de Lyon, vous et Cosme m'avez escript, me priant, que si je venoie en court, qui misse peine de donner à entendre au roy et à messeigneurs qui sont auprès de luy le contraire des charges que l'on donnoit contre vérité à la seignourie de Florence et au seigneur Pierre de Médicis : en passant à Lyon ay sceu comment vous m'avez escript puis naguère et que les lettres estoient allées à Paris, lesquelles je n'ay point eues, et que vous seul devés estre de retour à ceste heure à Chambéry.

Pour quoy, tant pour satisfaire à vostre requeste que pour faire service audit seigneur Pierre de Médicis, ay mis peine, dès que suis arrivé ycy, de savoir la vérité dont procédoit ce grant mescontentement que le roy avoit contre luy, et en ay parlé aux principaulx. Tous disent générallement, et encoures d'aucuns qui vouldroient faire plaisir à vostre maison, que en toutes assemblées et en tous lieux ledit seigneur Pierre s'est montré vray parcial pour le roy Alphons, et qu'il a fait recevoir son armée dedans le port de Pise et de là sont partis pour venir commencer la guerre en rivière de Gennes. Aussy m'a esté parlé du reffus que entre vous avez fait de prester argent, quant en avez esté requis, et que l'on vous voulloit bailler bonnes seuretés et prouffit, et que en brefs termes eussiez esté paié et que Gennevoys n'ont pas fait ainsi. J'ay fait responce pour vostre escuse, que en général ne l'eussiez jamais fait, et que d'autres princes vous eussent peu contraindre à faire le semblable ; mais que en particulier je creoys qu'on eust trouvé argent avecques entre vous, au moins quelque somme raisonnable.

Il m'a esté respondu que autresfois Florentins ont presté deux cens mille ducas contans au roy Ferrand et payé cinquante mille ducas tous les ans comme par tribut. Cest article ay-je tenu comme rapport fait contre vérité et l'ay excusé à ceulx à qui il avoit esté dit, disant que de tribut jamais ne l'eussiez payé et que si Florentins paioient aucun argent par années, qu'il falloit que ce feust pour quelque entretennement de gens d'armes à l'eure qu'ils estoient ses alliés. D'autres plusieurs choses m'ont esté dictes, que je passe pour briefveté.

Et pour fin de ma lettre, j'ay prié aucuns personnaiges et en bon lieu que ceste hayne voulaist reposer sans adjouster plus grant foy aux rapports, ni faire nulle rigueur jusques à ce que plus amplement le roy informé de vos excuses, et que après ce coup ne m'en empescheroie plus si je vous veoye gens obstinés. Et me semble bien que si ladite seigneurie de Florence se vouloit déclarer franchement pour le roy et que le seigneur Pierre en feust moien, qu'ils seroient receus plus en faveur et amytié avecques luy qu'ils ne furent jamais avec le feu roy Louys, à qui Dieu pardoint. Et ne fault point craindre que à l'appétit de mil ennemys qu'ils eussent, le roy feist chose dont ils se deussent douloir ; et seroient les choses mieulx entendues que jamais. Et si n'entend point qu'ils feissent nulle déclaration jusques à ce qu'ils veissent l'eure propice.

Si vous vous mectez en dissimulations, les rapports et les malveillances croytront chacun jour ; aussi vous véez bien qu'il n'en est plus temps. Je ne sçay que je devienдray au partement du roy, qui sera brief ; et pour ce, si vous me voullez respondre faictes-le diligentement. J'escrips troys lignes au seigneur Pierre, et remects la créance sur vos lettres. Vous savez que je luy vouldroye faire service et à toute sa maison. En priant Dieu, Laurens, que vous doint accomplissement de tout ce que vous désirez.

Escript à Vienne, le VIe *jour du mois d'aoust* (1494).

Le tout vostre,

PH. DE COMMYNES.

Laurent Spinelli, qui gouvernait la banque de Pierre de Médicis, était, comme l'écrit Commynes dans ses Mémoires, « un homme de bien en son estat et assez nourri en France, mais des choses de nostre court ne povoit avoir congnoissance ».

Ecrite le même jour que la précédente cette lettre est remarquable par sa grande clarté, par sa fermeté et par l'élévation de la pensée. Commynes s'exprime ici beaucoup plus explicitement que dans la lettre adressée à Pierre de Médicis. Sans doute estime-t-il aussi qu'il a plus de chance d'être entendu du serviteur que du maître.

VIII. — A Francisco Gaddi, secrétaire de la seigneurie de Florence.

Messire Francisco, je me recommande à vous de tout mon cueur. Je vous envoye le double d'une lettre que j'escriz à la Seigneurie de Flourence par laquelle porrez veoir et entendre le beau tour que m'ont joué Phelippes Lorin et Pellegrin son frère. Et pour la bonne amour et

---

Francisco Gaddi fut ambassadeur de Florence en France de septembre 1478 à septembre 1479 puis de mai 1480 à décembre 1481 avant d'occuper dans la cité toscane le poste qui devait être illustré plus tard par Machiavel (de 1498 à 1512). Commynes semble avoir éprouvé une vive amitié pour ce diplomate florentin doublé d'un éminent humaniste. Il a entretenu avec Gaddi une correspondance dont il subsiste dix-sept lettres qu'il lui a envoyées entre 1479 et 1494. La plupart d'entre elles n'ont été publiées qu'en 1964 par Lionello Sozzi dans les Mélanges offerts à Tammaro de Marinis. Celle que nous reproduisons est datée du 3 janvier 1493.

Les objets de la correspondance échangée entre Commynes et Gaddi sont de deux ordres. Sur le plan politique les deux amis se communiquent des renseignements confidentiels concernant les affaires françaises et italiennes, Commynes s'engageant pour sa part à détruire par le feu les rapports de Gaddi. Sur le plan privé Commynes recourt à son correspondant pour tenter d'obtenir le remboursement de l'argent que lui doivent les agents de la Banque des Médicis, les frères Portunari et les frères Lorini. Il estime avoir été trompé et volé par ces banquiers. Pendant plus de vingt ans Commynes s'acharnera dans cette vaine poursuite, écrivant force lettres et dépêchant à Florence des émissaires dont l'un même laissa la vie en cours de mission. Jusqu'à sa fin Commynes conservera néanmoins l'espoir d'obtenir satisfaction et il est émouvant de le voir, le 25 août 1511, quelques semaines avant sa mort, écrire à la Seigneurie de Florence que les choses lui paraissent « assez disposées » pour que « raison » lui soit enfin rendue.

La lettre que nous reproduisons atteste l'étroite imbrication chez Commynes des affaires publiques et privées. Pour la défense de ses intérêts personnels il n'hésite pas à se prévaloir des services qu'il rend à Florence sur le plan politique et il menace de changer d'attitude à son égard s'il n'obtient pas le remboursement de ses fonds. Mais, que ce soit par intérêt ou par attachement sentimental à l'illustre cité il continuera toujours d'entretenir des rapports suivis avec la Seigneurie, à la renseigner et à lui donner des conseils en dépit de ses déconvenues financières et des changements de régime survenus à Florence. Ce faisant, il ne desservait pas la France car Florence représentait pour elle l'allié le moins inconstant de la péninsule et sa pièce maîtresse sur l'échiquier italien.

congnoissance ancienne qui a tousjours esté entre vous et moy je vous adresse privement mon cas espérant que m'y aiderez et vous y emploierez voulentiers. Pareillement je vous envoye la obligation et procure de recepvoir et de quicter et de poursuivre mon fait et faire poursuyvre et vous donne autant de pouvoir comme à moy mesmes. Et vous prie, Messire Francisco, que pour l'amour de moy vous y faictes ainsi que en vous j'en ay mon entière et pleyne confidence comme suis bien seur que ferez. Et ce pendent que le porteur de cestes sera en Court de Romme, s'il vous plaist poursuivrez mon cas affin que à son retour et repassant par Flourence par lui m'en puissez faire scavoir toutes nouvelles telles que j'espère et que Messires de la Justice m'en feront faire la raison par vostre bonne ayde et conduicte et aussi considéré l'évident tort et villain tour que m'ont faict lesdits frères. Vous scavez l'amour que j'ay tousjours eue à vostre nation et que à mon pouvoir me suis voulentiers employé en leurs affaires et feroye encores quant mestier sera et qu'ilz me voudront emploier à faire pour eulx par quoy y doyvent avoir regard ainsi que je croy qu'ilz auront et que je ne soye point traité à la contadine[1].

Messire Francisco, s'il est en ce monde chose que pour vous et les vostres je puisse pardeça en le m'escripvant je vous monstreray par effect que je suis bien vostre et le feray d'aussi bon cueur que je vous prie que faciez pour moy à l'aide Nostre Seigneur qui vous doint ce que plus désirez. Escript à Mellun ce tiers jours de janvier.

Je vous prie que vous veuillez bien remonstrer à la Seignorie comme vous avez aultrefoiz sceu que puis le commencement du règne de ce Roy on eust quelque voulenté qu'il n'y eust plus nul Florentin en France. Et je mis peyne que le cop fut rompu et y servis, comme bien scavent plusieurs de vostre nation. Et en recompense j'ay esté le plus trompé que homme qui soit en France tant des dicts Phelippes et Pellegrin que de Thomas et Asche-

1. Italianalisme introduit par Commynes dans la langue française.

rato Portanaro. Mais le cas n'est pas semblable car cestuy Lorin ne fist que recouvrer l'argent pour moy et incontinant l'emporta en franchise. Pour ce que j'ai envoyé au Magnifique Pierre de Médicis le double de l'obligation. J'ay encores retenu l'original. J'ay esté adverti que ledict Pellegrin est caché à une maison aux champs à X ou XII milles de Flourence. Et ledict Phelippes dedens la ville en sa maison ou à celle qu'il a aux champs. Je vous prie que me vueillez tenir la main tellement que je n'aye cause de vouloir changer la voulenté telle que vous scavez que j'ay toujours eue envers la Seigneurie et tous les particuliers.

Le tout vostre
Phelippes de Commynes.

IX. — Lettre de Commynes aux Dix de la Balie.

Messeigneurs,

Je me recommande à vous tant comme je puis. Par vos ambassadeurs avez su le desplesir que j'ay resu de votre perte et combien que le roy en soit très desplesant sy est elle à sa honte et de tous ses sugets. J'ay quelque coup esté commis à besongner avec vos dits embassadeurs et ay fet et feray en toute matière se qui est en ma puissance et y a le roy bon voloir comme croy que de tout soiez averty.

Nous devons la communication de cette lettre inédite à l'obligeance de la direction du Musée Dobrée de Nantes que nous remercions très vivement. Ce texte, entièrement autographe, est le seul qui subsiste de la correspondance de Commynes pour l'année 1496. Cette lettre ne porte pas de nom de destinataire mais il est très probable qu'elle était adressée aux Dix de la Balie, autrement dit aux membres d'une des commissions instituées au sein de ce conseil législatif restreint que l'on pourrait appeler le Sénat de Florence. C'est à la Balie qu'il appartenait en particulier d'élire, tous les deux mois, les membres de la seigneurie (autorité exécutive). Pour la compréhension de ce texte, se reporter à notre analyse ci-dessus page 356.

Monseigneur de Bovo[1] *a escript que se qu'il ont fet a esté par forse et que les gens les y contraingnirent. Mes nul ne l'en croit. Les besongnes du roy se portent bien et ne fet riens se roy d'espaingne et avons embassadeurs avecques ly et la frontière bien guarnie et se fortifie fort nerbonne qui est lieu soufisant pour rompre son armée s'il voloit fere quelque chose sest esté et le vous dis volontier affin que solisitez que on fase ency à livorne.*

Messeigneurs je vous prie solisiter la singnorie de me fere paier ses dettes et comme et ossy qu'il escrivent une lettre a nery capon[2] *que avant rendre les bagues que je soie aquité de 2 mille 4 cents frans que le roy m'ordonna prendre sur le prest que deviez fere et le roy veut bien que ency le fase et ly a fet dire. Mes nos gens de finances sont quelque fois mal resonnables.*

Et si vous vollez riens que je puise je suis à votre commandement priant à Dieu quy vous doinst tout se que vous désirez.

A lion le 20 de février (1496)
de la main du

tout votre
COMMYNES.

1. Beauvau ? Ou peut-être s'agit-il de Béraut d'Aubigny ?
2. Neri Capponi, l'un des nouveaux ambassadeurs de Florence en France après le retour du roi.

[illegible] mande a Boysy [illegible]
[illegible] ambassadeur [illegible]
[illegible]
[illegible] le roy [illegible]
[illegible]
[illegible] a besongne [illegible]
[illegible] ambassadeur [illegible]
[illegible]
[illegible] le roy [illegible] vouloir [illegible]
[illegible] monsr de Boysy a escript
que [illegible] quel [illegible]
[illegible]
[illegible]. Les besongnes du roy se portent ben
et [illegible] le roy d'Espaigne et
[illegible] ambassadeurs [illegible] et la
frontiere ben [illegible] et se fortifie
[illegible]
[illegible] vouloir [illegible]

[illegible]
[illegible]
[illegible] la [illegible]
[illegible]
[illegible]
[illegible]
[illegible]
[illegible]
[illegible]
[illegible]
[illegible]
[illegible]
[illegible]
[illegible]
[illegible]
[illegible]
[illegible]
[illegible]

tout vostre

Commynes

C. — RAPPORTS AVEC VENISE

X. — Discours du 3 octobre 1494 devant le Sénat de Venise.

Après avoir fait son compliment au nom du roi, et ses lettres de créance ayant été présentées et lues, monseigneur d'Argenton a exposé ce qui suit :

Aussitôt que Sa Majesté Très-Chrétienne fut arrivée en Italie et dès qu'elle y eut rejoint le seigneur Ludovic, elle résolut d'envoyer immédiatement monseigneur d'Argenton, en qualité d'ambassadeur auprès de l'illustrissime seigneurie, mais, à cause d'une maladie survenue au roi, celui-ci a été forcé de différer jusqu'à présent son voyage.

Il remercia ensuite l'illustrissime seigneurie, au nom de Sa Majesté, du bon accueil qu'on avait fait à monseigneur de Citain, le dernier ambassadeur de Sa Majesté ici, des bonnes relations qu'on avait eues avec lui, de l'ordre transmis au capitaine-général de traiter tous les navires et tous les sujets de Sa Majesté Très-Chrétienne comme ceux de Venise, de la réponse donnée à Sa Majesté concernant la demande faite par elle de cinq galères que la République s'est excusée, par de bonnes raisons, de fournir, ainsi que de ce qu'elle aurait répondu aux ambassadeurs du pape et du roi : que l'intention de l'illustrissime seigneurie est de rester fidèle à l'amitié et à l'alliance de sadite Majesté Très-Chrétienne.

Il déclara de plus qu'il a été et est envoyé pour justifier Sa Majesté de l'intention que lui ont prêtée lesdits ambassadeurs, de ne pas se contenter du royaume de Naples, mais de vouloir aussi usurper l'Italie entière, ce que monseigneur d'Argenton déclare être faux. Non seulement il n'a jamais été dans les usages de la couronne de France de s'emparer du bien d'autrui, mais Sa Majesté, en ce qui la touche, a formellement manifesté son intention à cet égard, et ce n'est pas elle qu'on pourrait suspecter de ce chef. Il suffira de rappeler qu'après la mort de son père, on la vit rendre Perpignan et le Roussillon à la couronne d'Espagne, sans même exiger la restitution de l'engagère qui s'élevait à près de 350 000 écus ; que le roi a de même rendu à l'archiduc d'Autriche les places qui lui appartenaient. Il affirma que Sa Majesté n'a pas la moindre prétention sur l'Italie, sauf sur le royaume de Naples, qui est le sien à juste titre, et encore n'est-ce que pour arriver à reconquérir sur les infidèles les villes et les provinces qu'ils ont usurpées ; que Sa Majesté n'aurait même pas le moindre souci de son royaume de Naples, si elle ne voyait dans son entreprise une œuvre chrétienne ; que, ce royaume reconquis, elle rétablirait les seigneurs dans leurs domaines et leur restituerait à tous leurs possessions, après quoi il restera fort peu de chose à Sa Majesté, vu les énormes dépenses qu'elle aura à faire pour maintenir l'ordre dans son dit royaume ; que le Saint-Père n'a pas de motif légitime pour se plaindre de Sa Majesté, puisqu'elle entend lui payer pour ledit royaume, le tribut qui s'élève à 43 ou 44 000 écus par an ; que Sa Majesté tient beaucoup à ce que la sérénissime République soit informée de ces circonstances, pour sa justification ; que Sa Majesté, en considération de l'amitié et de l'alliance réciproques qui existent entre elle et la sérénissime République a résolu de faire part à celle-ci de ce qu'elle compte faire cette année. D'abord, en ce qui concerne Ostie, Sa Majesté n'entend pas garder cette ville, pas plus qu'aucune autre place de l'Eglise ; elle veut la restituer et la remettre entre les mains du révérend cardinal de Saint-Pierre-ès-Liens, qui est, comme tout le monde sait, évêque et patron de ce siège. Sa Majesté compte partager ses gens d'armes en deux corps : l'un, qu'elle enverra à son camp, près de Ferrare, où il n'y a pas encore de troupes françaises ; l'autre, sous les ordres de monseigneur de Montpensier, marchera sur les places des Florentins, lesquels, après avoir promis à Sa Majesté qu'ils se déclareraient pour elle à son arrivée en Italie avec une armée, n'ont pas laissé, à Porto-Venere et à Rapallo, de favoriser, d'assister et même d'accueillir ses ennemis. Il protesta du reste que Sa Majesté ne voulait rien prendre auxdits Florentins, s'ils lui livraient passage pour se rendre au but de son expédition ; qu'elle leur demanderait ce passage et que s'ils l'accordaient de bonne grâce, elle les traiterait en amis ; que par cette route elle comptait rallier l'armée de

Colonna, qui s'était, ainsi que Sienne, prononcée en sa faveur, et que, de là, Sa Majesté se porterait à la conquête de son royaume ; que si lesdits Florentins lui refusaient le passage, Sa Majesté se verrait fort à regret forcée de s'emparer de quelques-unes de leurs places, ce qu'elle ne ferait du reste que pour les raisons qu'on vient de dire et pour aucun autre motif ; qu'il était aussi bien vrai que Sa Majesté ferait savoir aux Florentins, que s'ils voulaient conserver Pierre de Médicis pour leur gouverneur, comme il l'est actuellement, elle en serait bien aise ; que s'ils voulaient au contraire rétablir le gouvernement de la commune [1]*, Sa Majesté ne s'y opposerait pas davantage. Voilà ce qu'il avait à exposer pour le moment, ajouta-t-il, et il demanda à être entendu par les auditeurs sur des questions plus particulières : il rendit de grandes actions de grâces pour les honneurs qu'on lui avait faits dans cette ville et dans tout le territoire de la seigneurie, s'en louant hautement et promettant d'en faire rapport à Sa Majesté Très-Chrétienne, comme aussi d'embrasser en toute circonstance le parti de la République. Il finit par une allusion à la sage réponse* super qualitatibus, *que lui avait faite le sérénissime Doge, en disant qu'il existait de nombreux motifs d'amour et de bienveillance réciproques entre Sa Majesté Très-Chrétienne et la sérénissime République, que rien entre eux ne donnait lieu à la haine ou à l'inimitié, et que les ennemis de l'un ne pouvaient être les amis de l'autre.*

Des auditeurs spéciaux furent désigné ensuite pour recevoir les communications « plus particulières » qu'avait à faire le seigneur d'Argenton. En voici le résumé :

Monseigneur d'Argenton exposa trois points :

1° *Que bien des gens assurent que la sérénissime République n'est pas contente que Sa Majesté Très-Chrétienne s'empare du royaume de Naples, afin de ne pas avoir un seigneur plus puissant dans ce royaume que le roi Alphonse, qui le gouverne en ce moment ; que cette hésitation ne peut venir à l'esprit de la seigneurie ; que s'il lui semblait que son alliance avec Sa Majesté Très-Chrétienne*

1. Governar a comunita.

n'est pas aussi solide et aussi ferme qu'elle le voudrait et s'il lui convenait d'y joindre quelques articles additionnels, Sa Majesté était toute prête à le faire, et l'ambassadeur promettait de lui en écrire immédiatement, s'engageant à avoir la réponse de Sa Majesté dans six jours, avec le mandat et les pleins pouvoirs nécessaires pour conclure le tout ;

2° *Que, le royaume de Naples étant reconquis par Sa Majesté, elle aurait plus besoin de la sérénissime République que celle-ci de Sa Majesté, car elle restituerait à tous les seigneurs leurs possessions et n'en garderait que la moindre partie en compensation de ses dépenses ; qu'elle était mue dans sa conduite, non par un sentiment de cupidité, mais uniquement par le bien de la religion chrétienne ; que Sa Majesté possédait déjà un royaume très-vaste qu'elle avait à protéger constamment, contre l'Angleterre et contre la Bourgogne, du côté de Perpignan et du côté de Maximilien, d'où l'on pouvait conclure qu'elle aurait besoin de la République comme il a été dit plus haut ;*

3° *Qu'il avait charge de parler du dernier point comme en son propre nom, et seulement avec deux ou trois personnes, c'est-à-dire que, si la seigneurie désirait avoir quelque ville ou port du royaume de Naples, Sa Majesté Très-Chrétienne était prête à le lui abandonner libéralement, jusqu'à ce qu'elle eût recouvré en Grèce sur le Turc quelque autre place plus importante qu'elle lui donnerait en échange ; que si la sérénissime seigneurie voulait assister Sa Majesté dans son expédition de Naples, à savoir avec dix ou vingt galères, ou bien avec cent ou deux cents lances, ce secours découragerait le roi Alphonse et hâterait le succès de l'entreprise, et Sa Majesté saurait reconnaître l'assistance qu'on lui aurait prêtée et s'en montrer reconnaissante ; mais, que Sa Majesté, soit qu'elle reçût cette aide de la République, soit qu'elle ne la reçût pas, n'en était pas moins bien disposée envers elle, et que, dès que l'expédition de Naples serait terminée, on pourrait s'occuper de la réforme de l'Eglise et de bien d'autres affaires qui touchaient l'intérêt de la chrétienté* [1].

1. Procès-verbal rédigé par les secrétaires du Sénat.

A ANNE DE BRETAGNE
REINE DE FRANCE

Pour la compréhension de ces documents on voudra bien se reporter à nos commentaires, pages 293 et suiv.

XI. — A la royne ma souveraine dame.

Madame, tant et sy très-humblement comme je puis, me recommandé à vostre bonne grâce. Madame, tost après vostre partement de Blois, fus parler à monseigneur le légat, à Beaureguart, et ne vous osse nommer celluy qui en a esté moyen, pour ce que je le doubte à vostre malle gràce, et plusieurs fois en a envoyé devers moy, et dès le premier coup le vous eusse fait savoir, mays je ne cuydois point que la chose avînt, pour ce que je désirois savoir s'il me feroit bonne chère ou mauvesse avant aller. Toutesfoys, madame, il me tint les millieurs termes du monde et la millieure parolle et bien longue. Après plusieurs parolles, ly pryé que peusse veoir le roy. Il me dist qu'il luy en parleroit, et pour ceste heure ne se peut faire, comme il me manda, et me remyt à Tours ; je manday à celluy qui avoit esté cause de mon aller audict Beaureguart, que, sans estre seur de veoir le roy, je n'yrois point volentiers. Ency la chose est demouré quinze jours, qu'il m'a renvoyé ung homme, que je vinse et que le roy me feroit bonne chère : se qu'il a fait, madame, et tenu bien longues parolles, par troys foys, et hier, de vous, longtemps, au propos du petit cheval qu'il me fit monter, sur lequel entrez voullentiers aux villes, comme il me dit, et me semble, madame, qu'il désire bien vostre retour.

Madame, se commencement de bien me vient pour l'onneur de vous, et est bien en vostre puissance d'en faire bonne yssue, et, sy propos ne change, veut me mestre en lieu où je pourroys faire service, mais, sans ce que vous y aidissez et que l'eussez agréable, il ne s'y vouldroit point employer. Par quoy tout est remis à vostre venue, èt croy que jusques-là retourneré sens moy, et combien que me soye trouvé longue espace avecque le roy, où il y avoit poy de gens, et qu'il parloit à moy, n'ay en riens voulu parler de mes affaires, et croy que pour ce coup n'en parleré point. Il m'a conté, madame, comme monsieur du Puy[1] *ly parla de moy à Lyon, et que, sy je en eusse escript à monsieur du Puy, qu'il m'eust fait bonne response. Et sy sa pensée est comme sa parolle, madame, se que je croy, je m'en doy contenter, mais le tout dépend de vous, madame, car s'il cuydoit que n'y eusez nulle afecsion, combien qu'il ayt bien afaire de compaignie, sy doubté-je que je demourois sus moy à faire mes vignes.*

Madame, madame d'Angoulesme[2] *et monsieur son fils sont icy pour ces choses de Savoye, comme je croy, car il en est venu des gens.*

Plaise vous tousjours, madame, me commander vostre bon plésir pour l'acomplir à mon povoir, en priant Dieu, madame, qu'il vous doint boune vie et longue et tout se que vous désirez.

A Tours, ce XVIIe *jour de juillet* (1505).

Vostre très-humble et très-obéissant suget et serviteur,

COMMYNES.

Une semaine plus tard Commynes pouvait confirmer à la reine le progrès de son retour en grâce.

XII. — A la royne ma souveraine dame.

Madame, tant et sy très-humblement comme je puis, me recommande à votre bonne grâce.

Madame, puis poy de jours, vous ay escript mon arrivée, et comme le roy m'avoit fait bonne chère et fort parlé à moy, et a fait, chacun jour, depuis mais lettres escriptes, parolles générolles, et à chascune fois m'a parlé de vous et

1. Geoffroi de Pompadour, évêque du Puy.
2. Louise de Savoie, mère de François 1er.

longuement ; mais je n'y suis allé que unne foys le jour et en la compaingnie de monseigneur le léguat.

Il y a environ quatre jours, madame, que je demandé à monseigneur le léguat s'il ne valloit pas myeulx que je m'en allasse en attendant votre venue, puisque mon fait estoit remis là et se qu'il lui sembloit que je devois dire au roy à mon partement, et me dist que je attendisse jusques sur le partement du roy et que ne dist sinon que le merciais de ce qu'il lui avoit pleu que vinse icy et que ceste heure ne lui voullois faire resqueste de aultre chose, et que s'il luy plesoit m'emploier en aucune chose en son service, que de millieur ceur que jamais je m'y emploirois, et puis que à vostre venue il vous en parlera et s'y emploira de toute sa puissance. Ency je suiveray son conseil, car quant je vouldrays faire autrement, je parderois tantost tout. Sine d'amytié il me monstre et de privées paroles assez, et m'a parlé ennuyt de faire venir monsieur du Puy ; et ung autre foys le m'avoit dit, et dit que le dit du Puy est bien de mes amis. Je ne sé s'il vouldroit quelque serment ou promesse de moy, car en quelque susepesion l'avoit-on mis au commencement, disant que s'il s'y fioit, que mademoiselle de Beaumont[1] *et moy à la fin luy nuirions envers vous et le tromperions.*

Madame d'Angoulême, madame, a porté fort bonnes parolles, disant qu'il me vouldroit céans, avec ung bon et gros appoinctement, pour ce qu'il est grand faute de gens. Je entens bien à son parler, qu'il faut bien qu'il s'ayde de quelqu'un, et croy qu'il seroit plus content de moy que d'aultres, sy défience ne l'en guarde, mais qu'il vous plaise l'ayder.

Je vous supplie, madame, qu'il vous plaise m'escripre une bonne lettre, que lui puisse monstrer ou faire monstrer sy j'estois party d'ycy.

Le roy envoie monsieur de Nevers et l'évesque de Paris vers le roy de Castille pour ses resors[2] *et aucunes appellacions, et cela le prend fort à ceur et à grands aprests de*

1. Jeanne de Chambes, femme de Jean de Polignac, seigneur de Beaumont.
2. Les ressorts du parlement de Paris en Flandre.

parolles. Monsieur l'amiral tient le roy de près et fit ung tel[1] *visage, quand il me vit rester en votre chambre à Paris, quant il m'y trouva.*

Le roy, madame, fut ung poy mal disposé puis poy de jours, et vis monseigneur le léguat en peur ; mais l'endemain il n'y parut. Il me semble, madame, que ferez bien d'abrégier votre véage. Il n'est point de nouvelles qu'il aille en Normendie. On dit, je ne sé s'il est vray, que ledit amiral egrit fort contre se conté de Flandre. S'il y avait brouillis et guerre, son amyrauté en vaudroit XX mille francs par an davantage. Les semblables diférens de seux pour coy ils vont, ay-je veu toute ma vie, et toujours s'apèsent en parlant[2].

Je loue Dieu, madame, de ce que l'afère du maresal prend train à votre honneur et plésir : il a ycy ung homme, més nul ne parla à ly, que j'aie veu. Le roy loue vos mariages[3]*, se m'a-t-on dit. Priant à Notre Seigneur, madame, qu'il vous doinst bonne vie et longue et accomplissement de tous vos désirs.*

A Tours, se XXIIIe (juillet 1505).

Je vous supplie, madame, rompre ses lettres.

De la main de votre très-humble et très-obéissant sujet et serviteur,

COMMYNES.

1. Var : bel.
2. Cette phrase est à peu près illisible.
3. Ceci se rapportait notamment au projet de mariage du roi d'Espagne et de Germaine de Foix.

LE PAYS NATAL

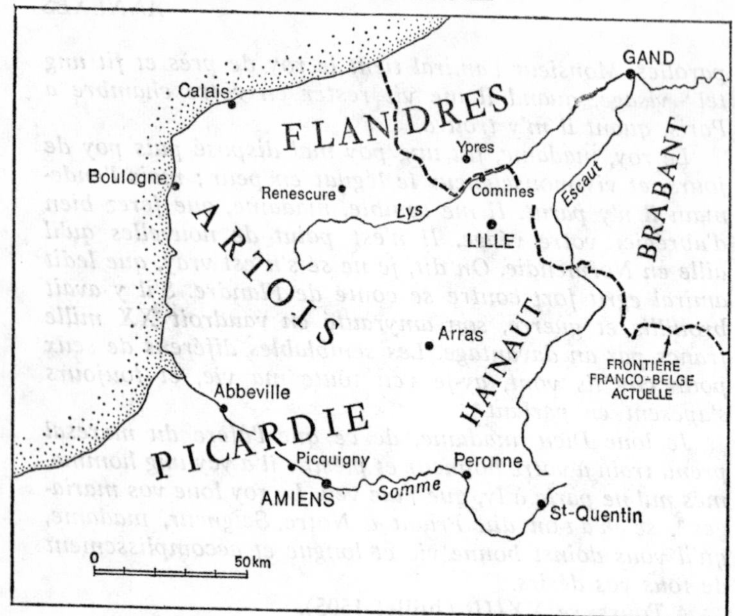

LE PAYS D'ADOPTION

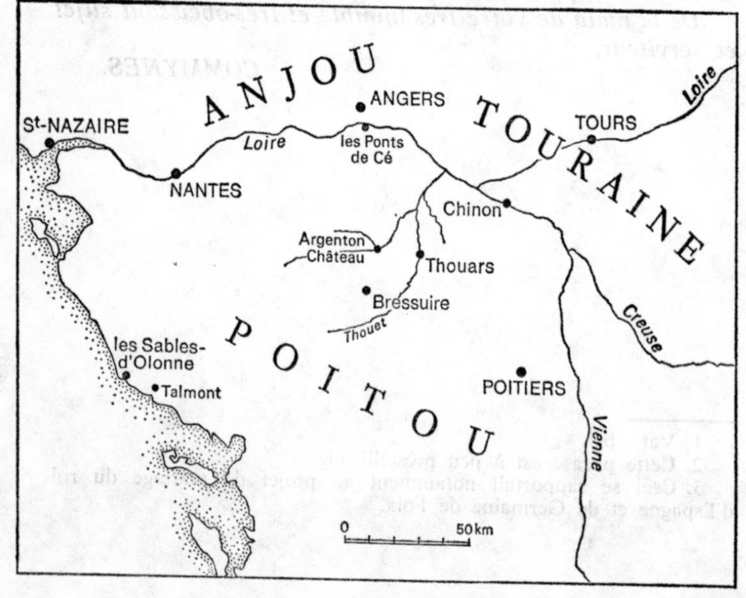

V

BIBLIOGRAPHIE

Une bibliographie exhaustive du sujet alourdirait exagérément ce volume. Nous ne mentionnerons ci-dessous que les ouvrages les plus importants parus en langue française. Les livres que nous citons expressément dans le cours de notre étude et qui ne figurent pas dans cette liste sont indiqués régulièrement en bas de pages. Pour une connaissance plus complète des études d'ensemble ou de détail on se reportera aux bibliographies contenues dans les ouvrages suivants :

1. Jean Dufournet, *Etudes sur Philippe de Commynes,* Champion 1975.

2. Jean Dufournet, *la Destruction des mythes dans les Mémoires de Philippe de Commynes,* Genève 1966.

3. Paul Murray Kendall, *Louis XI,* Fayard 1974.

4. Pierre-Roger Gaussin, *Louis XI, roi méconnu,* Nizet, 1976.

5. Yvonne Labande-Mailfert, *Charles VIII et son milieu,* Klincksieck 1975.

TEXTES ET DOCUMENTS

Mémoires :

Les éditions critiques les meilleures sont celles de :

B. de Mandrot, 2 volumes, Paris 1901-1903.

J. Calmette, 3 volumes, Paris 1924-1925.

Sauf indication contraire c'est à la première que nous nous référons pour les citations les plus importantes, en mentionnant simplement le tome et la page, sans préciser l'édition.

Lettres :

Kervyn de Lettenhove, *Lettres et négociations de Philippe de Commynes,* 3 vol., Bruxelles 1867-1874.

PHILIPPE DE COMMYNES

Les citations que nous en donnons indiquent le tome et la page précédés de la mention : Kervyn.

L. Sozzi, *Lettere inedite di Commynes a Francesco Gaddi* dans *Studi di bibliografia et di storia in onore di Tammaro de Marinis,* Verone 1964, tome IV.

Documents. — De nombreux documents concernant directement Philippe de Commynes sont reproduits dans les éditions des Mémoires publiées par Godefroy à Paris 1649, par Lenglet-Dufresnoy à Londres et Paris en 1747 et par Dupont, Paris 1840-1847. On consultera également avec le plus grand intérêt Ch. Fierville, Documents inédits sur Philippe de Commynes, Paris 1881.

Une réimpression des ouvrages de Kervyn de Lettenhove et de Fierville est parue à Genève, chez Slatkine Reprints en 1972.

LA VIE ET L'ŒUVRE

Parmi les très nombreuses études consacrées à la vie et à l'œuvre de Philippe de Commynes nous recommandons la lecture des introductions aux éditions des Mémoires de Mandrot et Calmette ainsi que celle des ouvrages déjà mentionnés de Jean Dufournet. On consultera en outre avec le plus grand profit les ouvrages suivants :

Jean Dufournet, *la Vie de Philippe de Commynes,* Paris 1969.

V.L. Bourilly, *les Idées politiques de Commynes* dans *Revue d'histoire moderne et contemporaine,* tome 1, 1899.

Sainte-Beuve, *Causeries du lundi,* tome 1, Paris 1857.

Varenbergh, *Mémoire sur Philippe de Commynes comme écrivain et comme homme d'Etat* dans *les Mémoires couronnées par l'Académie de Belgique,* tome XVI, Bruxelles 1864.

TABLE

PHILIPPE DE COMMYNES

TROISIEME PARTIE : AU SERVICE DE LA FRANCE SOUS CHARLES VIII.

QUATRIEME PARTIE : AU SERVICE DE LA FRANCE SOUS LOUIS XII.

Achevé d'imprimer le 23 octobre 1978 sur les presses de la SIMPED pour la Librairie Académique Perrin, à Paris.
Dépôt légal : 4e trimestre 1978.
Numéro d'impression : 6293 — Numéro d'édition : 482

ISBN : 2-262-00119-7